Het verbrande huis

Alle misdaadromans met Peter Decker en Rina Lazaris in chronologische volgorde:

Het rituele bad
Een onreine dood
Melk en honing
Verzoendag
Valse profeet
De doodzonde
Toevluchtsoord
Gerechtigheid
Gebed voor een dode
Het zoete gif
Jupiters resten
Slachtoffer
De vergetenen
Een stenen omhelzing
Donkere dromen

Faye Kellerman

Het verbrande huis

2008 – De Boekerij – Amsterdam

Oorspronkelijke titel: The Burnt House (William Morrow, HarperCollins)
Vertaling: Els Franci-Ekeler
Omslagontwerp: marliesvisser.nl

ISBN 978-90-225-4994-0

Voor Jonathan, mijn allereigenste redacteur en psycholoog die altijd bereikbaar is

Met speciale dank aan Bill Kurtis voor al zijn hulp

Proloog

Op een milde winterdag steeg om kwart over acht 's ochtends een vliegtuig met zevenenveertig forensen op van Burbank Airport in Los Angeles. Het toestel was een 282 Lucent Industry Aircraft van de luchtvaartmaatschappij WestAir, en het vluchtnummer was 1324. De vlucht naar San Jose zou naar verwachting een uur en zes minuten duren en men verwachtte geen problemen. De hemel was blauw, er stond vrijwel geen wind en het zicht was uitstekend. Zevenenzestig seconden later, terwijl de neus nog hemelwaarts wees, helde het toestel om onverklaarbare redenen sterk naar links, draaide om zijn as en viel als een baksteen naar beneden tot het een hoogspanningskabel raakte, een laatste gebulder liet horen en in brand vloog. De explosie was op een afstand van acht kilometer te horen.

Het grootste deel van de brandende vliegtuigromp landde op een flatgebouw van drie verdiepingen in de wijk Granada Hills in West Valley, die onmiddellijk in een vuurzee veranderde. Ramen spatten uiteen, gasleidingen ontploften en hoogspanningskabels tekenden blauwe bliksemflitsen in de lucht. De achttien appartementen van het uit pleister en hout opgetrokken gebouw werden verslonden door vlammen die alle kleuren van de regenboog hadden. Het oorverdovende lawaai overstemde de doodskreten van de bewoners. Een giftige, verstikkende stank van vuur, rook en kerosine vulde de lucht en zoog alle zuurstof eruit weg. Vlees, metaal en leer verkoolden. Brokstukken vlogen alle kanten uit tot op een afstand van honderden meters. Binnen een paar seconden was een groene buitenwijk veranderd in een onvoorstelbaar hels tafereel.

1

De lepel met cornflakes stokte halverwege. Rina keek haar man aan. 'Wat was dat?'

'Geen idee.' De lampen flikkerden en gingen toen uit, tegelijk met de televisie, de koelkast en vermoedelijk alle andere elektrische apparatuur. Decker stak zijn hand uit naar de telefoon. Hij drukte op de toetsen, maar kreeg geen kiestoon.

Rina liet haar lepel zakken. 'Doet hij het niet?'

'Nee.' Decker klikte de lichtschakelaar aan en uit, een gebaar van futiele hoop, want hun op het oosten gelegen keuken baadde 's ochtends in het daglicht en had geen elektriciteit nodig. 'Het klonk als een explosie. Misschien is er een transformator uitgevallen.' Hij fronste. 'Maar dan zou de telefoon het moeten doen.' Hij pakte zijn mobieltje en belde het bureau. Toen hij geen gehoor kreeg, begreep hij dat de schade omvangrijk moest zijn.

Bureau West Valley van het Los Angeles Police Department, het LAPD – voorheen Devonshire Division – was niet ver bij Decker vandaan en als de stroom uitviel was het daar meteen een gekkenhuis omdat iedereen in paniek het alarmnummer belde, waardoor de centrale binnen de kortste keren overbelast raakte. 'Ik kan maar beter meteen naar het bureau gaan.'

'Je hebt nog niks gegeten,' zei Rina.

'Ik neem op het bureau wel iets.'

'Peter, als het alleen maar om een transformator gaat kun je toch niet veel doen, maar dan heb je wel een lange dag voor de boeg en kun je beter niet met een lege maag op pad gaan.'

Daar had ze gelijk in. Hij ging weer zitten en schonk wat magere melk in zijn kom cornflakes, die rijkelijk was aangevuld met schijfjes verse aardbei en banaan. 'Je hebt gelijk. Een paar minuten maakt niet uit.' Ze begonnen zwijgend te eten. Hij zag Rina fronsen. 'Je maakt je zorgen om Hannah.'

'Een beetje wel, ja.'

'Ik rij zo wel even langs haar school.'

'Graag.' Rina zocht naar een ander gespreksonderwerp. Automatisch kwam ze op de kinderen. 'Cindy heeft gisteren gebeld. Zij en Koby komen vrijdagavond hier eten.'

'Gezellig.' Weer een stilte. Decker at door. 'Hoe is het met de jongens?'

'Ik heb Sammy gisteren nog gesproken. Alles was goed. Jacob belt altijd alleen op vrijdag of als hij ergens mee zit. Aangezien hij niet heeft gebeld, neem ik aan dat alles in orde is.'

Decker knikte, maar nam in gedachten de procedures voor noodsituaties door. 'Is de computer in de studeerkamer aangesloten op batterijvoeding?'

'Dat geloof ik wel.'

'Dan kan ik iets proberen.' Decker trok de stekker van de kleine, draagbare televisie in de keuken uit het stopcontact en nam het toestel mee naar de studeerkamer. Rina liep achter hem aan. Hij ging op zijn hurken zitten en stak de plug van de televisie in de voeding. Het scherm kwam tot leven. Decker zapte naar een van de plaatselijke stations. Het was een kleurentelevisie, maar de beelden die ze zagen waren zwart en grijs.

'Wat is dat nou?' vroeg Rina.

'Rookwolken, lijkt mij. Er moet ergens brand zijn.' Als bevestiging van die veronderstelling schoten er nu oranje vlammen door het grijs. Op hetzelfde moment ging zijn mobieltje. 'Decker.'

'Met Strapp. Waar ben je?'

Als de hoofdinspecteur naar zijn mobiel belde, was er iets heel erg mis. 'Thuis. Ik wilde net...'

'Kom niet naar het bureau. Er is iets afgrijselijks gebeurd. Een vliegtuig is neergestort op Seacrest Drive, tussen Hobart en Macon...'

'Jezus...'

'Wat is er?' vroeg Rina.

Decker wapperde met zijn hand om haar tot stilte te manen.

'Is er iets met Hannah?'

Decker schudde zijn hoofd en probeerde de woorden van de hoofdinspecteur door te laten dringen. '... een flatgebouw totaal vernietigd. De brandweer is al ter plaatse, maar onze jongens hebben hulp nodig, en snel. We sturen alle beschikbare teams naar Seacrest en Belarose. En we gaan in spoedberaad.'

'Ik kan er over tien minuten zijn.'

'Heb je een zwaailicht in je auto?'

'Ja.'

'Zet dat dan op het dak.' De hoofdinspecteur hing op.

'Zeg iets!' Rina was wit weggetrokken.

'Er is een vliegtuig neergestort.'

'O, god!' stamelde Rina.

'Op een flatgebouw...' Decker stopte toen hij in de verte sirenes hoorde. Hij keek weer naar de televisie.

'Waar?'

'Seacrest.'

'Waar in Seacrest?'

'Tussen Hobart en Macon.'

'Peter, dat is vlak bij Hannahs school!'

'Neem de Volvo. Ik rij met de sirene voor je uit tot de school en ga daarvandaan door naar de plaats van het ongeluk.'

Rina bleef naar de televisie staren. Decker zette hem af. 'Je kunt onderweg naar de radio luisteren. Kom mee!'

Rina schrok op uit haar verdoving. Ze wist precies wat er ging komen: een lange dag, gevolgd door een eindeloze nacht. Ze zou Peter de komende vierentwintig uur niet zien. Maar in tegenstelling tot de mensen in dat vliegtuig zou hij tenminste terugkomen. Haar hart klopte als een bezetene en ze kreeg zo'n brok in haar keel dat ze geen woord kon uitbrengen.

Pas toen ze buiten waren, vond ze haar stem terug. 'Wees voorzichtig, Peter.'

Hij knikte afwezig en hield het portier voor haar open. Ze stapte snel in. 'Ik hou van je.'

'Ik ook van jou. En maak je geen zorgen, ik zal voorzichtig zijn.'

'Dank je. Ik dacht dat je me niet had gehoord.'

'In andere omstandigheden zou ik je misschien niet gehoord hebben, maar nu kan ik zelfs een vlinder horen fladderen. Dat krijg je wanneer je zo abrupt in actie moet komen. Dan staan al je zintuigen meteen op scherp en ben je tien keer zo alert.'

Net als op veel andere privéscholen had men in de Beth Jacob Hebrew Academy High School onlangs besloten op te treden tegen hun verwende tieners. Het onderwijzend personeel, dat gek werd van alle piepjes, fluitjes en ringtonen tijdens de lessen, had zich beklaagd bij de directie die op haar beurt *waanzinnig strenge maatregelen* had genomen – zoals de veertienjarige Hannah Decker verontwaardigd had gezegd – door de regel in te stellen dat alle elektronische apparatuur op school verboden was, met uitzondering van rekenmachientjes voor de wiskundelessen. De regel was drie weken geleden van kracht geworden, een wat ongelukkige timing nu de gewone telefoons het niet deden en de schoolleiding alle ouders moest bellen via de weinige mobiele telefoons die er beschikbaar waren.

De meeste ouders hadden echter al gehoord wat er was gebeurd en tegen de tijd dat Decker en Rina bij de school aankwamen, stond er al een hele rij auto's te wachten om de kinderen af te halen.

Decker stapte uit zijn auto, die alleen aan het zwaailicht te herkennen was als politieauto, en liep naar de Volvo van Rina. Zijn neusvleugels trilden bij de bijtende geur van de rook en zijn ogen begonnen te tranen van de ronddwarrelende as. Hij hield zijn hand voor zijn mond en gebaarde dat ze het raampje moest opendraaien. 'Hebben we voldoende eten en water in huis?'

'Je weet hoe ik ben. We hebben genoeg voor de hele straat.'

'Mooi. Ga naar huis en blijf binnen. De lucht is enorm vervuild en als het vanmiddag gaat waaien wordt dat nog veel erger. Je redt je verder wel, hè?'

'Natuurlijk,' zei Rina. 'Ga maar, Peter. En dank je wel voor de escorte.'

'Ze is ook míjn dochter. Geef haar een dikke knuffel van me.'

'Doe ik.'

Decker keerde terug naar zijn eigen auto die nu klem stond tussen de Volvo van Rina en een Lincoln Navigator. Toen hij de sirene aanzette, gaf de Lincoln hem een paar centimeter ruimte om te manoeuvreren. Even later zat hij op de doorgaande weg met de ruitenwissers aan om de witte as van de ruit te vegen. Ondanks de sirene deed hij drie keer zo lang over de rit die normaal gesproken niet meer dan vijf minuten kostte, omdat de verkeerslichten het niet deden en er overal opstoppingen waren ontstaan. Hij zigzagde tussen de auto's door die vanwege de sirene voor hem opzij gingen en zag dat er al op tien straten afstand van de plaats van de ramp geel politielint over de weg was gespannen. Wonder boven wonder kon hij zijn auto kwijt op een plek waar hij de straat noch opritten blokkeerde. Uit de donkere lucht dwarrelde as als sneeuwvlokken naar beneden.

Zelfs met het portier en de ramen nog dicht voelde hij de giftige stank van kerosine, smeltend metaal en smeulend hout in zijn keel branden.

Nu hij inspecteur was, kon Decker zelf bepalen of hij veldwerk deed als er een melding binnenkam, maar hij was in ieder geval altijd overal op voorbereid en dat wilde zeggen dat hij rubberhandschoenen en mondkapjes in het handschoenenkastje van zijn auto had liggen. Hij bond een kapje voor en toen hij het portier openduwde vond hij het jammer dat hij niet ook een beschermende bril had.

Intense hitte sloeg in zijn gezicht. De lucht was gevuld met dikke zwarte rookwolken waarin af en toe een oranje steekvlam te zien was. Hij toonde zijn penning aan een agent in uniform die eveneens een mondkapje droeg en tot taak had de grens van het afgezette gebied te bewaken. Toen Decker over het gele lint stapte, zag hij dat de ogen van de jonge agent schichtig heen en weer schoten.

God, ze werden steeds jonger.

Behoedzaam ging hij te voet verder naar de plek des onheils. Hij zag bijna geen hand voor ogen en het geluid van het laaiende vuur dreunde in zijn oren als dat van golven die op rotsen beuken. Hij kwam langs rijen brandweerauto's die uit alle delen van de stad waren aangesneld. En ziekenwagens in alle soorten en maten. Sirenes loeiden en de lichtbundels van de zwaailichten sneden door de mistige duisternis. Menselijke gedaanten scharrelden als insecten rond.

Toen hij er bijna was, ontwaarde hij een trio dat hem bekend voorkwam. Naar de lengte en houding van het drietal te oordelen waren het Marge Dunn, Scott Oliver en Wanda Bontemps. Bij iedere stap werd de stank van de brandende kerosine, het geblakerde hout en gesmolten metaal sterker. En hij werd bijna gek van het geloei van de huizenhoge vlammen, de sirenes en het menselijke gekrijs. In Vietnam had hij als paramedicus gewerkt en veel verwoestingen en chaos meegemaakt, maar ondanks zijn oorlogservaringen was hij hier niet op voorbereid.

Nu hij vlak bij hen was, zag Decker dat hij gelijk had wat het trio betrof. Marge, Scott en Wanda stonden te transpireren in hun beschermende kleding: oliejas, mondkapje, stofbril. Marge wenkte Decker en gaf hem een oliejas en een stofbril. 'Strapp zei dat ik deze voor je moest meenemen,' riep ze.

'Slim van hem,' riep Decker terug. 'Hoe lang zijn jullie hier al?'

'Drie minuten en dat zijn er drie te veel,' riep Marge. Ze was lang en leek letterlijk gebukt te gaan onder het gewicht van de zware jas en de verstikkende rook. Ze sprak op amechtige toon. Haar bezwete voorhoofd was al vuil.

'Weet iemand welke vlucht het was?' vroeg Decker.

'Eentje van WestAir, opgestegen in Burbank,' riep Wanda Bontemps. 'Een forensenvlucht. Ik heb gehoord dat er zo'n vijfenveertig mensen aan boord waren.'

'Wat vreselijk,' zei Decker. 'Gaat het om een terreurdaad of een technisch mankement?'

Ze haalden hun schouders op. Domme vraag. Hoe moesten zij dat nou weten? Zijn mond had gesproken voordat zijn hersens hadden gewerkt. Decker voelde een trilling op zijn borst. Zijn mobiel. Hij schreeuwde in het apparaat: 'Hard praten, anders hoor ik het niet.'

Het was Strapp en hij schreeuwde in de telefoon, maar Decker had evengoed moeite hem te verstaan. Hij stak een vinger in zijn andere oor. 'Ja... goed... komt voor elkaar.' Hij stak de telefoon weer in zijn zak. 'De spoedvergadering is voorbij maar Strapp zit vast in het verkeer. We moeten de wijk systematisch evacueren. Allereerst een radius van tien straten rond het lint. Het terrein daarbinnen zal door de brandweer worden ontruimd.'

Decker viste een notitieboekje uit zijn zak.

'Eerst moeten alle pottenkijkers weg. Wanda, als jij je daarover ontfermt krijgen we meteen vrij baan voor de hulpvoertuigen. Mensen die niet onmiddellijk weggaan, worden in hechtenis genomen. Marge, jij houdt contact met de verkeerspolitie. Stuur agenten in uniform naar alle omliggende kruispunten om ervoor te zorgen dat de doorgang vrij is voor het uitgaande verkeer. Oliver, laten wij de wijk in secties verdelen. Ik zal zoveel mogelijk rechercheurs en agenten optrommelen, zodat we kunnen beginnen mensen uit hun huizen te halen.'

In de hopeloze verwarring die door de ramp was ontstaan, waren de verstopte straten het grootste probleem. De bewoners laadden in paniek auto's, busjes en zelfs vrachtwagens vol met spullen die hun dierbaar waren. Het was een wijk met grote villa's die behalve dure tv's nog veel meer elektronische apparatuur bevatten. Sommige hadden ook een zwembad, vaak met een houten terras en een barbecue. Al die dingen konden echter worden vervangen, daarom waren het juist de kleine dingen waar de mensen zich druk om maakten: fotoalbums, souvenirs, sieraden.

Zodra Oliver de wijk in blokken had verdeeld, stuurde Decker zijn rechercheurs eropuit. De evacuatie van de huizen die het dichtst bij de plaats van de ramp stonden, nam hij voor zijn eigen rekening. Via megafoons riepen ze om dat de bewoners hun huizen onmiddellijk moesten verlaten. Voor de mensen die een auto hadden was dat geen probleem, maar hoe moest het met degenen die zonder zaten? En met de bejaarden en zieken?

Decker begon op deuren te kloppen.

Het eerste huis was van een vrouw met twee kleine kinderen. Ze was erg mager en haar donkere haar was bedekt met as, waardoor het grijs leek. Ze hoestte en huilde en droeg een bruine doos met spullen die belangrijk voor haar waren. Haar twee kinderen zaten al in hun autostoeltjes.

Decker zei: 'U moet onmiddellijk vertrekken. U en uw kinderen lopen gevaar als u deze lucht blijft inademen.'

'Ik moet de deur nog op slot doen.'

'Geef mij de sleutels en stap vast in.'

De vrouw stapte gehoorzaam in haar auto. Even later reikte Decker haar de sleutels aan en gaf aanwijzingen toen ze voorzichtig achteruit de oprit afreed en zich in de langzaam rijdende file voegde.

Toen Decker bij het volgende huis aanbelde, kreeg hij geen antwoord, maar hoorde hij wel ergens een hond tekeergaan. Hij keek door het rasterhek dat de achtertuin omgaf en zag een kleine, ivoorkleurige poedel, die daar zat opgesloten. Hij maakte het hek open, tilde het beestje op en liep ermee naar het volgende huis.

Daar werd opengedaan door een jonge Latijns-Amerikaanse vrouw in het uniform van een dienstmeisje, die twee blanke peuters bij zich had. Hij zei dat ze onmiddellijk moesten vertrekken. 'Heb je een auto?' vroeg Decker haar in het Engels.

'Ik probeer Missy bellen. Telefoon niet werken.'

Decker schakelde over op Spaans. 'Jullie moeten hier onmiddellijk weg. Neem jij de kleine, dan neem ik de oudste.' Met de poedel onder zijn andere arm tilde hij het jongetje op dat een jaar of vier was. 'Vooruit. Jullie moeten hier weg.'

'Maar Missy dan?' vroeg de huishoudster angstig.

'Je kunt tegen haar zeggen dat je op last van de politie het huis moest verlaten.' Decker zag aan de overkant een man die zijn gezin in een grote gezinswagen liet stappen. Hij stak snel over met het kind en de hond in zijn armen en zei tegen de man, die een jaar of veertig was: 'Kunt u deze vrouw en kinderen meenemen? Ze hebben geen vervoer.'

'We hebben geen plaats,' zei de buurman en hij sloeg zijn armen over elkaar.

'Als u een paar dozen uit de auto haalt, hebt u wél plaats!' zei Decker bars.

De man bond in en bleek opeens wel ruimte te hebben. 'Maar de hond kan niet mee,' zei hij. 'Ik ben allergisch voor honden.'

Decker drong niet aan. Hij keerde terug naar de overkant en klopte op de motorkap van een personenwagen met een jonge moeder achter het stuur. Haar baby lag in een babystoeltje op de achterbank. Ze deed het raampje open. 'Kunt u deze hond meenemen? Zijn baasje is niet thuis.'

'Bijt hij niet? Ik heb een baby.'

Decker wist dat de hond bang was en dat angstige dieren de neiging hadden te bijten. Hij zei tegen de vrouw dat hij wel iemand anders zou vinden en slaagde er uiteindelijk in het dier mee te geven met de moeder van een tiener die was thuisgebleven omdat hij griep had.

Bij de volgende drie huizen werd niet opengedaan, maar redde hij wel nog een kleine hond en twee katten. Hij kon echter niets doen voor een paar grote honden die in huizen en afgesloten tuinen zaten. Het ging hem uiteraard allereerst om de mensen, niet om de dieren, maar hij vond het toch erg dat hij ze moest achterlaten. Dit was iets wat hij, net als iedereen, later zou moeten verwerken.

Zijn keel deed pijn van de schroeiende hitte en ondanks de beschermende bril brandden zijn ogen.

Het volgende huis was van een vrouw die koffers naar haar auto droeg. Hij zei dat ze direct moest vertrekken en vroeg of ze de dieren kon meenemen die hij onder zijn arm had. Ze stemde zonder meer toe en startte snikkend de motor van haar auto.

De rook was zo dik dat het zonlicht er niet doorheen kwam. De wereld was donkergrijs geworden, doorpriemd door de flauwe lichtbundels van de koplampen van de auto's die in een lange file de wijk verlieten. Decker holde van het ene huis naar het andere, pakte alle huisdieren op die hij kon dragen en gaf ze mee aan de vluchtende bewoners. Hij noteerde de adressen van de huizen waar hij was geweest om ervoor te zorgen dat er niemand werd overslagen.

Een uur nadat hij was begonnen, klopte hij op de deur van een gedeeltelijk houten bungalow. Eerst leek het erop dat er niemand thuis was, maar toen hij nogmaals klopte, meende hij iets te horen, een gedempe kreet of iets wat daarop leek. Het kon een dier zijn, het kon zijn verbeelding zijn, het kon ook een mens zijn. Hij voelde instinctief aan dat hij naar binnen moest gaan.

Hij sloeg zijn armen strak over elkaar en ramde met zijn schouder een paar keer tegen de deur, tot het slot het begaf en de deur openvloog.

Zwarte rook walmde hem tegemoet.

'Is hier iemand?' riep hij.

Het antwoord was een gesmoorde kreet ergens achter in het huis. Hij liep door de met giftige rookwolken gevulde gang en trof een oude vrouw van minstens negentig jaar aan die nat van het zweet in bed lag. Het was een wonder dat ze nog leefde. De ingeklapte rolstoel van de vrouw stond in een hoek van de kamer. Ze was volkomen hulpeloos en beefde van angst.

'Godzijdank!' zei ze geluidloos terwijl de tranen over haar gezicht liepen.

Decker klapte de stoel uit en tilde de broodmagere vrouw er voorzichtig in. Haar nachtjapon was doorweekt van zweet, urine en dunne ontlasting. Ondanks het feit dat het meer dan dertig graden moest zijn in huis, rilde ze alsof ze het koud had. Hij pakte een deken en spreidde die uit over haar skeletachtige lichaam. Toen hij op het nachtkastje een halve apotheek aan medicijnen zag, propte hij alle flesjes en potjes in zijn zakken. 'Wees maar niet bang. Ik breng u wel in veiligheid.'

'Godzijdank!' zei de vrouw nogmaals.

Hij duwde de rolstoel door de met rook gevulde woonkamer en vroeg: 'Woont u hier helemaal alleen, mevrouw?'

'Nee, met mijn verzorgster.'

'Waar is die dan?'

'We hoorden een verschrikkelijke ontploffing...' De vrouw beefde alsof ze Parkinson had. 'Ze zei dat ze me zou komen halen.'

'Hoe lang geleden?'

'Een hele tijd...'

'Heeft ze een auto?'

'Ja. Die staat op de oprit.'

Er stond geen auto op de oprit. De verzorgster was er blijkbaar meteen vandoor gegaan toen ze de vlammen had gezien. Decker bracht de oude vrouw naar buiten en duwde haar in de rolstoel de halve straat door tot hij in de file een busje zag. Hij klopte op het raampje aan de kant van de bestuurder; de vrouw achter het stuur schrok op, keek naar hem en wendde meteen haar hoofd af. Hij klopte nogmaals en liet haar zijn penning zien. Ze opende het raampje.

'Ik had graag dat u deze vrouw meeneemt. Ze lag hulpeloos in haar huis.' Decker haalde de medicijnen uit zijn zakken. 'En dit moet ook mee.'

De vrouw gaf geen antwoord. Ze was verdoofd van angst. Decker bleef praten tot ze begreep wat hij van haar verlangde en op een knop drukte zodat Decker het zijportier kon openen. Hij tilde de oude vrouw de auto in, naast het vijfjarige zoontje van de vrouw. Het kind lachte verlegen naar haar en bood haar gul zijn lolly aan.

De oude vrouw huilde. Ze greep Deckers hand. 'God zegene u.'

'U ook.' Hij zette de rolstoel achterin en bedankte de bestuurster, al was die nog steeds te bang en te geschokt om iets te kunnen zeggen.

Nadat hij zijn lijst had afgewerkt, begon hij aan de volgende groep huizen, die iets verder weg stonden maar nog altijd binnen bereik van de vuurstorm waren. Door alle kerosine en gebroken gasleidingen die het inferno bleven voeden, zou het nog heel lang duren voordat de brand bedwongen zou zijn.

De brandweer had opdracht gegeven een gebied met een radius van drie kilometer te ontruimen. Binnen die straal stonden niet alleen vrijstaande huizen maar ook kleine en grote flatgebouwen. Het ging om heel veel mensen en heel veel auto's. Decker riep zijn rechercheurs weer bij zich om nieuwe opdrachten uit te delen.

Ze moesten nog honderden woningen ontruimen: angstige gezichten, mensen die dozen naar buiten droegen, hun armen bedekt met as, hun vingers rond de handvatten van koffers geklemd. Vage gedaanten die van het ene huis naar het andere snelden, van de ene auto naar de andere. Dieren die door de straten zwierven, amechtig piepend en blaffend. En dat alles in bijna volslagen duisternis.

Het was niet de hel, maar het kwam er dicht bij in de buurt.

Hij werkte tot diep in de nacht door terwijl de brand bleef woeden.

2

De politie werkte in ploegendiensten van achttien uur. Decker at voldoende om zijn maag tot zwijgen te brengen, maar daar kon hij zich later niets van herinneren. De informatie over het ongeluk die doorsijpelde naar de crisisteams was onvolledig en tegenstrijdig. Toen er vierentwintig uur waren verstreken zonder dat een radicale terreurgroepering de verantwoordelijkheid opeiste, begonnen ze zich iets te ontspannen. In wat voor wereld leven we, dacht Decker, als iedereen vurig hoopt dat het om een technisch mankement gaat! Volgens ooggetuigen verkeerde het vliegtuig al meteen na het opstijgen in moeilijkheden. Het won niet genoeg hoogte en stortte na enkele ogenblikken als een baksteen neer. Niemand meldde iets over een explosie in de lucht en helaas waren er tot nu toe geen opnames van het ongeluk binnengekomen.

Zevenendertig uur nadat WestAir, vlucht 1324, op 7624 Seacrest Drive was neergestort, gaf de brandweer het sein 'brand meester', al was het vuur nog lang niet volledig geblust. De kerosine bleef de vlammen voeden en zelfs op plaatsen waar men dacht dat de brand bedwongen was, laaide die af en toe weer op. Het zou nog dagen duren voordat de omwonenden naar huis terug konden. De gouverneur was gekomen en had de wijk tot rampgebied verklaard, zodat de bewoners hulp en leningen van de overheid konden krijgen.

Uit de flarden informatie die Decker bereikten, maakte hij op dat het dodental tussen de zestig en zeventig lag, inclusief de zevenenveertig inzittenden van het vliegtuig. Het precieze aantal slachtoffers op de grond stond nog niet vast.

Decker werd naar huis gestuurd toen hij tweeënveertig uur achter elkaar had gewerkt. Hij kon zich later niet herinneren dat hij naar huis was gereden. Hij kon zich evenmin herinneren dat hij daar zijn vrouw en dochter had gezien, noch dat hij een douche had genomen. Van pure uitputting wist hij zelfs niet meer dat hij in bed was gekropen. Het eerste wat weer bewust tot hem doordrong was dat Rina hem 's ochtends om negen uur wakker maakte. Hij wist aanvankelijk niet waar hij was, maar was blij dat ze hem wakker had gemaakt, want hij had naar gedroomd. Toen hij de mouw van zijn pyjama over zijn bezwete gezicht haalde, bleef er een zwarte veeg roet op achter.

Rina gaf hem de telefoon. 'Hoofdinspecteur Strapp.'

Decker pakte de telefoon aan en drukte op de gesprektoets. Sinds hij van huis was gegaan, was de elektriciteitstoevoer hersteld en waren de telefoonleidingen gerepareerd.

'De telefoon staat hier roodgloeiend, Pete. Familieleden van de bewoners van het afgebrande gebouw en de huizen eromheen willen informatie over hun dierbaren. Stel een speciale eenheid samen om namen en gebitsfoto's te verzamelen. Dan kunnen we het team van de lijkschouwer de lijst geven wanneer ze aan hun onderzoek beginnen. Dat zal een hoop tijd schelen.'

Decker luisterde naar hem, maar het duurde even voordat hij begreep wat Strapp zei. 'Hebben we dan een lijst van de personen die in het gebouw zijn omgekomen?'

Strapp klonk vermoeid. 'Heb ik je wakker gebeld?'

'Ja. Dat wil zeggen, Rina is me komen roepen. Ik ben pas...' hij keek op de klok '... acht uur thuis.'

'En hoe lang had je gewerkt?'

'Tweeënveertig uur, geloof ik.'

'Allemachtig. Dat zijn een heleboel overuren.'

'Ja, hè?' Decker hoopte dat hij niet sarcastisch overkwam.

'Om je vraag te beantwoorden: nee, we hebben nog geen lijst van de mensen die in het gebouw zijn omgekomen. Ik wil juist dat jouw mensen contact opnemen met de families zodat we een lijst kunnen maken. Jij kunt als tussenpersoon optreden tussen de families van de slachtoffers, de NTSB en de lijkschouwer. Ik heb al om een onderhoud met de burgemeester gevraagd om te overleggen wat de mensen in die wijk nodig hebben. We moeten om te beginnen een meldpunt hebben voor de ongeruste familieleden, zodat ze snel informatie kunnen krijgen.'

Deckers hersenen begonnen te werken. Strapp had gelijk. De verkoolde lijken waren de zorg van de lijkschouwer, de brokstukken van het vliegtuig waren de zorg van de National Transportation and Safety Board, maar de buurtbewoners waren de zorg van de politie. De gesprekken met de familieleden van de slachtoffers zouden een zeer emotionele aangelegenheid zijn, dus zou hij die taak zelf op zich nemen.

Het zou weer een lange dag worden.

Strapp was nog steeds aan het praten. '... niet zo dringend, maar er komen meldingen binnen over graffiti en plunderingen in de bewuste wijk. Ook daar moeten we een onderzoek naar instellen.'

Decker ging zitten. 'Wie heeft dat gemeld? De bewoners mogen de wijk nog niet in.'

'Dat mag jij uitzoeken.'

Decker slaakte een zucht. 'Goed. Ik ben over uiterlijk drie kwartier op het bureau.'

'Tot dan.'

Met een klikje werd de verbinding verbroken. Decker gaf de telefoon aan zijn vrouw. 'Ik moet onder de douche en aan het werk.'

Ze ging er maar niet tegenin. 'Dan moet je eerst iets eten.'

'Eten... wat een heerlijk woord.' Decker zwaaide zijn benen uit bed, stond op en rekte zich uit tot zijn volle lengte van een meter negentig. Door de jaren heen was hij iets dikker geworden en hij woog nu rond de honderd kilo, maar voor een man van achter in de vijftig was hij goed geproportioneerd. 'Is Hannah naar school?'

'Haar school staat in het verboden gebied. Ze hebben vrij gekregen tot de directie een plek vindt waar de kinderen kunnen ademhalen zonder as in hun longen te krijgen. Tussen haakjes, we brengen de sabbat bij mijn ouders door. De lucht is daarginds ook niet honderd procent zuiver, maar in Beverly Hills is het in ieder geval beter dan hier.'

'Dat is het in nog wel meer opzichten. En ik vind het prima. Ik heb wel zin in een etentje bij je ouders.'

'Meen je dat?'

Decker glimlachte. 'Na alles wat ik daarginds heb gezien, is een avond bij mijn schoonouders, met hun dagelijkse zorgjes, me zeer welkom. Bovendien kan je moeder heerlijk koken.'

'Dat is waar.'

'Maar zouden Cindy en Koby zaterdag niet komen?'

'Nee, vrijdag. Mijn moeder heeft hen ook meteen uitgenodigd. Hannah is in de zevende hemel. Niet zozeer omdat ze bij haar opa en oma gaat eten, maar omdat ze dan naar vriendinnen kan die daar in de buurt wonen.'

'Pubers!'

'Ja. Hannah kan geen minuut zonder haar vriendinnen. Ze zitten de godganse dag te sms'en of te bellen of allebei tegelijk.'

'Ik hoop dat ik kan komen.' Decker gaf zijn vrouw een kus op haar voorhoofd. 'Deze ambtenaar zal voorlopig nog heel wat overuren moeten maken. Maar ach, dat brengt weer wat geld in het laatje.'

'Ik heb liever jouzelf.' Rina streelde zijn gezicht en Decker besefte opeens hoe aantrekkelijk ze eruitzag. Hij voelde meteen beroering in zijn onderlijf, maar hij had helaas geen tijd.

Hij ging onder de douche, kleedde zich aan en at een paar pannenkoeken en een uitsmijter met kaas. Hij dronk er vier koppen koffie en twee glazen sinaasappelsap bij. Eigenlijk kon hij nog wel meer op, maar de tijd drong. Toen hij zei dat hij moest gaan, deed Rina geen pogingen hem tegen te houden.

'Kun je wel rijden?'

'Ja hoor, ik ben weer helemaal bijgetankt.'

'Ik heb een lunchpakketje voor je gemaakt toen je onder de douche stond. Vier broodjes en wat salades. Wat je niet op kunt, geef je maar aan je collega's.'

'Die zullen er blij mee zijn.' Hij gaf zijn vrouw een kuis kusje op haar lippen, maar vond dat zelf eigenlijk allerminst bevredigend. De volgende kus duurde langer. 'Ik zou met pensioen moeten gaan.'

'Daar dreig je nu al tijden mee, al is het voor mij geen dreigement. Om te beginnen hou ik van je. In de tweede plaats hou ik een hele lijst bij van alle plannen waar we het de afgelopen jaren over gehad hebben. Ik ben er klaar voor, dus zeg het als je zover bent.'

Hij wist wat ze bedoelde. Ze hadden een tijdje geleden het plan opgevat om een stuk aan het huis aan te bouwen, dat momenteel honderdzestig vierkante meter aan vloeroppervlak telde, ook al werd het aantal bewoners niet groter maar steeds kleiner. Al maanden waren ze bezig artikelen uit woontijdschriften te knippen. Rina had haar zinnen gezet op een luxueuze badkamer bij hun slaapkamer en Decker verzamelde informatie over de inrichting van een thuisbioscoop. Het waren voorlopig alleen nog maar dromen, maar zo hadden ze in het weekend wel interessant leesvoer.

En waar zou de mens zijn zonder dromen?

Achter zijn bureau nam Decker de lijst met namen en telefoonnummers door. 'Hier ben ik wel een tijdje mee bezig.'

'Je kunt al die mensen ook vragen hierheen te komen,' zei Marge.

'Ja, maar ik vind dat het eerste contact van persoonlijke aard moet zijn, vanwege de gruwelijke wijze waarop de familieleden van deze mensen zijn omgekomen. Zo veel tijd kost het nou ook weer niet om hen te bellen. Zodra ze met de gebitsfoto's komen, kunnen we schematisch gaan werken. Tot alle slachtoffers zijn geïdentificeerd, moet er voortdurend iemand beschikbaar zijn om deze mensen te woord te staan.'

'Die taak wil ik wel op me nemen.'

'We moeten ook contact opnemen met hulpdiensten die steun kunnen bieden.'

'Ik zal de Sociale Dienst bellen om te vragen wat ze voor ons kunnen doen.'

'Goed.' Decker keek naar zijn favoriete rechercheur – de veertig gepasseerd maar jong van geest. Ze werkten al twintig jaar samen. Zo verfomfaaid als hij zich voelde, zo fris zag zij eruit. 'Hoeveel uur heb jij geslapen?'

'Vijf. Hoezo? Zie ik er zo slecht uit?'

'Integendeel. Je ziet er monter uit.'

'Dat komt door mijn koraalrode blouse,' antwoordde Marge. 'Koraalrood doet veel voor vrouwen.'

'En mannen?'

'Mannen zouden zwart moeten dragen. Lekker mysterieus. Jouw rode haar zou er ook mooi bij afsteken.'

'Mijn haar is eerder grijs dan rood,' mopperde Decker.

'Er zit nog genoeg rood in. Ook in je snor. En je hébt tenminste nog lekker veel haar. Maar als je echt hip wilt zijn, moet je onder je onderlip ook een plukje haar laten staan. Zo'n *soul patch*.'

'Ik wil allang niet meer hip zijn. Ik wil er juist ordentelijk uitzien, zodat ik mijn tienerdochter niet in verlegenheid breng.'

'Ik dacht dat ouders daar juist voor waren. Om hun kinderen in verlegenheid te brengen.'

Dat was ook weer waar. Hij genoot altijd als zijn kinderen zich geneerden om zijn malle fratsen. 'Hoe zit het met de graffiti en de plunderingen?'

'We hebben meldingen gekregen over huizen die zijn beklad.'

'Hoe kan dat, als er dag en nacht wordt gepatrouilleerd?'

'Graffitispuiters zijn lenig. En ze hebben geen hoogtevrees. Er staan schilderingen op het viaduct boven Freeway 405 en op een paar billboards van zeven meter hoog. Zelfs een boven op het Parker-Doddard-gebouw, dat zeven verdiepingen heeft, als ik me niet vergis.'

'Misdadige sherpa's. Laten ze naar de Everest gaan, daar kunnen ze zich tenminste nuttig maken.'

'Ik zie hun tekeningen anders liever niet in de sneeuw, zeker niet als je bedenkt waarmee ze die maken.'

Decker lachte. Het deed hem goed. 'Hou op, zeg. Maar hoe zit het met de plunderingen? Van wie zijn de meldingen afkomstig?'

'Ze zijn allemaal anoniem.' Marge lachte. 'Aangezien de bewoners nog niet naar huis mogen en de meldingen niet kunnen bevestigen, denk ik dat de dieven elkáár verklikken.'

'Zijn er arrestaties verricht?'

'Er zijn een paar mensen opgepakt wegens inbraak, maar daar trekt de rest zich uiteraard niks van aan. Je weet hoe het gaat, Pete. Als een huis tijdelijk onbewoond is, wordt er onherroepelijk ingebroken, ook al is er nog zo veel politie op de been. Misdadigers houden van risico's. Net zoals wanneer huizen worden afgedekt voor een behandeling tegen termieten. Dan zijn er altijd wel een paar idioten die denken dat ze met hun buit op tijd buiten kunnen zijn, voordat ze door het gifgas worden bedwelmd.'

'Hoeveel klachten over plunderingen zijn er binnengekomen?'

'Twaalf.'

'Laat iemand contact opnemen met de bewoners van de geplunderde huizen en ernaartoe gaan om samen met hen na te gaan of er dingen worden vermist. Als er inderdaad spullen zijn gestolen, kunnen ze tenminste direct contact opnemen met hun verzekeringsmaatschappij.'

'Ik maak er meteen werk van.'

'Dank je.'

'Deur maar open laten?'

'Tuurlijk.'

Toen ze weg was, wierp Decker een blik om zich heen in zijn kantoor. Het was een klein vertrek met tweedehands meubilair, maar het was tenminste een echte kamer met een deur, in tegenstelling tot de open werkplekken in de zaal. Het had ook een raam, al kon dat niet open. Geen groot raam, maar er kwam in ieder geval daglicht naar binnen. Vandaag omlijstte het kozijn echter een loodgrijze lucht en lag op de vensterbank een laag as. Hij streek over zijn haar, dat volgens Marge nog mooi dik en redelijk rood was. Hij was moe, maar daar kon hij moeilijk over gaan zeuren, vooral niet toen hij de stapel notities zag over alle telefoontjes die er voor hem waren geweest.

Hij pakte het bovenste briefje en draaide het nummer. Een jongen nam op. Decker zei wie hij was en vroeg of hij Estelle Greenberg kon spreken. De jongen zei 'Moment' en riep: 'Mam, er is iemand van de politie aan de telefoon!'

De vrouw die aan de telefoon kwam, sprak al voordat hij iets kon zeggen. 'U hebt haar gevonden!'

'Mevrouw Greenberg, u spreekt met inspecteur Peter Decker van het LAPD...'

'Ja, ja, hebt u mijn dochter gevonden?'

'En uw dochter is...?'

'Jezus, man! Waarom belt u mij als u niet eens weet waarom ik het bureau heb gebeld?'

Een heleboel misplaatste woede. Decker liet het langs zich heen gaan. 'Ik heb uw bericht zojuist pas ontvangen. Neemt u me niet kwalijk. Het is echt niet mijn bedoeling u van streek te maken.'

'Hebt u mijn dochter gevonden?' gilde ze in de telefoon.

'We hebben nog geen slachtoffers uit het rampgebied kunnen halen,' legde Decker uit. 'Het is er te heet en te gevaarlijk om te kunnen gaan zoeken.'

'Waarom valt u me dan lastig?' De woede in haar stem kon haar wanhoop niet maskeren.

'Om te beginnen om te zeggen dat ik met u meeleef. Maar laat u me alstublieft even uitleggen waarom ik bel. Ik ben bezig inlichtingen in te winnen zodat de mensen die straks ter plaatse een onderzoek gaan doen, precies weten wie ze moeten zoeken. Ik begrijp uit ons gesprek dat uw dochter in het getroffen flatgebouw woonde?'

Ze gaf niet meteen antwoord en toen ze weer sprak, was haar stem omfloerst vanwege haar tranen. 'Ja.'

'Hoe heet ze?'

'Delia Greenberg. Flat 3C.'

'Ik weet dat mijn vragen erg ongevoelig zullen klinken, maar ik moet ze echt stellen. Bij voorbaat mijn excuses als ik u van streek maak. U hebt, neem ik aan, sinds het ongeluk niets van Delia gehoord?'

'Nee.'

'Heeft ze een mobiele telefoon?'

'Die heb ik al duizend keer gebeld...' Ze snikte hoorbaar. 'Ik krijg steeds haar voicemail.'

'Woonde ze met iemand samen?'

'Nee.'

'Er was dus niemand bij haar toen het gebeurde?'

'Dat weet ik niet. Misschien. Er bleef vast wel eens iemand bij haar slapen.'

'Kunt u me namen geven?'

'Nee. Niet uit mijn hoofd. Ik kan helemaal niet helder denken!'

'U bent juist een grote hulp, mevrouw Greenberg. Ik stel het erg op prijs dat u me te woord staat. Nog één vraag betreffende Delia. Kunt u aan gebitsfoto's van haar komen, voor identificatie?'

Op dat verzoek volgde een heel lange stilte. 'Dat denk ik wel,' fluisterde ze.

'De tandarts mag ze naar me opsturen. U mag ze ook komen brengen. U mag trouwens naar het bureau komen wanneer u wilt, als u met een van ons wilt praten. Er zijn hier altijd mensen aanwezig die op de hoogte zijn van uw situatie. Ik zal u ook het nummer van mijn mobiele telefoon geven. U mag me bellen wanneer u wilt.'

'Dank u,' zei ze toonloos.

Decker ratelde de nummers af. Hij had geen idee of de vrouw ze noteerde. 'Hebt u zelf nog vragen?'

'Met wie spreek ik ook alweer?'

'Met inspecteur Peter Decker.'

'U bent inspecteur?'

'Ja, mevrouw.'

'Had de hoofdinspecteur me niet kunnen bellen?'

'Dat wil hij best doen, mevrouw Greenberg.'

'Maar dat heeft hij niet gedaan. U hebt me gebeld.'

'Als u een onderhoud wilt met hoofdinspecteur Strapp...'

'Waarom zou ik een onderhoud met hem willen als hij niet eens het fatsoen kan opbrengen me te bellen?' Ze snikte het uit. 'Wanneer wilt u de foto's?'

'Hebt u liever dat ik naar u toe kom en dat we dan samen naar de tandarts gaan?'

De vrouw gaf geen antwoord. Decker hoorde haar huilen. Toen zei ze: 'Ja, goed. Weet u waar ik woon?'

'Geeft u me het adres maar.'

'Ik woon niet bij mijn dochter in de buurt. Ze had behoefte aan privacy. Ik woon in de binnenstad.'

'Dat is geen probleem. Wat is het adres?'

Ze gaf het hem. 'Wanneer kunt u komen?'

'Is morgenochtend om elf uur een geschikte tijd voor u?'

'Ja, dat is goed. Hoe ziet u eruit?'

'Ik ben vrij lang en heb rood haar.' Dat al aardig grijs wordt. 'Ik zal me legitimeren. Tot morgen dan.'

'Dank u, inspecteur. Ik weet dat u uw best doet om aardig te zijn. Alleen...'

Ze huilde weer. Decker had kunnen zeggen: 'Ik weet het...' Decker had kunnen zeggen: 'Ik begrijp het...' Maar hij wist het niet en begreep het niet.

Godzijdank.

3

Het waren moeilijke tijden in West San Fernando Valley. Zelfs het nieuws dat de vliegtuigramp hoogstwaarschijnlijk was veroorzaakt door een mechanisch mankement kon niet verhinderen dat het aantal mensen dat het alarmnummer belde wegens hartaanvallen, astma-aanvallen en duizelingen sterk toenam.

In de week na het ongeluk werkte Decker als in een casino, zonder daglicht te zien, zonder te weten hoe laat het was. Het vrijdagse diner bij Rina's ouders moest hij uiteindelijk overslaan, evenals de lunch op de sabbat. Hij had doodgewoon te veel te doen. Hij vond wel tijd om zijn getrouwde dochter te bellen. Cindy werkte op de afdeling Autodiefstallen op bureau Hollywood en ook zij draaide dubbele diensten omdat er zo veel agenten naar de plaats van de ramp waren geroepen.

Maar aan alles komt een eind en na verloop van tijd was het gruwelijke ongeluk dat twee weken lang de voorpagina's van de plaatselijke kranten had gehaald, niet interessant meer. Er werd steeds minder over geschreven en de berichten verschoven eerst naar pagina drie, toen naar pagina vijf, toen naar de achterpagina van het eerste katern. Uiteindelijk kwamen ze terecht onder stadsnieuws en was het allemaal oude koek. Niettemin bleven de ploegen van de rampendienst non-stop zoeken naar lijken en gingen die van de NTSB door met de berging van de wrakstukken, maar de politie kon zich weer gaan bezighouden met het normale politiewerk.

Het zou nog maanden duren voordat op alle vragen duidelijke antwoorden konden worden gegeven. Misschien zou het zelfs jaren duren voordat de hele puzzel compleet was. Deze zaken kostten nu eenmaal tijd en er was veel geduld voor vereist. Rina zei dat het vlak na het ongeluk net was alsof de mensen in de stad alles wat langzamer aan deden, de tijd namen om naar elkaar te glimlachen en elkaar te begroeten. Er was minder verkeer op de weg en men gedroeg zich beleefder. En afgezien van de plunderingen en inbraakpogingen vlak na de crash daalde het aantal misdaden in de daaropvolgende weken merkbaar.

Dat leek echter van tijdelijke aard te zijn, want statistici meldden een maand later dat het misdaadpeil in San Fernando Valley alweer op hetzelfde niveau zat als vóór de crash.

Zesenveertig dagen nadat het vliegtuig was neergestort was Decker bezig de lijst van rechtszaken van zijn rechercheurs door te nemen, toen hij werd gebeld door Marissa Kornblatt, een van de drie secretaresses die de balie van de agentenkamer bemanden. Ze klonk bedeesd.

'Neemt u me niet kwalijk, inspecteur, maar ik heb iemand aan de lijn die zegt dat hij de baas van het spul wil spreken.'

'De baas van het spul?'

'Dat zei hij. Hij heet Farley Lodestone en als ik het allemaal goed heb verstaan, wordt zijn dochter vermist. Hij gaat nogal tekeer.'

'Hoe oud is zijn dochter?'

'Achtentwintig.'

'Achtentwintig?'

'Ik heb hem verteld dat we altijd zesendertig uur wachten voordat we Opsporing Vermiste Personen inschakelen, maar hij zei dat hij al meer dan een maand wacht en dat hij het zat is.'

Het klonk alsof de man niet goed bij zijn hoofd was. 'Verbind hem maar door met Matt Thurgood, dan kan die een dossier...'

'Inspecteur Decker, meneer Lodestone beweert dat het om een moord gaat. Ik denk niet dat hij genoegen zal nemen met iemand van Opsporing die alleen maar een vragenlijst invult... als ik zo vrij mag zijn.'

'Ik neem hem wel even.' Decker drukte op de knipperende toets. 'Inspecteur Decker.'

'Inspecteur?' De man klonk verbaasd. 'Nou, dat zal tijd worden! Hebt u enig idee hoe vaak ik de politie de afgelopen dagen heb gebeld?'

'Waarmee kan ik u van dienst zijn, meneer?'

'Mijn naam is Farley Lodestone en ik hoop voor u dat u me van dienst zult zijn, inspecteur Deckman. Mijn stiefdochter wordt vermist. Haar moeder en ik hebben al zesenveertig dagen niks van haar gehoord. We hebben er heel lang over nagedacht en komen elke keer tot dezelfde conclusie. Die schoft van een man van haar heeft het gedaan.'

'Wat heeft die gedaan?'

'Houd u niet van de domme, Deckman. De schoft heeft haar *vermoord*!'

Decker noteerde het nummer dat in het venstertje van de telefoon stond. Het was van een mobiele telefoon en had een netnummer buiten de stad. 'Meneer Lodestone, het lijkt me het beste als u even naar het bureau komt om dit te bespreken. Zulke gevoelige zaken kunnen beter niet per telefoon afgehandeld worden.'

Een lange stilte. 'Vindt u?'

'Ik kan over een uur tijd voor u vrijmaken. Schikt dat?'

'Niet helemaal. Mijn vrouw en ik zullen er iets langer over doen om bij u te komen.'

'Waar belt u vandaan, meneer Lodestone?'

'Uit Fresno.'

Driehonderd kilometer hemelsbreed. 'Belt u dit bureau dan omdat uw stiefdochter hier in de buurt woont?'

'Op Octavia Avenue. Nummer 23116. Daar kunt u de schoft vinden.'

'Heeft de schoft ook een naam?'

'Ivan Dresden. Hij is effectenmakelaar en werkt bij Merrill Lynch in Porter Ranch. En mijn stiefdochter heet Roseanne. Roseanne Dresden.'

Decker klemde de hoorn onder zijn kin om het op te schrijven. Toen hij Roseannes naam zwart op wit zag staan, herinnerde hij zich dat hij die al eerder had gezien. 'Haar naam komt me bekend voor. Is het mogelijk dat ik haar ergens van ken?'

'Nou, u hebt haar naam misschien in de krant zien staan want ze zeiden dat ze in dat toestel van WestAir zat dat op die flat is neergestort.'

Natuurlijk! Decker dacht snel na, want hij begreep niet goed waarom deze man hem belde. 'Meneer Lodestone, denkt u dan dat uw stiefdochter niet in dat toestel zat?'

'Dat denk ik inderdaad.'

'Maar ze stond op de slachtofferlijst die in de krant is gepubliceerd.'

'Inspecteur, ik weet zeker dat iemand u ooit wel eens heeft verteld dat je niet alles moet geloven wat in de krant staat.'

Die middag om tien voor vijf meldden ze zich op het bureau. Farley en Shareen Lodestone. Ze waren op hun paasbest gekleed, de man in een niet onaardig grijs kostuum met een wit overhemd en een stropdas,

Shareen in een gebloemde jurk met schoenen met lage hakken. Ze had er de tijd voor genomen om wat lippenstift en rouge op te doen. Blond haar, blauwe ogen, blanke huid, een vrouw die erg aantrekkelijk moest zijn geweest. Nu had ze wallen onder haar ogen en hadden die ogen hun glans verloren, waardoor ze er ziekelijk en zorgelijk uitzag.

Farley was mager, klein van stuk en had een dikke bos grijs haar. Decker kende dit soort mannen en wist dat ze vaak verrassend sterk en taai waren. Hij vermoedde dat er onder het jasje pezige armen zaten met een ijzersterke grip. De man keek eerder boos dan bezorgd, maar boosheid was bij mannen vaak de enige manier waarop ze met verdriet konden omgaan.

Decker haalde koffie voor ze en liet ze plaatsnemen in de twee stoelen tegenover zijn bureau. Nadat hij de deur had dichtgedaan, ging hij zitten en pakte een blocnote, hoewel hij vermoedde dat hun verhaal een extreem geval van ontkenning zou blijken te zijn. Hij zei: 'Voordat we beginnen, meneer en mevrouw Lodestone, wil ik u graag mijn condoleances aanbieden.'

'Dank u,' gromde Lodestone. 'En als u ons wilt helpen, kunt u dat doen door ervoor te zorgen dat die schoft achter de tralies komt.'

'Ik vond altijd al dat hij iets vreemds had,' voegde Shareen eraan toe.

'U bedoelt uw schoonzoon?'

'Ja,' zei Shareen. 'Ivan Dresden.'

Decker noteerde de naam. 'Waar verdenkt u hem precies van?'

'Dat hij haar heeft vermoord.'

'Dat heb ik u al verteld!' zei Lodestone nijdig.

'Dat weet ik.' Decker keek hen aan. 'Ik heb daarstraks WestAir gebeld. Ze hebben bevestigd dat Roseanne in het toestel zat.'

'O ja? Hoe dan?' vroeg Lodestone. 'Haar lichaam is niet gevonden.'

'Men is nog niet klaar met het bergen van alle lijken, meneer Lodestone.'

'Maar wel grotendeels,' zei Shareen. 'Ze hebben al achtendertig lijken gevonden.'

'We zullen moeten wachten tot alle zevenenveertig geborgen zijn.'

'Ze zullen er geen zevenenveertig vinden, inspecteur,' zei Farley. 'Bovendien maakt het niet uit of ze iedereen vinden die op de passagierslijst stond, want WestAir heeft haar geen ticket gegeven.'

Dat bracht Decker uit balans. 'O nee?'

'Nee!' zei Farley triomfantelijk. 'Hoe weten ze dan of ze in dat toestel zat?'

Decker gaf geen antwoord. Om tijd te winnen schreef hij *geen ticket?* op de blocnote.

Shareen schoot hem te hulp. 'Ik zal u vertellen hoe het zit, inspecteur. Roseanne werkte als stewardess voor WestAir. Toen we haar na de ramp niet konden bereiken, hebben we WestAir gebeld. Daar zeiden ze dat ze niet op vlucht 1324 werkte. Een paar dagen later belden ze terug met een ander verhaal. Dat ze niet op vlucht 1324 werkte, maar wel in het toestel had gezeten, omdat ze naar San Jose was meegelift om een paar avonden op die route te werken... dat was volgens hun de reden waarom ze haar geen ticket hadden gegeven.'

'Ogenblikje.' Decker begon nu serieus aantekeningen te maken. 'Ik dacht dat iedereen aan boord van ieder vliegtuig een ticket kreeg.'

'Dat dacht ik ook,' zei Shareen. 'Maar dat had ik mis. Ik heb dit van een van Roseannes vriendinnen, en ik hoop dat ik het goed vertel.' Ze haalde diep adem. 'Als je voor een luchtvaartmaatschappij werkt en naar een bestemming vliegt om daar te gaan werken, krijg je geen ticket, ook niet als je op de bewuste vlucht niet werkt.'

Decker knikte. 'Het is dus mogelijk dat ze in het toestel zat, maar dat daarover bij de maatschappij geen bewijzen te vinden zijn. Maar dan moeten ze toch wel ergens hebben staan dat ze daarginds ging werken?'

'Dat zou wel moeten,' antwoordde Shareen, 'maar ze zeggen niet dat ze dat ergens hebben staan, en ook niet dat ze het níét hebben staan.'

'Op het moment zeggen ze helemaal niks zonder dat er een advocaat bij is,' zei Lodestone.

Shareen ging door. 'Roseanne heeft al eerder in San Jose gewerkt. Ik dacht dat WestAir in San Jose misschien mensen tekortkwam. Dus heb ik het kantoor daar opgebeld om te vragen of het de bedoeling was dat Roseanne daar een paar dagen kwam werken. Eerst zeiden ze nee, toen zeiden ze ja, toen zeiden ze dat als ik met hen wilde praten, ik me in verbinding moest stellen met hun advocaten.'

'Het is steeds hetzelfde liedje,' zei Lodestone.

Shareen legde sussend haar hand op zijn been. 'Van al dat vage gedoe werden we erg achterdochtig.'

Decker knikte. Het klonk inderdaad een beetje vreemd, maar er heerste vast grote verwarring bij de luchtvaartmaatschappij.

'Toen heb ik het aan Ivan gevraagd,' zei Shareen. 'En wat hij zei, beviel me niet.'

'Wat zei hij dan?'

'Dat Roseanne op het laatste moment van gedachten was veranderd over het werk in San Jose. Hij zei met veel nadruk dat ze wel in het toestel had gezeten en dat hij het al moeilijk genoeg had zonder dat ik verhalen verzon over dat ze niet in het toestel zou hebben gezeten. Hij zei ook dat we hiermee niet hielpen, maar juist problemen veroorzaakten en dat hij en nog een paar mensen bezig waren met rechtsgedingen en of we ons daarom alsjeblieft koest wilden houden.'

'Zei hij dat u zich koest moest houden?'

'Niet letterlijk, maar dat bedoelde hij wel. En toen zei hij dat ik in de ontkenningsfase zat.' De vrouw kreeg tranen in haar ogen. 'Ik zit niet in de ontkenningsfase, inspecteur. Diep in mijn hart weet ik dat Roseanne dood is. Alleen geloof ik niet dat ze bij de ramp is omgekomen.'

'U zei dat Roseanne in San Jose heeft gewerkt,' zei Decker. 'Zou ze soms naar San Jose zijn gegaan om iemand op te zoeken?'

'Wie?' vroeg Lodestone. 'Ze is een getrouwde vrouw.'

'Een vriendin misschien.'

Shareen zei: 'Als ze meevloog om iemand op te zoeken, had WestAir haar een ticket moeten geven. De enige manier waarop ze aan boord van dat toestel kon meevliegen zonder ticket, is als ze op die vlucht werkte, en bij WestAir hebben ze gezegd dat dat niet zo was.'

'Maar daar zijn ze op teruggekomen,' zei Decker.

'Ze liegen,' hield Lodestone vol. 'Haar lichaam is niet gevonden! Weet u waarom niet? Omdat het er niet is. Als dat niet voldoende bewijs is dat er iets mis is, dan weet ik het niet meer.'

'Meneer Lodestone, ik wil niet klinken als een gebarsten grammofoonplaat, maar noch de ploegen van de lijkschouwer noch die van de NTSB hebben verklaard dat alle lichamen geborgen zijn. En de lichamen die ze hebben gevonden, zijn soms erg moeilijk te identificeren.'

'Inspecteur, ik heb met de schoft gesproken en hem ronduit gevraagd waarom ze haar lijk nog niet hebben gevonden. Weet u wat die rotzak zei?'

'Nou?'

'Dat ze niet diep genoeg hebben gegraven. Wat zegt u daarvan?'

Misschien had hij gelijk. Er lagen nog grote hoeveelheden wrakstukken die de bergingswerkzaamheden erg bemoeilijkten. Toch was het een vreemde opmerking. Decker knikte meelevend.

'Zou iemand die in de rouw is zoiets zeggen?' vroeg Lodestone hem.

Decker vond van niet, maar hij had lang geleden geleerd dat je rouw niet kon onderbrengen in keurige vakjes.

Shareen zei: 'Roseannes naam staat alleen maar op de slachtofferlijst, omdat Ivan de kranten heeft gebeld om te zeggen dat ze haar op de lijst moesten zetten.'

Dit klonk Decker niet erg prettig in de oren. 'Weet u dat zeker?'

Shareen bond wat in. 'Nou, dat dénk ik.'

Lodestone zei: 'Toen hij over de crash hoorde, wist hij dat hij eindelijk een veilige manier had om haar te vermoorden en te laten verdwijnen. Het zou me niet eens verbazen als hij dat vliegtuig had opgeblazen.'

Decker had al zo veel mensen buitennissige dingen horen zeggen wanneer ze van streek waren, dat deze beschuldigingen bij hem het ene oor in en het andere oor uit gingen. Hun venijnige houding verbaasde hem niet, maar het ingewikkelde verhaal dat ze hadden verzonnen om een verklaring te vinden voor de dood van hun dochter ging hem iets te ver. 'Heeft Ivan Dresden het leven van uw dochter ooit bedreigd?'

'Hij heeft een verhouding met een andere vrouw.' Shareen omzeilde zijn vraag behendig. 'Roseanne wilde van hem scheiden.'

'De flat staat op haar naam,' vertelde Lodestone. 'Ik heb haar geholpen met de financiering. Als ze van hem scheidde, zou hij alles kwijt zijn.'

'En wat zei u dat hij voor werk doet?' vroeg Decker. 'Iets in financiën?'

'Effectenmakelaar bij Merrill Lynch. Een dure naam voor een doodgewone verkoper.'

'En wat doet u zelf voor werk, meneer Lodestone?'

'Ik zit in ijzerwaren. Ik heb drie winkels en die doen het alle drie uitstekend.' Hij grijnsde breed. 'Meneer de effectenmakelaar kon het nooit uitstaan dat ik met spijkers en schroeven meer geld verdien dan hij met zijn aandelen en obligaties.'

Shareen zei: 'Sinds de ramp heeft niemand iets van Roseanne gehoord, inspecteur.'

Dat kwam doordat ze tot stof was vergaan. Je had ontkenning en je had dit soort ontkenning, mensen die zo vervuld waren van afschuw en razernij dat ze letterlijk op zoek gingen naar iets wat hun gif kon absorberen. Hun woede was zo allesomvattend dat het niet alleen hun verdriet maar ook hun gezonde verstand murw maakte.

'En u weet zéker dat ze niet aan boord was?' vroeg Decker.

'Ik heb een paar van haar vriendinnen gebeld,' antwoordde Shareen. 'Niemand wist er iets van dat ze in San Jose zou gaan werken.'

'Kunt u me de namen geven van de vriendinnen met wie u hebt gesproken, mevrouw Lodestone?'

'Ja.' Ze pakte haar tas en deed hem open. 'Ik heb de lijst hier in mijn tas.'

Lodestone wreef in zijn handen. 'Eindelijk gebeurt er wat.'

Decker hief bezwerend zijn hand op. 'Eén stap tegelijk.' Shareen gaf hem de lijst. Hij bekeek de namen. 'Dit zijn alle mensen met wie u hebt gepraat?'

'Ja, meneer, en dit zijn hun huidige adressen en telefoonnummers.'

Een efficiënte vrouw. 'Goed, dan zal ik hiermee beginnen.'

Tranen welden op in de ogen van de vrouw en gleden over haar wangen. 'Dank u, inspecteur, dat u ons serieus neemt.'

Decker klopte op haar hand. 'In ruil daarvoor heb ik een verzoek, meneer en mevrouw Lodestone. Als ik, nadat ik deze dingen heb nagetrokken, het gevoel heb dat Roseanne tóch in dat vliegtuig zat, moet u het van me accepteren als ik zeg dat ik verder niets voor u kan doen.'

'Afgesproken,' antwoordde Lodestone. 'Wat gaat u doen, afgezien van de mensen op Shareens lijst bellen?'

'Er zijn diverse mogelijkheden.'

'Zoals?' drong Lodestone aan.

'Ik kan gaan informeren bij de luchtvaartmaatschappij... Ik kan gaan praten met de grondstewardessen, om te zien of iemand zich herinnert dat Roseanne aan boord is gegaan.'

'Dat is een goed idee, want dat hebben wij ook geprobeerd,' zei Lodestone, 'maar WestAir belt ons nooit terug.'

Shareen zei: 'Als u voldoende aandringt, durf ik mijn laatste stuiver erom te verwedden dat u erachter komt dat ze helemaal niet in San Jose zou gaan werken.'

'Misschien was het een onverwachte wijziging in het dienstrooster.'

'Dat lijkt mij niet. Er is iets niet in de haak en bij WestAir houden ze hun mond stijf dicht.'

'Ze maken zich natuurlijk zorgen om rechtsgedingen,' zei Decker.

'Terecht,' zei Lodestone. 'Als mijn vliegtuig neerstortte en er een heleboel mensen omkwamen, zou ik me ook zorgen maken. Maar hoe bezorgd ze ook zijn, ze hebben van óns niks te duchten, want zij hebben Rosie niet vermoord. Dat heeft die schoft gedaan en daarmee heb ik alles gezegd.'

4

De volgende ochtend liet Decker Marge bij zich komen. Ze was net terug van een romantisch weekend met de man die wel eens haar ware jakob kon zijn. Hij heette Will Barnes, was achter in de vijftig en werkte als rechercheur bij de politie in Berkeley. Hij was gescheiden en had zelf geen kinderen, maar kon goed overweg met Vega, de aangenomen dochter van Marge die inmiddels een jonge volwassen vrouw was en astrofysica studeerde op Caltech. Will en Marge hadden nu ongeveer een half jaar een weekendrelatie en die beviel hun uitstekend, maar een paar weken geleden had Barnes aan Marge verteld dat er een vacature was op het bureau van Santa Barbara. Daar zou hij minder verdienen, maar wel ruim driehonderd kilometer dichter bij L.A. wonen, waardoor hun relatie op een te berijden afstand zou komen.

Marge luisterde zwijgend toen Decker haar over zijn gesprek met meneer en mevrouw Lodestone vertelde en knikte op de juiste momenten. Ze droeg vandaag een witte blouse en een olijfgroene broek met daarop een bruin jasje. Zulke neutrale kleuren maakten haar meestal bleek, maar ze had aan het weekend een gezonde bruine kleur overgehouden en de liefde straalde uit haar bruine ogen.

Toen Decker was uitgesproken, kamde hij met zijn vingers door zijn haar, nam een slokje water en gunde haar de tijd alles in zich op te nemen. Tijdens het vertellen was pas goed tot hem doorgedrongen hoe vreemd de beschuldigingen van de Lodestones klonken. 'Bizar, hè?'

Marge trok haar wenkbrauwen op. 'Meer dan bizar, Pete. Dit valt volgens mij onder fictie.' Ze bladerde in haar notitieboekje. 'Even controleren of ik het allemaal goed heb begrepen. Roseanne Dresden werkte als stewardess voor WestAir.'

'Klopt.'

'Haar man zegt dat ze op het laatste ogenblik haar dienstrooster heeft

veranderd en dat ze daarom in het verongelukte toestel zat.'
'Klopt.'
'Ze werkte niet tijdens die vlucht, maar vloog naar San Jose om daar op een andere route van WestAir te gaan werken.'
'Juist.'
'En omdat ze voor haar werk vloog, had ze geen ticket.'
'Helemaal goed.'
'Nu beweren haar moeder en haar stiefvader dat de man van Roseanne, Ivan... als in Ivan de Verschrikkelijke... de kans heeft aangegrepen om zijn vrouw te vermoorden toen hij hoorde dat het vliegtuig was neergestort.'
'Ja. Ze wilde van hem scheiden en hij zou er financieel erg op achteruitgaan, volgens Farley Lodestone.'
'De stiefvader met de drie winkels in ijzerwaren.'
'Die het alle drie uitstekend doen.'
Marge ging door: 'Ivan vermoordt Roseanne onmiddellijk nadat hij het nieuws over de crash heeft gehoord. Dan belt hij naar de media om te zeggen dat Roseanne in het verongelukte toestel zat en dat ze haar naam aan de lijst van de slachtoffers moeten toevoegen.'
'Ja.'
'En tot nu toe is haar lijk niet gevonden.'
'Daar heeft Farley Lodestone minstens drie keer nadrukkelijk op gewezen,' zei Decker.
'Ja. Maar er zijn nog meer slachtoffers van wie de lijken nog niet zijn gevonden. Waarom wachten we niet tot het bergingswerk is voltooid?'
'Lodestone wil niet langer wachten.'
'En wij moeten naar zijn pijpen dansen? Enkel en alleen omdat hij een waarschijnlijk onredelijke wrok koestert jegens zijn schoonzoon?'
Decker haalde zijn schouders op.
'Mag ik vragen waarom?'
'Dat mag en ik zal proberen antwoord op je vraag te geven, omdat ik er zelf ook over heb zitten denken. Als het alleen om Farleys beschuldiging ging, zou ik geen moeite doen. Maar de moeder, Shareen, maakt een heel serieuze indruk. Ze weet dat Roseanne dood is, ze verkeert niet in de ontkenningsfase. Het is waar dat we hen eigenlijk aan het lijntje zouden moeten houden tot het lijk is gevonden, maar ze hebben het echt erg moeilijk. Stel dat er nog een paar maanden voorbijgaan en Ro-

seanne bij het bergingswerk niet wordt gevonden, dan wordt het alleen maar moeilijker achter de ware toedracht van deze zaak te komen. En intussen kan er veel gebeuren – voorwerpen raken zoek, mensen verhuizen. Als er een moord is gepleegd, kunnen we beter meteen iets doen.'

'Als.'

'Met een hoofdletter.'

Marge glimlachte. 'Wat had je in gedachten, rabbi?'

'Bel eens naar WestAir. Om te zien of je schriftelijk bewijs kunt krijgen dat Roseanne in dat toestel zat – een computerprint van haar dienstrooster, een memo, een kladje, maakt niet uit, als het maar bewijst dat Roseanne in San Jose zou gaan werken. De Lodestones hebben dat ook geprobeerd, maar WestAir weigert rechtstreeks met familieleden van de slachtoffers te praten.'

'Ze zijn natuurlijk bang dat ze aangeklaagd worden.'

'En ze zullen wel druk bezig zijn uit te zoeken waarom dat vliegtuig eigenlijk is neergestort. Als we het dienstrooster kunnen bemachtigen, krijgen de ouders van Roseanne tenminste zekerheid.'

'En als er geen schriftelijke bewijzen zijn van een verandering in het dienstrooster?'

'Dat moet wel, Marge. Ze kan moeilijk haar uniform aantrekken en zomaar in een vliegtuig stappen.'

'Waarom niet?'

Decker zuchtte. 'Nou ja, misschien kan dat wel, maar waarom zou ze?'

Marge moest toegeven dat daar iets in zat. Als het rooster van Roseanne was veranderd, moest dat ergens opgetekend staan. 'Goed. Ik kan vanmiddag wel wat tijd vrijmaken om te bellen.'

'Bedankt.'

'En als ze bij WestAir niet willen meewerken? Weet je toevallig wie ik dan zou kunnen bellen om na te gaan of het verhaal van Ivan de Verschrikkelijke waar is over wat er met zijn vrouw is gebeurd?'

'Ja.' Decker pakte de lijst die hij van Shareen Lodestone had gekregen. 'Dit zijn de namen van wat collega's van haar. Die trouwens allemaal al tegen Shareen Lodestone hebben gezegd dat het verhaal van Ivan de Verschrikkelijke lulkoek is.'

'Heb jij hiervan al iemand gebeld?'

'Nee. Ik ben de inspecteur. Jij bent de brigadier.' Hij gaf haar het lijstje. 'Maar als brigadier mag je deze taak ook delegeren.'

'Wie had je gedacht?'

'Je mag zelf kiezen.'

Marge verliet Deckers kantoor en keek de zaal rond. De meeste rechercheurs waren al op pad en degenen die nog achter hun bureau zaten, zorgden ervoor dat ze eruitzagen alsof ze het erg druk hadden.

Behalve Scott Oliver.

Oliver was met zijn dertig dienstjaren een oudgediende en zat op zijn gemak zijn nagels schoon te maken. Je kon zien dat hij gewend was 's ochtends te douchen. Zijn wangen waren zo glad als de billetjes van een baby, hij had zijn donkere haar met gel naar achteren gekamd en zoals altijd was hij tot in de puntjes gekleed. Vandaag droeg hij een grijs linnen pak met een wit, gesteven overhemd, een kersenrode das en schoenen van hagedissenleer.

Maar ondanks al die zorg voor zijn uiterlijk had hij blijkbaar toch zijn nagels overgeslagen.

Ze liep naar zijn bureau.

'Ik zie dat je het druk hebt,' zei ze.

'*Qué pasa*?' vroeg hij zonder op te kijken.

'Ik heb een klusje voor je.'

'Zeg het maar.'

'Je mag ofwel de mensen op dit lijstje bellen ofwel naar WestAir bellen en proberen hun bureaucratie te doorbreken.'

Oliver keek op en fronste zijn wenkbrauwen. 'Hoeveel mensen staan er op die lijst?'

'Een stuk of acht.'

Hij pakte het briefje van haar aan en bekeek de namen. 'Vertel eens.'

'Een stewardess genaamd Roseanne Dresden staat genoteerd als een van de mensen die zijn omgekomen bij de crash van WestAir 1324. Haar ouders denken dat ze niet in het vliegtuig zat, maar dat ze uit winstbejag is vermoord door haar echtgenoot, Ivan. Ivan zou na de moord de media hebben gebeld om te zeggen dat ze op het laatste moment haar dienstrooster had veranderd en daarom in het toestel zat.'

Oliver keek haar ongelovig aan. 'Wat?'

'Pak even een notitieboekje, Scotty. Je bejaarde geheugen kan dit nooit allemaal onthouden.'

Oliver borg het nagelgarnituur op terwijl Marge hem over de theorieën van de Lodestones vertelde. Toen ze klaar was, vond ze zelf ook dat het verhaal nog steeds erg buitenissig klonk. 'We moeten iemand zien te vinden die heeft gezien dat Roseanne aan boord van dat toestel is gegaan; of een officieel document waarin staat dat Roseanne aan boord van vlucht 1324 zat. Ze heeft namelijk geen ticket gekregen.'

'O nee?'

'Nee. Stewardessen die op de vlucht werken of meevliegen omdat ze op weg zijn naar hun werk op een andere route, krijgen geen ticket. Volgens mij kan deze zaak binnen een uur worden opgehelderd, en dan hebben haar ouders tenminste zekerheid.'

'Volgens jou kan deze zaak binnen een uur worden opgehelderd? Mag ik je daaraan houden, Dunn?'

'Nee, daar mag je me niet aan houden, Oliver, want ik heb wel vaker voor verrassingen gestaan.'

De telefoontjes naar de luchtvaartmaatschappij leverden niets op. Marge werd van de ene naar de andere afdeling doorverbonden en niemand wilde met haar praten, laat staan informatie geven.

'Daar kan ik u niet mee helpen. Ik zal u doorverbinden met een andere afdeling.'

'Ik geloof dat we een speciale eenheid hebben die zich bezighoudt met de ramp. Ik verbind u door.'

'Daar heb ik geen idee van. Misschien kunt u beter de personeelsafdeling bellen.'

'Die informatie heb ik niet. Daarvoor moet u Burbank bellen.'

'Sorry, die informatie mag ik niet geven zonder schriftelijke toestemming van de employee.'

'De employee is dood,' antwoordde Marge.

'Dan heb ik schriftelijke toestemming nodig van een nabestaande.'

De nabestaande was Ivan Dresden en Marge had het idee dat die niet snel geneigd zou zijn schriftelijke toestemming te geven.

Ze werd van het kastje naar de muur gestuurd. Dat was het probleem met bellen. Het viel niet mee om charmant en ontwapenend te zijn wanneer de mensen je niet konden zien. Ze hing op en liep naar Olivers bureau.

'Hoe gaat het met de lijst?'

'Ze zijn allemaal op hun werk, Dunn. Ik heb bij ieder van hen een bericht achtergelaten dat ik met opzet vaag heb gehouden, want áls ze me iets naders kunnen vertellen over Ivan de Verschrikkelijke wil ik uiteraard niemand afschrikken. En het zou ook niet prettig zijn als de echtgenoot via via te horen krijgt dat we een onderzoek instellen naar de dood van zijn vrouw. Ik denk niet dat hij daarmee erg blij zou zijn. Hoe ver ben jij gekomen bij WestAir?'

'Voor sommige dingen is de telefoon heel nuttig, voor andere dingen niet. Heb je zin om even met me mee te gaan naar WestAir?'

'Wie zegt dat men bereid zal zijn met ons te praten?'

'We laten gewoon onze gouden penningen zien. Die glanzen erg mooi.'

'Waar zit WestAir?'

'In Burbank.' Marge keek op haar horloge. 'We kunnen eerst een hapje gaan eten en dan een poging wagen door te dringen in het web van de luchtvaart. Ik heb een paar namen. Van vrouwen. Die allemaal jong en mooi klonken.'

'Welja, laat die wortel nog maar eens voor mijn neus bengelen.' Maar Oliver stond al op en trok zijn das recht. 'Vooruit dan maar. En ik heb ook wel trek.'

Bob Hope Airport, voorheen Hollywood-Burbank, was een van de kleine luchthavens aan de rand van de stad die probeerden luchtverkeer van LAX af te snoepen. Het vliegveld, dat ooit eigendom was van de firma Lockheed, was erg geschikt gelegen voor de bewoners van de San Fernando Valley, maar had aanzienlijk meer eigenschappen van Burbank dan van Hollywood. De nabijgelegen studio's van NBC waren de enige band met de showbusiness waarop de luchthaven kon bogen. Burbank probeerde de laatste jaren zijn status op te krikken met minibioscoopjes, excentrieke winkels met vintagekleding, café-restaurants en schaduwrijke joggingpaden, maar toch waren de open winkelcentra, dealers in tweedehandsauto's, outletwinkels en groothandelaren in elektronica met winkels die meer op pakhuizen leken, moeilijk te negeren.

Op Hollywood Way zagen Oliver en Marge veel zakenhotels en restaurants en toen kwamen ze bij een bedrijvenpark met zielloze gebouwen – veel glas maar weinig licht. WestAir zat op de vijfde verdieping van een van die gebouwen. Aangrenzend was een parkeergarage en Oliver koos een plek op het bovenste niveau, ook al was er meer dan genoeg plaats op de andere drie niveaus. Dat deed hij altijd. Hij redeneerde dat als de grote aardbeving kwam en de parkeergarage in elkaar zakte, zijn auto op de bovenste verdieping de beste kans had heel te blijven.

Net toen Marge op de knop van de lift drukte, ging haar mobiel. Ze keek naar het venstertje en schrok.

Het was het nummer van Vega's mobieltje.

Vega, die nu inwonend studente op Caltech was, belde iedere avond precies om acht uur, wat er ook gebeurde. Het maakte niet uit waar ze was en waar Marge was. Vega belde om acht uur omdat Marge haar had verzocht haar iedere dag te bellen. Dat hoefde niet per se om acht uur te zijn, maar zo was Vega. Die leefde volgens regels.

Als ze haar midden op de dag belde, was er iets aan de hand.

'Ik moet even opnemen,' zei Marge.

Vega klonk erg benauwd.

'O, moeder Marge, neem me niet kwalijk dat ik u stoor. Het is misschien heel dom van me, maar ik weet niet wat ik moet doen.'

'Wat is er aan de hand?'

'Moeder Marge, ik werk samen met een man die Joshua Wong heet. We volgen dezelfde colleges. Hij is een erg aardige man.' Ze haalde diep adem. 'Hij heeft gevraagd of ik vanavond met hem naar een feestje wil. Ik was zo overdonderd dat ik ja heb gezegd.'

Marge grijnsde van oor tot oor. 'Wat leuk voor je.'

'Moeder Marge, ik weet niet wat ik moet doen.'

'Je moet gewoon gaan en je amuseren, Vega.'

'Ik weet niet hoe ik me moet amuseren. Ik weet niet eens wat dat inhoudt.'

Ze klonk alsof ze ieder moment in tranen kon uitbarsten. Marge wist dat dergelijke radicale verklaringen van haar dochter niet overdreven waren. Vega was opgegroeid in een sekte waar de kinderen voortdurend hadden moeten werken en niet wisten wat spelen was. Toen de politie de sekte had geliquideerd, had Vega opeens helemaal alleen op de wereld gestaan. Marge had haar in huis genomen en tussen hen tweeën had zich een heel bijzondere relatie ontwikkeld. Het meisje bleek wel te weten wat genegenheid was, maar hoe Marge ook haar best had gedaan, op het sociale vlak wist ze nog steeds van toeten noch blazen.

'Ik weet niet hoe ik me op een feestje moet gedragen. Ik weet niet wat ik moet zeggen. En dan denkt Joshua natuurlijk dat ik dom ben.'

'Welnee.'

'Wat moet ik zeggen, moeder Marge? Ik ben er helemaal misselijk en duizelig van. Ik durf niet te gaan maar ik durf het ook niet af te zeggen. Ik mag Joshua graag. Ik wil niet dat hij een hekel aan me krijgt.'

'Om te beginnen kan niemand een hekel aan jou krijgen.' Ze keek op en zag dat Oliver demonstratief stond te geeuwen. Ze wierp hem een boze blik toe. Toen haalde ze diep adem.

Praat met Vega in een taal die ze begrijpt.

'Zit je voor je computer?'

'Ik heb zoals altijd mijn laptop bij me.'

'Goed. Ik ga je wat instructies geven. Noteer die.'

'Ogenblikje, moeder Marge. Ja, zegt u het maar.'

Bij het vooruitzicht van een opdracht klonk ze meteen een stuk rustiger. 'Kleding. Ga een mooie zwarte broek kopen en een zwart truitje. Geen coltrui, Vega. Neem iets met een lage hals.'

'Lange of korte mouwen?'

'Dat maakt niet uit. En daarbij trek je zwarte schoenen aan. Doe maar je eigen soldatenschoenen. Dan laat je zien dat je persoonlijkheid hebt.'

'Goed, maar ze zijn vuil. Ik zal ze poetsen. Wat nog meer?'

'Heb je dat gouden kettinkje nog dat ik je heb gegeven?'

'Natuurlijk. Dat bewaar ik zuinig.'

'Je moet het niet zuinig bewaren, je moet het omdoen.'

'Dat zal ik doen.'

'Goed. Heb je parfum, Vega?'

'Nee.'

'Koop dat dan... wacht, niet parfum, eau de cologne. Dat is goedkoper.'

'Welk merk?'

'Eh... kies maar iets dat lekker ruikt.' Ze keek naar Oliver, die nu op zijn horloge tikte. 'Nu de instructies voor het feestje. Luister goed.'

'Ik luister.'

'Goed. Als je iemand een vraag stelt en kijkt alsof je het antwoord interessant vindt, zullen de mensen met je praten. Mensen praten graag over zichzelf.'

'Maar als ze mij een vraag stellen, moeder Marge? Daar ben ik bang voor. Of liever gezegd, dat is waarvoor ik bang ben.'

Marge zuchtte. Vega had les gehad van taalpuristen en drukte zich daarom vaak nogal vreemd uit. 'Vega, als ze vragen waar je vandaan komt, zeg je gewoon dat je op jonge leeftijd bent geadopteerd door een alleenstaande moeder die bij de politie zit. Bij het woord *politie* vraagt men meestal verder niks. Praat níét over de sekte en vader Jupiter. Als je dat doet, zullen ze je heel veel vragen stellen, Vega. En dat wil je niet.'

'Daar hebt u gelijk in.'

'Lieverd, wees gewoon jezelf. Praat over het weer, over politiek, over je werk. Is het een feestje van medestudenten?'

'Ja.'

'Dan ken je er vast wel meer mensen en ik wil wedden dat sommigen van hen iets van astrofysica weten en misschien zelfs weten met welke research je bezig bent.'

'Mag ik ze naar hún research vragen?'

'Dat mag.'

Een diepe zucht. 'Goed. Dan ga ik dit doen, moeder Marge. Waar moet ik de kleding kopen? Is Gap geschikt?'

'Ja, Gap is prima.'

'Goed.' Nog een zucht. 'Dank u wel. Ik voel me nu een stuk beter. De maagpijn is verdwenen. Ik hou van u, moeder Marge.'

'Ik ook van jou. Ik hoor nog wel hoe het is gegaan.'

'Natuurlijk. Ik bel u vanavond om acht uur.'

'Lieverd, als je dan op het feestje bent, hoef je me echt niet te bellen.'

'Jawel. Ik zal u bellen. Anders word ik weer nerveus.'

'Dan zal ik op je telefoontje wachten. Ga nu dan maar gauw naar de winkel.'

'Ja. Dank u. Tot straks.'

'Dag, lieverd.' Ze stak de telefoon in haar zak. 'Laten we gaan.'

'Is ze door een nerd voor een feestje gevraagd?'

'Ze is door een intelligente jongeman voor een feestje gevraagd,' verbeterde Marge hem.

'En nu is ze hysterisch?'

'Vega is nooit hysterisch. Maar ze is wel een beetje zenuwachtig.'

'Hoe oud is ze?'

'Begin twintig.' Ze keek Oliver fel aan. 'Geen lullige opmerkingen, alsjeblieft. Wees gewoon blij voor haar.'

Oliver sloeg zijn arm om Marge heen. 'Ik bén ook blij voor haar. En voor jou. Ze zal zich heus wel weten te redden.'

'Ik hoop het. Ik wil haar zo graag gelukkig zien. Ik wil zo graag dat ze zich happy voelt op dat feestje. God, ik hoop dat het goed gaat en dat die vent geen hufter is.'

'Het is vast een heel aardige jongeman. En als hij een hufter is, is ze gewoon een ervaring rijker.'

'Ja.' Ze glimlachte naar hem. 'Ja, je hebt gelijk. Ik kan haar niet meer beschermen. Ze is volwassen.'

'Zo is het. Haal nu dus maar even diep adem en hou op met nagelbijten. We moeten een gewichtige indruk maken op die lui van de luchtvaartmaatschappij.'

5

De jonge vrouw achter de receptiebalie probeerde de rinkelende telefoons te negeren toen ze de penningen bekeek. Ze was begin twintig, een vrouw van gemengd bloed die een exotische indruk maakte. Nadat ze ook de identiteitskaarten had bestudeerd, wierp ze een blik op Marge en Oliver, gooide haar lange, steile, zwarte haar naar achteren en liet haar vinger over een pagina in het afsprakenboek glijden. 'En u hebt een afspraak met...?'

'Staan we er niet in?' zei Oliver.

'Ik zie het niet staan.' De exotische jonge vrouw schudde haar hoofd. 'Ogenblikje.' Ze drukte op een toets. 'WestAir. Met wie mag ik u doorverbinden?' Ze drukte op een andere toets en sprak zachtjes in het microfoontje van haar headset. Toen keek ze weer naar Oliver.

'Met wie hebt u de afspraak gemaakt?'

'Dat is het hem nu juist... ik ben de naam vergeten.' Oliver tikte tegen zijn voorhoofd. 'Iemand van Personeelszaken. Als u me een paar namen geeft, komt het wel weer...'

'Melvin O'Leary is het hoofd van Personeelszaken, maar die is er op het moment niet.' Ze drukte weer op een knipperende toets. 'WestAir. Met wie mag ik u doorverbinden?'

Marge nam het woord. 'Er is vast wel iemand anders beschikbaar op Personeelszaken. Kunt u even bellen om te zeggen dat rechercheurs Dunn en Oliver er zijn?'

'Ogenblikje.' Ze drukte op een toets. 'WestAir. Met wie mag ik u doorverbinden?'

'Hé!' riep Marge.

Een gechoqueerde blik in de bruine ogen. 'Pardon?'

'We zijn hier vanwege een moord, jongedame, en jíj belemmert ons werk! Wil je helpen of wil je WestAir nog meer negatieve publiciteit bezorgen?'

Nijdig maar gehoorzaam raadpleegde het exotische meisje een intern telefoonboek. 'Ik zal kijken of Nancy Pratt u te woord kan staan.'

'Dank je.'

Ze drukte op een toets en vroeg naar juffrouw Pratt. Toen ze in het microfoontje sprak, deed ze dat op een nauwelijks hoorbare fluistertoon. Ze keek erbij naar Oliver, misschien omdat ze met Marge geen oogcontact durfde te maken. 'Mag ik uw namen?'

Marge zei heel langzaam en duidelijk: 'Rechercheur Dunn en rechercheur Oliver van de afdeling Moordzaken.'

'Dank u.' Gemompel in het microfoontje. 'Juffrouw Pratt komt zo. U kunt dáár plaatsnemen.' Terug naar de telefoontjes. 'WestAir. Met wie mag ik u doorverbinden?'

De rechercheurs namen plaats op stoelen met een open rugleuning. Oliver leunde naar voren. 'Hoe gaan we dit spelen?'

'Misschien kan Pratt ons vertellen op welke afdeling we moeten zijn.'

'Ik hoop het. Het zou prettig zijn als we gewoon het dienstrooster van Dresden konden krijgen zodat we een punt achter deze rare zaak kunnen zetten. Beetje zonde van de tijd, al dit gedoe!'

'Vind ik ook.'

'Waarom doen we dit dan?'

'Ik geloof dat Decker medelijden heeft met de ouders en dat het verhaal toch wel zo intrigerend is dat hij nu zelf ook wil weten of ze in dat vliegtuig zat of niet.'

'Bestaat daar dan twijfel over?'

'Oliver, aan speculeren hebben we niks.' Toen ze het geluid van tikkende hakken hoorden, keek Marge de lange gang in en zag een vrouw aankomen. Een lange, forse vrouw van een jaar of veertig met kort blond haar, gekleed in een zwart pakje met een witte blouse en op kantoorpumps. Ze stonden op. De vrouw kwam met uitgestoken hand op hen af. 'Nancy Pratt. Elizabeth zei dat u van Moordzaken bent?'

'Dat klopt.' Marge stelde zichzelf en Oliver aan haar voor. 'Kunnen we ergens praten?'

'Natuurlijk. Deze kant op, alstublieft.' Ze ging hen voor door een zwartgranieten gang en deed een deur open die toegang gaf tot een andere gang, ditmaal een met berbertapijt. Aan de ene kant van de gang waren open werkplekken en aan de andere kant gesloten kantoren. Op het ritselen van papier en het zachte geklik van toetsenborden na was het er erg stil. WestAir zag eruit als ieder ander groot bedrijf in de USA.

Nancy Pratt draaide aan de deurknoppen van diverse deuren tot ze een kantoor vond dat niet op slot zat. Het was een klein en kaal vertrek, met slechts een tafel en vier stoelen. Het was er erg koud en de gekoelde lucht kwam met nogal veel geraas uit het rooster van de airco. Met een gebaar verzocht ze hun plaats te nemen en ging zelf ook zitten. Ze vouwde haar handen en wachtte tot een van hen het gesprek zou openen.

'Eerlijk gezegd weten we niet precies bij wie we moeten zijn, maar Personeelszaken leek ons een goede plek om te beginnen,' zei Oliver.

Nancy leek daarmee ingenomen. 'Wat kan ik voor u doen?'

'We hebben een heel eenvoudige vraag,' zei Oliver. 'Welke afdeling maakt de dienstroosters voor de stewardessen van WestAir?'

Nancy glimlachte minzaam. 'Zou u me willen vertellen waar u precies naar op zoek bent, voordat ik u doorstuur naar de desbetreffende afdeling?'

'Alleen maar een kopie van het dienstrooster van een van de stewardessen.'

Pratt klakte met haar tong. 'U weet vast wel dat ik u dat niet kan geven.'

Marge zei: 'De employee in kwestie leeft niet meer. Het gaat om Roseanne Dresden. Ze zat in het verongelukte toestel, vlucht 1324. Naar verluidt had WestAir haar dienstrooster op de ochtend van het ongeluk gewijzigd en zou ze tijdelijk op routes rond San Jose gaan werken. Het enige wat we willen, is een bevestiging dat...'

Pratt hief haar hand op als een stopteken. 'Het spijt me, maar als het om Roseanne Dresden gaat, kan ik u niet helpen. Alles wat met vlucht 1324 te maken heeft, wordt behandeld door een speciale eenheid.'

'Mevrouw Pratt, ik weet dat de maatschappij dat heeft bepaald en ik weet dat u zich zorgen maakt over rechtsgedingen, maar wat wij willen is niets bijzonders. Alleen maar een schriftelijke bevestiging dat Roseanne Dresden in het toestel zat zonder dat ze op die vlucht dienst had. Ze heeft geen ticket gekregen, wat wil zeggen dat ze op weg was naar een andere dienst, nietwaar?'

'Rechercheur...' Een zucht. 'Voor u is dit misschien heel simpel, maar voor ons niet. Alles wat met vlucht 1324 te maken heeft, wordt behandeld door de speciale eenheid.'

'Goed.' Marge gaf het op. 'Waar kunnen we die speciale eenheid vinden en met wie moeten we daar praten?'

Nancy Pratt kwam al overeind. 'Als u zo vriendelijk wilt zijn even te wachten, zal ik kijken of er iemand is die u te woord kan staan. Het kan even duren.'

'Geen probleem,' zei Marge. 'Maar ik heb een beetje dorst. Zou ik soms een glaasje water kunnen krijgen?'

De uitdrukking op Nancy's gezicht paste aardig bij de ijzige temperatuur in de kamer. 'Ik zal zien wat ik voor u kan doen.'

Toen ze weg was, zei Oliver: 'Volgens mij mag ze ons niet.'

'Volgens mij vinden ze het bij WestAir niet leuk dat mensen hun neus in hun zaken steken.'

'Je weet dat we zonder rechterlijk bevel niets kunnen opeisen. En een rechterlijk bevel krijgen we niet. Met andere woorden, we zitten hier op een grandioze manier onze tijd te verkwisten.'

'Ja, maar we zijn hier nu eenmaal en dan kunnen we tenminste zeggen dat we het hebben geprobeerd.'

Ze zwegen. Oliver wipte met zijn voet, Marge wreef over haar armen. Het klopje op de deur was een welkome afleiding. Er kwam een jongeman binnen met een plastic bekertje en een flesje water. Hij was tenger, had donkerblauwe ogen, een gezicht vol jeugdpuistjes en een aarzelende houding. Marge vermoedde dat dit zijn eerste baan was en dat hij erg zijn best deed geen fouten te maken.

'Pardon, had hier iemand om water gevraagd?'

'Ja, ik,' zei Marge. 'Dank je wel.'

'Geen dank. Kan ik verder nog iets voor u doen?'

'Nee,' zei Oliver, 'tenzij je voor ons in bepaalde dossiers kunt gaan snuffelen.'

De jongensachtige man keek onthutst.

'Grapje,' zei Oliver. 'Ik ben van de politie. Dacht je echt dat ik je zou verzoeken iets te doen wat niet mag?'

'Geef daar maar geen antwoord op,' zei Marge. Ze draaide de dop van de fles en schonk de helft in het bekertje. 'Dat kan slecht voor je uitpakken.'

De jongen glimlachte flauwtjes. Deel uitmaken van een team leek een nieuwe ervaring voor hem te zijn, dus besloot Marge een kansje te wagen. 'Kijk niet zo benauwd. Je wilt toch niet net zo worden als je baas?'

‘U bedoelt mevrouw Pratt?’

‘Ze lijkt me volkomen van humor gespeend.’ Ze dronk het bekertje leeg en schonk de rest van het water erin. ‘Of misschien komt dat alleen doordat WestAir de laatste tijd zo onder druk staat.’

‘Misschien.’

Oliver besloot een steentje bij te dragen. ‘En wanneer iedereen nerveus is, weet ík wel op wie ze dat afreageren.’

De donkerblauwe ogen werden achterdochtig. ‘Kan ik verder nog iets voor u doen?’

‘Hoe heet je?’ vroeg Oliver.

‘Henson.’

‘Aangenaam kennis te maken, meneer Henson. Ik ben rechercheur Oliver en dit is rechercheur Dunn. We mogen je wel tutoyeren, neem ik aan?’

‘Natuurlijk, maar Henson is mijn voornaam. Ik heet Henson Manning. Mijn moeder was een fan van de Muppet Show en had een nogal excentriek gevoel voor humor.’

Arme jongen, dacht Oliver. Niet alleen had hij te kampen met slappe spieren en acne, hij bleek ook nog een rare naam te hebben.

Marge glimlachte hem vriendelijk toe. ‘Dank je wel voor het water, Henson. Jij bent de eerste hier die vriendelijk doet.’

Henson knikte. ‘U had erge dorst, zie ik. Wilt u soms nog een flesje?’

‘Nee, dank je,’ zei Marge. ‘Maar jij ziet eruit alsof je ons iets wilt vragen. Vraag je je af wat de politie hier te zoeken heeft?’

Hensen haalde neutraal zijn schouders op, dus ging Marge snel door. ‘We zijn op zoek naar het dienstrooster van een stewardess genaamd Roseanne Dresden, die naar verluidt in het verongelukte toestel zat maar geen vliegticket had.’

Oliver vroeg: ‘Kun jij daar iets over zeggen?’

‘Stewardessen krijgen nooit tickets.’

Marge zei: ‘Maar ze had geen dienst op die vlucht. Ze was op weg naar San Jose waar ze op andere routes zou gaan werken.’

Oliver zei: ‘We willen alleen maar een kopie van haar dienstrooster. Verder zullen we WestAir niet lastigvallen.’

‘Mag ik vragen waarom?’

‘Verzekeringsfraude,’ loog Oliver.

‘Zei u niet dat u van Moordzaken was?’ vroeg Henson slim.

'Ja, maar er zijn deze week geen moorden gepleegd, dus doen we er even wat anders tussendoor,' antwoordde Oliver. 'We hebben gevraagd of ze ons dat dienstrooster kunnen faxen, maar niemand schijnt te weten waar ze het kunnen vinden.'

'Of ze willen het niet weten,' zei Marge. 'Heb jij Roseanne persoonlijk gekend?'

'Nee.'

'Jammer. Ik heb gehoord dat ze erg aardig was.'

Hij stond op wacht bij de deur en keek opzij terwijl hij vanuit zijn mondhoek met de rechercheurs sprak. 'We hebben opdracht gekregen iedereen die naar vlucht 1324 vraagt, door te verwijzen naar de speciale eenheid.' Hij liet zijn stem dalen. 'We mogen er van de directie niet eens over praten.'

'Bang voor rechtsgedingen zeker,' zei Marge.

De jongen hapte niet. 'De speciale eenheid kan dat dienstrooster vast wel vinden.'

'Ja, als ze er moeite voor zouden doen,' zei Marge. 'Maar dat doen ze niet.'

Oliver zei: 'Ze hebben veel aan hun hoofd. Weet jij toevallig wie de dienstroosters maakt?'

'Alles staat in de computer. Ze zouden het zó moeten kunnen vinden.'

'Als ze willen,' zei Marge.

'Ik moet gaan.' Henson wees met zijn duim naar de gang. 'Veel succes.'

Nancy Pratt botste tegen hem op toen hij de deur uitliep. 'Au!' Ze keek woedend naar de loopjongen. 'Kun je niet een beetje uitkijken?'

'Sorry, mevrouw Pratt.'

'Hoe heet je ook alweer?'

'Henson Manning.'

'Nou, Henson, nu je mijn schouder uit de kom hebt gestoten, mag je een bekertje water en aspirine voor me gaan halen.'

'Het spijt me.'

'Schiet een beetje op.'

Toen hij wegliep, mompelde Nancy op niet al te zachte toon: 'Achterlijk joch.' Ze keek naar de rechercheurs. 'Het spijt me, maar niemand van de speciale eenheid is momenteel beschikbaar. Ik heb formulieren voor u meegebracht. Als u zo goed wilt zijn die in te vullen, zodat we een schriftelijk verzoek hebben over waar u precies naar op zoek bent, zal iemand die hier meer van weet dan ik contact met u opnemen.'

Marge zei: 'Het enige wat we willen is een schriftelijke bevestiging dat Roseanne Dresden in San Jose zou gaan werken en in het verongelukte toestel zat. Dat is toch niet zo ingewikkeld?'

'Misschien niet, maar ik ben niet degene die u daarmee kan helpen. U kunt de formulieren invullen en aan ons opsturen. Ik heb er gefrankeerde enveloppen bij gedaan.'

'Erg attent,' zei Oliver.

Hij zei het op smalende toon, maar Nancy reageerde neutraal. 'We doen ons best.' Ze gooide de deur wijd open, bijna midden in Hensons gezicht. 'Ben je daar nou alweer?'

De jongeman keek angstig. 'U wilde toch water en aspirine?'

'Ja. Dank je.' Ze stak de pillen in haar mond, slikte ze door en gaf hem het plastic bekertje terug. 'Zou je nu alsjeblieft even met de rechercheurs mee willen lopen naar de uitgang?' Ze glimlachte zuinig naar Marge en Oliver. 'Die is soms moeilijk te vinden, als je met je gedachten elders zit.'

Ze liep met vinnige stappen weg. Henson bleef beteuterd staan met het plastic bekertje in zijn hand.

Marge fluisterde: 'Kop op. Je zult zeker dertig jaar langer leven dan zij.'

Daar moest Henson om lachen. 'Staat uw auto in de parkeergarage?'

'Ja,' zei Oliver.

'Dan zal ik even een stickertje voor u halen, zodat u niet hoeft te betalen.' Henson keerde na een paar minuten terug. 'Hebt u gekregen waar u voor bent gekomen?'

'Helaas niet,' zei Marge.

'We zijn bureaucratisch van het kastje naar de muur gestuurd en afgewimpeld met een beleefd "we zullen kijken wat we voor u kunnen doen".' Oliver wapperde met de formulieren die Nancy hun had gegeven. 'We mogen aanvraagformulieren invullen.'

'Deze kant op.' Ze liepen samen met Henson door de gang met de vloerbedekking terug naar de hal. Daar rinkelden de telefoons nog steeds, maar de exotische vrouw die Elizabeth heette, was nergens te bekennen. De jongeman liet zijn stem dalen. 'Hoor eens... als u me uw visitekaartje geeft, zal ik zien wat ik kan doen.'

Marge schudde haar hoofd en fluisterde terug: 'Hou je erbuiten. Ik wil niet dat iemand je straks beschuldigt van onrechtmatige handelingen.'

Oliver had echter al een visitekaartje tevoorschijn gehaald. 'Maar als je soms wat mensen aan hun jas wilt trekken, heb ik daar niets op tegen.'

'Als ik mensen aan hun jas trek, vestig ik aandacht op mezelf. Nu ben ik juist de onzichtbare voetveeg.'

'Ja, hè? Arme jij,' zei Marge.

'Het kan me niet schelen. Het is een vakantiebaan en ik krijg redelijk betaald. Zo kan ik mijn motor financieren.'

'Studeer je nog?' vroeg Marge.

'Aan Cooper Union in New York.'

'Wetenschap of design?'

Henson staarde haar aan.

Marge zei: 'Mijn dochter studeert aan Caltech. Ze heeft Cooper Union overwogen, maar wilde dichter bij huis blijven.'

Hij knikte. 'Ja, daar kan ik inkomen. New York is een grote stad.' Hij drukte op de knop van de lift. Weer op zachte toon zei hij: 'Ik kan aardig met een toetsenbord overweg, als u begrijpt wat ik bedoel.'

'Ik wil dit niet horen,' zei Marge.

De liftdeuren weken uiteen en de rechercheurs stapten in de lift. Voordat de deuren dichtgingen, zei Henson: 'Ik bel u binnen een uur.'

Toen de lift daalde zei Marge: 'Ik hoop echt dat die jongen door ons niet in de problemen komt.'

'Ach joh, heb je niet gezien hoe zijn ogen flonkerden? Hij is in één klap veranderd van een nerd in een Tom Cruise met een *mission impossible*.' Oliver glimlachte. 'Hij kan aardig met een toetsenbord overweg...' Hij begon hardop te lachen. 'Dat joch belt ons binnen tien minuten terug.'

Op weg naar de parkeergarage gooide Oliver de aanvraagformulieren samen met de gefrankeerde enveloppen in een vuilnisbak.

6

Het was erg sterke en erg slechte koffie, wat goed paste bij het nieuws, dat al even slecht was. Decker trok een vies gezicht toen hij een slokje van de zwarte blubber proefde en zette de mok op zijn bureau. Hij had behoefte aan de cafeïne, maar het was hem het maagzuur niet waard. Op zijn bureau lag een afgedrukte computerpagina: de slachtofferlijst van vlucht 1324. Roseanne Dresden stond er niet bij.

Marge was gaan zitten, Oliver stond tegen de deurpost geleund. Ze wachtten op nieuwe instructies van Decker. 'Nog een keer. Welke lijst is dit nu precies?' vroeg Decker.

Alsof hij er, door dat te vragen, iets aan kon veranderen. 'Dit,' zei Marge, 'is volgens ons de originele lijst van WestAir van alle mensen die aan boord van vlucht 1324 waren. Oliver en ik hebben deze lijst vergeleken met de lijst die in de *Times* is gepubliceerd. Op díé lijst stond Roseanne erbij.'

'En deze lijst hebben jullie gekregen van Henson de Hacker?'

'Ja.'

'Hoe betrouwbaar is die jongen?'

'Ik denk niet dat hij dit zelf heeft samengesteld, als je dat bedoelt. Ik denk dat hij dit pareltje heeft opgediept uit een catacombe vol microchips.'

'Het is dus mogelijk dat hij niet het totaalbeeld heeft,' zei Decker.

'Het is zelfs waarschijnlijk dat hij niet het totaalbeeld heeft,' antwoordde Oliver. 'Dit is wat hij in de gauwigheid heeft kunnen bemachtigen. Er is vast nog een heel moeras vol informatie waar hij niet bij kan komen.'

Marge zei: 'We mogen ook niet vergeten dat lijsten aan wijzigingen onderhevig zijn... bijvoorbeeld als blijkt dat er een baby of peuter mee was voor wie geen ticket was uitgevaardigd. Als Roseanne geen ticket had, kan het ook daaraan liggen.'

Decker zei: 'Maar ergens tussen het tijdstip van de crash en de publicatie van de lijst in de *Times* is Roseannes naam eraan toegevoegd. De vraag is: Wie heeft dat gedaan?' Een eendrachtig schouderophalen was het antwoord. De lange tentakels van de vliegtuigramp bezorgden Decker nog steeds veel kopzorg. 'Heeft Henson de Hacker bij zijn gesnuffel toevallig ook de verandering in het dienstrooster gevonden die erop wijst dat Roseanne in dat toestel moest zitten?'

Marge schudde haar hoofd.

'Dan moeten jullie terug naar WestAir en dit via de officiële kanalen behandelen. Zorg dat jullie de officiële passagierslijst en Roseannes dienstrooster krijgen. Zonder die dingen zijn we nergens.'

'Mét die dingen zijn we ook nergens,' zei Oliver.

Decker begon zich te ergeren. 'Ga terug naar WestAir en zoek het uit, Scott. Het lijkt mij dat noch de *Times* noch WestAir Roseanne Dresden op de slachtofferlijst zou zetten zonder te hebben geverifieerd of ze in het toestel zat. Daarmee zouden ze zich openstellen voor aanklachten.'

'Niet als de echtgenoot, Ivan de Verschrikkelijke, de luchtvaartmaatschappij heeft opgebeld om te zeggen dat ze het moesten doen,' zei Marge. 'Hij heeft trouwens al een aanklacht tegen de maatschappij lopen.'

Decker zei: 'Dit zal snel opgehelderd zijn we het rooster in handen hebben. Oliver, hebben die vrienden van Roseanne je nog teruggebeld?'

Oliver haalde een notitieboekje uit zijn broekzak. 'Twee van hen: David Rottiger en Arielle Toombs.'

'Twee maar? Van de acht?'

'Dat is geen slechte score als je bedenkt dat ze allemaal voor WestAir werken en de maatschappij een strikte regel heeft ingesteld dat alles wat met vlucht 1324 te maken heeft, via de speciale eenheid moet lopen.'

'Na ons bezoek aan het hoofdkantoor van WestAir vind ik het zelfs erg dapper van deze twee dat ze hebben gereageerd,' zei Marge. 'Als de directie erachter komt dat ze contact met ons hebben, kan het slecht met hen aflopen.'

'Ga dan maar snel met hen praten, voordat ze van gedachten veranderen,' zei Decker.

Oliver zei: 'Ik heb al een afspraak gemaakt met Rottiger. Hij woont in West Hollywood en aangezien ik vanavond de stad inga, heb ik gevraagd of ik rond zes uur kan komen. Hij zei dat het goed was, maar hij klonk terughoudend.'

'En Toombs? Waar woont die?'

'In Studio City.'

'Heb jij vanavond tijd om met Arielle Toombs te gaan praten?' vroeg Decker aan Marge.

'Dan moet ik even iets regelen. Ik heb om zes uur afgesproken met Vega.'

'Vega heeft zowaar een date.'

'Niet vervelend doen, Scott.' Marge zocht steun bij Decker. 'Ze is door een jongen uitgenodigd voor een feestje en wil graag dat ik vóór het feest even bij haar langsga. Maar ik kan ook ná het feest naar haar toe gaan.'

'Ben je mal. Dit is een heel grote stap voor Vega en daar moet je bij zijn.'

'Dank je, Pete. Dat stel ik erg op prijs.'

Het was vier uur. Als Decker in de vooravond een praatje kon gaan maken met Toombs, kon hij aansluitend met Rina en Hannah gaan eten bij Golan. Het water liep hem in de mond toen hij aan de shoarma *an baba ghanoush* met warme pita dacht. Eigenlijk konden ze daar ook wel gaan eten als hij géén afspraak met Toombs kon regelen. 'Wat is haar nummer? Ik zal vragen of ze vanavond thuis is.'

Oliver gaf hem het nummer, maar hij keek een beetje bedrukt. Decker vroeg wat er was.

'Ik weet het niet...' Hij slaakte een diepe zucht. 'Wat is precies de bedoeling van deze zaak? Denk je écht dat de man van Roseanne zomaar heeft besloten haar van kant te maken toen hij hoorde dat het vliegtuig was neergestort, omdat hij de crash als alibi kon gebruiken?'

'Misschien hadden ze ruzie,' zei Marge. 'Haar ouders zeiden dat het niet goed zat tussen hen.'

'Precies,' zei Oliver. 'Dat zeggen haar óúders. Moeten wij zomaar meedoen met deze gekte omdat die mensen het niet kunnen accepteren dat hun dochter dood is?'

Decker zei: 'Ik schort mijn oordeel liever nog even op, Scotty. Probeer zo veel mogelijk informatie te krijgen over Roseanne Dresden en over de officiële beleidslijn van WestAir inzake het meeliften van stewardessen zonder vliegticket. Marge, bel jij de *Times* even om de oorspronkelijke lijst op te vragen en vergelijk die dan met de lijst die jullie van Henson de Hacker hebben gekregen. Als ze identiek zijn, willen we weten wie bij de

Times de naam van Roseanne aan de slachtofferlijst heeft toegevoegd en of dat op last van WestAir is gedaan. En als het op last van WestAir is gedaan, wil ik de naam van degene die het heeft doorgegeven.'

'Oké. Alleen betwijfel ik of er bij de *L.A. Times* om vier uur 's middags iemand aanwezig is.'

'Laat dan je nummer achter en bel ze morgenochtend. Verder wil ik dat jullie samen teruggaan naar WestAir voor het dienstrooster.'

'Het enige wat we zullen krijgen, zijn aanvraagformulieren.'

'Vul die dan in en blijf aandringen op verdere informatie.'

'Het zou misschien vlotter gaan als jij erbij was, Deck,' zei Oliver.

'Mijn penning heeft dezelfde kleur als die van jullie.'

'Maar je hebt een hogere rang.'

'Dat is waar. En dat is de reden waarom ik me op dit punt in mijn carrière niet meer bezighoud met andere bureaucratieën dan die van het LAPD.'

De straat lag achter een grote supermarkt en het adres bleek een woonerf te zijn met vier vrijstaande huizen rond een terras. De huizen waren alleen aan de letters A, B, C en D van elkaar te onderscheiden. In het midden van het betegelde terras stond een verweerde teakhouten tafel met houten stoelen en langs de rand stond een allegaartje aan bloempotten met weelderige planten en struiken vol knoppen.

Een man in spijkerbroek en grijs T-shirt met teenslippers boog zich met een metalen gieter in zijn hand over een pot met rode begonia's en liet het water op de bloemen kletteren. Hij was vrij klein en breedgebouwd, al kon je hem niet gedrongen noemen. Zijn haar had een roodbruine kleur en zijn huid was bezaaid met sproeten. Naar zijn houding te oordelen stoorde hij zich allerminst aan de aanwezigheid van Oliver.

'Pardon,' zei Oliver. 'Ik ben op zoek naar David Rottiger.'

De man ging door met water geven. 'Dat ben ik.' Hij keek om. Hij had ronde, bruine ogen. 'Is het rechercheur Oliver of rechercheur Scott?'

'Mag allebei. Mijn naam is Scott Oliver. Bedankt dat u bereid bent met me te praten.'

'Al zal ik er misschien mijn baan door verliezen.'

'Dat is niet te hopen.'

'Het kan me niks meer schelen. U hebt geen idee hoe gespannen de sfeer is geworden sinds de crash.'

'Ja, ik kan me voorstellen dat het allemaal erg onplezierig is.'

'Onplezierig is een zwak woord voor alle emoties die je voelt wanneer vrienden van je verongelukken en je diep in je hart weet dat het net zo goed een toestel had kunnen zijn waar *jíj* in zat.' Zijn lip trilde. 'Maar waar zijn mijn manieren? Wilt u iets drinken? Water? Koffie? Iets sterkers?'

'Doe maar wat u zelf ook drinkt.'

'Ik heb gisteravond toevallig een fles heerlijke syrah geopend. Ga zitten, ik ben zo terug.'

'Haast u vooral niet. Het is hier erg mooi.'

'Ja, hè? Tuinieren is mijn enige uitlaatklep, maar het geeft voldoening.' Even later kwam hij terug met twee glazen die bijna tot de rand waren gevuld met rode wijn. Hij gaf er een aan Scott. Zwijgend namen de twee mannen een slokje.

'Uitstekende textuur,' zei Oliver. 'Erg zacht op de tong. Maar kunnen we misschien binnenshuis praten? Daar hebben we meer privacy.'

'Ik vind het best, maar u weet dat ik niet over vlucht 1324 mag praten. We hebben opdracht gekregen iedereen die ernaar vraagt door te verwijzen naar de speciale eenheid of naar de juristen van WestAir. Over de vlucht zelf moet u dus geen vragen stellen.'

'Dat weet ik,' antwoordde Oliver. 'Eerlijk gezegd ben ik gekomen om over Roseanne Dresden te praten.' Hij stond op. 'In welk huis woont u?'

'In C. De C van crash.' Hij glimlachte flauwtjes. 'Galgenhumor. Het helpt om deze moeilijke tijd door te komen.'

'Dat doe ik zelf vaak ook.'

Rottiger deed de voordeur open, die niet op slot bleek te zijn. Het huis was nauwelijks groter dan zestig vierkante meter, maar het was prachtig ingericht: een hoog plafond met balken, een glanzende bamboevloer en veel licht. De muren hadden een bleekgroene kleur en er hingen Japanse prenten en minimalistische, abstracte pentekeningen. Aangezien het huis maar één slaapkamer en één badkamer had, diende de brede bank in de woonkamer als bed voor gasten, legde Rottiger uit. Een zwarte granieten eetbar scheidde de woonkamer van de keuken en er stond maar één voorwerp op: een vaas van lavaglas met rode rozen. Een van de keukenkastjes stond open en bleek een plasma-tv met een 32-inch beeldscherm te bevatten. Oliver was zeer onder de indruk... vooral van de tv.

'Is dat HD?'

'Natuurlijk. Wanneer ik naar een honkbalwedstrijd kijk, zie ik de spelers driedimensionaal spugen.' Rottiger trok een barkruk onder de eetbar vandaan en ging zitten. 'Waar kan ik u mee van dienst zijn?'

'Ik weet dat dit een beetje vreemd zal klinken, maar de ouders van Roseanne hebben contact met ons opgenomen. Volgens hun zat Roseanne niet in het verongelukte toestel.'

Rottiger staarde uit het raam en nam kleine slokjes van zijn wijn.

'Wat zegt u daarvan?' vroeg Oliver.

'Ik denk dat ze er moeite mee hebben zich bij bepaalde feiten neer te leggen.'

'U denkt dus dat Roseanne wél in dat toestel zat?'

'Dat heb ik niet gezegd.'

'Zitten er in een klein toestel als dat van vlucht 1324 zoveel klapstoelen voor de stewardessen dat er een extra plaats zou zijn voor Roseanne?' vroeg Oliver.

'Sorry, maar dat is een vraag die de vlucht betreft. Daarvoor moet u bij de juristen van WestAir zijn of bij de speciale eenheid. Ik mag de beleidslijnen van de maatschappij niet met u bespreken.'

'Maar bij WestAir wil niemand met ons praten.'

'Het spijt me, maar ik kan hierover echt niet met de politie praten. Als de directie het te horen zou krijgen, word ik ontslagen.' Hij nam een grote slok van zijn wijn. 'Ik heb alleen toegestemd met u te praten omdat ik nieuwsgierig ben. Waarom heeft een rechercheur van Moordzaken belangstelling voor Roseanne? U denkt toch niet dat het verhaal van mevrouw Lodestone waar is?'

'U was goed bevriend met Roseanne, nietwaar? Wat was ze voor iemand?'

'U wilt een karakterschets?'

'Zoiets. Wat kunt u me over haar vertellen?'

'Hebt u een foto van haar gezien?'

Oliver schudde zijn hoofd. Rottiger stak een vinger op en kwam even later terug met een foto van acht stewardessen en stewards van WestAir. Hij wees naar een lange, slanke blondine in het midden. 'Dat is ze.'

Oliver floot zachtjes. 'Ze was erg mooi.'

'Ja, en het is niet te geloven hoe naïef ze was wat mannen betrof.'

'Hoezo?'

'Ze is opgegroeid in een kleine stad in het noorden als dochter van strenggelovige ouders in een strenggelovige gemeenschap.'

'Was ze religieus?'

'Nee, ze is van haar geloof gevallen, zoals dat heet. Maar haar dorpse onschuld heeft ze nooit verloren. Het blinde vertrouwen dat ze in haar man had tart iedere beschrijving. Pas toen ze hem op heterdaad betrapte, begreep ze wat een ploert hij was. En zelfs toen heeft ze toegestemd in therapie en huwelijksbemiddeling.'

'Heeft dat geholpen?'

'Welnee.' Hij keek Oliver aan. 'U denkt dat ze niet in dat toestel zat. U denkt dat die schoft haar heeft vermoord en toen heeft gezegd dat ze bij de crash is omgekomen.'

Oliver krabde aan zijn wang. 'Voorlopig ben ik informatie aan het verzamelen en als je dat doet, moet je openstaan voor alle mogelijkheden. Wat denkt u zelf?'

'Laat ik het zo zeggen. Hun flat staat op haar naam. Evenals de bankrekeningen, de auto, het meubilair en alles wat ook maar enige waarde heeft. Nadat ze hem op heterdaad had betrapt, begon Roseanne te praten over echtscheiding. Arme Ivan. Hoe kon hij zijn stripteasemeisjes bekostigen als hij opeens huur moest betalen en zelf opdraaien voor de kosten van zijn auto?'

'Stripteasemeisjes?'

'Leather and Lace. Zegt dat u iets?'

Oliver veinsde onschuld.

'Het is een nachtclub voor "heren".' Rottiger maakte aanhalingstekentjes met zijn vingers. 'Een goede vriendin van me werkt er als exotisch danseres.' Toen de man zag hoe Oliver keek, zei hij: 'Niet wat u denkt. Ze doet het alleen maar voor het geld.'

'Dat is meestal de reden,' zei Oliver. 'Maar ga door.'

'Ze heeft Rosie en Ivan ontmoet op een van mijn beroemde terrasfeestjes.' Hij trok een misprijzend gezicht. 'Ivan begon aan haar te frunniken toen Roseanne niet keek.'

'Heeft die exotische danseres van u een naam?'

'Ja, maar die wil ik u liever niet geven. Vooral niet na dat incident met Ivan. Ik steek altijd veel tijd en moeite in mijn feestjes. En dan wil ik niet dat een lul als Ivan mijn vrienden lastigvalt. Maar het verhaal heeft nog een staartje.'

‘Ik luister.’

‘Twee weken later zat Ivan in Leather and Lace en begon hij briefjes van twintig in het slipje van mijn vriendin te stoppen.’

‘En heeft de relatie tussen hen zich... ontwikkeld?’

‘Daar gaat het niet om!’ zei Rottiger vinnig. ‘Waar het om gaat is dat hij handenvol geld uitgaf aan zijn slechte gewoonten. Roseannes geld. En dat ze er genoeg van had.’

‘Roseanne wilde dus van hem scheiden.’

‘Ja. Eindelijk.’

‘En waar woonde Roseanne terwijl ze nadacht over de scheiding?’

‘In haar eigen flat.’

‘En Ivan? Waar woonde hij?’

‘Ze woonden nog samen, maar volgens mij stond ze op het punt hem het huis uit te zetten. Ze zei dat als er íémand de flat uit moest, híj dat was.’

‘Omdat de flat op haar naam stond.’

‘Precies.’

‘Hij werkte wel, hè?’

‘Iets onbeduidends in financiën. Ik weet dat ze op Roseannes geld teerden, omdat ze er vaak over klaagde.’

Het leek Oliver verstandig Roseannes bankrekeningen te gaan bekijken om te zien wiens handtekening op de cheques voor de huishoudelijke uitgaven stond. Misschien pikte Ivan stiekem geld van de rekening van zijn vrouw en was dat de laatste druppel geweest. Tot nu toe leek Ivan zich echter alleen schuldig te hebben gemaakt aan ongemanierd gedrag en als dat een misdaad was, stond Oliver er zelf ook niet best voor.

‘U weet dat die rotzak een hoop geld krijgt nu Rosie dood is. Ze had een levensverzekering bij WestAir en ik neem aan dat hij ook een uitkering krijgt. Voor hem was ze dood veel meer waard dan levend,’ zei Rottiger.

‘Ja, maar ik kan Ivan moeilijk arresteren omdat hij na de dood van zijn vrouw geld beurt,’ zei Oliver. ‘Ik wil maar één ding weten: of Roseanne Dresden in dat vliegtuig zat of niet.’

‘Dat weet ik niet,’ zei Rottiger. ‘Echt niet.’

Oliver keek op zijn horloge. Hij had net genoeg tijd om zich op te frissen voordat hij naar het restaurant ging. Hij zette zijn glas op de maagdelijke eetbar en gaf Rottiger een visitekaartje. 'U bent erg behulpzaam geweest.'

'Als u het zegt.'

'Ik weet dat u niet over het beleid van de maatschappij mag praten, maar ik heb gehoord dat een stewardess zonder vliegticket kan meevliegen als ze op weg is naar haar werk.'

'Dat klopt.'

'We weten dat Roseanne niet op vlucht 1324 werkte, maar dat ze op weg was naar San Jose om daar te gaan werken. Als u toevallig iets hoort of ziet waarmee bewezen is dat Roseanne Dresden in het toestel van vlucht 1324 zat, of als u een dienstrooster ziet waarop staat dat ze in San Jose zou gaan werken, dan hoor ik dat graag.'

Rottiger stak het kaartje in de achterzak van zijn spijkerbroek. 'Ik zou niet weten hoe dat zou kunnen gebeuren. Ik steek mijn neus nooit in andermans zaken. Ik doe gewoon mijn werk.'

'Ik ook, meneer Rottiger, maar soms willen andere mensen niet dat ik mijn werk doe. Neemt u nou bijvoorbeeld uw luchtvaartmaatschappij. Mijn partner, rechercheur Dunn, en ik hebben WestAir verzocht ons een kopie van de dienstroosters te geven. We kregen nul op het rekest en niemand van de speciale eenheid was bereid ons te woord te staan. We kregen alleen formulieren mee om in te vullen en op te sturen. Hoe kan ik antwoorden op vragen krijgen als ik stelselmatig word afgepoeierd?'

'Dit verbaast me helemaal niet. En vergeet ook niet dat het bij WestAir op het moment een grote chaos is.'

'Ik heb nog één vraag.'

'Ga je gang.'

'Is het mogelijk dat Roseanne met dat vliegtuig is meegelift zonder vliegticket en zonder dat ze officieel opdracht had gekregen om in San Jose te gaan werken?'

'Officieel mag het niet, maar... als ze impulsief had besloten dat ze een poosje bij die schoft uit de buurt wilde blijven en als een goede vriend of vriendin van haar op die vlucht werkte, is het mogelijk dat men een oogje heeft dichtgeknepen en haar heeft laten meeliften, met het voornemen het later recht te trekken.'

Oliver knikte. 'Dank u voor uw tijd, meneer Rottiger. Mag ik u bellen als ik nog meer vragen heb?'

'Dat mag, zolang u discreet bent. WestAir mag niet te weten komen dat ik met u heb gepraat.'

'Er is geen enkele reden waarom ze daarachter zouden komen.'

Een traan rolde over Rottigers wang. 'Ze was een fijne vrouw en een goede vriendin. Al mijn collega's die op vlucht 1324 zaten waren fijne mensen. We waren net een grote familie. Ik wil u dan ook graag helpen, zolang mijn baan niet in gevaar komt.'

Oliver kuchte. 'In dat geval heb ik nog een verzoek.' Hij raadpleegde zijn aantekeningen. 'Eh... zou ik het telefoonnummer mogen van uw vriendin de exotische danseres? Ik wil haar een paar vragen stellen over Ivan Dresden. Misschien mocht ze hem aanvankelijk niet, maar geld doet soms wonderen.'

Rottiger haalde Olivers visitekaartje tevoorschijn. 'Ik heb uw telefoonnummer en zal het aan haar doorgeven. Als ze bereid is met u te praten, weet ze u wel te vinden.'

Het stoorde Oliver allerminst dat Rottiger hem het telefoonnummer van de stripteasedanseres niet wilde geven. Als het nodig mocht zijn kon hij altijd naar Leather and Lace gaan, zijn penning laten zien en naar Ivans vriendin vragen. Ze zouden netjes meewerken omdat hij rechercheur was. Dat legde veel gewicht in de schaal. Bovendien kende hij de tent, al was hij er geen vaste klant.

7

Marge had een gloeiend oor gekregen van het lange bellen. Bovendien was ze zo dom geweest de nieuwe paarlen oorknopjes in te doen die Will Barnes haar cadeau had gedaan en die het telefoneren erg lastig maakten. Maar ze waren zo mooi en ze was er zo verguld mee. De persoon aan de andere kant van de lijn werkte ook al niet mee.

'Ja, ik weet dat Roseanne Dresden op de lijst staat,' zei Marge nogmaals. 'Mijn vraag is of ze meteen op die lijst is gezet of later pas. Ik weet dat dergelijke lijsten worden bijgewerkt als er nieuwe informatie binnenkomt... nee, ik wil niet... verdomme!' Ze smeet de hoorn op de haak.

Decker liep toevallig net langs haar bureau. 'Alles in orde?'

'Ik kan het niet uitstaan wanneer ze "een ogenblikje" zeggen en je dan god weet hoe lang aan de lijn laten hangen.' Ze keek op haar horloge. 'Lunchtijd. Ik denk dat ik onze vermaarde plaatselijke courant maar eens met een bezoek ga vereren.'

'Hoe zit je vanmiddag in je tijd?'

'Vrij ruim.'

'Misschien kun je dan ook even naar North Mission Road gaan, als je daar toch in de buurt bent. Het is alweer een tijdje geleden dat we met het bergingsteam hebben gesproken. Vraag eens hoeveel van de slachtoffers op de lijst al zijn gevonden en/of geïdentificeerd. En als je er toch bent, vraag dan ook of ze voorwerpen hebben gevonden die het eigendom waren van Roseanne Dresden.'

Marge noteerde de opdrachten. Toen hij was uitgesproken, deed ze het notitieboekje in haar tas. 'Komt voor elkaar. En wat ga jij vanmiddag doen?'

'Ik ga naar Arielle Toombs, dat andere collegaatje van Roseanne dat op Olivers telefoontje heeft gereageerd. Ze was niet erg happig, maar ik mag toch komen. Mooie oorbellen zijn dat.'

Marge glimlachte verheugd. 'Van Will gekregen.'

'Will is een goeie vent.'

Marge pakte haar tas en bekeek haar baas eens goed. 'Je ziet er moe uit, Pete.'

'Er is een ware epidemie van inbraakmeldingen uitgebroken, in het bijzonder van mensen die geëvacueerd moesten worden na de ramp.'

'Ja, daar hoorde ik Paul Deloren iets over zeggen. Hoeveel van die meldingen zijn bonafide, denk je?'

'Niet allemaal, neem ik aan. We zijn ermee bezig, samen met experts van de verzekeringsmaatschappijen.'

'De afgelopen week zijn er ook veel mensen aangehouden wegens rijden onder invloed.'

'En wegens openbare dronkenschap, het gebruik van een vuurwapen op openbaar terrein, en mishandelingen. Bijna twee keer zoveel als we gewend zijn. Gevechten in bars, huiselijk geweld, en ook nog eens een abnormaal hoog aantal hartaanvallen.'

'De nasleep,' zei Marge. 'De hele stad is een beetje gek geworden. Maar er is tenminste een aanwijsbare reden voor.'

De grootste en oudste krant van Los Angeles was ruim honderdvijfentwintig jaar geleden opgericht in het centrum van de toen nog jonge stad die met zijn drukke straten, luxueuze warenhuizen en de beroemde kabeltrein Angel's Flight bruiste van leven. De krant verkeerde inmiddels in zijn vierde reïncarnatie en het hoofdkwartier was nu gevestigd op de hoek van Spring Street en First Street in een gebouw dat een ode was aan het Amerikaanse art deco en kunstenaars van de WPA die het hadden versierd met bronzen bas-reliëfs, friezen, beeldhouwwerk en andere decoraties.

Marge ging naar binnen en kwam terecht in een grote, ronde hal. In het midden daarvan stond een draaiende wereldbol die was omringd door de twaalf bronzen, in reliëf uitgevoerde sterrenbeelden. Rechts van de ingang kon je iets lezen over de geschiedenis van de krant en links stond een gewapende portier. Recht tegenover zich zag Marge achter elektronische draaihekken een rij liften. Ze had de namen en telefoonnummers genoteerd van de mensen die ze die ochtend had gesproken en liet ze aan de portier zien, die ze voor haar begon te bellen. Even later zei hij dat meneer Delgado haar kon ontvangen.

Na zesentwintig minuten duimendraaien waarbij ze ondertussen de zelfverheerlijkende geschiedenis van de krant had gelezen, kwam er een kleine, gedrongen man door het draaihekje naar buiten. Hij had gitzwart haar dat in draculastijl recht achterover was gekamd, donkere wenkbrauwen die als een afdak naar voren staken boven zijn verrassend lichtblauwe ogen, en een gebruinde, rimpelloze huid. Marge schatte hem op hooguit dertig. Hij droeg een wit overhemd, zwarte broek en instappers, en een blauw met grijs gestreepte stropdas waarvan hij de knoop een stukje los had getrokken.

'Meneer Delgado?' vroeg Marge.

'Zeg maar gewoon Rusty.' Hij stak zijn hand uit. 'Sorry. Ze hebben me niet doorgegeven wat uw naam is.'

'Marge Dunn.' Ze gaf hem een hand. 'Dank u wel dat u tijd voor me hebt vrijgemaakt.'

'Geen dank. Waar gaat het over?'

'Dat is nogal ingewikkeld,' antwoordde Marge. 'Is hier ergens een plekje waar we rustig kunnen praten?'

'Dat kan ik wel regelen.' Delgado had een vrij hoge stem. Hij nam haar mee naar de binnenste regionen van het gebouw, het hart van de krant. Als Marge een grote zaal had verwacht met enerzijds ambitieuze jonge broekjes en anderzijds door de wol geverfde verslaggevers en redacteuren die op barse toon opdrachten gaven, wachtte haar een teleurstelling. De zaal was onderverdeeld in open werkplekken en het was er zo stil als in een bibliotheek. Aan het plafond hingen bordjes GEZONDHEID, ONROEREND GOED, KUNST, STEDELIJK: de redactieafdelingen van de krant.

Ze liep met Delgado mee door een gang waarvan de muren vol hingen met foto's en ingelijste bekroonde artikelen. Na een vitrine vol oude fototoestellen kwamen ze in een tweede zaal met open werkplekken. Tegen een paal was een skelet geplaatst met een hoelarokje en twee halve kokosnoten.

'Afdeling overlijdensberichten,' legde Delgado uit.

'Waar niemand aanwezig is.' Marge glimlachte. 'Wat een dooie boel.'

Delgado lachte. 'Waarmee kan ik u van dienst zijn?'

Marge begon aan het verhaal dat ze zorgvuldig had voorbereid in de hoop te kunnen voorkomen dat de man veel vragen zou stellen. 'Ik werk voor Ace Insurance Company. We behandelen zaken voor de grote, bekende verzekeringsmaatschappen. Ik heb de opdracht gekregen een kopie op te vragen van de lijst van de slachtoffers van WestAir vlucht 1324 die uw krant van WestAir voor publicatie heeft gekregen, om te vergelijken met de geüpdatete lijst van de slachtoffers. Tricia Woodard heeft de artikelen over de crash geschreven en ik had gehoopt dat zij me die lijst zou kunnen geven.'

'Tricia is er momenteel niet.' Delgado keek verward. 'Is er dan niet één lijst?'

Marge glimlachte hem vriendelijk toe. 'Dat probeer ik juist na te gaan. Er is me verteld dat de lijst in de eerste dagen na de crash een aantal malen is bijgewerkt, dat er namen aan zijn toegevoegd.'

'Het klinkt misschien dom van me, maar waarom zouden er mensen aan toegevoegd zijn? Bij iedere vlucht heeft men toch een passagierslijst?'

'Daar staan alleen de mensen op die tickets hebben gekocht. Baby's en peuters bijvoorbeeld niet...'

'O, op die manier. En waarom trekt u de namen na?'

'Dat gebeurt na iedere crash.' Marge wist niet of dat zo was, maar ging er gewoon van uit. 'Voordat verzekeringsmaatschappijen geld uitkeren, willen ze er zeker van zijn dat alle mensen op de lijst echt zijn omgekomen. Soms, vooral in het geval van baby's, nou ja, daar ga ik liever niet op in. Laat ik volstaan met te zeggen dat identificatie in bepaalde gevallen onmogelijk is... en dat sommige lichamen zelfs nooit worden teruggevonden. Ook in het geval van volwassenen. En dat er mensen kunnen zijn die proberen de verzekeringsmaatschappij op te lichten.'

Delgado keek nieuwsgierig. Hij rook een goed verhaal. 'Hoe dan?'

'Laat ik het zo zeggen. Iemand belt op en zegt dat mevrouw X een baby had die bij het ongeluk is omgekomen. In negenennegentig procent van de gevallen is dat ook echt zo. Maar heel af en toe krijgen we te maken met een of andere geschifte figuur die alleen maar zégt dat mevrouw X een baby had, om de uitkering te kunnen opeisen. De baby zit dan gezond en wel bij zijn opa en oma en was helemaal niet betrokken bij de crash. Daarom moeten we alles natrekken.'

'Zijn er echt mensen die zeggen dat hun kinderen zijn omgekomen terwijl dat helemaal niet zo is?'

'Meneer Delgado, sommige mensen zijn tot alles in staat om een uitkering te krijgen. U wilt niet weten met wat voor gevallen wij te maken krijgen.'

'Dat geloof ik graag.'

'Dus... heb u de lijst van WestAir?'

'Uiteraard en ik wil die best even gaan halen. Maar de volgende keer kunt u die zelf ook uit het archief van de krant halen.'

'Tja, dat is nu juist het punt. Het gaat niet om de lijst die in de krant is gepubliceerd. Het gaat om de eerste lijst die jullie van WestAir hebben gekregen. Die heb ik nodig om te vergelijken.'

'Kunt u die dan niet bij WestAir opvragen?'

'Dat heb ik gedaan,' loog Marge. 'Maar Ace Insurance vond dat ik ook naar de *Times* moest gaan om uw lijst te vergelijken met die van West-Air.' Ze knipoogde naar hem. 'U bent journalist, u weet hoe belangrijk dubbel checken is.'

Delgado knikte. 'Die lijst moet bij Tricia liggen, maar ze is met vakantie.'

'Verdorie. Zou niemand anders hem hebben?'

Delgado dacht na. 'Ik kan wel even informeren. Als u het niet erg vindt om een paar minuten te wachten?'

'Nee hoor, helemaal niet. Heel hartelijk dank. Aan u heb ik tenminste iets. En ik praat liever met u dan tegen een voicemail.'

'Geen dank, al heb ik niks bijzonders gedaan,' zei Delgado. 'U kunt hier wachten, maar zoals ik al zei, kan het wel even duren.'

Toen hij weg was, dacht Marge na over Delgado, die niet veel ouder was dan Vega. Haar dochter scheen onverwacht snelle vorderingen te maken op het sociale vlak. Na het geslaagde feestje had Josh, haar studiegenoot, haar nogmaals uitgenodigd, maar nu voor een etentje. Na de gebruikelijke paniekaanval was Vega op tijd gekalmeerd om ja te kunnen zeggen en had ze Marge opgebeld om haar opnieuw om advies te vragen. Toen Marge zei dat ze bijvoorbeeld over een nieuw boek konden praten, had Vega de top tien van de non-fictielijst van de *New York Times* gekocht en in drie avonden gelezen.

De minuten tikten weg.

Marge haalde haar BlackBerry tevoorschijn. Will Barnes had gebeld en een smsje achtergelaten dat hij naar Santa Barbara ging voor een sollicitatiegesprek. Wilde ze soms mee? Een weekend in de badplaats klonk erg aanlokkelijk en ze zat te dromen over wandelingen over het strand en een heerlijk visdiner toen Delgado terugkwam met twee vellen papier. Marge stond meteen op, maar Delgado gaf ze haar niet meteen.

'De eerste lijst die we hebben gepubliceerd was niet moeilijk te vinden. Dat is deze.' Hij gaf de lijst aan Marge en wapperde met het andere vel. 'Voor zover ik het kan beoordelen – zeker weten doe ik het niet – is dit de originele lijst die we van WestAir hebben gekregen, en zoals u al zei, staan daar minder namen op dan op de lijst die we hebben gepubliceerd.'

'Zie je wel? Ik ben niet voor niks hiernaartoe gestuurd.' Ze stak haar hand uit.

'Eh... ik had u dit eigenlijk al eerder moeten vragen. Mag ik alstublieft uw identiteitsbewijs zien?'

'Tuurlijk.' Marge maakte haar tas open. Ze overwoog Delgado haar identiteitsbewijs van het LAPD te laten zien. Vaak keken de mensen alleen maar naar haar naam als ze het kort liet zien. In dit geval leek het haar echter niet verstandig. Delgado wilde precies weten wie ze was. Ze zei: 'Ik zie dat ik geen visitekaartjes bij me heb, maar ik kan u mijn rijbewijs laten zien.' Ze haalde het tevoorschijn. 'Niet naar mijn geboortedatum kijken, hoor. Dat is niet netjes.'

Hij lachte erom, maar bekeek het rijbewijs zorgvuldig. 'U bent inderdaad Marge Dunn, maar dat zegt nog niets.'

De enige manier waarop ze hier zonder kleerscheuren kon wegkomen, was als hij het gevoel kreeg dat hij een primeur zou mislopen. 'Misschien kan ik eigenlijk beter wachten tot Tricia Woodard terug is en dit via de vereiste kanalen afhandelen. Je kunt niet voorzichtig genoeg zijn, nietwaar?'

Delgado fronste. 'Waar bent u precies naar op zoek, mevrouw Dunn?'

'Laat me de lijsten even zien, dan zal ik het u vertellen.'

De jongeman besloot het risico te nemen. Hij gaf haar het tweede vel papier. Efficiënt was Rusty in ieder geval wel. Onder aan de eerste lijst stonden drie namen die aan de gepubliceerde lijst waren toegevoegd. De eerste twee waren Campbell Dennison en Zoey Benton. Marge liet haar blik over de rest van de lijst gaan en vond de bijbehorende passagiers die wél tickets hadden gehad: Scott en Lisa Dennison en Marlene Benton. Deze twee slachtoffers waren kinderen onder de twee geweest. Ze zou de namen later verifiëren.

De laatste naam die aan Delgado's lijst was toegevoegd, was die van Roseanne Dresden.

Marge wees naar de eerste twee namen. 'Zo te zien waren dit de kinderen van passagiers die een ticket hadden. De laatste – Roseanne Dresden – was een stewardess van WestAir. Maar ze werkte niet op die vlucht; ze was op weg naar San Jose. Enig idee waarom ze niet op de eerste lijst stond?'

'Nee, ik zou het niet weten. Wat denkt u zelf?'

'Gesproken als een ware journalist. Enig idee wie heeft gebeld om te zeggen dat haar naam moest worden toegevoegd aan de slachtofferlijst?'

'Dat zal wel iemand van WestAir zijn geweest.'

'Maar dat weet u niet zeker?'

'Nee. Ik heb er niets mee te maken gehad. Daar ging Tricia over. Ik laat u dit alleen maar zien – en misschien had ik dat niet eens moeten doen – omdat u vermoedt dat er iets niet in de haak is. Wat is er aan de hand?'

'Ik denk helemaal niet dat er iets niet in de haak is. Ik heb opdracht gekregen na te gaan wie heeft doorgebeld dat Roseanne Dresden bij de ramp is omgekomen en wie haar aan de officiële lijst heeft toegevoegd. Het zal inderdaad wel iemand van WestAir zijn geweest, maar we moeten het controleren, nagaan of het niet een derde is geweest, iemand die probeert de verzekeringsmaatschappij op te lichten.'

'Want dan leeft die vrouw misschien nog,' zei Delgado.

'En bezwendelt ze de maatschappij. Of ze is dood, maar niet omgekomen bij de ramp. Haar naam kan zijn doorgegeven door iemand die baat had bij haar dood.'

Ze zag dat Delgado steeds nieuwsgieriger werd.

'Ik heb een theoretische vraag,' zei ze. 'Stel dat haar naam niet is doorgegeven door WestAir. Stel dat het iemand anders was. In zo'n geval zetten jullie haar naam toch niet zomaar op de lijst?'

'Nee. Dan bespreekt Tricia dat eerst met de bureauredacteur en met WestAir. Denkt u dat Roseanne haar eigen dood heeft gefingeerd, of dat ze is vermoord?'

'Ik denk niks. Mijn taak is feiten te verifiëren.' Marge legde haar hand op zijn schouder. 'Kunt u me een plezier doen, meneer Delgado? Kunt u navragen wie van WestAir heeft gebeld om te zeggen dat Roseanne officieel dood was verklaard? En als het een derde partij was, kunt u dan vragen wie dat bij WestAir heeft nagetrokken? Als u mij op de hoogte houdt, hou ik u op de hoogte.'

Delgado streek over zijn haar. 'Ik wil niet dat Tricia hierdoor in de problemen komt.'

'Dat begrijp ik, maar het zou ook niet prettig zijn als later blijkt dat uw krant een blunder heeft begaan. En u wilt ook niet dat Roseanne of iemand anders erin slaagt de verzekering op te lichten. Ik geloof niet dat we Tricia hiervoor nodig hebben. Ik wil alleen maar weten of het WestAir was die heeft doorgebeld dat Roseanne bij de crash is omgekomen, en niet een hebzuchtig familielid.'

'Ik neem aan dat het lichaam van Roseanne Dresden nog niet is geïdentificeerd? Anders zou u al deze moeite niet doen.'

Scherpe jongen. Marge zei: 'De bergingswerkzaamheden zijn nog niet afgerond, maar ze is inderdaad nog steeds niet gevonden. Maarre... zullen we dat maar onder ons houden? Hoe minder mensen weten waar ik mee bezig ben, hoe beter.'

Uiteindelijk knikte Delgado. 'Geef me een dag of wat om te snuffelen en uit te zoeken wie rond die tijd gebeld hebben.'

'Prima.' Marge gaf hem het nummer van haar mobiele telefoon. 'Wat u ook ontdekt, ik wil het graag weten. Fraude plegen en proberen van iemands dood te profiteren is niet alleen erg laf, maar ook immoreel.'

'Dat ben ik met u eens, maar u weet hoe het na 11 september is gegaan.'

'Ja,' zei Marge. 'Weet u, uw krant zou daar eens een artikel aan moeten wijden. Over hoe de aasgieren na een tragedie onmiddellijk komen aanvliegen om zichzelf te verrijken.'

Delgado dacht er even over na en vond het een goed idee. Op zachte, vertrouwelijke toon zei hij: 'Als uit uw onderzoek blijkt dat er sprake is van zwendel, zal ik de zaak bespreken met mijn bureauredacteur. Als ik het goed breng, zou dit wel eens kunnen uitgroeien tot een hoofdartikel.'

8

Studio City had zijn naam te danken aan de nabijheid van de grote filmmaatschappijen en televisiestudio's. Universal lag op een steenworp afstand, aan de overkant van de canyon had je Paramount, CBS en de rest van het oude Hollywood, en via de snelweg was het maar een kwartiertje naar NBC in Burbank. Het was het Greenwich Village van de Valley, met zijn boetiekjes, bloemenzaken, fitnessclubs en cafeetjes, maar het was vooral bekend om de grote bowlingbaan waar de jonge elite van Hollywood vaak een avondje kwam spelen, alsof ze gewone mensen waren.

Arielle Toombs had een flat in een geheel uit hout opgetrokken appartementencomplex tussen fijnbladerige iepen en grote platanen die de zomerse hitte temperden. Elke flat had een eigen balkon. De zwembaden, fitnessruimte en recreatiezaal van het complex waren voor algemeen gebruik, dat wilde zeggen: voor iedereen die zich hier de huur kon veroorloven.

De ochtendnevel had plaatsgemaakt voor een koepel van blauw en Decker begon over het weekend na te denken toen hij de trappen beklom naar de derde verdieping. Vrijdagavond zouden Cindy en Koby eindelijk komen eten, een afspraak die al een paar keer was verzet, zaterdag zouden ze 's ochtends naar de synagoge gaan en had hij 's middags zijn studiegroep, maar de zondag kon hij besteden zoals hij wilde. Op zondag had hij de tijd aan zichzelf zonder verplichtingen. Als Hannah met vriendinnen had afgesproken, wat ze tegenwoordig als tiener vaak deed, konden Rina en hij wel weer eens naar het restaurant van de koosjere wijnmakerij in Oxnard gaan. Sinds ze die hadden ontdekt, kwamen ze er graag.

Hij klopte op de deur. Een vrouw van begin dertig deed open, een lange, slanke brunette met groene ogen die nog groener leken door haar kleding: een oranje T-shirt op een groene driekwartbroek. Ze had haar haar tot een paardenstaart gebonden en liep op teenslippers. 'Bent u inspecteur Decker?'

'Ja.' Hij liet haar zijn identiteitskaart zien.

Ze glimlachte en zei: 'Ik had natuurlijk moeten vragen wie het was voordat ik de deur opendeed. Maar gelukkig bent u het. Kom erin. Wilt u iets drinken?'

'Water graag.'

'Gewoon of met bubbels?'

'Maakt niet uit,' zei Decker.

'Gaat u zitten. En let alstublieft niet op de rommel.'

De rommel bestond uit wat kranten die op een zwarte slaapbank lagen. De bank was vrij laag en de bekleding was doorgestikte met knopen, maar had een verrassend prettige zit. De flat had een open woonruimte die Arielle spaarzaam had gemeubileerd. Afgezien van de bank stonden er alleen twee fauteuils en een lage tafel van kunststof. Ze kwam terug met twee glazen spuitwater. Ze gaf er een aan Decker, nam een slokje uit haar eigen glas en ging zitten. 'Ik weet niet of ik u kan helpen. Bij WestAir hebben ze gezegd dat we alle vragen over vlucht 1324 moeten verwijzen naar de speciale eenheid.'

'Dat weet ik, maar vergeet niet dat WestAir u niet mag beroven van uw recht op vrije meningsuiting.'

'Daar gaat het niet om,' zei Arielle. 'Het gaat erom dat in crisissituaties veel foutieve informatie de wereld in wordt gestuurd. WestAir probeert dat tot een minimum te beperken.' Ze gooide haar staart naar achteren. 'De man die me heeft gebeld... Ik ben zijn naam kwijt.'

'Brigadier Oliver.'

'Ja. Hij zei dat hij met me wilde praten over Roseanne Dresden.'

'Dat klopt. Het gaat ons om Roseanne.'

Meteen kreeg ze tranen in haar ogen. Ze zette haar glas neer en droogde haar ogen. 'Wat wilt u weten?'

'Kende u haar goed?'

'Ja, al van school, de middelbare school.'

'Dat is een lange tijd.'

'Ja.'

'U komt dus uit Fresno?'

'Geboren en getogen.'

'Waarom bent u naar L.A. gekomen?'

'Vanwege een vriendje.'

'Bent u eerder of later dan Roseanne gekomen?'

'Eerder, geloof ik, ik weet het niet zeker. Op school gingen we niet met elkaar om. We hadden elk een heel andere vriendenkring. Als iemand toen had gezegd dat we uiteindelijk zulke dikke vriendinnen zouden worden, zou ik hem voor gek verklaard hebben.'

'Waarom?'

'Zij was een van de populaire meisjes en ik niet. Eerlijk gezegd mocht ik haar toen niet erg. Ik vond haar erg verwaand. We raakten pas bevriend toen we allebei voor WestAir werkten. De crash is op heel veel niveaus verschrikkelijk, maar u hebt geen idee hoe kapot ik was toen ik hoorde dat Rosie ook was omgekomen. Ik snapte ook helemaal niet hoe het kwam dat ze in het vliegtuig zat; waarom ze in San Jose zou gaan werken.'

'O ja?' Decker pakte zijn notitieboekje. 'Waarom vond u dat zo vreemd?'

'Omdat ik dacht dat ze niet meer... nou ja, dat is niet belangrijk. Maar toen ik erover begon na te denken, was het ergens ook wel weer logisch. De situatie thuis was niet prettig en misschien leek het haar een goed idee om er een poosje tussenuit te gaan toen er in San Jose een plaats vrijkwam.'

'Ik heb gehoord dat ze problemen had met haar man.'

'Hij bedroog haar bijna openlijk. Maar toch, je moet alles altijd van twee kanten bekijken.'

'En als je het van zijn kant bekeek?' vroeg Decker.

Een diepe zucht. 'Ik was erg op Roseanne gesteld. Ze was levenslustig, grappig, trouw en je zou haar je laatste cent hebben gegeven. Ze had een groot hart en stond voor iedereen open.'

'Maar...'

'Maar zo nu en dan...' Arielle schudde haar hoofd. 'Hoe zal ik het zeggen? Soms kwam het meisje van toen weer tevoorschijn en deed ze opeens heel lelijk. Ze kon iemand met een paar zorgvuldig gekozen woorden zó klein maken.'

'Ook haar man?'

Arielle keek naar het plafond. 'Roseanne was meestal zo innemend en aardig dat je ervan schrok als je haar nog nooit zo had meegemaakt.

Een keer waren mijn vriend en ik samen met hen uit eten, met Roseanne en Ivan. Rosie was kwaad op Ivan en zat hem de hele avond te jennen. Af en toe probeerde hij haar lik op stuk te geven, maar hij was geen partij voor haar.'

'Dat klinkt niet best.'

'Nee. Ivan had het waarschijnlijk aan zichzelf te danken, maar het was toch vervelend, vooral omdat...' Ze wapperde in de lucht. 'Nou ja, maakt niet uit.'

Decker zei: 'U moet niets achterhouden. Ik moet weten wat er tussen die twee gaande was.'

Arielle keek hem vragend aan. 'Waarom?'

Nu had Decker op zijn beurt 'maakt niet uit' kunnen zeggen, maar in plaats daarvan koos hij voor een leugentje. 'Ons onderzoek betreft mogelijke verzekeringsfraude. Er schijnt onenigheid te bestaan over de begunstigde van haar levensverzekering. Als ze al langere tijd met huwelijksproblemen kampten, kan dat van invloed zijn op de claim en een eventuele tegenvordering.'

'Als Roseanne had geweten wat er ging gebeuren, zou ze die ellendeling geen cent hebben nagelaten, maar ik weet niet of ze de polis op tijd heeft laten veranderen.'

'Waarom stopte u daarnet midden in uw zin? Wat wilde u me niet over Roseanne vertellen?'

'Ach... alleen dat Roseanne zelf ook geen heilige was.'

'Aha...' Decker knikte.

'Maar het komt allemaal door Ivan. Ze is pas begonnen toen bleek dat hij haar herhaaldelijk ontrouw was.'

'Had ze zelf ook iemand anders?' vroeg Decker.

'Goed, ik zal open kaart spelen. Ongeveer een half jaar geleden heeft Rosie een einde gemaakt aan een langdurige relatie met een getrouwde man. Een man van in de vijftig. Ik weet niet hoe rijk hij is, ik weet alleen dat hij voortdurend cadeautjes voor haar kocht. Iedere keer dat we voor ons werk naar San Jose gingen en daar bleven overnachten, had ze de volgende dag een nieuw sieraad aan haar vinger, om haar pols of om haar hals. Eén keer heeft hij haar een diamanten horloge gegeven, een Chopard. Dat is een heel duur merk.'

'Ik weet het. Dit zou de reden kunnen zijn waarom ze weer in San Jose ging werken.'

'Als dit een half jaar geleden was gebeurd, zou ik dat ook gedacht hebben.' Arielle dronk wat water. 'Maar ze had het echt definitief uitgemaakt en was niet van plan ooit nog naar hem terug te gaan. Hij begon namelijk te zeggen dat ze er samen vandoor moesten gaan. Wat haar betrof was hij goed genoeg voor wat sieraden, maar ze wilde echt niet haar hele leven met hem opgescheept zitten. Toen ze het had uitgemaakt, vertelde ze me dat hij erg boos op haar was. Ze zijn niet als vrienden uit elkaar gegaan, om zo te zeggen. Daarom begreep ik niet waarom ze in het vliegtuig zat. Ik had niet gedacht dat ze nog in San Jose wilde werken.'

'Misschien waren ze dan toch weer bij elkaar.'

'Nee... dat lijkt me niet. Ze probeerde juist haar huwelijk te redden. Ivan en zij gingen zelfs naar een huwelijkstherapeut, al zei ze dat het niet veel uithaalde.'

'Ik wil graag met die ex van haar gaan praten. Hoe heet hij?'

'Ik kan u best vertellen hoe hij heet, maar wat heeft dit te maken met haar levensverzekering?'

'We trekken alles na,' zei Decker. 'Als ze van plan was met die man te trouwen, neem ik aan dat ze haar polis had veranderd.'

'Nee, u zit op het verkeerde spoor. Ze was helemaal niet van plan om met hem te gaan trouwen. Met Raymond Holmes zeker. Een corpulente vent van achter in de vijftig. Hij is aannemer van beroep en ik vond hem zo saai als een deur. Nee, Roseanne zou nooit met hem getrouwd zijn.'

'Al zou ze bij hem, in tegenstelling tot Ivan, financieel geborgen zijn.'

'Dat interesseerde haar niet. Haar vader zit er warmpjes bij en ze verdiende goed. Nee, Roseanne had vooral behoefte aan iemand bij wie ze kon uithuilen en daar was Ray uitermate geschikt voor... hoewel ik denk dat al die sieraden ook wel een rol hebben gespeeld.'

'Hoe komt het eigenlijk dat Roseanne, met al haar kwaliteiten, is getrouwd met zo'n loser als Ivan Dresden?'

'Kent u Ivan niet?'

Decker schudde zijn hoofd.

'Hij is erg knap. Dat is zijn grote voordeel. Zijn énige voordeel. Als hij alleen maar een lui varken was geweest en als hij alleen maar geld over de balk had gesmeten, zou Roseanne dat nog wel getolereerd hebben, omdat hij zo verrekte knap is. Het is zijn ontrouw die haar de das om heeft gedaan. Door zijn ontrouw voelde ze zich gekleineerd. Oké, ze heeft zelf ook een minnaar genomen, maar niet van harte, echt niet. Uiteindelijk had ze besloten van Ivan te scheiden, maar zoals ik al zei, weet ik niet of ze haar polis al had veranderd.'

Als Ivan van plan was haar van kant te maken, was de crash dus inderdaad een gelegenheid bij uitstek geweest. Maar nu Decker wist dat Roseanne een minnaar had gehad, was het opeens niet meer zo vreemd dat ze in het toestel naar San Jose had gezeten, ook al zei Arielle honderd keer dat ze het met die man had uitgemaakt. Decker zei: 'Geeft u me het telefoonnummer en adres van Raymond Holmes maar, als u wilt.'

'Ik zal u het nummer geven dat ik heb, maar ik weet niet of dat juist is.'

'Dat maakt niet uit. Hij zal ook wel in het telefoonboek staan, of in ieder geval zijn firma.'

'Ja, dat zal wel. Volgens Roseanne heeft hij een goedlopend aannemersbedrijf.'

'Volgens Roseanne,' herhaalde Decker.

'Ik geloof haar. Je kunt veel van Roseanne zeggen, maar ze was geen leugenaar.'

'Ze bedroog haar man. Is dat geen liegen?'

Arielle dacht daarover na. 'Als je iets niet vertelt, is het niet precies liegen. Ik weet niet of ze Ivan ooit over haar affaire heeft verteld. En ik betwijfel of Ivan genoeg om haar gaf om ernaar te vragen.'

Op het schermpje van Deckers mobiel stond dat hij een nieuw bericht had. Het was Marge en haar stem klonk dringend. Hij belde haar onmiddellijk terug en ze nam snel op.

'Waar ben je?' vroeg Decker.

'Op de terugweg van de Crypte naar het bureau. We hoeven ons niet meer in te spannen voor Dresden. Ik heb zojuist op een snijtafel het lichaam van een vrouw gezien dat uit de wrakstukken tevoorschijn is gekomen.'

'Is het Roseanne?'

'Dat weten ze nog niet, maar wie zou het anders moeten zijn? Roseanne is de enige vrouw die nog vermist werd. Het lijk is half verbrand en half verteerd. Het skelet is bijzonder fragiel. Het heeft vier uur gekost om het naar de Crypte te vervoeren.'

‘Hebben ze de kaak? Om te vergelijken met de gebitsfoto’s?’

‘Ze hebben het hele skelet, Pete. Alleen gaan de röntgenfoto’s veel tijd vergen. Iedere keer dat ze iets aanraken, valt er een stukje van het skelet uit elkaar. Op één deel na, dat relatief onbeschadigd is.’

‘Welk deel?’

‘De wervelkolom.’

‘En de patholoog-anatoom is er redelijk zeker van dat zij het is.’

Even bleef het stil. ‘Je wilt meteen antwoorden, hè?’

‘Ik zou het jammer vinden als we voor niks zitten te werken. Maar het is mijn eigen schuld. Ik heb jullie het veld in gestuurd voordat het bergingswerk voltooid was. Ik weet zeker dat zal blijken dat zij het is en dat deze zaak daarmee kan worden afgesloten. Ik zal de Lodestones bellen.’

Marge zei: ‘Als het gebit geen definitief uitsluitsel geeft, hebben we nog iets anders. Een stukje kledingstof met opdruk dat er nog vrij goed uitziet. Het kan van een T-shirt zijn. Het is roze. We kunnen navragen of Roseanne zo’n T-shirt had. Als we erg boffen, staat ze ermee op een foto.’

‘Heel goed.’ Toch was Decker enigszins teleurgesteld. Hij was min of meer samen met de Lodestones gaan geloven dat Roseanne niet in het vliegtuig had gezeten. ‘Oké, we zullen nu snel genoeg uitsluitsel krijgen, dus hoeven we niet nog meer tijd aan deze zaak te besteden.’

‘Het is alleen jammer dat ik dit niet een paar uurtjes eerder wist. Dan had ik niet naar de krant hoeven gaan om een eind in de lucht te zwetsen tegen een verslaggever, onder het voorwendsel dat ik voor een verzekeringsmaatschappij werk. Al moet ik zeggen dat het me niet slecht is afgegaan.’

‘Ik heb dat trucje ook een keer gebruikt.’

‘Twee zielen, één gedachte.’

‘Bel Oliver even om te zeggen dat hij de zaak tot nader order in de koelkast kan zetten. En dan zie ik jou zo dadelijk wel weer op het bureau. Ik ben benieuwd wat voor nieuwe ellende uit West Valley ons nu weer wacht.’

9

Bij het aarzelende klopje op de deur keek Decker op. Het was Marisse Kornblatt, de afdelingsecretaresse, en ze keek net zo aarzelend als ze geklopt had. 'Neemt u me niet kwalijk, inspecteur Decker. Ik heb u gebeld, maar er is iets mis met uw telefoon.'

'Ik heb de stekker eruit getrokken. Anders kom ik nergens aan toe. Wat is er?'

Ze gaf hem een stapeltje briefjes over binnengekomen telefoontjes. 'Deze zijn van het afgelopen uur, maar daar gaat het niet om. Ik heb Farley Lodestone op lijn drie en hij laat zich niet met een kluitje in het riet sturen.'

Roseannes stiefvader had de afgelopen twee weken al zeker zes keer gebeld. Het begon een vast ritueel te worden. De laatste informatie was bij hem niet in goede aarde gevallen.

Hallo Farley. Ze waren al zover dat ze elkaar tutoyeerden. Nee, er is nog steeds niet definitief vastgesteld of het Roseanne is, maar er wordt aan gewerkt. Ja, het spijt mij ook dat het allemaal zo lang duurt, maar ze doen hun best. Je hoort van ons zodra we uitsluitsel hebben.

Decker plugde de telefoon in. 'Hallo, Farley. Met Pete.'

'Je vindt het vast heel vervelend dat ik aldoor bel.'

'Helemaal niet. Ik wou alleen dat ik nieuws voor je had. Ik heb vandaag nog niets van de lijkschouwer gehoord, maar het is ook pas elf uur.'

'Ik heb het mortuarium daarnet gebeld, Decker. Ik heb gesproken met ene Cesar Darwin. Ken jij die?'

'Zeker. Een zeer deskundige arts.'

'Ik ben blij dat te horen, vooral omdat hij een buitenlands accent heeft.'

'Hij komt oorspronkelijk uit Cuba. Is hij degene die over de identificatie van de slachtoffers gaat?'

'Ja, en daarom bel ik je. Hij klonk me veel te terughoudend.'

'Terughoudend?' Decker streek over zijn hoofd. 'In welk opzicht?'

'Alsof hij iets weet maar het me niet wil vertellen. Doe me een lol, bel hem even om te vragen wat er is. Als je daarna zegt dat ik spoken zie, zal ik dat zonder meer accepteren. Maar als jij ook vindt dat hij verdacht klinkt, moet je het eerlijk zeggen.'

'Verdacht?'

'Ik vroeg alleen maar of hij al bezig was met de autopsie van Roseanne. Daar kon hij gewoon met ja of nee op antwoorden, nietwaar? Maar dat deed hij niet. In plaats daarvan kreeg ik een heleboel medisch geleuter te horen, dingen waar een gewoon mens niks van begrijpt. Jou vertrouw ik, en dat mag je opvatten als een compliment want ik vertrouw niet veel mensen. Doe me dus een lol. Bel hem even. Ik ben benieuwd of jouw leugendetector net zo goed werkt als de mijne.'

Het telefoontje met dokter Darwin was snel geregeld, maar zijn reactie beviel Decker allerminst.

'Ik denk dat we dit beter persoonlijk kunnen bespreken,' zei de arts.

Cesar Darwin woonde al vijfentwintig jaar in Amerika, maar sprak nog steeds met een zwaar accent en was door de telefoon moeilijk te verstaan. Volgens Decker kwam dat doordat Cesar de hele dag in de Crypte aan lijken werkte in plaats van zich bezig te houden met patiënten bij wie het hart nog klopte. Met een lijk kon je niet praten.

Een persoonlijk gesprek was misschien nog niet zo gek.

'Is het zo ingewikkeld?' vroeg Decker.

'Nogal.'

'Hoe laat schikt het u?'

'Ik moet nog één sectie doen. Kunnen we om twee uur afspreken? Dan ben ik klaar en tegen die tijd heb ik wel trek. Ik ken een goed Cubaans restaurant hier in de buurt. Tenzij u liever naar de Crypte komt.'

Decker dacht terug aan zijn prekoosjere jeugd in Florida. De Cubaanse keuken had weinig te bieden op het gebied van puur vegetarische gerechten. Zelfs de rijst en bonen werden meestal bereid met varkensvet. Aan de andere kant was de koffie er altijd uitstekend, en alles was beter dan de stank van lijken. 'Klinkt goed. Wat is het adres? Dan zien we u daar wel.'

'We? Wie zijn we?'

'Ik breng twee rechercheurs mee. Ik vrees dat ik hen nodig zal hebben.'

Decker hield het bij koffie, terwijl Oliver, Dunn en Darwin zich te goed deden aan *pastelitos*, pasteitjes gevuld met ham, kip, varkensvlees en scherp gekruid rundergehakt. Behalve dit lekkers stond er ook nog een schaal *adobo*, pikant gebraden varkensvlees, op tafel, met zwarte bonen en luchtige witte rijst als bijgerechten. Het was vandaag niet zo heet en dat was maar goed ook want het kleine restaurant had geen airconditioning. Op straat gebeurde van alles, legaal en illegaal, maar dit was Deckers district niet en hij was niet van plan zich ergens mee te bemoeien. Hij watertandde van de aroma's, maar kon niets eten. Eigenlijk was het maar goed dat hij strikt koosjer at, anders zou hij kilo's aankomen.

Er waren blijkbaar erg hete gerechten, want zelfs nadat Marge haar trui had uitgetrokken en de mouwen van haar blouse opgerold, zat ze nog te transpireren.

'Erg lekker.' Oliver had zijn jasje uitgedaan, trok zijn stropdas los en rolde de mouwen van zijn overhemd op. 'Hoe smaakt de koffie, Deck?'

'Zo goed dat ik er al vier koppen van op heb.'

'Gewone of zonder cafeïne?'

'Gewone, als ik mijn hart moet geloven.'

Darwin wenkte een serveerstertje van een jaar of vijftien. Ze had chocoladebruine krullen en haar armen, nek en rug zaten vol tatoeages van een of andere bende. De afbeeldingen waren erg uiteenlopend, van slangen en tijgers tot vlinders, en bijzonder gedetailleerd, wat inhield dat het met veel prikken en veel pijn gepaard was gegaan. Ze droeg een spijkerrokje, een strak, zwart hemdje en teenslippers. Haar teennagels waren zwart gelakt. Met lome gebaren stond ze op en pakte een blocnote. Darwin had hun verteld dat haar vader de eigenaar van het restaurant was en dat ze hier nu werkte in plaats van naar school te gaan.

'Koffie, dokter Cesar?'

'Voor allemaal graag, Marta.'

Ze keek naar Decker. 'Volgens mij hebt u wel genoeg koffie gehad.'

'Volgens mij ook. Breng mij maar een glas water.'

'Houdt u niet van Cubaans eten?'

'Jawel, maar ik heb geen honger,' antwoordde hij in het Spaans. 'Ik heb erg laat ontbeten.'

Marta trok haar neus op. 'Dat zegt u nu wel, maar zo ziet u er niet uit. Ik zal u een nagerecht brengen.'

'Wat voor soort?'

'Maakt dat iets uit?'

'Ik mag niets eten waar varkensvet in zit.'

Ze schraapte haar keel en verdween. Even later kwam ze terug met de koffie en een schaal dampende bananenbeignets. 'Gebakken in plantaardige olie.'

Decker glimlachte en nam er een. De beignet smolt in zijn mond. 'Erg lekker. Maar hier hoort toch echt koffie bij.'

'Dan breng ik u wel een kopje cafeïnevrije.'

Er was inmiddels bijna een uur verstreken en het was tijd dat ze over de autopsie begonnen. Decker keek naar Darwin en zei: 'Ik weet zeker dat mijn brigadiers deze maaltijd erg op prijs stellen, maar daarvoor zijn we niet gekomen. Wat is er aan de hand, dokter Darwin?'

'Ja, u wilt natuurlijk weten waarom ik u persoonlijk wilde spreken.' De arts nam nog een beignet en veegde zijn mond af met een papieren servetje. 'Het is een ingewikkelde zaak, en een bijzonder moeilijke autopsie. Het skelet is grotendeels verkoold, er zijn alleen nog botten over. De rest is in as veranderd. We hopen de identiteit van de persoon te kunnen vaststellen via het gebit. We hebben een volledige schedel, maar die is erg breekbaar. Omdat we het forensische bewijsmateriaal niet willen beschadigen, springen we er uitermate behoedzaam mee om. Als gevolg daarvan is het erg moeilijk om gebitsfoto's te maken onder dezelfde hoek als die van haar tandarts. Alleen in de onderkaak is de botmassa vrij dicht, dus is die kaak steviger en kunnen we hem makkelijker in positie brengen. Maar ik wil nogmaals benadrukken dat we te maken hebben met erg breekbare onderdelen.' Darwin stopte om een slokje koffie te nemen. 'Ik heb drie forensische tandheelkundigen verzocht de pre en post mortem röntgenfoto's te vergelijken en door te lichten. We zijn het er allemaal over eens dat de schedel niet toebehoort aan Roseanne Dresden.'

Doodse stilte. Oliver at achter elkaar drie van de beignets terwijl hij dit nieuws op zich liet inwerken.

Darwin zei: 'Zoals u weet heeft het bergingsteam alle vermiste vrouwen van de crash nu gevonden, afgezien van Roseanne Dresden. Het lichaam van deze onbekende vrouw is dus een heel nieuw probleem.'

'Weet u zeker dat het van een vrouw is?' vroeg Marge.

'Het bekken is bijna zeker van een vrouw, te oordelen naar de vorm en stand,' antwoordde de arts. 'Maar zelfs als dit het lijk is van een kleine man of een onvolwassen jongen, zitten we met een probleem. Er worden nog twee lijken van de crash vermist: een man van over de zeventig en een man van in de veertig. Dit is niet het bekken van een oude man noch van een man van middelbare leeftijd. Het is vrijwel zeker van een vrouw en naar mijn mening waarschijnlijk een jonge vrouw. Maar een *oude* jonge vrouw en daarmee bedoel ik dat ik denk dat het lijk ouder is dan de crash. Toen was gebleken dat de kaak niet overeenkwam met die op de gebitsfoto's van Roseanne Dresden, zijn we de beenderen nauwgezetter gaan bestuderen. In de bovenkant van de schedel zit een deuk.'

'Klap met een stomp voorwerp,' zei Decker. 'Moord.'

'Dat zou ik waarschijnlijk ook meteen gezegd hebben als het lijk in betere conditie was, maar vanwege de omstandigheden kan ik nu geen definitief oordeel vellen.'

'Hoe lang heeft dat lijk daar gelegen?' Oliver pakte een vijfde beignet van de schaal. De laatste, beloofde hij zichzelf.

'Als het vóór de brand was gevonden, had ik er beter over kunnen oordelen. Nu kan ik er eigenlijk geen zinnig woord over zeggen.'

Decker speelde met de punten van zijn snor. Hij deed dat om te voorkomen dat zijn hand weer afdwaalde naar de schaal met beignets. 'Kunt u ons wel vertellen wat het ras van deze vrouw is?'

'Misschien blank, misschien latino.'

Oliver zei: 'Heel fijn, dat beperkt het zoeken in L.A. tot slechts een paar miljoen mensen.'

'Lag ze tussen het puin van het flatgebouw of is ze in de grond onder het gebouw gevonden?' informeerde Decker.

'Dat moet u aan het bergingsteam vragen, maar ik geloof dat er nog vrij veel over is van de funderingen van het gebouw. Ik zou niet weten waarom iemand onder de fundering zou gaan graven en daar dan ook nog een lijk zou vinden.'

'Als ze in het puin is gevonden en niet onder de fundering, kan ze niet langer dood zijn dan het gebouw bestaat,' zei Decker peinzend. 'Dus moeten we nagaan wanneer die flat is gebouwd. Dan kunnen we kijken naar de personen die sinds dat tijdstip als vermist zijn opgegeven. Het zou fijn zijn als we de schedel naar een expert in forensische reconstructie konden sturen die de beenderen een gezicht kan geven.'

'De schedel is te kwetsbaar. Hij zou breken als iemand zou proberen er een gipsen afdruk van te maken en dan zouden we al het forensische materiaal kwijt zijn dat in de schedel te vinden is.'

'Wat een ellende,' zei Marge. 'Hebben we eindelijk een lijk, is het Roseanne helemaal niet. Nu zitten we misschien niet met één moord, maar twee!'

Decker kreunde in stilte. Hij had een hekel aan oude moorden en deze zat in de categorie diepvries. Maar op dit moment was Farley Lodestone zijn grootste zorg. 'Kunt u ons op enigerlei wijze helpen het tijdstip van de moord vast te stellen?'

'Het lijk zal verder niets uitwijzen. Maar ik geloof dat we in één opzicht bijzonder veel geluk hebben.'

'De kleding!' zei Marge.

'Inderdaad.' Darwin at de laatste beignet en vroeg om de rekening. 'Een deel ervan is wonderbaarlijk intact gebleven. We hebben geen etiket, maar het ziet ernaar uit dat Jane Doe een kledingstuk droeg met opdruk op de rug. Het is bewaard gebleven omdat ze op haar rug lag en de kleding van synthetisch materiaal is dat niet snel vergaat. Ik heb het lapje stof in beschermend plastic gevat. Als u even meegaat naar mijn kantoor kunt u het onder de microscoop bekijken.'

Marta, de getatoeëerde tiener, gaf de rekening aan Darwin, maar keek daarbij naar Decker. 'Hoe vond u het dessert?'

'Heerlijk.'

'Als u weer eens komt, kan Germando best iets apart voor u maken. Het is helemaal geen probleem dat u vegetariër bent. We kunnen van alles maken.'

'Dat zal ik onthouden.'

'Iedereen wil tegenwoordig iets speciaals. Dit wel en dat niet, en dit niet en wel... zelfs de *cholo's* zijn kieskeurig. Iedereen wil minder vet.'

Het forensische mortuarium van L.A.County lag aan North Mission Road in de ooit beruchte wijk Ramparts, ten noordoosten van de binnenstad van L.A. Het aangrenzende politiebureau was nu weer brandschoon, maar het kaïnsteken was nog niet helemaal verdwenen, al was het sterk verbleekt.

Het forensische complex bestond uit twee gebouwen die door een wandelgang met elkaar verbonden waren. Rechts waren de kantoren, links was de Crypte. Een permanente zwerm vliegen begroette de bezoekers bij de hoofdingang. Nadat de rechercheurs hun naam in het bezoekersregister hadden gezet en beschermende kleding hadden aangetrokken, inclusief schoenbeschermers en mondkapjes, nam Darwin hen mee naar de Crypte. Al in de lift werd de stank indringender naarmate ze dieper afdaalden. Die lucht vloog Decker elke keer weer aan, al kwam hij hier nog zo vaak.

Ze liepen door een stille gang waarvan de deuren toegang gaven tot snijzalen met glazen wanden en tot een koelruimte waar de lijken werden opgeslagen. Vanwege het ongekend grote aantal doden lagen er ook lijken op brancards in de gang. De meesten waren in plastic gewikkeld, maar bij sommigen was een deel van de grauwe, schimmelende huid zichtbaar.

Het kantoor van de patholoog-anatoom lag ook aan deze gang en had iets weg van een kombuis met kastjes boven en onder roestvrijstalen werkbladen vol instrumenten: verschillende soorten microscopen, weegschalen, krompassers, scalpels, pincetten en fotografische apparatuur. Er stonden zeven glazen potten met lichaamsdelen die in chemische vloeistoffen dreven, hoofdzakelijk vingers die werden geprepareerd om vingerafdrukken te kunnen nemen. Darwins bureau stond in een hoek en was overladen met stapels documenten. Voor één persoon was het een ruim kantoor, maar nu er vier volwassenen aanwezig waren, was het een beetje krap.

Ze schaarden zich rond een microscoop en keken om beurten door de lens om een smoezelig lapje stof van ongeveer veertig vierkante centimeter te bestuderen. Toen Decker keek, kon hij alle draadjes van de stof apart zien en zag hij dat de stof inderdaad van oorsprong roze was geweest. Daarna verstelde Darwin de microscoop zodanig dat het lapje stof minder sterk vergroot werd en ze naar de opdruk konden kijken op het schoonste deel in het midden van het lapje. De verf ervan was erg schilferig.

Decker tuurde door de lens. 'Dit is wel even wennen.'

'Ja,' zei Darwin. 'Maar ziet u de woorden?'

'Ik zie letters.'

'Welke letters?' Marge pakte haar notitieboekje.

'*V-e-s…*' Een pauze. 'Ik denk *v-e-s-t-o-n*.'

Marge schreef het op. 'Wat nog meer?'

'Onder het *v-e-s-t-o-n* staat *d-i-a-n*. Daaronder staat *a-p-o-l* en daaronder…' Hij stootte zijn adem uit. 'Ik denk *p-e-k…*' Hij tuurde ingespannen naar de stof. 'De rest is onduidelijk.'

Darwin zei: 'Kijk nog even voor de *p* in *p-e-k*. Volgens mij staat daar een *o*.'

'Ja… ik zie het. Er staat *o-p-e-k*.'

'*Opek*?' vroeg Oliver. 'Het oliekartel?'

'Nee, dat schrijf je met een c,' zei Decker.

Darwin zei: 'Kijk even naar de linkerbovenhoek. Daar is ook nog een opdruk te onderscheiden.'

Decker verschoof het in plastic gevatte lapje stof tot hij het deel zag waar de patholoog-anatoom op doelde. 'Ja, ik zie het. *a-j-o-r*.'

'Juist.'

'Verder nog iets?'

'Nee. Dit is wat ik u kan laten zien op deze vergrotingssterkte,' antwoordde Darwin. 'We kunnen het nog via de computer scannen, dan krijgen we misschien meer te zien.'

'Goed idee.' Decker richtte zich op en rolde zijn schouders. 'Wil iemand anders nog kijken?'

'Ik wil wel een kijkje nemen,' zei Oliver. De groep wachtte zwijgend terwijl Oliver de stof bekeek. 'Ja… ik zie precies hetzelfde.' Hij hief zijn hoofd op. 'Veel schieten we er niet mee op. De letters moeten deel uitmaken van langere woorden.'

Marge zei: 'We moeten over de stof zelf nadenken.'

'Hoe bedoel je?' vroeg Oliver.

'Nou, om te beginnen moeten we ons afvragen wat voor soort kledingstuk het was.' Marge bestudeerde de stof. 'Vanwege de opdruk zou ik zeggen dat het een T-shirt, een sweatshirt of een jasje was.'

'Dan gok ik op een jasje, omdat het synthetisch materiaal is,' zei Decker. 'T-shirts en sweatshirts zijn meestal van katoen.'

'Daar ben ik het mee eens,' zei de patholoog-anatoom.

Marge vervolgde haar analyse van de stof. 'Voor zo'n klein stukje stof staat er nogal veel op gedrukt en meestal staat er op jasjes niet zoveel. En de woorden staan boven elkaar…' Ze had zich over de microscoop gebogen maar richtte zich nu weer op. 'Het zou een lijst kunnen zijn.'

Oliver zei: 'Wat voor soort lijst staat er nu op de rug van een kledingstuk?'

Decker kreeg een ingeving. 'Margie, laat eens zien wat je hebt opgeschreven.' Hij las het en sloeg met de rug van zijn hand op het boekje. 'Het is net als met het oplossen van doorlopers. Als je hier en daar wat hebt staan, zie je vanzelf wat er op de lege plekken moet komen. *V-e-s-t-o-n*. Je moet het als een woord uitspreken, niet de letters apart. Veston. Wat dachten jullie van de stad Galveston? En *o-p-e-k* kan Topeka zijn. *D-i-a-n* kan heel veel zijn, maar als we in dat deel van het land zitten, kies ik voor Indianapolis.'

'Of dat is de *a-p-o-l*,' veronderstelde Marge.

Decker zei: 'Volgens mij is dit een tourjack.'

'Zou kunnen,' zei Marge. 'Helaas weten we niet wíéns tourjack. Maar we weten dat het roze was. Ik wil wedden dat het om een meidenband gaat, of om een band met een meisje als leadsinger of om een meisje dat in haar eentje optrad.'

'Madonna?' suggereerde Darwin. 'Die was erg populair.'

'Madonna draait al een hele tijd mee,' zei Marge. 'Er is vast wel ergens een malloot te vinden die alles weet over haar tournees.'

'Zie jij Madonna optreden in Galveston?' vroeg Oliver.

'Wat heb jij tegen Galveston?' vroeg Marge.

'Niks,' zei Oliver. 'Prachtige stad, behalve in het orkaanseizoen. Maar volgens mij wonen daar nou niet echt fans van Madonna.'

'Een countryzangeres dan,' zei Decker.

'Als het inderdaad om Topeka en Galveston gaat, heb je daar meer kans op.'

Decker vroeg: 'Hoe oud denkt u dat het jack is?'

Darwin haalde zijn schouders op. Even bleef het stil in het kleine laboratorium. Zo veel vragen die nog openstonden.

Oliver bukte zich, keek door de lens en verstelde de microscoop. Hij verschoof het lapje stof naar de linkerbovenhoek en las de letters hardop. '*a-j-o-r*. Deze letters zijn groter en staan niet in het rijtje. Volgens mij hoort dit woord niet bij de lijst van de steden. De vraag is dus...' Hij keek op. '... waar deze letters van zijn en ik zeg... dat ze misschien deel uitmaken van de naam van de popgroep.'

'Ajor,' zei Marge hardop. 'Major?

'Wacht!' Oliver sloeg met zijn vlakke hand op zijn voorhoofd. 'Priscilla and the Major!'

'Hemel, dát is lang geleden!' zei Decker.

'Wie?' vroegen Marge en Darwin gelijktijdig.

'Een zingend duo uit de jaren zeventig. Ze speelden soft rock, maar waren ook bij de liefhebbers van countrymuziek erg populair, omdat hij een gepensioneerde majoor en een groot patriot was.'

'Hij speelde gitaar, maar zij was de ster,' zei Oliver. 'Ze hadden vrij veel succes.'

'Ja,' zei Decker, 'al geloof ik niet dat ik ooit een plaat van hen heb gekocht.'

'Een plaat!' zei Marge. 'Over de goeie, ouwe tijd gesproken!'

'Ze zaten zo'n beetje tussen acid rock en disco in,' vertelde Oliver haar. 'Ze waren toen eigenlijk al een nostalgische band.'

'Je weet er veel van,' zei Marge tegen Oliver.

'Mijn ex hield van hun muziek,' antwoordde hij. 'Ik niet. Ik heb ook nooit een plaat van hen gekocht, maar ik weet nog wel dat Priscilla een lekker stuk was. Dat is de ouderwetse term voor een hottie.'

10

‘Laten we even hardop denken.’ Decker zat achter zijn bureau. Tegenover hem zaten Marge en Oliver te wachten op nieuwe instructies. ‘Twee zaken: Jane Doe en Roseanne Dresden. Jane is vermoord... Roseanne?’ Hij haalde zijn schouders op. ‘Daarover kunnen we nog geen uitspraak doen. Het bergingswerk duurt nog voort, maar er is inmiddels al veel tijd verstreken. Iemand moet met haar man gaan praten.’

‘En wat moeten we hem dan vragen?’ vroeg Oliver. ‘Of hij zijn vrouw heeft vermoord?’

‘Het vervelende is dat we niet eens weten of ze dood is,’ antwoordde Decker. ‘We vermoeden dat het geen goed huwelijk was. David Rottiger en Arielle Toombs hebben gezegd dat Roseanne van Ivan wilde scheiden. Verder heeft Arielle me verteld dat Roseanne een half jaar vóór haar dood een einde heeft gemaakt aan haar verhouding met haar minnaar Raymond Holmes. Ze zei dat hij daar boos om was. Wie weet is hij erbij betrokken.’

Een stilte.

‘We moeten Ivan Dresden tegemoettreden op een manier die niet dreigend overkomt. Ik denk dat hij eerder met ons zal praten als hij denkt dat wij ervan uitgaan dat Roseanne vermist wordt, niet dat ze vermoord is. En voorlopig weten we ook niet beter dan dat ze vermist wordt.’

‘Als hij echt zo tuk is op geld als iedereen beweert,’ zei Marge, ‘kunnen we zeggen dat de verzekering geen cent zal betalen voordat haar lijk is gevonden.’

‘Dat is waarschijnlijk ook zo,’ zei Oliver.

‘Tot op zekere hoogte,’ zei Decker. ‘In ieder geval kunnen we zeggen dat de politie vanwege de verzekering een onderzoek instelt naar wat er met haar kan zijn gebeurd. En dat het zelfs mogelijk is dat ze nog leeft, gezien het feit dat haar lijk niet is gevonden.’

'En wat willen we precies van Ivan?' vroeg Oliver.

'Om te beginnen hebben we zijn kant van de zaak nog niet gehoord,' antwoordde Decker. 'Ten tweede zou het prettig zijn als hij ons toestemming zou geven tot inzage in de belgegevens, creditcardafschriften en bankrekeningen, om te zien wat daarmee is gebeurd sinds haar verdwijning. We kunnen tegen hem zeggen dat dit een belangrijk deel uitmaakt van het onderzoek.'

'Moeten we iets zeggen over de gewezen minnaar?' vroeg Marge.

'Dat mag je zelf beoordelen.'

Marge vroeg aan Oliver: 'Wil jij Ivan bellen of zal ik het doen?'

'Doe jij het maar. Ik bel liever zijn vriendinnetje de stripteasedanseres.'

'Stripteasedanseres?' vroeg Decker.

'David Rottiger vertelde me dat hij regelmatig terrasfeestjes geeft en dat Ivan op een van die feestjes zat aan te pappen met een vriendin van hem die een baantje heeft als exotisch danseres.'

'Interessant.' Decker knikte. 'Weet je hoe ze heet?'

'Nee, dat wilde Rottiger me niet vertellen en ik had geen reden erop aan te dringen. Maar ik weet waar ze werkt en wil haar best even gaan opzoeken.'

'Dat geloof ik graag.' Decker lachte. 'Wie weet is ze een belangrijke informatiebron. Maar ga eerst met Ivan praten en vraag of je bij hem thuis mag komen, dan kun je meteen zien hoe hij woont. Pak hem met zijden handschoenen aan, want we moeten zijn toestemming zien te krijgen om Roseannes administratie door te spitten. Aan de hand van de afschriften, bankrekeningen en telefoonlogboeken komt er hopelijk meer duidelijkheid over haar laatste dagen.'

Oliver zei: 'Heb je Farley Lodestone al op de hoogte gebracht van de laatste ontwikkelingen?'

'Nog niet.' Decker slaakte een zucht. 'En hierdoor zal zijn vertrouwen in de gerechtigheid er niet op vooruitgaan. Als hij niet zo verdrietig was, zou hij vast smalend gnuiven.'

Marge zei: 'Weet je, als Roseanne aan boord van vlucht 1324 was, is er misschien iemand van het grondpersoneel die haar in het vliegtuig heeft zien stappen. Als ik volgende week nou eens terugga naar de balie van WestAir op het vliegveld om met de mensen daar te praten.'

'Die sturen je geheid door naar de speciale eenheid,' zei Oliver.

'Misschien krijg ik iets los als ik een van hen apart neem. Vrouwen onder elkaar, je weet wel. Nu Roseanne al zo lang vermist wordt, kan ik het nog wel een keer proberen.'

'Ik vind het een goed idee,' zei Decker. 'Oké, mensen, dit zijn dus onze nieuwe strategieën inzake Roseanne. Nu probleem nummer twee: het skelet van Jane Doe. Waarschijnlijk is die vrouw vermoord. We moeten erachter zien te komen wie het is, maar we kunnen geen reconstructie van het gezicht laten maken omdat de schedel te breekbaar is. Wat kunnen we wél doen? Navragen wanneer dat flatgebouw is gebouwd. En mensen zoeken die ons meer kunnen vertellen over Priscilla and the Major, om te zien of we te weten kunnen komen hoe oud dat jasje is.'

'Wanda Bontemps is al aan het computeren om zoveel mogelijk te weten te komen over het zingende duo,' zei Marge. 'Ik heb ze daarnet ook nog even gegoogeld. Meer dan vijfhonderd treffers, maar geen officiële website. Hoe oud moeten ze nu ongeveer zijn?'

'Rond de zestig.' Hemel, dat is maar een paar jaar ouder dan ik, dacht Decker. 'Terwijl Wanda naar informatie zoekt over het duo, moet iemand naar Bouw- en Woningtoezicht om te vragen wanneer het flatgebouw is gebouwd. Dat is een mooi klusje voor Lee Wang of Jules Chatham. Die zijn goed in bureaucratische rompslomp, documenten en details.'

'Chatham is met vakantie,' zei Marge, 'maar Lee is hier. Ik zal het tegen hem zeggen.'

Oliver zei: 'We hebben het over een gebouw van vijfentwintig tot dertig jaar oud. Dat zijn heel veel bewoners, Deck.'

'Om belastingtechnische redenen moet ergens opgetekend staan wie er allemaal hebben gewoond. Ga praten met de huidige eigenaars en werk dan terug in de tijd. Ik zal een lijst maken. We praten maandag verder. Misschien weet Wanda dan ook waar we Priscilla en de Major kunnen vinden.'

'Ga je Lodestone ook maandag pas bellen?' vroeg Oliver.

'Nee, die bel ik zodra jullie weg zijn. En daarna ga ik naar huis en zet ik de zaak eventjes helemaal van me af. Vanavond begint de sjabbes en dat is mijn rustdag. En ook als ik geen rust krijg, heb ik in ieder geval recht op een laatste avondmaal.'

Wanda zat aan haar computer een broodje met pindakaas en banaan te eten toen Oliver en Marge uit Deckers kantoor tevoorschijn kwamen. Ze sprak zonder op te kijken van het scherm. 'Het wonder van de moderne technologie. Met één klik kun je iets te weten komen over vrijwel alle mensen op deze planeet.'

'En wat ben je te weten gekomen?' vroeg Oliver.

'Om te beginnen dat het duo niet meer bestaat. De oorspronkelijke Major – Huntley Barrett – is al twaalf jaar dood. Priscilla heeft nog een poosje gezongen met een andere man, Kendrick Springer, maar de fans en recensenten mochten hem niet. Als je ziet wat ze allemaal over hem schrijven.' Ze schudde meewarig haar hoofd. 'De gemoederen over Huntleys plaatsvervanger liepen hoog op.'

'Treedt Priscilla nog steeds op?' vroeg Marge.

Bontemps haalde haar schouders op. 'Dat is een goede vraag. Ze heeft geen officiële website, maar wel een impresario. Ik heb geen info gevonden over recente optredens. Het laatste is van zeven jaar geleden.' Ze scheurde het bovenste velletje van haar blocnote en gaf het aan Oliver.

Oliver keek wat erop stond. De naam Miles Marlowe, met een telefoonnummer. Het was over zessen, dus Marlowe zou wel naar huis zijn, maar hij kon een bericht achterlaten. 'Wat nog meer?'

Ze overhandigde hem een stapel papier van tien centimeter dik. 'Hier heb je een uitdraai van alles wat me de moeite waard leek.'

'Ik begin me een beetje schuldig te voelen.' Oliver woog de stapel op zijn hand. 'Alsof ik persoonlijk een heel bos heb omgehakt.'

Bontemps lachte. 'Je moet dit niet verkeerd opvatten, maar ik heb nooit geweten dat je zo'n milieubewust type was.'

'Ik recycle zelfs. Maar vertel dat alsjeblieft niet door.'

Het was achtentwintig jaar geleden dat Priscilla and the Major een hit in de top tien had gehad, maar in hun kielzog bestonden vele blogs, verzamel-cd's die alleen via televisieverkoop te krijgen waren, en een grote groep nu bijna bejaarde fans die nostalgisch terugverlangden naar nummers met nette teksten en melodietjes die ze konden meezingen. Toen Oliver de stapel afgedrukte informatie doornam, las hij dat Priscilla en de Major op een gegeven moment waren gescheiden, maar dat ze tot op de dag van de dood van de Major op vriendschappelijke voet met elkaar hadden gestaan. Priscilla was zelfs naar Florida gegaan om hem in de laatste maanden van zijn leven te verzorgen. Een direct gevolg daarvan was dat de Major, die het zakelijke brein achter het succes van het duo was geweest, haar zijn niet onaanzienlijke fortuin had nagelaten, waaronder een verzameling van zestig dure gitaren, waarvan Priscilla de meeste had laten veilen. Ze hadden een dochter en haar geboorte had indertijd voor nogal wat ophef gezorgd, maar het was niet duidelijk wat er van het meisje was geworden.

Nadat hij alles had doorgenomen, voegde Oliver de stapel papier toe aan het gloednieuwe dossier 'Jane Doe'. Hij deed net zijn dossierkast op slot toen zijn mobiel begon te rinkelen. Het nummer dat op het beeldschermpje verscheen kwam hem bekend voor, maar hij wist niet uit zijn hoofd wie het was. Aangezien het zijn mobiel was en niet de gewone telefoon, nam hij op met 'hallo' in plaats van met 'Oliver'.

'Ik ben op zoek naar rechercheur... Scott Olivier.'

Uitgesproken als de naam van de beroemde, inmiddels overleden acteur. Dat beviel Oliver wel. Het klonk plechtstatig. 'U hebt hem gevonden. Met wie spreek ik?'

'Miles Marlowe. Eh... ik heb een bericht ontvangen dat u me hebt gebeld over Priscilla Barrett?'

'Dat klopt.'

'Ze heeft geen behoefte aan een nieuwe partner.'

'Dat is prettig, want ik wil haar partner helemaal niet worden.' Oliver had moeite niet te gaan lachen. 'Waarom denkt u dat?'

'Omdat u zich rechercheur noemt.'

'Dat ben ik ook.'

'Een echte?'

Nu lachte Oliver zachtjes. De man klonk oud en prikkelbaar. 'Van de politie. Ik werk voor het Los Angeles Police Department en...'

'U hebt geen idee wat ik allemaal te horen krijg,' viel Marlowe hem in de reden. 'Allerlei opportunisten die Priscilla's partner willen worden, en ze hebben zogenaamd allemaal een militaire rang. Brigadier, kapitein, kolonel, luitenant. Ik heb zelfs zogenaamde leden van vorstenhuizen aan de lijn gehad: twee prinsen en een hertog. Ik dacht dat u er ook zo een was. Dat u met mijn lady wilde optreden als Priscilla and the Detective.' Hijgende ademhaling. Een zware roker of iemand met een longaandoening. 'Het klinkt niet slecht, maar het is meer iets voor een tv-show dan voor een zingend duo. Maar goed, wat wilt u dan van mijn lady?'

'Een praatje met haar maken.'

'Waarom?'

'Wegens een onderzoek waar we mee bezig zijn. Ik heb een half uurtje van haar tijd nodig.'

'Geen luguber onderzoek, hoop ik. Ze is erg erg gevoelig.'

'Helemaal niet luguber,' loog Oliver. 'Volgens de informatie die ik over haar heb gevonden woont ze in Las Vegas?'

'Niet meer. Ze heeft er korte tijd gewoond en trok volle zalen, maar uiteindelijk beviel het haar toch niet. Ze is erg gevoelig, zoals ik al zei.'

'Daar kan ik inkomen. In ieder geval ben ik een oude fan en had ik gehoopt even met haar te kunnen praten.'

'Ik dacht dat u onaangename bijbedoelingen had. Ze heeft "het" nog steeds, ziet u.'

'Dat geloof ik graag,' zei Oliver, 'maar ik heb echt geen onaangename bijbedoelingen.'

'Dan weet ik het goed gemaakt. Ik zal haar uw telefoonnummer geven en dan belt ze u wel wanneer ze eraan toe is.'

'Nee, ik moet haar persoonlijk spreken, en hoe eerder hoe beter. Ik wil haar best zelf bellen, hoor.'

'Wie met Priscilla wil praten, doet dat via mij. U kunt net zo goed een impresario zijn die probeert haar van me af te pikken. Geef nu maar eerlijk toe, dat u mijn lady gewoon wilt ontmoeten, rechercheur Olivier.'

Oliver besloot aan het melodrama mee te doen. 'Oké, meneer Marlowe, ik zie dat ik u niets kan wijsmaken. Ik wil uw lady inderdaad graag ontmoeten.'

'Nu u dat hebt toegegeven, komen we al een stapje verder. Maar hoe weet ik dat u bent wie u zegt dat u bent?'

Oliver zei: 'U zou naar bureau West Valley kunnen komen en dan samen met mij naar uw lady gaan. Dan kunt u met uw eigen ogen zien dat ik bij de politie zit.'

Marlowe dacht erover na. 'Oké, ik kom naar het bureau om te zien wie u bent. Als blijkt dat het allemaal goed zit, kunt u achter me aan rijden naar haar huis. Ze woont toevallig in West Valley... Porter Ranch.'

'Meent u dat? Dat is erg gunstig.'

'Niet voor mij. Ik werk in Hollywood.'

'Dan stel ik het dubbel op prijs dat u bereid bent tijd uit te trekken om me met haar in contact te brengen. Al is dat niet echt nodig, want nogmaals, ik zit vlak bij West Valley.'

'Denk niet dat u zomaar bij haar kunt aankloppen, rechercheur Oliver. Ze woont in een omsloten wijk die dag en nacht wordt bewaakt.'

'Geen haar op mijn hoofd die daaraan denkt, meneer Marlowe. Ik ben geen stalker. Wanneer schikt het u?'

'De vraag is niet wanneer het míj schikt, maar wanneer het Priscilla schikt. Ik zal haar bellen en dan hoort u nog wel van mij.'

'Heel fijn.'

De man hing abrupt op. Tien minuten later, toen Oliver net in zijn Chrysler PT Cruiser het parkeerterrein van het politiebureau wilde verlaten, ging zijn mobieltje.

'Maandagmiddag om drie uur. Schikt dat?'

Het was Marlowe, geen inleiding nodig. Oliver antwoordde: 'Uitstekend. Bedankt dat u het zo snel hebt geregeld.'

'Ik kom eerst naar het politiebureau. En geen grapjes of trucjes. Anders bent u nog niet jarig.'

'Ik sidder van angst,' fluisterde Oliver.

'Wat?'

'Heel hartelijk dank, meneer Marlowe. Ik ben hier erg mee geholpen.'

11

Met het aansteken van de kaarsen begon de heilige rustdag en kon de sjabbatbruid met zang en voedsel worden verwelkomd. Decker had zich gedoucht en geschoren en voelde zich als herboren. Omdat hij had besloten niet naar de synagoge te gaan, droeg hij gemakkelijke vrijetijdskleding: een kakikleurige broek, een zwart poloshirt en sandalen. Zijn maag knorde van de aroma's die uit de keuken kwamen en hij kon nauwelijks wachten tot ze aan tafel gingen. Er was voor zeven personen gedekt, het porselein en het kristal flonkerden en in het midden van de tafel stond een bloemstuk dat Rina zelf had gemaakt. Voor deze nieuwe hobby had ze hun achtertuin omgetoverd in een Engelse tuin met duizelingwekkende geuren en kleuren, waar insecten naar hartenlust zoemden. Ze noemde het hun eigen paradijsje.

Vanavond droeg Rina een smaragdgroene japon en zilverkleurige flatjes. Ze had haar haar opgestoken en bedekt met een kanten sluier die sierlijk tot over haar schouders viel. Hannah had twee vriendinnetjes te logeren en verder waren Cindy en Koby er. Iedere keer dat Rina gasten had, leefde ze zich helemaal uit in de keuken. Het diner begon met gemarineerde zalm met mosterd-dillesaus. Daarna kregen ze soep met gepureerde courgettes en wortelen, kaneel en gember, gevolgd door een roquettesalade met partjes grapefruit en sinaasappel. Tegen de tijd dat het hoofdgerecht – kalkoenborst gevuld met wilde rijst, en daarbij sperziebonen, lollo rosso en babyworteltjes – op tafel kwam, had eigenlijk niemand nog veel trek, maar dat weerhield hen er niet van toch van alles iets te nemen. Evenmin weerhield het hen ervan flinke porties te nemen toen een pruimentaart en een schaal met de eerste kersen van het seizoen op tafel kwamen.

Rina probeerde hun schuldgevoelens wat te verzachten toen ze zich volpropten met taart. 'Het is hoofdzakelijk fruit, hoor, behalve het kruimeldeeg bovenop.'

'Het deeg is juist het lekkerste ervan,' zei Koby. 'Ik lust nog wel een punt.'

'Op jou kan ik altijd rekenen, Jaakov,' antwoordde Rina en ze schoof nog een flinke punt op zijn bord.

'Dat komt doordat ik geen stopknop heb wat eten betreft.'

'Bofkont,' zei Decker.

Rina wierp haar man een blik toe die 'gedraag je' betekende, ook al wist ze wat hij bedoelde. Koby woog met zijn lengte van één meter vijfentachtig maar vijfenzeventig kilo. Een pezige man, die onvermoed sterk was. Net als Decker was hij een handige doe-het-zelver. Ter ere van de sjabbat droeg hij een wit overhemd, een zwarte broek en instapschoenen zonder sokken. Cindy droeg een zwarte wollen rok en een turkooizen trui die mooi kleurde bij het rode haar dat ze van haar vader had geërfd. Hannah en Cindy hadden veel gemeen: hun rode haar, rode wenkbrauwen en wimpers, en hun blanke huid die 's zomers vol sproeten kwam te zitten. Het enige verschil zat in de kleur van hun ogen: die van Cindy waren bruin en die van Hannah groen. Ondanks het feit dat ze verschillende moeders hadden, leken de zusjes erg op elkaar.

'Krijgen jullie eigenlijk nog vakantie?' vroeg Decker aan zijn oudste dochter.

'Dat is nog niet zeker,' antwoordde Cindy.

Koby zei: 'We hopen op een weekend in Santa Barbara.'

'Moeten we helpen afruimen?' vroeg Hannah aan haar moeder. Zij en haar vriendinnen hadden hun dessert al lang op en wilden dolgraag van tafel om te praten over belangrijke onderwerpen: school, poëzie, alternatieve rock, Gossip Girl-boeken, en jongens natuurlijk.

Rina zei: 'Brengen jullie je bord en bestek maar naar de keuken en zet ze in de vaatwasser. Ik doe de rest wel en zal jullie roepen wanneer het tijd is voor het gebed.'

'Weet je het zeker?' vroeg Hannah, maar je kon zien dat ze blij was dat ze weg mocht.

'Heel zeker.' Rina zei tegen Cindy: 'Je vader heeft een nieuwe sjabbatvaatwasser geïnstalleerd. Kind, het is een geschenk uit de hemel. Ik snap niet waarom we er niet eerder een hebben gekocht.'

'Zo'n ingebouwde?' vroeg Koby.

'Ja, van dezelfde firma. We hebben het grote model gekocht voor vlees en een kleinere voor melk. Ik ben er een keukenkastje aan kwijtgeraakt, maar dat verlies wordt ruimschoots gecompenseerd door de tijd die we besparen op het afwassen.'

'Wij zitten erover te denken een nieuwe keuken bij het huis aan te bouwen,' zei Cindy. 'Daarom vragen we het.' Toen ze zag hoe haar vader keek, glimlachte ze. 'Nee, ik ben niet in verwachting, maar we willen wel graag kinderen en het zou prettig zijn om een heuse kamer te hebben voor ons toekomstige kroost.'

'Nu de prijzen van de huizen zo hoog liggen, vinden we allebei dat we beter kunnen verbouwen dan verhuizen,' voegde Koby eraan toe.

'Wie gaat de verbouwing doen?' vroeg Decker.

'Ik... maar hulp is uiteraard welkom,' antwoordde Koby.

Drie paar ogen richtten zich op Decker. 'Welja, alsof ik niks te doen heb.' Maar hij wist nu al dat hij zou zwichten. Zo ging dat met kinderen.

Cindy zei: 'We gaan niet morgen al met balken sjouwen, pa. We zijn ons nog aan het oriënteren.' En tegen Rina zei ze: 'Ik heb heerlijk gegeten. Het was alleen veel te veel.'

'Dank je. Wat er over is, mogen jullie wel meenemen, als je wilt.'

'Ik had al gehoopt dat je dat zou zeggen.' Cindy stond op en begon de tafel af te ruimen.

'Blijf jij maar zitten,' zei Decker tegen zijn dochter. 'Ik help wel.'

'Welnee, ik heb nog jonge benen,' antwoordde ze met een knipoog. 'Nee, echt, pap, ik zit zo vol dat ik wel wat beweging kan gebruiken.'

Decker zei: 'Weet je wat? Laten wij tweeën dan de tafel afruimen, dan kunnen Rina en Koby het zich gemakkelijk maken.'

Koby zei: 'Daar heb ik niets op tegen.'

Rina glimlachte fijntjes. Hij wilde even alleen zijn met zijn oudste. 'Nou, graag. Ik heb de krant nog niet eens gelezen.'

'Ik ook niet.'

'Dan nemen we ieder een deel,' zei Rina. 'En je krijgt er van mij een glaasje whisky bij, Jaakov.'

Ze trokken zich terug in de woonkamer terwijl vader en dochter de schalen naar de keuken brachten.

'Wil je wassen of drogen?' vroeg Cindy.

'We hoeven alles alleen maar af te spoelen en in de vaatwasser te zetten. Zal ik dat doen?'

'Nee, laat mij maar. Dan mag jij je over de restjes ontfermen. Ik weet niet waar alles staat.'

'Goed.'

Cindy draaide de kraan open. 'Gezellig. Samen in de keuken. Net als vroeger, maar dan beter.'

'Ja, al was het vroeger ook altijd leuk.' Hij glimlachte naar haar en schraapte boven de afvalemmer wat etensresten van een bord. 'Hoe staan de zaken op de afdeling Autodiefstal?'

'Goed. Je weet hoe het gaat. Zodra het warm wordt, wordt de jacht op auto's geopend.'

'Dat geldt eigenlijk voor alle soorten misdaad. Als het buiten nat en koud is, wil niemand eruit, zelfs het gespuis niet. Kun je goed met Joe overweg?'

Joe Papquick was haar partner. 'Ja, prima. Erg spraakzaam is hij niet, maar hij vertelt me wat ik weten moet. Het werk wordt op den duur toch een beetje routine. Je komt steeds bij dezelfde winkels, dezelfde schroothandels, dezelfde mensen. De autodieven hebben zo'n twintig schroothandels die ze afwisselend gebruiken en dan is het zaak om de omkatters op heterdaad te betrappen.'

'Blijf op je hoede,' waarschuwde hij haar. 'Routine kan je onaangename verrassingen bezorgen.'

Ze glimlachte. 'Joe heeft een lijfspreuk: Als je iedere melding niet behandelt alsof het je eerste is, kan het je laatste worden.'

'Daar heeft hij volkomen gelijk in. Als je iets te licht opvat, ben je niet genoeg op je qui-vive.'

'Ik ben voorzichtig, hoor. En het is niet altijd routine. Soms ben je op tijd op de juiste plek en lukt het weer zo'n stuk ongeluk van de straat te halen.'

'Fijn gevoel geeft dat, hè?'

'Heel fijn, ook al komt het werk uiteindelijk steeds op hetzelfde neer.'

'Dat is met alle soorten speurwerk zo.'

'Toch denk ik dat het bij Moordzaken wel een tikje interessanter is.'

'Dat is zo, ook al heb je bij ons vaak gevallen waarbij we ervan overtuigd zijn dat degene die we in hechtenis hebben genomen, het heeft gedaan, maar we toch eeuwen bezig zijn om een bekentenis los te krijgen.'

'Dat is een kunst op zich.'

'Absoluut. Maar toch bereik je lang niet altijd wat je wilt, ook al versta je de kunst nog zo goed. In dat geval hoop je dat het forensische bewijsmateriaal uitkomst zal brengen. Als ook dat niet lukt, slaat de frustratie toe. Dan begint het spel dat "Wat heb ik over het hoofd gezien?" heet. De eerste vraag is altijd: "Heb ik wel de juiste persoon te pakken?" En dan ga je het dossier nog een keer uitpluizen en nóg een keer, op zoek naar dat flintertje informatie.'

'Hoe vaak ontdek je iets waar je naar op zoek was wanneer je een oude zaak opnieuw doorneemt?' vroeg Cindy.

'Vaker dan je denkt. Het beste is om het een poosje te laten liggen, dan kijk je er opeens heel anders tegenaan. Al met al geloof ik dat je in pakweg vijftig procent van de gevallen iets ontdekt waarmee je een zaak nieuw leven kunt inblazen.'

'Geen gek gemiddelde.'

'Maar toch niet goed genoeg wanneer het om moord gaat,' zei Decker. 'Het valt niet mee om machteloos te moeten toezien dat een zaak op een dood spoor raakt. En dan heb je ook nog gevallen waarin je zomaar opeens een oude zaak in de schoot wordt geworpen.' Hij vertelde Cindy over het oude lijk dat tussen de puinhopen was gevonden. Ze luisterde aandachtig en maakte op de juiste momenten een opmerking. Als ze er niet voor had gekozen bij de politie te gaan, zou ze een goede psychologe zijn geweest.

'Zijn de mensen van het forensische lab er absoluut zeker van dat die vrouw niet de vermiste stewardess is?'

'Ik ben naar de Crypte gegaan en heb de twee sets gebitsfoto's zelf gezien. In plaats van een verdwijning op te lossen, heb ik er nu een onopgeloste moord bij.'

'Dat is vervelend, maar het is een erg interessant geval. Had het flatgebouw een kelder?'

'Nee, het was een typisch Californisch gebouw, opgetrokken uit hout en pleisterwerk, zonder kelder.'

'Ook geen ondergrondse garage zeker?'

'Ik meen dat er achter het gebouw een parkeerterrein was. Het is gebouwd in de tijd dat de grond nog niet zo duur was. Volgens mij was er voor ieder appartement één parkeerplaats en konden bezoekers in de straat parkeren.'

'En hoeveel appartementen had dat gebouw?'

'Vijftien. Waarom vraag je dat?'

'Je zei dat het lijk boven het niveau van de fundering is gevonden.'

'Ik geloof niet dat ik dat gezegd heb. Waarom vraag je dat?'

'Werden toentertijd in Zuid-Californië niet veel flats gebouwd met kruipruimte tussen de houten ondervloer en de fundering?'

'Dat geloof ik wel. Er golden toen andere aardbevingsnormen. Nu bouwen ze niet meer zo. Nu zit de houten ondervloer vast aan de fundering.'

'Maar in de oudere gebouwen zaten daar alle leidingen, toch?'

'Ja, en ook de riolering, vooral in gebouwen met meerdere etages.'

'Dan zouden jullie moeten navragen of het gebouw zo'n kruipruimte had. Het zou een perfecte plek zijn om een lijk te verbergen, omdat de bewoners er helemaal niets van zouden merken. Misschien had de moordenaar van jullie Jane Doe iets te maken met de bouw.'

'Ja, daar hebben we al aan gedacht. We nemen niet alleen alle bewoners onder de loep maar ook de bouwvakkers. En andere werklui: loodgieters, elektriciens, mensen van de telefoonmaatschappij, mensen van de ongediertebestrijding.'

'Maar, pap, die mensen vallen toch op? Ik bedoel, als je iemand rond je huis ziet scharrelen, vraag je toch wie hij is?'

'En...?'

'Ik zeg alleen maar dat die mensen het misschien niet zouden aandurven om een lijk in het gebouw te dumpen. Ze zouden bang zijn dat iemand zou zien dat ze daar bezig waren. Als iemand een lijk wilde dumpen in zo'n kruipruimte, moet het volgens mij iemand zijn die weet dat hij geen aandacht zal trekken.'

'Dat is een heel goed punt,' zei Decker. 'Het zou bijvoorbeeld de huismeester kunnen zijn die in het gebouw woont. Niemand zou er iets van denken als die rondliep in vuile kleren, of als hij met vuilniszakken sleepte of in de kruipruimte kroop.'

'Neem bij twijfel altijd de huismeester onder de loep,' zei Cindy plagend. 'Hoe vaak is in misdaadreconstructiefilms op tv niet gebleken dat die het had gedaan?'

Decker lachte. 'Ik zal tegen mijn team zeggen een onderzoek in te stellen. Goed werk, rechercheur.'

Cindy kreeg het warm en wist dat ze bloosde. Ze voelde zich altijd apetrots als haar vader haar een complimentje gaf. Ze boog haar hoofd en deed alsof ze erg geïnteresseerd was in de vaat. 'Wie heeft de leiding over deze zaak?'

'Scott of Marge. Dat hebben ze nog niet met elkaar uitgevochten.'

'Zo te horen heb je je handen eraan vol, pap. Maar je hoeft je in ieder geval niet te vervelen.'

'Nee, maar alles kan te veel van het goede zijn.'

Cindy zette een vuurvaste schaal in de vaatwasser. 'Koby heeft promotie gemaakt.'

'Dat is goed nieuws!' zei Decker. 'Wanneer?'

'Een paar weken geleden.'

'En dat vertel je me nu pas?'

'Hij weet niet of hij het wil. Hij zou meer verdienen, maar ook langere dagen maken, meer kantoorwerk moeten doen en minder op de zaal kunnen zijn, bij de patiënten, en dat is juist waar hij zo van houdt. Ik vind dat hij zich niet over de kop moet werken voor wat extra geld. Maar hij wil per se sparen voor de verbouwing.'

'Maak je geen zorgen. Ik help jullie wel met de bouw.'

'Dat weet ik en dat stel ik ook erg op prijs. We kunnen veel zelf doen, maar er zijn toch dingen waar je van af moet blijven, zoals het aanleggen van de elektriciteit en het sanitair. Ik heb echt geen zin in een lekkende waterafvoer of een geëlektrocuteerde echtgenoot of vader.'

'Dat begrijp ik.'

'We hebben in ieder geval geld nodig, ongeacht waartoe we besluiten. Mam wil ons geld lenen, maar Koby is terughoudend. Daarom overweegt hij die baan te nemen, of iets anders te gaan doen waarmee hij meer kan verdienen.'

'Geld is belangrijk, maar hij moet wel plezier in zijn werk houden.'

'Dat heb ik ook gezegd.' Cindy zweeg even en zei toen: 'Alan wil ons ook wel helpen.'

'Ah... mooi.'

Cindy keek met een glimlach naar haar vader. 'Bespeur ik een lichte aarzeling?'

'Helemaal niet. Je stiefvader maakt je moeder gelukkig en dat maakt alles eenvoudiger.' Decker glimlachte maar het ging niet van harte. 'Ik wist alleen niet dat hij ook kon klussen.'

'Mam en hij zijn hun huis aan het opknappen. Volgens mij hebben ze aandelen in Handyman.'

'Wat doen ze allemaal?'

'Er is nieuwe keukenapparatuur geïnstalleerd – vaatwasser, koelkast, magnetron. En Alan heeft zelf een boekenkast en een tafel gemaakt.'

'En ziet het er een beetje uit?'

'Ja, niet gek.'

'Mooi zo. Want alle hulp is welkom. Hebben jullie een architect?'

'Ja, een buurvrouw die ons voor een zacht prijsje helpt. Ze is erg aardig en we houden van haar werk. Ik heb erg geboft: een architect als buurvrouw, een handige vader en echtgenoot, een stiefvader die redelijk kan klussen... Mooier kan het niet!'

'We zullen de handen gezamenlijk uit de mouwen steken. Net als de pioniers die vroeger in één dag een schuur overeind zetten.'

'Bedankt, pap, dat vind ik erg fijn.' Cindy keek hem stralend aan. 'En daar wil ik graag aan toevoegen dat ik erg trots op je ben.'

'Jij op mij?'

'Je hebt een zaak met me besproken alsof ik een collega was in plaats van je dochter. En dat niet alleen. We praten nu al bijna een uur en je hebt me nog niet één keer goede raad gegeven, behalve dat ik een zaak nooit als routine mag beschouwen, maar dat zegt mijn partner ook, dus dat kan ik niet eens beschouwen als overdreven vaderlijke bescherming.'

Decker stond op het punt iets te zeggen, maar knikte uiteindelijk alleen maar.

'Is het moeilijk voor je om me geen welgemeende adviezen te geven?' vroeg Cindy. 'Eerlijk zeggen.'

'Laat ik het zo zeggen.' Decker dacht even na. 'Ik heb me zo moeten inhouden, dat ik nu op springen sta.'

12

Regionale luchthavens als die van Burbank hadden meestal een overzichtelijk aantal reizigers, die daardoor niet zo vroeg hoefden in te checken en minder lang in de rij stonden bij de veiligheidscontroles dan op de grote vliegvelden. Ook was het personeel er vriendelijker en over het algemeen minder bureaucratisch ingesteld. Maar ook op de regionale vliegvelden had men sinds 11 september nieuwe zorgen en het hoofd van de veiligheidsdienst hield Marge Dunn onverbiddellijk tegen bij de metaaldetectors omdat ze niet de juiste machtiging bij zich had. Aangezien er geen schijn van kans was dat iemand van WestAir zou komen om haar erdoorheen te loodsen, besloot Marge het over een andere boeg te gooien en haar charmes los te laten op het personeel van de incheckbalie.

Volgens het vluchtschema zou er de komende twee uur geen enkel toestel van WestAir vertrekken of landen, en de jongeman die in zijn eentje achter de balie zat, maakte een eenzame en verveelde indruk. Hij had een rond gezicht met smalle lippen. Marge schatte hem achter in de twintig. Ze trok haar donkerblauwe rok recht en draaide hem tot de rits weer op haar linkerheup zat. Waarom de rits van dit soort rokken tijdens het lopen altijd naar achteren verschoof, was haar een raadsel. Heupwiegend liep ze naar de balie en schonk de jongeman haar liefste lach. Toen hij teruglachte, zag ze dat hij prachtige witte tanden had.

'Kan ik u ergens mee van dienst zijn?'

'Dat denk ik wel. Ik werk voor Acona Insurance Corporation, een dochtermaatschappij van Livalli Corp. We zijn bezig met een claim inzake vlucht 1324 en hebben ten behoeve van de begunstigde van de polis een bevestiging nodig dat het slachtoffer in het toestel...'

'Sorry,' zei de balieassistent. 'Voor alle vragen over vlucht 1324 moet u bij de speciale eenheid van WestAir zijn. Als u wilt, kan ik u het telefoonnummer geven.'

Marge leunde op de balie en liet haar stem dalen. 'Mag ik openhartig zijn, meneer...'

'Baine.'

'Aangenaam. Marge Dunn.' Ze stak haar hand uit en Baine pakte die aarzelend aan. 'Uw speciale eenheid is erg laks in terugbellen. Als je het mij vraagt, hebben ze niet veel zin om de claims te behandelen.' Ze wachtte af hoe Baine zou reageren. Toen hij niet meteen in de bres sprong voor de maatschappij, besloot ze een beetje te improviseren. 'We vermoeden dat de maatschappij kampt met ernstige cashflowproblemen. We hebben gehoord dat ze zelfs de salarissen niet op tijd betalen...'

'Dat is maar één keer gebeurd,' zei Baine.

'Ik ben niet gekomen om de directie zwart te maken, meneer Baine. Ik heb alleen maar wat informatie nodig.' Ze leunde naar voren op de balie. 'Ik vertegenwoordig een van jullie eigen stewardessen – Roseanne Dresden. Ik heb alleen maar een bevestiging nodig dat ze in het vliegtuig zat, dan kan ik haar arme echtgenoot tenminste wat troost én wat geld geven.'

De balieassistent schraapte zijn keel.

'Bespeur ik enige scepsis?' vroeg Marge.

Hij haalde zijn schouders op. 'Ik kende hen niet erg goed.'

'Maar u hebt een mening.'

'Iedereen mocht haar graag. Hem niet.'

Marge knikte. 'Ik sta open voor alles wat u me wilt vertellen.'

'Mijn mening doet er niet veel toe. Waarom hebt u specifiek voor Roseanne een bevestiging nodig?'

'Alle andere lijken zijn geborgen. Dat van haar niet.'

Daar keek Baine van op. 'Ik dacht dat ze haar een paar weken geleden hadden gevonden.'

'Vals alarm.'

'Meent u dat?' Baine tuitte zijn smalle lippen. 'Wat erg.'

'Het is meer dan erg. Haar ouders wachten op nieuws, maar we hebben geen nieuws.' Marge laste een veelbetekenende pauze in. 'Ik zal u vertellen hoe het zit, meneer Baine. Roseanne had geen ticket. We hebben gehoord dat ze is meegelift omdat ze in San Jose zou gaan werken. We hebben echter geen enkel bewijs gevonden dat ze inderdaad in het toestel zat, afgezien van het feit dat sinds de crash niemand meer iets van haar heeft vernomen.'

'Is dat dan niet genoeg?'

'Niet in dit millennium. Als ze aan boord van het toestel is gegaan, moest ze door de veiligheidscontrole. Geen van de bewakers kan zich herinneren haar gezien te hebben, maar het is inmiddels al lang geleden.' Een leugentje dat geen kwaad kon. 'Ik wil alleen maar weten wie die dag dienst had bij de gate. Misschien weet een van de grondstewardessen zich te herinneren dat Roseanne inderdaad aan boord is gegaan.'

Baine gaf geen antwoord, maar keek alsof hij iets afwoog. Hij pakte een telefoon en draaide Marge zijn rug toe toen hij sprak. Even later hing hij op en wees naar de uitgang. 'Aan de overkant van de straat is een café. Daar wacht ze op u. Het kan niet missen want ze is in uniform.'

'Dank u wel. Mag ik weten hoe ze heet?'

'Daar moet ze zelf maar over beslissen.'

'Heel hartelijk dank.'

'Geen dank.' Toen Marge zich al omdraaide, zei hij: 'Het is twee keer gebeurd.'

Ze draaide zich weer om. 'Wat?'

Hij wenkte haar met zijn vinger en ze boog zich naar hem toe. Baine fluisterde: 'WestAir heeft deze maand onze salarissen nog niet uitbetaald, aan niemand. We hebben het maar te accepteren, anders gaat de maatschappij zich beroepen op Chapter Eleven. U weet wel, een zogenaamd faillisement om de maatschappij te reorganiseren. We kunnen trouwens nog meer bezuinigingen verwachten.'

'Balen, zeg.'

'Ja, maar ik kan er weinig tegen doen. Ik heb deze baan hard nodig.'

'In ieder geval gelden de bezuinigingen voor iedereen,' zei Marge.

'Dat zeggen ze,' antwoordde Baine, 'maar voor zover ik weet heeft de directeur zijn zeiljacht nog niet verkocht.'

Een slanke, aantrekkelijke, roodharige vrouw stak Marge haar hand toe. 'Erika Lessing.'

'Marge Dunn.'

Ze namen tegenover elkaar plaats aan een tafel in een hoek van het café dat in retrolook was gedecoreerd en eruitzag als een jukebox uit de jaren vijftig. De tafels en stoelen waren van buismetaal met een bekleding van knalrood skai, de serveersters droegen een wit uniform dat werd beschermd door een schort met een plissérandje en hadden een wit kapje op hun hoofd.

Erika viel meteen op in haar WestAir-uniform. Met haar witte blouse, zwarte rok en gele blazer had ze iets weg van een wesp. Ze leek hooguit achter in de twintig en haar rode, krullende haar viel losjes rond haar schouders. Haar donkerbruine ogen stonden moe.

'U bent schade-expert?' Ze hield haar blik op Marge gericht. 'Dat was mijn vader ook. Ik heb een paar zomers voor hem gewerkt en heb dat wereldje goed leren kennen. Er is veel geld te verdienen in het verzekeringswezen. Wilt u weten waarom ik er niet ben blijven werken?'

'Nou?'

'Ik kon het niet uitstaan dat iedereen zat te liegen. Achterlijke mensen die claims aandikken en proberen de maatschappij uit te buiten, omdat ze met hun domme gezicht denken dat ze dat makkelijk kunnen doen omdat de verzekering toch wel betaalt. Als represaille verhoogt de verzekeringsmaatschappij dan de premies tot exorbitante niveaus, of treuzelt met de afwerking en uitbetaling van bonafide claims, en dat is nog veel erger. Dan moet een arme man wiens auto total loss is maandenlang met de bus naar zijn werk en krijgt hij na vijf jaar eindelijk eens een cheque. In het verzekeringswezen krijg je te maken met de slechtste eigenschappen van je medemensen.'

'Stort uw hart maar uit,' zei Marge. 'Hou u vooral niet in.'

Erika glimlachte op een grimmige, nijdige manier. 'Eliot zei dat u op zoek bent naar mensen die bij de gate van vlucht 1324 werkten.'

'Eliot is de meneer Baine van de incheckbalie?'

'Ja. Hij heeft me gebeld omdat hij wist dat ik hier zat. Ik wilde me even ontspannen en de krant lezen voordat ik aan het werk ga.'

'Sorry dan dat ik u stoor, maar u snapt wel waarom dit belangrijk is.'

'Ik werkte bij de gate,' gaf ze toe. 'Normaal gesproken zou ik niet met u praten, maar als er na al die tijd nog steeds iemand naar informatie zoekt over Roseanne Dresden, is het tijd dat ik mijn mond opendoe.' Een diepe, bedroefde zucht. 'Ik zit er vreselijk mee in mijn maag, en u bent hier nu toevallig.'

'Ik ben een en al oor.'

'U hebt geen idee hoe ik de afgelopen maanden heb lopen stressen.' Ze wees op haar borst. '*Ik* heb al die mensen ingecheckt. Ik voel me alsof ik hen persoonlijk de dood in heb gestuurd. Ik weet dat dat nergens op slaat, maar...' Ze schudde haar hoofd. 'Ik denk dat ik nog in shocktoestand verkeer. Ik ben vreselijk depressief. En boos en lusteloos. Ik voel me zo verrekte schuldig!'

'Naar wat ik hoor is WestAir erg streng en krijgt u helemaal geen steun.'

'Klopt. Het liefst hadden ze dat we er helemaal niet over zouden praten. Ze zijn bang dat we iets zullen zeggen wat tot nog meer rechtszaken zal leiden. Op het moment is dat het enige waar ze zich druk over maken. Maar dat hebt u niet van mij gehoord.'

'Natuurlijk niet.'

Erika kreeg tranen in haar ogen. 'Ik zal u vertellen hoe het is gegaan, mevrouw Dunn. Mijn hele leven heb ik de juiste beslissingen genomen, vind ik zelf. Ik heb een beroep gekozen dat bij me past... althans, dat was zo tot deze ramp is gebeurd. Ik heb een flat gekocht toen de prijzen van de huizen laag waren. Ik heb een geweldige vriendenkring... maar iedereen heeft een zwakte.'

'En u hebt een zwak voor mannen,' zei Marge automatisch.

'Is het me aan te zien of zo?'

'Nee, maar ik weet er alles van. Wees niet ongerust. Er is nog hoop voor de toekomst.'

'Dat wil ik graag geloven.' Een diepe zucht. 'Ik mocht Roseanne graag, echt...' Met verstikte stem ging ze door. 'Maar ik heb inderdaad een zwak voor mannen, voor de verkeerde mannen. Ik heb al drie keer voor het altaar gestaan en ik ben pas achtentwintig. Iedere keer dat ik denk dat ik mijn wilde haren kwijt ben, is er weer een gelikte jongen met een sexy smile die mijn hart verovert.'

'Ivan Dresden.'

'Kent u hem?'

'Van een foto. Knappe vent.'

'Een knappe vent, maar ook een gladde vent, al heb ik er uiteindelijk zelf voor gekozen uit de kleren te gaan. Het kon me niet schelen dat hij getrouwd was, maar het had me wel iets moeten doen dat hij getrouwd was met Roseanne. Ik beschouwde haar als een vriendin en heb al die tijd, een half jaar lang, in de angst geleefd dat ze erachter zou komen.'

'Wie heeft een einde aan de affaire gemaakt?'

'Ik. Je kunt niet samenwerken in zo'n kleine ruimte als een vliegtuig wanneer er scheve verhoudingen zijn. Je leven kan ervan afhangen.'

'Weet u zeker dat Roseanne er nooit achter is gekomen?'

'Ik weet zeker dat ze het niet wist. Al scheelde het een paar keer niet veel. Een keer, toen we samen lunchten, kreeg ze het opeens te kwaad en vertelde ze me dat ze dacht dat Ivan haar bedroog. Toen ze dat zei, was het alsof mijn hart stilstond. Ik heb toen bijna opgebiecht dat ik het was, maar opeens werd me duidelijk dat ze het over een andere vrouw had. Het is maar goed dat ik zo traag reageerde. Blijkbaar bedroog die schoft ons allebei!'

'Weet u toevallig hoe die andere vrouw heet?'

'Melissa... Miranda...' Ze haalde haar schouders op. 'Niet iemand van WestAir.' Ze nam een slokje koffie. 'Er is een reden waarom ik u over mijn armzalige liefdesperikelen vertel. Als ik Eliot goed heb begrepen, bent u op zoek naar een getuige die Roseanne aan boord van vlucht 1324 heeft zien gaan.'

Marge voelde haar hart een slag overslaan. 'U hebt haar aan boord zien gaan.'

'Nee, ik heb haar níet aan boord zien gaan en dat is nu juist het punt. Sinds mijn verhouding met haar man lette ik steeds op of ik Roseanne zag, zodat ik erop voorbereid was. Ik moet dat doen... mezelf er geestelijk op voorbereiden. Ik bloos snel en dat is meteen te zien omdat ik zo blank ben. Ik wilde niet dat ze zou vragen wat er met me was.'

'Aha.'

'Als Roseanne door die gate was gegaan, zou ik het gezien hebben. Maar ik heb haar niet gezien. Dat wil zeggen dat ze er niet was.'

'Kan ze aan boord van het vliegtuig zijn gegaan voordat u bij de gate kwam?'

'Nee, want ik was al bij de gate mensen aan het inchecken toen het toestel landde. Het was die ochtend vroeg vanuit San Jose hiernaartoe gevlogen.'

'Is het mogelijk dat Roseanne in het toestel zat en niet is uitgestapt?'

Daar dacht Erika even over na. 'Dat is mogelijk. Soms stappen de stewardessen niet uit, maar meestal wel. Om ons op te frissen maken we liever gebruik van een toiletruimte die groter is dan een kast. Maar daar gaat het toch niet om? U zei dat u wilde weten of ze hiervandaan is meegelift aan boord van dat toestel.'

'Maar het is mogelijk dat haar man niet precies wist wanneer ze zou vliegen. Misschien heeft hij maar met een half oor naar haar geluisterd en was hij blij dat ze weg was zodat hij een van zijn vele vriendinnetjes kon bellen.'

'Mag ik u vragen waarom u zich als schade-expert zo heeft verdiept in de slechte gewoonten van Ivan Dresden?' Erika kneep haar ogen iets toe. 'U hebt me niet eens een identiteitsbewijs laten zien. Daar zijn verzekeringsmensen altijd erg snel mee. Ik ben tegenover u volkomen eerlijk geweest en ik vind dat u me nu wel eens mag vertellen wie u echt bent.'

Marge keek naar haar felle ogen. Erika deed opeens vinnig, maar ze had dan ook verdriet. Op het hoogtepunt van haar affaire met Ivan had ze vast wel eens gewenst dat Roseanne dood was. Nu liep ze met een onredelijk schuldgevoel rond omdat haar wens was uitgekomen. Marge maakte haar tas open en haalde haar penning en identiteitsbewijs eruit.

'Politie?' vroeg Erika verbaasd. 'Wat heeft de politie hiermee te maken?'

'Het stoffelijk overschot van Roseanne is niet gevonden, dus wordt ze officieel als vermist beschouwd. Er zijn bijna twee maanden verstreken sinds iemand iets van haar heeft gehoord, dus is het heel goed mogelijk dat ze dood is... maar het begint ernaar uit te zien dat ze niet bij de crash is omgekomen. Daarom is het een zaak van de politie geworden. Ik ben van de afdeling Moordzaken.'

'Denkt u dan dat ze is vermoord?'

'Ik probeer moord nog steeds uit te sluiten. Helaas lukt dat niet echt.'

'Denkt u dat Ivan het heeft gedaan?' vroeg Erika handenwringend. 'Nee, zeg maar niks. Ik wil het niet weten.'

'Ook als ik het wist, zou ik het u niet kunnen vertellen. Maar ik meen het wanneer ik zeg dat ik niet eens weet óf ze is vermoord. Daarom wil ik iedereen spreken die iets met de crash te maken had. WestAir heeft het ons tot nu toe erg moeilijk gemaakt, maar u bent erg behulpzaam geweest.'

'Als ik er maar geen spijt van krijg.'

'Waarom zou u? U helpt mee gerechtigheid te krijgen voor een vriendin.'

'Dat is aardig gezegd van u.'

'Nog één vraag, dan ga ik,' zei Marge. 'Wie had samen met u dienst bij de gate?'

Erika gaf geen antwoord. Ze hield op met handenwringen, nam een laatste slokje van haar koffie en stond op. 'Sara McKeel. Maar dat hebt u niet van mij.'

Een ontstellende hoeveelheid vermiste vrouwen voldeed aan de forensische gegevens over het half verkoolde lichaam van Jane Doe. Decker had de dossiers voor een periode van tien jaar al binnen – van 1971, toen het flatgebouw was gebouwd, tot en met 1981 – toen Marge op de deurpost van zijn kantoor klopte.

'Kom binnen en ga zitten,' zei Decker. 'Ik hoop dat je goed nieuws hebt, want van mijn kant is het één doffe ellende.'

'Waarom?' Marge trok een stoel bij en ging tegenover hem zitten.

'Omdat alleen al in de Valley tussen 1971 en 1981 honderdzeventien vrouwen en meisjes zijn verdwenen. Voor een deel zal het om voogdijzaken gaan, en sommige zaken zijn misschien opgelost zonder dat wij dat weten, maar een deel staat ongetwijfeld nog open. En dat wil zeggen dat sommigen van jullie nu de onaangename taak krijgen de families van deze vrouwen en meisjes opnieuw verdriet te doen, terwijl ze hun leven misschien juist weer een beetje op de rails hadden.'

'Dat moeten we dan maar door Wanda en Julius laten doen. Die hebben allebei een prettige telefoonstem.'

Decker gaf haar de stapel documenten. 'Je bent nu brigadier. Je mag het regelen zoals je goeddunkt.'

'Wat bof ik toch met mijn rang.' Marge pakte de stapel aan en legde hem op haar schoot. 'Ik kom je nieuws vertellen over Roseanne Dresden.'

'Goed nieuws of slecht nieuws?'

'Verhelderend nieuws. Ik heb gesproken met de vrouwen die voor vlucht 1324 bij de gate werkten. Geen van beiden kan zich herinneren Roseanne aan boord van het toestel te hebben zien gaan. Een van de grondstewardessen, Sara McKeel, kan er niet op zweren dat Roseanne niet aan boord is gegaan, maar herinnert zich niet haar die ochtend gezien te hebben. De andere grondstewardess is een vrouw genaamd Erika Lessing en die vertelde me een heel ander verhaal.' Marge gaf hem een samenvatting. 'Erika houdt bij hoog en laag vol dat ze het zou hebben gezien als Roseanne aan boord van dat toestel was gegaan. Ze had een scherpe "madar" – een maîtresseradar.'

Decker knikte. 'Maar Lessing weet niet of Roseanne soms al in het toestel zat dat uit San Jose was gekomen en aan boord is gebleven.'

'Nee, daar kon ze niets over zeggen. Dus moeten we nu San Jose bellen om te vragen of Roseanne daar aan boord van vlucht 1324 is gegaan.'

Op dat moment klopte Scott Oliver op de deurpost van Deckers kantoor, nonchalant gekleed in een zwarte katoenen broek en een blauwe trui met een ronde hals met daaronder een geruit overhemd. En gymschoenen. 'Wie heeft jou een vrije dag gegeven?' vroeg Decker.

'We worden over drie kwartier bij Priscilla Huntley verwacht. Ik dacht, als we dan toch op de nostalgische toer gaan, kan ik me er het beste meteen maar op kleden.'

Marge zei: 'Wat jij aanhebt is eerder jaren vijftig dan jaren zeventig, Scott.'

'Ja, maar ik kan moeilijk op mijn werk komen in een spijkerbroek vol scheuren en een psychedelisch shirt, stinkend naar tabak en wiet, tenzij ik hasj zou roken en dat is godzijdank niet zo.'

'Wel gedaan?' vroeg Marge.

'Lang geleden, toen ik jong en onoverwinnelijk was en de hoeren alleen maar ziekten hadden die met antiobiotica te genezen waren. Maar we dwalen af. Hoewel mijn kleding misschien geen genade zal vinden bij mensen die naar optredens van Led Zeppelin gaan, denk ik dat ik niet zou opvallen tussen de fans van Priscilla and the Major, zelfs toen niet.'

'Uitleg aanvaard,' zei Decker.

Oliver zei: 'We moeten gaan, Margie. Haar impresario zit op ons te wachten. Hij weigert haar te laten interviewen zonder dat hij erbij is.'

'Waarom?'

'Hij vindt dat hij haar moet beschermen, maar dat niet alleen. Hij is smoorverliefd op haar en wil niet dat zo'n knappe jongen als ik los rondloopt in zijn territorium.'

'Ja ja.'

'Wat ja ja? Sommige vrouwen vinden me uitermate charmant.' Hij knipoogde. 'Andere vrouwen vinden me belachelijk. Maakt niet uit. Ik ben zo verwaand dat ik die vrouwen niet geloof, en te oud om me er iets van aan te trekken.'

13

Meestal reed Marge, maar omdat ze hadden besloten met de Cruiser te gaan – Scotts wijnrode, opgevoerde Chrysler – zat Oliver achter het stuur. Hij ergerde zich groen en geel. Om te beginnen had Marge, zodra ze naast hem was ingestapt, haar mobiel tevoorschijn gehaald en zat ze non-stop tegen haar dochter te kleppen. Maar hij had vooral de pest in omdat hij achter Priscilla's bejaarde impresario moest blijven hangen, die met een slakkengang voortsukkelde.

Marge zei in haar mobiel: 'Je kunt toch wel eerst naar de film gaan en daarna studeren voor dat tentamen microbiologie? ... Vega, het tentamen is pas over een week. Een beetje afleiding zal je juist goed doen... ja, ja, natuurlijk weet je dat zelf het beste... ja, snap ik... Willen jullie dan misschien aanstaande zaterdag met Willie en mij ergens gaan eten? Dan hoef je niet twee keer achter elkaar nee te zeggen tegen Josh.'

Marge hevelde de telefoon over naar haar andere oor.

'Ja, wil je dat? Nee, lieverd, natuurlijk vinden we dat niet vervelend. Willie wil hem ook graag leren kennen.'

Oliver schraapte zijn keel.

'Ik moet ophangen. Het is dus afgesproken voor zaterdag? Goed... goed... goed... goed... daag.' Ze hing op en zei tegen Oliver. 'We gaan met z'n vieren uit.'

'Gezellig. Welk stel mag achterin?'

Marge gaf hem een stomp.

'Jezus, man, schiet toch een beetje op!' riep Oliver naar de Buick. 'Je hoeft alleen maar op het gaspedaal te drukken. De motor doet de rest!'

'Hij kan je niet horen, hoor.'

'Die knakker hoort thuis op de Galápagoseilanden, bij al die andere stokoude schildpadden,' zei Oliver.

Marge zakte wat onderuit en deed alsof ze niet luisterde.

Twintig minuten later sloeg Miles Marlowe rechtsaf, reed een omheind terrein op, liet de Buick tot stilstand komen, draaide het raampje open en wees naar de plek waar de rechercheurs hun auto mochten neerzetten. Oliver manoeuvreerde de Cruiser in één keer netjes op de krappe plek die hem was toegewezen, terwijl Miles er vijf minuten voor nodig had om de Buick op een plek te zetten die ruim genoeg was voor een Afrikaanse olifant. De oude man stapte uit en kwam moeizaam naar Marge en Oliver gelopen. Hij liep wat gekromd, maar je kon zien dat hij ook in de kracht van zijn leven niet erg lang was geweest. Hij droeg een bril met dikke glazen en had een grote neus. Zijn ogen waren melkblauw en traanden een beetje. Het enig mooie aan hem was zijn dikke bos sneeuwwit haar. Hij keek op zijn horloge. 'Geen paniek. Ik heb Priss al gebeld om te zeggen dat we iets aan de late kant zijn.'

Oliver keek op zijn horloge. Het was drie over drie. 'Is het nog ver naar haar huis?'

'Nee, we staan er pal voor.' Hij wees naar het huis. 'Na u.'

De villa's van de ommuurde woonwijk moesten elk minstens driehonderd vierkante meter vloeroppervlakte hebben en waren op privéterreinen van zeker een halve hectare gebouwd, maar de bouwstijlen liepen sterk uiteen. Het huis van Priscilla Huntley had nog het meest weg van klassiek tudor. Het gazon was smaragdgroen, het pad naar de voordeur omzoomd met weelderige rode en roze rozen, paarse lavendel, witte margrieten en lila rozemarijn. Achter deze borders was de bodem bedekt met salie, munt en thijm. De zachte bries verspreidde een geur die het midden hield tussen reukzakjes en een stoofschotel.

De façade van het huis bestond deels uit baksteen en deels uit glad stucwerk en liep uit in spitse torentjes. Het dak was bedekt met leisteen. Boven de voordeur was een hoog glas-in-loodraam dat tot het kozijn van het zolderraam onder het puntdak reikte. Aan weerskanten van de diepliggende ingang met de rijkelijk bewerkte, dubbele deuren van notenhout waren symmetrische kruisramen.

Toen de oude man aanbelde, klonk er een melodietje dat een paar seconden aanhield.

'"Springless Year",' fluisterde Oliver tegen Marge. 'Hun grootste hit.'

Tot zijn verbazing deed Priscilla zelf open.

Ze zag er nog goed uit. Voor zover Oliver zich herinnerde had ze er nooit jeugdig uitgezien, zelfs niet toen ze een jonge popster was, maar dat kon te wijten zijn geweest aan haar conservatieve stijl en niet aan haar gezicht. In de jaren dat ze volle zalen trok was ze altijd perfect gekapt en opgemaakt en ging ze modieus gekleed. In dat opzicht was Priscilla niets veranderd. Ze had goed verzorgd, halflang, platinablond haar en wijd uiteenstaande blauwe ogen. De lijnen van haar mond waren verzacht met behulp van lipgloss. Ze droeg een zijden tuniek op een nauwsluitende spijkerbroek en liep op espadrilles met plateauzolen. Haar slanke vingers hadden lange nagels waarvan de randjes met wit waren geaccentueerd.

'Wat ontzettend lief van je, Miles, dat je speciaal bent meegekomen.' Ze sprak op zachte, bijna zwoele toon. De oude man keek verheugd op bij het compliment. 'Zou je me een heel groot plezier willen doen door even met de jongens te gaan wandelen?'

'Ik was eigenlijk van plan bij je te blijven, Priscilla, om ervoor te zorgen dat deze twee zich niet zullen misdragen.'

'Ben je mal. De jongens hebben je veel harder nodig dan ik.' Langzaam richtte ze haar blik op de rechercheurs. 'De jongens zijn mijn yorkshireterriërs. Ze zijn dol op Miles.' En weer tegen Marlowe: 'Ik kan dit tweetal wel aan, hoor.'

Marge stak haar hand uit. 'Ik ben brigadier Dunn en dit is brigadier Oliver, en ik kan u verzekeren dat we ons niet zullen misdragen.'

'Dat zou ik denken.' Ze keek weer naar Miles. 'Ze zijn in de keuken. Verlos me een poosje van ze. Imelda zal je helpen ze aan te lijnen.'

'Ik laat je echt liever niet alleen, Priscilla.'

'Doe niet zo mal. Ga nu maar.' Ze zette de dubbele deur wijdopen. 'Ik red me heus wel.'

Ze liet Miles geen enkele keus. Toen hij weg was, slaakte Priscilla een dramatische zucht. 'Ik ben dol op mijn jongens, maar ze zijn erg ongehoorzaam. Ik heb erover gedacht die hondentrainer van de televisie erbij te halen. Ik weet niet of hij iets met hen kan doen, maar de publiciteit kan natuurlijk nooit kwaad.'

'Ik heb online over uw recensies, platen en optredens gelezen,' zei Oliver, 'en de indruk gekregen dat het u aan publiciteit nooit heeft ontbroken.'

'Van publiciteit kun je nooit te veel hebben.'

Ze stonden nog steeds buiten.

Priscilla bleef naar Oliver kijken. 'Hoe oud bent u?'

'Oud genoeg om te weten dat u geen spat bent veranderd.'

Priscilla glimlachte. 'Ik wil wedden dat u meteen een andere zender opzocht wanneer er een plaat van ons werd gedraaid.'

'Die weddenschap zou u verliezen,' loog Oliver.

Priscilla zei: 'O ja? Geef me de namen van de vier hits die nummer één hebben gestaan.'

'"Springless Year"... maar dat is geen kunst, want die melodie hebt u als deurbel. Even denken... "Petunia and Porky"... iets te sentimenteel naar mijn smaak. Ik hield meer van "Jammin"' en "Request for Lovin"'. Maar ik weet niet zeker of die nummer één hebben gestaan.'

Priscilla probeerde niet te laten merken hoeveel plezier dit haar deed. 'Heel goed. U bent ofwel echt een fan, of u hebt uw huiswerk goed gedaan.'

'Een goede rechercheur bereidt zich voor. En dat brengt me op de reden van dit bezoek.'

'Ja, en ik moet u nu maar eens binnenlaten.' Ze stapte opzij. 'Welkom. Ik hoop dat u van roze houdt.'

Priscilla ging hen voor een indrukwekkende trap op naar een vierkante kamer van zes bij zes meter: roze muren, roze vloerbedekking, roze plafond, roze lampen en roze meubilair, dat bestond uit een bureau met stoel en twee tweezitsbankjes die tegenover elkaar geplaatst waren met een lage, roze tafel ertussen. Aan de muren hingen ingelijste grammofoonplaten, waaronder drie platina en drie gouden platen, en een volledig historisch archief aan foto's en artikelen over Priscilla and the Major, met grote nadruk op Priscilla. Er waren honderden zwart-witfoto's: het duo met twee presidenten, met senatoren, gouverneurs, burgemeesters, buitenlandse hoogwaardigheidsbekleders, onder wie leden van vorstenhuizen, en talloze andere beroemdheden. Minstens zes keer waren ze op de cover van tijdschriften gekomen, en zes keer op de voorpagina van de zondagbijlage van belangrijke kranten. De ruimte die niet in beslag werd genomen door foto's, was volgehangen met krantenartikelen en recensies, alle in roze lijstjes gevat.

Marge kreeg nieuwe hoop. Het lapje nylonstof dat op het verkoolde lijk was aangetroffen, had roze vezels. Ze bekeek de kamer aandachtig en las een paar artikelen. Ze verbaasde zich erover dat het duo zo beroemd was geweest. Oliver had gezegd dat ze puur country zongen en met hun optredens waren begonnen in een tijd dat protestliederen juist helemaal in waren. Later waren de folkmuziek en acidbands vervangen door de van seks zinderende disconummers en bonkende dance, waarbij de clubgangers zich ook nog eens door frequent cocaïnegebruik lieten opzwepen. Priscilla and the Major had tot geen van deze genres behoord, maar evengoed veel succes geboekt vanaf het einde van de jaren zestig tot het begin van de jaren tachtig, toen men erop uitgekeken raakte en het duo ook een beetje te oud was geworden.

'Wauw!' zei Marge. 'Dit is nogal wat.'

'Waarom zou ik een heiligdom laten bouwen door stalkers als ik het zelf ook kan doen?' zei Priscilla.

'Hebt u stalkers?'

'In mijn hoogtijdagen had ik er nog veel meer, jongedame. Ik had fans die uren in de rij stonden om kaartjes te kopen voor de concerten van Priscilla and the Major, ik had lijfwachten en gigolo's. Paparazzi en journalisten lagen overal op de loer. Maar ik ben voorgesteld aan de belangrijkste personen uit die jaren, aan koningen, koninginnen en presidenten. Het was alsof er nooit een einde aan onze roem zou komen.' Een meewarige glimlach. 'Maar helaas gebeurde dat wél.'

'Dit is echt heel bijzonder,' zei Marge.

'Dit laat zien dat het beter is om de top te bereiken en af te dalen, dan nooit een top te bereiken. En het maakt veel goed nu ik in de vergetelheid ben geraakt. Ik heb geld en kan winkelen zonder belaagd te worden. Ik zwelg niet in mijn herinneringen, maar geniet er wel van. Wanneer ik wat pips ben, kom ik hier en krijg ik weer kleur op mijn wangen. Maar ga eens even zitten en vertel me waarvoor u bent gekomen.'

Aangezien duidelijk was dat de vrouw nogal van Oliver gecharmeerd was, vond Marge dat hij het best het woord kon doen. Hij zocht in zijn aktetas naar de kleurenfoto's met het weinige forensische materiaal dat op de verkoolde Jane Doe was aangetroffen. 'U zult diep in uw herinnering moeten graven.' Hij gaf haar de foto's. 'We hebben dit lapje stof gevonden en vroegen ons af of u het herkent.'

Ze wierp een blik op de foto's. 'Wat is dit?'

'We hadden gehoopt dat u ons dat kunt vertellen.'

'Waarom denkt u dat?'

'Omdat we vermoeden dat dit lapje stof afkomstig is van een tourjack van een rockband.'

'Een van mijn tourjacks?'

'U mag het zeggen,' antwoordde Oliver.

'Kom, kom. Ik heb een goed geheugen, maar dit gaat iets te ver.'

Oliver stond op en wees op een van de foto's. 'Kijkt u even naar de linkerbovenhoek. Volgens ons is dit een deel van het woord *major*.'

'Ja, inderdaad... dat zou kunnen.' Ze gaf hem de foto's terug. 'Waar gaat dit over, als ik vragen mag?'

'Er is een lijk is gevonden van een vrouw van wie we niet weten wie ze is,' zei Marge. 'We proberen aan de hand van dit lapje stof te bepalen hoe lang ze al dood is. Als het lapje stof afkomstig is van een tourjack van uw band, zouden we weten vanaf welk jaar we moeten beginnen met zoeken.'

'Ik kan uw vraag niet met ja of nee beantwoorden, zelfs niet met misschien,' zei Priscilla.

Marge probeerde niet te laten merken hoe teleurgesteld ze was. 'Het is belangrijk, mevrouw Huntley. Zou u de foto's nog even willen bekijken?'

'Dat heeft echt geen zin, maar kijk niet zo sip, brigadier. Ik zal u iets laten zien.'

De kamer ernaast was precies even groot en eveneens geheel roze.

Geen meubels.

De kamer was van boven tot onder uitgerust met rekken en planken vol kledingstukken en souvenirs, monsters van alles wat Priscilla en de Major tijdens hun carrière hadden verkocht. Rekken met sweatshirts, T-shirts en jasjes, dozen vol hoeden, sjaals, vlaggen, vaandels, speldjes en posters, grammofoonplaten, 8-track cassettes (dié waren oud! dacht Scott), cassettebandjes en cd's. En alles was uitgevoerd in schakeringen van roze, waarbij zachtroze overheerste.

De kamer was een ode aan Priscilla's obsessieve gedrag en een zegen voor de rechercheurs. Alle voorwerpen waren gesorteerd op soort en jaar. Het zou wat tijd vergen voordat ze hadden gevonden wat ze zochten, maar het was te doen.

Oliver zei: 'Niet te geloven!'

'Ik heb in een magazijn nog veel meer spullen. Ik had zelfs nóg meer, maar ik heb ongeveer de helft van de kleding gedoneerd aan de slachtoffers van Katrina en de tsunami in Phuket. Mijn accountant en impresario vonden dat een heel goed besluit. Ik kon het afschrijven en kreeg ook nog eens gratis publiciteit.'

'Hoeveel tijd hebben we om te zoeken?'

'Zoveel als jullie nodig hebben. En als jullie iets zien wat je mooi vindt of wat je wel kunt gebruiken, neem het dan gerust mee.' Ze keek naar Marge. 'Een sweatshirt misschien?'

Marge wilde niet onbeleefd zijn, al nam ze niet graag cadeautjes aan. 'Dank u.'

'Neem het laatste model. Welke maat draagt u? Medium?'

'Large.'

Priscilla pakte een sweatshirt van een plank en gaf het aan Marge. Oliver pakte een cd uit een doos waar 1998 op stond. 'Deze heb ik nog nooit gezien.'

'Ah, mijn eerste poging om door te breken met jazz. Geef maar even, dan zet ik er een handtekening op.'

'Dank u wel. Ik hou van jazz.'

Ze zette haar handtekening op het doosje en gaf hem de cd. 'Dit was mijn eerste solo-cd na tien jaar. Die heeft me uit mijn retraite gehaald. De recensies waren erg positief.'

Oliver zag dat de cd negen jaar geleden was uitgebracht. Ondanks de positieve recensies had ze er waarschijnlijk niet veel van verkocht. Marge was al begonnen de jacks te vergelijken met de foto's die in de Crypte waren genomen.

'Mag ik die foto's nog even zien, brigadier?' vroeg Priscilla.

Marge keek op van een rek met kleding uit 1968. Ze gaf Priscilla de foto's en een velletje papier met de namen van de steden waarvan ze vermoedden dat ze overeenkwamen met de onvolledige woorden op de stof. 'We vermoeden dat het om een tourjack gaat en dat dit de steden zijn waar u tijdens dat tournee bent opgetreden.'

Priscilla las de lijst en bekeek toen de foto's nogmaals. Ditmaal bestudeerde ze ze met een geconcentreerde blik. 'Mmm... nu u het zegt. We zijn inderdaad in Galveston opgetreden. Begin maar bij 1973.'

Decker vergeleek het jasje van het *Priscilla and the Major's America the Beautiful*-tournee met de forensische foto's van het lapje stof. Hij was vooral tevreden over de wijze waarop de namen van de steden gesitueerd waren, met de *s* van Galveston schuin boven de *p* van Indianapolis.

Als ze een superpositie kregen – de volgende stap – zouden ze vast zien dat de letters precies boven elkaar zaten.

'Als we het bij het juiste eind hebben, is het lijk dus niet ouder dan 1974. Maar dat wil nog niet zeggen dat de moord in 1974 is gepleegd. Misschien heeft ons slachtoffer het jasje nog lang na de tournee gedragen.'

Marge zei: 'Toch scheelt het voor ons een stuk. Het flatgebouw is in 1971 gebouwd. De eerste drie jaar tellen dus alvast niet mee. En volgens mij draagt iemand zo'n jasje hooguit vijf jaar.'

'We kunnen onze lijst van vermiste personen dus beperken tot de vrouwen die sinds 1974 worden vermist. We moeten uitzoeken wie van hen nog steeds als vermist te boek staan. Van degenen die nog steeds vermist worden, kijken we eerst naar de vrouwen die in de buurt van het gebouw woonden of die een vriend, vriendin of familie hadden die in het gebouw zelf of erbij in de buurt woonde. Dat wil zeggen dat we de families van die vrouwen moeten opbellen en oude wonden openrijten. Dat is spijtig, maar onontkoombaar. Ik wacht trouwens nog op de lijst van alle mensen die ooit in dat gebouw hebben gewoond. Is die al klaar?'

'Wanda is ermee bezig,' zei Marge.

Oliver zei: 'Het zou toch wel erg prettig zijn als we die schedel een gezicht konden geven. Is er geen enkele manier waarop ze van de gezichtsbeenderen gebruik kunnen maken om een gezicht te creëren?'

'Je hebt gehoord wat dokter Darwin heeft gezegd,' antwoordde Decker. 'Ze zijn te breekbaar. Er wordt aan een computermodel gewerkt, maar ook dat kost tijd omdat je daarvoor nauwkeurige afmetingen nodig hebt. We moeten geduldig zijn.'

Oliver zei: 'Oké. Dan de andere vermiste vrouw in ons leven.'

'Roseanne Dresden,' zei Marge. 'Heeft haar stiefvader vandaag gebeld?'

'Vaste prik. Eerlijk gezegd vind ik zijn theorieën nu een stuk minder vreemd klinken dan een paar weken geleden.' Decker telde de feiten af op zijn vingers. 'WestAir verleent geen medewerking om vast te stellen of Roseanne aan boord van vlucht 1324 was. Roseanne stond niet op de eerste slachtofferlijst die naar de media is gestuurd en bij de *Times* kan niemand zich herinneren wie heeft doorgebeld dat Roseanne eraan toegevoegd moest worden. Bovendien heb jij, Marge, gezegd dat de grondstewardess van WestAir… hoe heet ze ook alweer?'

'Erika Lessing.'

'… dat Erika Lessing zweert dat Roseanne niet in Burbank aan boord is gegaan. Het is mogelijk dat Roseanne in het toestel zat dat uit San Jose was gekomen, maar dat heeft nog niemand nagetrokken. Als we aan deze verwarrende toestand ook nog een ontrouwe echtgenoot vastknopen én een ontrouwe echtgenote met een minnaar in San Jose, blijven we zitten met een heleboel onbeantwoorde vragen. We moeten beginnen de laatste feiten die over Roseanne bekend zijn na te trekken. Het is tijd dat we een rechterlijk bevel laten uitvaardigen voor het opvragen van haar belgegevens, creditcards, bankrekening en alles wat ons verder een idee kan geven over haar laatste dagen.'

'Welke rechter zou je aanbevelen?'

'Ga maar naar Elgin Keuletsky.' Decker spelde de naam. 'Laat hem zien wat we hebben. Ik denk dat hij wel zal meewerken.'

'Hoe zit het met Ivan Dresden?' vroeg Oliver. 'Ik dacht dat we met hem moesten gaan praten en hem moesten verzoeken ons te helpen uit te zoeken waar Roseanne is gebleven.'

Decker zei: 'Dat komt nog, maar niet nu. Ik wil voorlopig bij hem uit de buurt blijven. Hij mag niet eens weten dat we hem verdenken. Misschien stuiten we bij ons onderzoek naar Roseannes laatste dagen op iets waardoor we kunnen bewijzen dat hij haar heeft vermoord.'

'We hebben al gesproken met een paar vrienden van Roseanne,' zei Oliver. 'Als ik nu eens ga praten met kennissen van Ivan. Heel discreet uiteraard.'

'Discreet?' vroeg Decker. 'Heb je een specifieke persoon in gedachten, Scott?'

'We kunnen niet met zijn beste vrienden en collega's gaan praten zonder dat hij te horen krijgt dat we aan het snuffelen zijn. Maar… er was een stripteasedanseres op wie Ivan een oogje had.'

'Weet je hoe ze heet?'

'Nee, maar wel waar ze werkt. In de Leather and Lace.'

Decker lachte. 'Ik neem aan dat je die tent kent?'

'Ik ben er een paar keer geweest.'

'En nu wil je erheen gaan om een danseres te zoeken van wie je niet weet hoe ze heet?'

'Ik vind dat ik mijn plicht zou verzaken als ik het niet zou doen.'

Marge zei: 'Ik weet misschien hoe ze heet. Vraag naar Melissa of Miranda.'

'Hoe weet jij dat?' vroeg Oliver.

'Van Erika Lessing. Blijkbaar bedroog Ivan zowel zijn eigen vrouw als Erika met een meisje dat zo heette.'

'Melissa of Miranda. Daar kan ik wel achter komen.' Hij keek naar Decker. 'Goed?'

'Oké, Scott, jij wint. Ik geef je officieel opdracht naar Leather and Lace te gaan.'

'Dus ik mag de hapjes en drankjes declareren?'

'Tot een redelijk bedrag en voor zover ze rechtstreeks betrekking hebben op je werk.'

Marge zei: 'Het geluk is met de goddelozen.'

Oliver probeerde gekwetst te kijken, maar voelde zich allerminst gekwetst. Een stripteasedanseres op rekening van het LAPD. Mooier kon het toch niet?

14

Decker rook het aroma al vanaf de oprit, de onmiskenbare geur van knoflook, ui en kruiden, een duidelijk teken dat er in de keuken werd gewerkt. Meteen liep het water hem in de mond. Hoewel hij zich afvroeg waarom Rina midden in de week aan het kokkerellen was, had hij er uiteraard niets op tegen. Hij was moe en had honger en vond het alleen maar prettig dat er over een paar minuten een maaltijd op tafel zou staan. Toen hij naar binnen ging, stopten de achtergrondgeluiden abrupt en werden er meer ogenparen op hem gericht dan hij had verwacht: die van Rina, Cindy, Koby, en Hannah Rosie, zijn tegenwoordig te vaak afwezige tienerdochter.

Zijn vrouw had haar lange, zwarte haar tot een paardenstaart gebonden en bedekt met een bandana en zag er zoals altijd heel beheerst uit, al stonden er zweetdruppeltjes op haar voorhoofd vanwege de warmte in de keuken. Cindy en Koby liepen in spijkerbroek en T-shirt. Hannah droeg een spijkerrok en leggings, een T-shirt met een wijde hals en soldatenschoenen. Diverse kralenkettingen, grote, witte oorringen, een veelvoud aan armbanden. Geen piercings en tatoeages, maar alleen omdat de joodse wet tatoeages verbood en Hannah het vreselijk vond om prikken te krijgen.

'Hallo jongens,' zei Decker opgewekt. Hij kuste zijn vrouw en dochters, sloeg zijn schoonzoon op zijn schouder. 'Wat gezellig dat jullie er zijn.'

'We hebben de bouwplannen rond, pap, en willen je die graag laten zien. Als je tijd hebt.'

'Daar maak ik tijd voor. Hoe ziet het eruit?'

'Mooi,' zei Koby. 'Maar duur.'

Decker schonk een glaasje whisky in voor zijn schoonzoon. 'Maak je daarover nou maar geen zorgen.'

'Dat meent hij en ik ook.' Rina had een aantal schilderijen geërfd van een oude dame met wie ze bevriend was geweest. Zes daarvan bleken vrij veel waard te zijn, en één ervan zelfs bijzonder veel. Dankzij dat schilderij was hun pensioen geregeld, wat een grote zorg minder betekende.

'Ik weet dat je altijd bereid bent bij te springen, Peter, maar ik twijfel erg.' Koby nam een flinke teug van zijn whisky. 'We wonen in een huisje dat amper groot genoeg is voor ons tweeën. Nu hebben we grootse plannen om er maar liefst honderdzestig vierkante meter aan te bouwen.'

'Honderdzestig vierkante meter lijkt me heel redelijk, vooral omdat jullie op op den duur kinderen willen... hint, hint.'

Cindy lachte. 'Op den duur. Hint, hint.'

'Honderdzestig vierkante meter zou redelijk zijn als we meer geld hadden.' Hij nam nog een teug. 'Goede whisky is dit.'

'Dank je,' zei Decker. 'Nog een glaasje?'

'Nee, beter van niet, ook al is het verleidelijk.'

Rina klapte in haar handen. 'Aan tafel!'

'Zullen Cindy en ik opdienen, ima?' bood Hannah aan.

'Doen we, Hannah banana.' Cindy keek haar schuins aan. 'Vind je het vervelend als ik je zo noem?'

'Van jou kan ik het wel hebben.'

Het was een overvloedige maaltijd. Gegrilde kip met pilav, sperziebonen en uiteraard ook een rauwkostsalade. Bovendien had Hannah maïskolven en rode paprika's gegrild. Ze gingen zitten, gaven de schalen door en begonnen te eten. De eerste vijf minuten zei niemand iets, afgezien van complimenten aan Rina en Hannah. Daarna probeerde Decker een gesprek op gang te krijgen.

'Vertel eens... hoe zit het nu precies met die bouwplannen.'

'Het is allemaal heel mooi, maar ook heel duur,' antwoordde Koby.

Cindy zei: 'Het ziet er geweldig uit.'

Weer aten ze een poosje zwijgend door.

Toen zei Decker: 'Zodra jullie willen dat ik kom helpen... om muren te slopen bijvoorbeeld, geef je maar een seintje.'

Koby zei: 'Dat zal misschien al heel gauw zijn. Ben je dit weekeinde misschien beschikbaar?'

Cindy schraapte haar keel. Koby zei: 'Ik heb het alleen maar over de keuken.'

'Koby en ik zijn hierover nog in discussie.' Cindy glimlachte strak. Onenigheid? dacht Decker. 'Ik wil het werk niet stukje bij beetje doen. Ik vind dat we een aannemer moeten huren, omdat de plannen vrij ingewikkeld zijn geworden. Koby wil liever wat mensen bij elkaar halen en met vereende krachten alles zelf doen.'

Weer een stilte.

'Je weet dat ik van doe-het-zelven hou,' zei Koby toen.

'Kobe, je hebt een fulltime baan en maakt ook nog overuren. Het is een zware last.'

'Ik heb sterke schouders.'

'Jullie vinden vast wel een oplossing,' zei Rina.

Decker knipte met zijn vingers. 'Hé, wacht eens even. Ik heb een idee.'

O nee, dacht Rina. Ze zei: 'Ze komen er heus wel uit, Peter.'

'Dat weet ik, maar dit is echt geen slecht idee,' zei Decker. 'Kun je je Mike Hollander nog herinneren?'

'Van Foothill?' vroeg Rina.

'Ja. Hij is tien of twaalf jaar geleden bij de politie weggegaan en heeft nu een aannemersbedrijf.'

'Peter, hij moet inmiddels een jaar of zeventig zijn.'

'Wacht nou even. Hij heeft allerlei gepensioneerde vakmensen in dienst – loodgieters, stukadoors, elektriciens, mensen die airco's installeren. Ze hebben al een heleboel renovatieprojecten gedaan voor de bejaarden in hun wijk.'

'Als Mike zelf rond de zeventig is, hoe oud zijn die andere mannen dan, pap?' vroeg Cindy aarzelend.

'Ongeveer van zijn leeftijd, neem ik aan.'

Hannah veegde haar mond af. 'Zeg, dit interesseert me allemaal niet zo. Mag ik van tafel om te kijken of ik mail heb?'

Decker knikte. 'Denk je dat Mike zoiets aankan, Peter?' vroeg Rina. 'Hoe lang doet hij dit al?'

'Het zijn vaklui met jarenlange ervaring, Rina.'

'Heeft Mike niet een bypass ondergaan?'

'De laatste keer dat ik hem sprak, voelde hij zich beter dan ooit.'

'Hoeveel zouden ze ervoor vragen?' informeerde Koby.

'Geen idee, maar vast niet overdreven veel,' antwoordde Decker.

Rina zei: 'Ik weet het niet, Peter. Misschien kunnen ze beter aan hun architect vragen of die iemand kan aanbevelen.'

'Het kan toch geen kwaad als ik Hollander even bel?'

Niemand gaf antwoord. Koby keek naar Cindy. Cindy keek naar Koby. Ze haalden hun schouders op. Koby zei: 'Vragen staat vrij.'

Decker stond op. 'Ik ben zo terug.'

'Wat? Nu meteen?' vroeg Rina. 'We zitten aan tafel!'

'Ik zal het kort houden.' Voordat Rina nog iets kon zeggen, was Decker al naar de keuken verdwenen.

'Laat hem maar even bellen, Rina. Anders blijft hij toch maar zeuren,' zei Cindy.

'Hij bedoelt het goed, maar soms is hij te impulsief,' antwoordde Rina.

'Ik vind het een goed idee,' zei Koby. 'Oude mensen hebben de wijsheid in pacht.'

Cindy zei: 'Oude mensen hebben ook hartklachten en reuma.'

Koby zei: 'Ik heb heerlijk gegeten, zoals altijd.'

'Ja, het was erg lekker,' zei Cindy.

Decker kwam met een tevreden gezicht terug. 'Ik ga morgen met hem lunchen.' Hij keek naar Koby. 'En aangezien jullie de bouwtekeningen hebben meegebracht, kan ik hem die meteen laten zien. Wie wil er mee?'

'Ik zou wel willen, maar ik heb dienst,' zei Koby.

'Ik ook,' zei Cindy, 'maar ik wil hem wel graag ontmoeten voordat we beginnen. Ik wil niet vervelend doen, pap, maar hij is vrij oud.'

'Het is je goed recht om er vraagtekens bij te zetten.' Decker keek naar zijn vrouw. 'Ik zit aan nóg iemand te denken. Abel Atwater.'

'Hou op, zeg,' zei Rina.

'Hij is vreselijk handig.'

'Peter, hij heeft maar één been!'

'Hij hoeft niet per se een ladder op.' Tegen Koby zei Decker: 'Hij is echt een manusje-van-alles.'

'Wanneer heb je Abel voor het laatst gesproken?'

Decker haalde zijn schouders op. 'Weet ik niet precies. Zes, zeven jaar geleden. Maar dat maakt niks uit. Ik kan hem zó bellen.'

'Hoe komt het dat hij maar één been heeft?' vroeg Koby.

'Hij is gewond geraakt in Vietnam en toen moest zijn been geamputeerd worden.'

'Dus niet vanwege een ongeluk in de bouw.'
'Nee, nee,' zei Decker. 'En hij beweegt zich juist erg vlot.'
'Peter, hij mist niet alleen een been, maar hij is geestelijk niet in orde.'
'Voor zover ik weet drinkt hij niet meer.'
'Je hebt hem zes jaar niet gesproken,' zei Rina. 'En vergeet zijn chronische depressiviteit niet.'
'Het beste medicijn daartegen is om aan het werk te blijven!'
Cindy zei: 'Eh, pap, ik vind het fijn dat je wilt helpen, maar ik denk toch dat we capabeler mensen nodig hebben dan een man met één been en een stel bejaarden met hartproblemen.' Ze haalde haar schouders op.
'Hij heeft Mike al gebeld. Voor mij hoeft hij die lunch niet af te zeggen,' zei Koby.
Opeens begon Cindy te lachen. 'Vooruit dan maar. Het kan geen kwaad om met een oude vriend een hapje te gaan eten. Maar Abel zie ik echt niet zitten, of hij nou nog aan de drank is of niet.'
'Goed. Abel niet, Mike wel,' zei Decker.
'Afgesproken.'
Rina wilde de tafel gaan afruimen, maar Decker zei dat ze moest blijven zitten. 'Dat doe ik wel.'
'En ik help,' zei Koby.
'Brengen jullie dan meteen het toetje mee?' zei Rina.
Toen de mannen de kamer uit waren, zei Cindy: 'Ik ben met net zo'n man als mijn vader getrouwd. De grote doe-het-zelver.' Ze haalde haar schouders op. 'Wanneer het halve huis straks openligt, zullen ook zijn ogen wel opengaan.'
'Dat denk ik ook.'
'Soms heeft het geen zin om ergens tegenin te gaan,' zei Cindy.
Rina glimlachte. 'Er is een oud Jiddisj spreekwoord: *Mann macht und Gott lacht*.'
'Wat betekent dat?'
'Zoiets als: de mens wikt, maar God beschikt.'

Het langwerpige podium stond in het midden van de zaal en had een spiegelvloer die van onderen werd verlicht. Op barkrukken rond het podium zaten zwetende, luidruchtige mannen die van alles riepen naar de soepele, natte vrouwen die rond de vier palen kronkelden op de hoeken van het podium. Rond het podium met de barkrukken waren zitjes.

Daarachter was een bar die zich langs drie muren van het etablissement uitstrekte. Het was er vochtig warm en schemerdonker met spotjes op de kronkelende vrouwen.

Drie consumpties van vijftien dollar per stuk waren verplicht, of je nu water dronk of whisky. De klanten werden bediend door meisjes met zwartleren strings en doorzichtige, kanten bh's.

Scott Oliver zat aan een tafel achterin en dronk langzaam zijn bier terwijl hij alles in zich opnam. Tot nu toe had hij drie meisjes herkend en dat verbaasde hem in hoge mate. Hij was al zeker twee jaar niet in Leather and Lace geweest en aangezien er in dergelijke clubs zo veel verloop was onder de stripteasedanseressen had hij niet verwacht bekende gezichten te zien. Een aantal meisjes vertrok zodra ze genoeg geld hadden, andere vanwege de drugs en alcohol die uiterlijk een te hoge tol eisten. Het was een zwaar beroep, vooral vanwege de handtastelijkheden van de lamstralen voor wie ze optraden. Oliver vond dat hijzelf een verademing was voor deze vrouwen. Hij gaf altijd grote fooien en verstrekte gratis juridisch advies. Alleen was dat natuurlijk niet echt gratis. De vrouwen deden vaak iets terug, maar in zijn ogen was het altijd een eerlijke uitwisseling.

Een man kwam naar hem toe – midden dertig, zwart T-shirt, zwarte spijkerbroek, leren motorlaarzen. Hij had een rond gezicht, smalle lippen, dikke wenkbrauwen en donker, krullend haar. Dante Michelli was de eigenaar van Leather and Lace en nog vijf andere stripclubs. Oliver had gehoord dat Michelli een telg was uit een oude Italiaans-Amerikaanse familie uit Brooklyn, en dat hij zich op eigen kracht had opgewerkt. Voor zover Scott wist waren de clubs van Michelli schoon en veilig, en werd het welzijn van de klanten en de meisjes gewaarborgd door een half dozijn potige kerels die op strategische plaatsen in de zaal geposteerd waren. Michelli kwam ongevraagd bij Oliver aan tafel zitten.

'Wat wilt u drinken, rechercheur?'

'Ik heb mijn bier nog niet op, meneer Michelli, maar bedankt voor het aanbod.'

Michelli stak een vinger in de lucht en meteen kwam een hoogbenige jonge vrouw met kort, platinablond haar naar hun tafeltje. 'Nog een biertje voor mijn gast, Titania.'

'Vooruit dan. Bedankt,' zei Oliver.

Dante zei: 'U ziet eruit alsof u hier voor uw werk bent.'

'Dat is ook zo, maar het heeft niets met uw club te maken.'

Dat was precies wat Michelli wilde horen. Het meisje bracht het bier, dat ijskoud en van uitstekende kwaliteit was. Oliver pakte zijn portefeuille, maar Michelli legde zijn hand op zijn arm. 'Geen sprake van.'

'Nou, dank u wel.' Oliver stak zijn portefeuille weer weg. 'Als ik het zelf zou betalen, moet ik morgen tig formulieren invullen om het geld terug te krijgen.'

De twee mannen keken naar het podium. Michelli zei, terwijl hij naar zijn kronkelende dames bleef kijken: 'Waarmee kan ik u van dienst zijn?'

'Ik heb een probleem, meneer Michelli. Ik moet een van uw meisjes spreken, maar ik weet niet precies hoe ze heet. Miranda of Melissa of iets wat daarop lijkt.'

Michelli schudde zijn hoofd. 'Ken ik niet. Hoe ziet ze eruit?'

'Dat weet ik niet.'

'Wat weet u wél?'

'Dat ze een man kent die Ivan Dresden heet.' Oliver wierp een snelle blik op Michelli en keek toen weer naar het podium. Van Michelli's gezicht was niets af te lezen. 'Het gaat me om Dresden, niet om de vrouw. Kent u hem toevallig?'

'Hoe ziet hij eruit?'

'Donker, knap, midden dertig. Hij doet iets in financiën.'

'Die beschrijving is van toepassing op negentig procent van mijn cliëntèle.'

Oliver keek nog steeds naar het podium, in het bijzonder naar een blondje met cup E in het kwadraat. Ze was klein en tenger, hooguit één meter zestig, had een wipneus, lang haar en grote ogen. Haar borsten waren fantastisch mooi, maar naar verhouding veel te groot voor haar lichaam. Het was een wonder dat ze niet voorover viel. 'De man die ik zoek, had een echtgenote die een paar maanden geleden is omgekomen bij een vliegtuigongeluk.'

Er ging Dante een licht op. 'Gelatientje.'

Oliver lachte. 'Wat?'

'Gelatientje. Zo noem ik haar omdat ze zo zoet is en zo lekker drilt.' Dante keek Oliver aan en grijnsde. Hij had een regelmatig gebit, maar zijn tanden waren geel gevlekt. 'De rekening van een van haar klanten was nogal hoog opgelopen. Ik begon al een beetje ongeduldig te worden, maar opeens betaalde hij alles.'

'Om hoeveel geld ging het?'

'Vijftienduizend.'

'Zozo,' zei Oliver. 'Dan heeft hij veel meisjes op schoot gehad.'

'Vijftienduizend is niks,' zei Michelli. 'Er zijn hier mannen die dat in één avond uitgeven. Maar die vent had iets over zich dat me niet aanstond. Daarom heb ik tegen haar gezegd dat ze iets moest regelen... op zijn minst een gedeeltelijke betaling. Een week later voldeed hij de hele rekening.'

'Creditcard, cheque of contant geld?'

'Handje contantje. En toen vertelde ze me dat deze klant al een paar keer had gezegd dat zijn vrouw bij een vliegtuigongeluk was omgekomen. Niet omdat hij nou zoveel om zijn vrouw had gegeven, maar omdat hij op geld van de verzekering zat te wachten.' Michelli nam een handjevol pinda's uit het bakje op de tafel en stak ze een voor een in zijn mond. 'Is dat waar?'

'Als ze bij het ongeluk was omgekomen, zou hij geld krijgen.'

'Maar u denkt dat hij haar om zeep heeft gebracht of zoiets.'

'Ik stel een onderzoek in, meneer Michelli. Voorlopig wil ik alleen naar met dat meisje praten.'

'U zit naar haar te kijken,' zei Dante.

'Het blondje met de watermeloenen?'

'Gelatientje, ja.'

15

In de kleedkamer probeerde Oliver niet al te opvallend naar de vrouwen te kijken die schaars gekleed rondliepen, terwijl hij tussen rekken met kostuums door laveerde. De achterwand van het vertrek was een spiegelwand, verlicht door vele lampjes, met over de hele breedte een schap die vol stond met potjes, tubes, poederdozen, lippenstiften, borstels en make-upartikelen in alle soorten, maten en kleuren. Een paar vrouwen zaten op de krukjes die ervoor stonden, maar de meeste gaven er de voorkeur aan te staan terwijl ze hun gezicht opmaakten als krijgers die ten strijde moesten trekken.

Gelatientje heette niet Melissa en ook niet Miranda, maar Marina Alfonse. Ze zat in de hoek, volledig gekleed, en was bezig zich af te schminken. Hij liep naar haar toe, stelde zich voor en liet haar zijn penning zien. 'Marina Alfonse?'

Een kille blik op de penning. 'Ja?'

'Dante Michelli zei dat je bereid zou zijn met me te praten.'

Daar had ze niet van terug. 'O ja?'

'Het gaat om een van je klanten.'

'Wie dan?'

'Ivan Dresden.'

Ze gaf geen antwoord en sloeg haar ogen neer. Even later hief ze haar blik weer op naar de spiegel. Met ieder laagje make-up dat ze verwijderde, zag ze er jonger uit. Ze bleek een frisse meid met prachtige blauwe ogen en kuiltjes in haar wangen te zijn. In haar zwarte hemdje en spijkerbroek met sandalen met platte hakken zag ze er sexyer uit dan toen ze een uur geleden voor de zaal had staan strippen.

'Wat moet de politie met Ivan?' Marina probeerde nonchalant te doen, maar haar stem verried haar.

'We willen alleen maar wat dingetjes scheef zetten.'

‘Rechtzetten, bedoelt u.’

‘Het was een grapje,’ zei Oliver.

‘O, ha ha ha.’ Ze was misschien vijfentwintig, maar al bijzonder cynisch. ‘David Rottiger heeft me uw visitekaartje gegeven. Als ik met u had willen praten, had ik u wel gebeld.’

Ze was nijdig en Oliver vroeg zich af waarom. Rottiger had gezegd dat Marina niet in Ivan geïnteresseerd was, maar als een klant goed betaalt, kan belangstelling vanzelf groeien. ‘Ik heb alleen maar een paar vragen.’

‘Stel die dan aan Ivan zelf.’

Oliver besloot een visje uit te gooien. ‘Schatje, er staat een fikse uitkering van de verzekering op het spel. Als je hem wilt helpen, moet je antwoord geven op mijn vragen.’ Ze zei niets. Hij ging door. ‘David Rottiger zei dat je Ivan niet mocht toen je hem voor het eerst ontmoette. Waarom mag je hem nu wel?’

‘Ivan viel uiteindelijk wel mee. Hij is een vaste klant, die grote fooien geeft. Zulke kun je beter te vriend houden.’

‘Niemand hoeft te weten dat je met me hebt gepraat.’

Ze haalde haar schouders op.

Dat betekende dat ze Ivan zou bellen zodra hij zijn hielen had gelicht. Marge had inmiddels gerechtelijke bevelen voor de belgegevens van Roseannes telefoon en de afschriften van haar creditcard, dus op dat gebied kon Ivan geen spaak in het wiel steken, maar het was toch beter als hij niets over dit gesprek te horen kreeg. Oliver had iets nodig waarmee hij haar kon chanteren.

‘Waarom mocht je hem in het begin niet?’

‘Ik vond hem een eikel,’ zei Marina. ‘Het maakt me niet uit als een getrouwde man met me zit te flirten, maar dat moeten ze niet doen waar hun vrouw bij is. Dat is wel erg laag.’

‘Kende je Roseanne?’

‘Toen ik haar voor het eerst ontmoette, maakte ze een kille indruk. Ivan zei dat ze frigide was. Maar hij zat de hele avond met me te flirten, dus was het ook wel logisch dat ze me niet mocht.’

‘Heb je een vaste verhouding met Ivan?’

‘Dat mogen we niet.’

‘Er mag zoveel niet.’

‘Meneer Michelli behandelt ons fair en dit is een goede club om te werken. Meer heb ik er niet over te zeggen.'

'Schatje, het interesseert mij geen bal wat je in je vrije tijd doet. Ik wil alleen info over Ivan Dresden. Als het lijk van zijn vrouw gevonden wordt – met de nadruk op als – krijgt hij een smak geld, maar zolang de mensen van de verzekering het lijk niet hebben gezien, zal Dresden zowel door hen als door de politie voortdurend in de gaten worden gehouden. Als jullie iets met elkaar hebben, komen we daar heus wel achter.'

Marina keek naar hem met een kille blik en opeengeklemde lippen. 'We gaan af en toe uit eten en dan luister ik naar zijn problemen. Dat is alles.'

'Seks?'

'U wilt per se de smeuïge details, hè?'

Oliver trok een meewarig gezicht. 'Stel dat je een verhouding met Dresden had toen zijn vrouw nog leefde. Nu staat zijn vrouw bij ons als vermist te boek omdat we haar lijk niet kunnen vinden. Dat houdt in dat iemand naar jou gaat kijken. Die iemand kan ík zijn, maar ook mijn bikkelharde vrouwelijke partner, wie het geen lor kan schelen hoe je eruitziet, al had je cup H.'

'In tegenstelling tot u, want u kan het wel degelijk iets schelen welke cup ik heb, waar of niet?' Ze beëindigde de vraag met een suikerzoet glimlachje.

'Ik beroep me op mijn zwijgrecht,' antwoordde Oliver. 'Hoe heeft Ivan die schuld van vijftienduizend dollar opeens afbetaald?'

'Hij werkt. En hij heeft bezittingen.'

'Bezittingen?'

'Nu Roseanne dood is, is de flat van hem. Misschien heeft hij er een hypotheek op genomen.'

'Denk je dat of weet je dat?'

'Ik weet alleen dat hij zijn schuld aan meneer Michelli heeft afgelost en dat alle partijen tevreden zijn. Hij zit trouwens ook bij de bank wel goed omdat hij straks dat geld van de verzekering krijgt.'

'Misschien krijgt hij dat. Misschien ook niet.'

Ze begon op haar duimnagel te bijten. 'Hij doet zelf alsof dat al helemaal vaststaat.'

'Voordat de verzekering ook maar één cent zal uitbetalen, zullen ze Ivans hele administratie onder de loep nemen. Als meneer Dresden denkt dat er een schip met geld in aantocht is, komt hij misschien bedrogen uit. Nogmaals: heb jij een verhouding met Ivan, ja of nee?'

Ze haalde haar schouders op. 'Dat gaat u niks aan.'

'Marina, we hebben huiszoekingsbevelen.' Die hadden ze inderdaad, maar alleen voor de eigendommen van Roseanne, niet die van Ivan. 'Hotels, motels, cadeaus, dineetjes... aan de afschriften van de creditcards kunnen we alles zien. Ik ga dat allemaal persoonlijk nakijken en zal je foto laten zien in hotels en restaurants. Op den duur zal iemand je herkennen. Vertel me dus maar gewoon hoe het zit.'

Ze monsterde hem aandachtig. Hij zou haar niet met rust laten. 'Er valt niks te vertellen. Jongens en meisjes doen dit soort dingen al eeuwen. Wat maakt het uit?'

'Wat ik wil weten is of je al met hem naar bed ging voordat Roseanne dood was, of alleen daarna.'

Weer haalde ze haar schouders op.

'Ik zal dat opvatten als ervóór.'

'Ze was zelf anders ook geen lieverdje.'

Oliver deed net alsof hij daarvan opkeek. 'O nee?'

Marina zag haar kans om de schuld van hun onverkwikkelijke relatie af te schuiven op Roseanne. Met grote ogen van opwinding zei ze: 'Ivan zei dat ze met allerlei mannen naar bed ging. Ze was stewardess. Dat zegt genoeg.'

De meeste stewardessen die Oliver kende, waren getrouwde vrouwen die gewoon hard werkten. 'O, op die manier. Heeft Ivan ooit namen genoemd?'

'Nee. Alleen dat ze iets had met een rijke, ouwe knar in San Jose.'

'Zijn naam?'

'Roy, dacht ik.'

'Kan het ook Ray zijn?'

'Zou kunnen.'

Dat kwam overeen met wat Arielle Toombs aan Decker had verteld. 'Wat weet je over die man?'

'Alleen dat Roseanne en hij een verhouding hadden. Ivan zei dat ze cadeautjes van hem kreeg. Hij heeft een keer een diamanten horloge gevonden. Toen hij haar ernaar vroeg, zei ze dat het een kerstcadeautje was van WestAir, en dat het geen echte diamanten waren.' Een sarcastisch lachje ontsnapte haar. 'Ivan zei dat het van het merk Chopin was en dat is een heel duur merk. Toen wist hij dat ze loog.'

'Chopard, bedoel je?' vroeg Oliver.

'Weet ik veel. Ik weet alleen dat WestAir heus geen diamanten horloges weggeeft.'

'Hoe lang heb je al een verhouding met Ivan?'

'Dat gaat u niks aan. Ik ben erg discreet. Anders zou Ivan niet meer hierheen komen.' Ze lachte zenuwachtig. 'Je moet ze aan het lijntje houden, zorgen dat ze steeds meer willen. Zeg alstublieft niets tegen meneer Michelli. Het mag eigenlijk niet en ik heb deze baan hard nodig.'

Nu had Oliver het overwicht waar hij op uit was geweest. Hij zei: 'Voor wat hoort wat. Als jij niks tegen Ivan zegt, is er geen reden waarom ik iets tegen Dante Michelli zou zeggen. En je weet dat ik erachter zou komen als je het aan Ivan zou vertellen. Snap je?'

Marina knikte traag. 'Ik kan goed zwijgen.'

'Ik ook.' Oliver gaf haar zijn kaartje. 'Bel me als er nog iets is wat je me wilt vertellen. Ook als het om een detail gaat. Ook als je zelf denkt dat het misschien niet belangrijk is.'

Marina liet haar been zwengelen. 'Wanneer denkt u dat de verzekering zal betalen?'

'Eerst moet haar lijk boven water komen, Marina. Geen lijk, geen geld.'

'Oké.' Ze tikte nu met de punt van haar voet op de vloer. 'Ivan zei dat hun huwelijk niks meer voorstelde. Dat Roseanne van plan was van hem te gaan scheiden en hem alles af te nemen.'

'Dat was waarschijnlijk ook zo.'

'Dan heeft hij geluk dat ze is gestorven voordat ze van hem kon scheiden.'

Olivers glimlach werd heel langzaam steeds breder.

Sommige mensen hielpen het geluk een handje.

Mike Hollander zag er nog hetzelfde uit, alleen ouder. Zijn leeftijd was hem aan te zien met zijn blozende ronde gezicht, grote, dikke neus en sneeuwwitte haar. Een grote, grijze walrussnor sierde zijn bovenlip en eronder droeg hij nu ook nog een sikje. Als hij de rest van zijn baard ook liet staan, zou hij een goede kerstman zijn. In tegenstelling tot de vorige keer dat Decker hem had gezien, droeg hij een bril en een gehoorapparaat. Decker begon eraan te twijfelen of het wel zo'n goed idee was hem en zijn mensen in de arm te nemen. Niet dat Mike er broos uitzag, maar je kon zien dat de jaren gingen tellen. Zijn handdruk was echter nog altijd even stevig.

'Leuk om je weer eens te zien, Pete.'

'Insgelijks, Mike. Je ziet er goed uit.'

'Ik zie er oud uit, maar dat is beter dan er jong uitzien wanneer je in je kist ligt.'

'Hou op, zeg, zover is het nog lang niet.'

'Ik hoop het, maar misschien heeft God andere plannen.'

'Nu klink je als mijn vrouw.'

'Mooi zo. Rina zegt altijd wijze dingen.'

Ze zaten in een eetcafé halverwege Devonshire en Foothill. Mike was blijven wonen in de wijk waar hij meer dan vijfendertig jaar had gewerkt. De serveerster, een vrouw van middelbare leeftijd met getoupeerd haar, kende hem blijkbaar goed, want ze vroeg of ze hem het gebruikelijke moest brengen. Decker bestelde een salade en koffie.

Mike was dan wel ouder geworden, maar hij zag er erg tevreden uit. Decker zei dat ook tegen hem.

'Ik kan eindelijk doen wat ik leuk vind,' antwoordde Mike. 'Je weet dat ik er altijd van heb gehouden om met mijn handen te werken. Nu kan ik dat de hele tijd doen en er nog mensen mee helpen ook. Het enige probleem is dat we te veel succes hebben. Ik heb het eigenlijk te druk.' Hij nam een slokje koffie. 'Maar van druk zijn is nog nooit iemand doodgegaan.'

'Hoeveel mensen heb je per ploeg?'

'Tussen de twintig en dertig.'

Daar keek Decker van op. 'Wat veel.'

'Ik ken veel oude mannen met te veel vrije tijd... gepensioneerde mannen die hun vrouw in de weg lopen. Als je eens wist hoeveel taarten ik krijg van dankbare echtgenotes. We zijn misschien niet meer zo rap, maar omdat we met zoveel zijn, vlot het werk toch sneller dan bij gewone aannemers. Heb je de bouwplannen voor het huis van je dochter meegebracht?'

'Ja.' Decker haalde ze uit zijn aktetas en spreidde ze uit op de tafel. Hollander duwde zijn bril wat hoger op zijn neus en bekeek de tekeningen zwijgend. Na een paar minuten pakte hij een blocnote en begon aantekeningen te maken. Tien minuten lang zei hij helemaal niets en toen begon hij op zakelijke toon te praten.

'De architect heeft zijn werk goed gedaan. Grondig. Het ontwerp is niet erg ingewikkeld en hij heeft hier en daar een keuze geboden tussen verschillende mogelijkheden, afhankelijk van hoeveel geld de jongelui eraan willen uitgeven. Ik ken trouwens bedrijven waar je korting krijgt op allerlei apparatuur, vloermateriaal, bouwelementen, graniet, marmer... ook op kant-en-klare spullen. Als je dochter me even belt om te zeggen wat ze in gedachten heeft, kan ik binnen twee weken een prijsopgave doen.'

'Enig idee wat zoiets gaat kosten?'

'Ze willen ongeveer honderdzestig vierkante meter aan hun huis bouwen, inclusief een nieuwe keuken en tweeënhalve badkamer. Eens kijken... afhankelijk van het materiaal... tussen de zestig en honderdtwintig.'

'Dat is een nogal een grote marge.'

'Het hangt af van de materialen. Voor minder dan zestig is het niet te doen. Als iemand dat zegt, kun je beter niet met hem in zee gaan.'

Decker wist dat hij daarin gelijk had. 'De prijs is redelijk.'

'Betaal jij dit?'

'Ik wil in ieder geval een deel ervan op me nemen. Mijn schoonzoon zal het breekwerk grotendeels zelf doen.'

'Daarmee is hij alvast iets goedkoper uit. Je weet dat ik je een scherpe prijs zal geven, maar mijn mensen moeten er natuurlijk wel iets aan overhouden.'

'Natuurlijk. Bedankt alvast. Ik zal tegen Cindy zeggen dat ze je moet bellen.'

'Da's goed.' Hollander deed de tekeningen in zijn aktetas. 'Genoeg over mij. Vertel eens hoe het gaat in de wonderbaarlijke wereld van het rechercheurswezen.'

De serveerster kwam net met hun bestelling toen Mike deze vraag stelde. Ze keek naar Decker. 'Bent u van de politie?'

Hollander zei: 'De beste rechercheur die ik ooit heb gekend. Hij is inmiddels opgeklommen tot de rang van inspecteur, maar als hij politiek correcter was geweest, had hij ook hoofdinspecteur kunnen zijn.'

'Hou op. Ik bloos ervan,' zei Decker.

'We hebben hier graag politie,' zei ze. 'Die houden het gespuis mooi in de gaten.'

Het restaurant lag aan de grens van het district Devonshire. Decker gaf de serveerster zijn visitekaartje. 'Als er problemen zijn, belt u maar.'

'Dank u wel. Eet smakelijk. Dit is van de zaak.'

De mannen knikten. Hollander zei: 'Waar ben je zoal mee bezig, afgezien van het papierwerk?'

'We hebben een paar interessante zaken.' Decker vertelde hem over het lijk dat na de vliegtuigramp onder het puin was gevonden en dat niet het lijk was waarnaar ze op zoek waren geweest.

'De stewardess wordt nog steeds vermist,' zei hij.

'En jullie weten niet wie dat andere lijk is?'

'Geen flauw idee. Bij dergelijke rampen worden er wel eens mensen verwisseld, maar ik heb nog nooit gehoord dat er een extra lijk werd gevonden.'

'Misschien was het een verstekeling in het bagageruim.'

'Daar heb ik aan gedacht, maar drie dingen pleiten daar tegen. Om te beginnen zijn de veiligheidsmaatregelen nu zo streng dat ik niet zie hoe ze in het ruim heeft kunnen komen. Ten tweede zit er een flinke deuk in haar schedel. Ten derde droeg ze een erg oud jasje dat waarschijnlijk rond 1974 is gemaakt. Als het lichaam in betere conditie was, zouden we een forensisch kunstenaar kunnen verzoeken het gezicht te reconstrueren. Maar de biologische materie is zo breekbaar dat de officier van justitie heeft verboden om een gipsafdruk van de schedel en de gezichtsbeenderen te laten maken. Als de botten uit elkaar vallen, zijn we ons forensische bewijsmateriaal kwijt.'

'De deuk in de schedel.'

'Ja. We overwegen om computertekeningen te laten maken, maar die zijn nooit zo goed als het werk van een kunstenaar.'

Hollander leunde achterover en streek over zijn baardje. Hij maakte zo een erg wijze indruk. 'Dit doet me ergens aan denken. Ik weet niet zo gauw wát, maar ik kom er zo nog wel op.' Toen hij in zijn hamburger beet, droop er wat ketchup op zijn baard. Hij veegde het weg met een servet, maar het haar bleef een beetje roze. 'Voor een eetcafé is het eten hier erg goed en ze hebben tenminste kalkoenburgers. Ik mag geen rundvlees meer, namelijk... o, wacht, ik weet het weer.'

Hij legde zijn hamburger neer.

'Ik moet je eerlijk bekennen dat ik mijn oude baan soms mis. Kijk jij ooit naar tv-series waarin waargebeurde zaken worden gereconstrueerd?'

'Van die privédetective, op de kabel-tv?'

'Nee, nee, ik bedoel *Forensic Files* en *Cold Case Files* en *The New Detectives.*'

'O, die. Heel af en toe vind ik die interessant.'

'Ja, meestal gaat het om nogal eentonig speurwerk waarna de boef gewoon bekent, en tegenwoordig heb je ook veel over DNA. Maar ik heb in een van die programma's iets gezien wat veel weg heeft van jouw zaak. De vingers van het desbetreffende lijk waren verwijderd of met zuur bewerkt en de huid was van het gezicht afgestroopt. Alleen de spieren zaten er nog.'

'Waardoor het lijk niet geïdentificeerd kon worden.'

'Dat was inderdaad de bedoeling van de dader. En het was bijna gelukt, omdat de forensisch kunstenaar geen gezicht kon maken. Ze had geen botten om mee te werken en de officier van justitie stond niet toe dat de spieren verwijderd werden omdat die deel uitmaakten van het forensische bewijsmateriaal.'

Decker luisterde nu heel aandachtig. 'Ga door.'

'Uiteindelijk hebben ze de schedel driedimensionaal nagemaakt met behulp van bepaalde apparatuur.'

'Wat voor apparatuur?'

'Dat kan ik me niet precies herinneren, Pete. Het is alweer een tijdje geleden dat ik die aflevering heb gezien. Maar het is me bijgebleven omdat het een nieuwe techniek was. Aan de hand van röntgenfoto's konden ze een driedimensionale kopie van de schedel maken. De politie is toen met die schedel naar de rechter gegaan en die heeft beslist dat hij gebruikt mocht worden voor verder forensisch werk. De forensisch kunstenaar heeft die schedel toen een gezicht kunnen geven.'

'En hadden ze daar iets aan?'

'Ja, iemand herkende het gezicht en uiteindelijk is de dader gepakt.'

'Weet je nog welke zaak het was?'

Hij dacht lang na. 'Het slachtoffer was een Afrikaanse vrouw die in de Verenigde Staten woonde en hier geen familie had die haar als vermist had kunnen opgeven. Ik geloof dat het ergens in het midden van het land was. Sorry, ik kan me geen namen herinneren, maar ik neem aan dat je die aflevering ergens kunt opvragen. Het was ofwel van *Forensic Files* ofwel van *Cold Case Files.*'

Decker schreef het allemaal op. 'Wie zendt dat uit? Court TV?'

'*Forensic Files* wordt uitgezonden door Court TV. Ik geloof dat *Cold Case Files* van A&E is.' Mike nam nog een hap en kauwde langzaam. 'Je zou daar iemand kunnen zoeken die met die programma's te maken heeft. Misschien kan die het je vertellen.'

'Ik denk dat ik wel een kopie van de bewuste aflevering kan krijgen, als we erachter kunnen komen welke het was en om welke zaak het ging. Misschien is dat online te vinden.' Hij keek Hollander aan. 'Dat kunnen we makkelijk nakijken. Als je het niet vervelend vindt om even mee te gaan naar het bureau?'

'Ik had er al op gehoopt.'

16

De recherchekamer was voor twee derde verlaten. De meeste rechercheurs waren eropuit om de eeuwigdurende stroom van misdaden te onderzoeken. Net als de zee had de misdaad een ritme, wisselden hoogtij en laagtij elkaar af, alsof ook misdadigers beïnvloed werden door de standen van de maan.

In de grote, open werkruimte stonden de bureaus gegroepeerd en aan het plafond erboven hingen borden waarop stond met welk aspect van de misdaad de betrokken rechercheurs zich bezighielden. De misdaden bestreken het bekende gamma – inbraak, autodiefstal, mishandeling, jeugddelicten, seksdelicten, oplichting enzovoort, waarbij Moordzaken helemaal in de hoek zat, afgezonderd en bevoorrecht. De muren rond de bureaus gingen grotendeels schuil achter planken vol dossiers van afgehandelde zaken, en waar geen planken zaten, hingen beduimelde plattegronden van de stadsdistricten.

Marge Dunn had zojuist een pakketje ontvangen met de belgegevens van Roseanne Dresdens telefoon. De vermiste vrouw had haar telefoon voor het laatst gebruikt in San Jose, om vijf over half een 's nachts. Ze had naar haar eigen huis gebeld en het gesprek had vijfendertig seconden geduurd. Dit leidde onmiddellijk tot de vraag wat ze midden in de nacht in San Jose deed terwijl men bij WestAir had gezegd dat ze de volgende ochtend om kwart over acht in Burbank op een vliegtuig naar San Jose was gestapt.

Het was mogelijk dat Roseanne 's ochtends vroeg vanuit San Jose naar Burbank was gevlogen en aan boord van het toestel was gebleven. Dat zou verklaren waarom Erika Lessing haar niet had gezien.

Was er eigenlijk wel zo'n vroege vlucht?

Marge zette de website van WestAir op haar scherm en bekeek het vluchtschema. Vlucht 1324 bestond niet meer. In plaats daarvan was er nu vlucht 247, die niet om kwart over acht maar om half negen uit Burbank vertrok met bestemming San Jose. Een erg dun suikerlaagje voor een erg bittere pil, maar je kon het WestAir niet kwalijk nemen dat ze wilden dat men de vliegtuigramp zou gaan vergeten. Voor Marge was echter belangrijker dat er inderdaad een vroege vlucht was van San Jose naar Burbank, vlucht 246, die om vijf uur 's nachts vertrok. Dat wilde zeggen dat Roseanne vanuit San Jose naar Burbank kon zijn gevlogen en zonder uitgestapt te zijn naar San Jose was teruggevlogen in het gedoemde toestel.

Maar waarom zou Roseanne heen en weer zijn gevlogen, als ze niet op die lijn werkte? Marge zette een cirkel om Roseannes laatste telefoontje en schreef in de kantlijn: *Roseanne in SJ; probeerde ze haar man te bellen? Heeft ze met hem gepraat?*

Deze vraag zou Ivan kunnen ophelderen. Nu viel het Marge op dat het gesprek maar vijfendertig seconden had geduurd. In de kantlijn schreef ze: *Antwoordapparaat?*

Had Ivan een bericht ontvangen over haar dienstrooster? Dacht hij daarom dat ze in het toestel zat dat vanuit Burbank terugvloog naar San Jose? Had ze een bericht op het antwoordapparaat achtergelaten dat ze in San Jose was en nu op die lijn werkte?

Maar dat kwam niet overeen met wat ze bij WestAir zeiden.

Marge staarde naar de gegevens over dat laatste telefoontje. Hoe vaak ze dit ook deed – uitpluizen wat iemand in de laatste uren van zijn leven had gedaan – ze werd er altijd stil van wanneer ze een virtuele pijl zag die naar een van de laatste daden van de persoon in kwestie wees voordat hij of zij in het hiernamaals was verdwenen. Marge wist dat er nog altijd een kleine kans bestond dat Roseanne niet dood was, dat ze willens en wetens haar oude leven de rug had toegekeerd en een nieuwe identiteit had aangenomen om elders opnieuw te beginnen, maar die kans was wel erg klein.

Toen ze van de lijsten opkeek, zag ze Decker binnenkomen met een oude man. Ze keek nog eens goed.

'Hollander!' riep ze. 'Ben jij dat?'

'Even voelen.' Mike betastte zijn borst en armen. 'Ja, ik geloof waarachtig dat ik het ben.'

Marge liet haar lastige taak in de steek, liep naar hem toe en gaf hem een ferme klap op zijn schouder. Hij omhelsde haar lachend en hield haar toen op armlengte. 'Dunn, je ziet er nog net zo goed uit als op de dag dat je Foothill hebt verlaten om achter deze clown aan te gaan. En ik zie dat je inmiddels ook een hogere rang hebt dan ik ooit heb gehad. Is dat om nog wat extra zout in mijn wonden te strooien?'

'Mike, ik beloof je plechtig dat ik mijn macht alleen zal gebruiken voor het welzijn van het gehele mensdom. Maar wat doe jij hier op vijandelijk terrein?'

'Ik ben hier vanwege hem.' Hij wees met zijn duim naar Decker.

'Ik heb hem speciaal gevraagd even te komen,' zei Decker. 'We gaan internetten. Hollander heeft een keer een techniek gezien waarmee de Jane Doe uit het afgebrande flatgebouw misschien te identificeren is. Wil je meekijken?'

'Ik heb net de belgegevens van Roseanne Dresden binnen en ben bezig die door te nemen. Maar hou me op de hoogte.' Tegen Hollander: 'Hartstikke leuk om je te zien, Michael. Je moet vaker komen.'

'Ben je mal. Jullie hebben helemaal geen behoefte aan een ouwe zeur die jullie in de weg loopt.'

'Je kunt ons onmogelijk in de weg lopen en ik kan altijd nog iets leren van een ouwe rot in het vak.'

Hij tikte tegen zijn slaap. 'Ik heb bij mijn werk in de Naked City veel verhalen verzameld. Soms herinner ik me al mijn zaken als de dag van gisteren. Soms lijkt het meer op ploeteren aan een oude, onopgeloste misdaad. Mijn geheugen zit in de diepvries tot een dossier door een bepaald gebeuren wordt heropend en de feiten plotsklaps in mijn herinnering terugkeren.'

'Dat heb ik nu al,' zei Marge. 'Wat moet dat worden als ik zo oud ben als jij, Mike?'

'Geen nood. Tegen die tijd ben je al vergeten dat ik dit heb gezegd.'

Ze gingen samen aan Deckers bureau zitten, riepen de site van Court TV op en namen systematisch de afleveringen van *Forensic Files* door. Het waren er meer dan honderd en bij elk stond een korte inhoudsopgave. Decker liet ze stuk voor stuk de revue passeren, maar Hollander zei iedere keer: 'Nee, deze was het niet.'

Na een uur hadden ze de hele lijst afgewerkt.

Hollander stond op en rekte zich uit. 'Ik weet zeker dat ik het ergens heb gezien. Ik ben niet slim of creatief genoeg om zoiets te verzinnen.'

Decker had zijn twijfels. Naarmate je ouder werd, dreigden herinneringen onzuiver te worden, hoewel Mike nog altijd even scherpzinnig leek te zijn als vroeger. 'Zullen we ze nog een keer doornemen?'

'Dat heeft weinig zin, rabbi. Wat ik bedoel zit niet bij de afleveringen die we hebben bekeken.' Hij krabde op zijn hoofd en ging weer zitten. 'Misschien was het er een van *Cold Case Files*.

'Laten we die dan even bekijken.' Decker tikte A&E in en klikte door naar de website voor *Cold Case Files*. Ook deze serie had meer dan honderd afleveringen. Net als bij *Forensic Files* stond er bij elk daarvan een korte beschrijving. In tegenstelling tot *Forensic Files* duurden de uitzendingen hier niet een half uur, maar een vol uur. Soms was die tijd verdeeld over twee zaken van een half uur, soms ging het om één zaak die het volle uur in beslag nam.

Decker zette de eerste aflevering op het scherm.

'Nee, dat is hem niet.'

Dertien afleveringen later was het raak.

Mike zei meteen: 'Dat is hem.'

Decker, die er onderhand niets meer van verwachtte, keek hem aan. '*Reconstructing Murder, Fire Flicks*?'

'Het gaat om het eerste deel,' zei Hollander. 'Er zit een trailer bij. Heeft jouw computer geluid?'

'Ja zeker.' Hij klikte op het volumepictogram om het geluid aan te zetten. In de recherchekamer stond bij alle computers het geluid uit, want het was noodzakelijk dat de rechercheurs gesprekken van hun collega's konden volgen. Soms hoorde iemand collega's ergens over praten en kon hij toevallig aanvullende informatie verstrekken. De rechercheurs werkten niet voor niets in een open ruimte en niet in hokjes.

Decker en Hollander bekeken de intro tot aan de aflevering zelf. Zoals in alle goede trailers werd er niets onthuld over de zaak, afgezien van het feit dat de misdaad in Wisconsin was gepleegd. Decker scrolde over de webpagina tot hij een icoon zag met de tekst: KOOP DEZE AFLEVERING. De prijs lag binnen het budget, dus klikte hij op het icoontje. Daarop verscheen de mededeling dat deze aflevering niet meer te koop was.

'Da's pech.' Decker dacht na. 'Het gaat om een forensische reconstructie en de zaak was interessant genoeg om opgenomen te worden in die tv-serie. Dan zal het een zaak zijn geweest die zich lang heeft voortgesleept en in de belangstelling stond. Als je nu eens aan Wanda Bontemps vertelt wat je je van de film herinnert, dan kunnen jullie samen op internet naar beruchte moordzaken uit Wisconsin zoeken. Wie weet zie je dan iets wat je bekend voorkomt.'

'Dat is wel een goed idee, maar dat gaat jouw rechercheur veel tijd kosten.' Hollander draaide aan de punten van zijn walrussnor. 'Aan de andere kant zat ik net te denken dat dit filmpje natuurlijk ergens opgeslagen moet liggen. Misschien in het archief van A&E. En zo niet, dan zou ik contact kunnen opnemen met de producent. Ik wil best nog wat zoeken, voordat ik je rechercheur ga lastigvallen.'

'Ik heb er niets op tegen als je je vrije tijd eraan wilt besteden.' Decker stak zijn vinger op. 'Maar dan zal ik zien of je als officieel adviseur mag optreden. Dan hou je er tenminste nog een zakcentje aan over.'

'Ik heb er niets op tegen als je dat zou doen, Pete.'

Decker verduidelijkte: 'Zolang jouw werk als adviseur de verbouwingsplannen van mijn dochter maar niet in de weg staan.'

Hollander gaf hem een speelse stomp. 'Wat voor soort rechercheur ben jij eigenlijk?'

'Het bloed kruipt waar het salaris niet gaan kan.'

Marge stond met haar armen over elkaar geslagen tegen de muur geleund te wachten terwijl Decker de belgegevens bekeek. Ze zei: 'Ik vraag me af op welke manier we Ivan Dresden het beste kunnen benaderen om hem het gevoel te geven dat hij aan onze kant staat.'

'Gezien het feit dat haar laatste telefoontje uit San Jose is gekomen, staat hij misschien echt aan onze kant.' Decker bladerde in de papieren. 'Wat deed Roseanne in San Jose?'

'Misschien was ze er vanwege haar werk, misschien was ze haar oude vlam gaan opzoeken.'

'De oude vlam. Over hem hebben we nog niets geverifieerd. Is dit het telefoonnummer van Raymond Holmes?' Decker las het hardop voor.

'Ja.'

'Roseanne had dat nummer al zes maanden niet gebeld. Dat komt overeen met wat Arielle Toombs vertelde... dat ze al lang een einde had gemaakt aan de relatie. Maar hij heeft haar wel gebeld, ongeveer drie maanden vóór de ramp.'

'Wat weten we over Holmes?'

'Zijn adres. 5371 Granada Avenue, San Jose. En dat hij geen strafblad heeft en nooit met de politie in aanraking is geweest.'

Oliver kwam binnen. Hij wreef in zijn ogen en draaide met zijn armen om zijn stijve schouders los te maken. Zijn smaragdgroene das zat scheef en de boord van zijn witte jacquardoverhemd was smoezelig. Marge keek op haar horloge. Het was bijna vier uur. 'Laat geworden gisteren in Leather and Lace, Scotty?'

'Was het maar waar.' Oliver gaapte. 'Ik kom net bij de rechtbank vandaan. De zaak-Peabody.'

'Kerry Trima,' zei Decker. 'Het DNA waarover geen uitsluitsel gegeven kon worden. Hoe is het gegaan?'

'De beklaagde had een strafpleiter die nog nat achter de oren was. Hij deed niks anders dan de DNA-deskundige aanvallen en speelde daarmee mooi in op ons indirecte bewijsmateriaal. Hij had makkelijk mijn getuigenis aan flarden kunnen rijten, maar gelukkig stelde hij niet de juiste vragen. Ik denk dat de jury wel over de streep is, ondanks het ontbreken van doorslaggevend bewijsmateriaal. Waar zijn jullie mee bezig?'

'De belgegevens van Roseanne Dresden,' zei Marge. 'Heb je mijn bericht ontvangen?'

'Over het middernachtelijke telefoontje uit San Jose?' Oliver haalde zijn schouders op. 'Wat deed Roseanne in San Jose acht uur voordat ze naar verluidt is omgekomen tijdens een vlucht van Burbank naar San Jose?'

'Dat is nu juist de vraag,' zei Marge. 'Ik geloof dat de tijd is aangebroken om met Ivan de Verschrikkelijke te gaan praten. Misschien weet hij wat ze daar deed. En aangezien meneer Dresden zichzelf zo'n ladykiller vindt, lijkt het me het beste dat we samen naar hem toe gaan en dat jij dan het woord doet. Kunnen jullie fijn babbelen over Fifi van Leather and Lace.'

'Ze heet geen Fifi. Ze heet Gelatientje.'

Decker barstte in lachen uit. 'Gelatientje?'

'Thuis heet ze Marina Alfonse,' zei Oliver. 'Tussen haakjes, ik heb mijn mening over die jongedame herzien en dat kan van belang zijn voor de zaak. Toen Rottiger me vertelde hoe Marina op Ivan had gereageerd, kreeg ik sterk de indruk dat Marina Ivan niet kon uitstaan. Nu even snel doorspoelen naar gisteravond, toen heb ik ontdekt dat die twee samen lustig van bil gaan, zij het in het uiterste geheim omdat de Leather and Lace-meisjes van hun baas niet met klanten mogen wippen. Ook heb ik ontdekt dat Dresden dankzij al die lekkere meiden in de club een schuld had uitstaan van vijftienduizend dollar.'

Decker en Marge keken hem met stomheid geslagen aan.

Oliver zei: 'Ja, ik reageerde precies zo. Toen de eigenaar, een nuchtere zakenman genaamd Dante Michelli, zijn geduld begon te verliezen, heeft hij tegen Marina gezegd dat ze ervoor moest zorgen dat hij in ieder geval een deel van de schuld zou aflossen. Tot ieders verbazing heeft Dresden toen de volle mep betaald. Marina zegt dat hij misschien een hypotheek op de flat heeft genomen, nu hij daar de eigenaar van is, omdat Roseanne bij de vliegtuigramp is omgekomen. En dat, dames en heren, heet bij ons een motief.'

'Hoe heeft hij zo snel een tweede hypotheek op de flat gekregen?' vroeg Marge zich af. 'Noch de verzekeringsmaatschappij noch de lijkschouwer heeft officieel verklaard dat Roseanne dood is.'

'Om te beginnen is het inmiddels ruim twee maanden geleden dat het vliegtuig is neergestort, dus is die hypotheek er nu ook weer niet zó snel gekomen. Ten tweede staat hij misschien op goede voet met degene die bij de bank over de hypotheken gaat. Ten derde, ook als het lijk nooit wordt gevonden, zal de verzekeringsmaatschappij op den duur Roseannes polis moeten uitbetalen.'

'Niet als wij zeggen dat ze vermist wordt omdat ze is vermoord,' zei Marge.

'En welk bewijs hebben we daarvoor?'

'We hebben in ieder geval geen bewijs dat ze aan boord van dat vliegtuig was,' zei Decker. 'Zeker niet nu is gebleken dat ze midden in de nacht nog vanuit San Jose heeft gebeld.'

Marge zei: 'Het kan zijn dat ze 's ochtends vroeg vanuit San Jose naar Burbank is gevlogen en om kwart over acht met het gedoemde vliegtuig is teruggevlogen.'

'Ik dacht dat ze bij WestAir geen dienstrooster hadden waar ze op stond.'

'Voor zover we weten, is dat nog steeds zo,' antwoordde Marge. 'Goed, hoe moeten we Ivan benaderen?'

'Vraag hem waarom Roseanne in San Jose was. Probeer uit te vissen of hij iets over Raymond Holmes weet.'

'Wil je dan tóch dat we over haar voormalige minnaar beginnen?' vroeg Oliver.

Marge zei: 'Het laatste telefoontje van Roseanne was naar haar eigen huis, via een gsm-mast in San Jose.'

'Jij denkt dus dat ze hem was gaan opzoeken.'

'Het is mogelijk, hoewel ze vóór de crash zeker drie maanden geen contact met elkaar gehad hebben.'

Oliver knikte. 'We moeten Ivan Dresden dus de indruk geven dat wij denken dat meneer Holmes de laatste persoon is die haar in leven heeft gezien en dat hij daarom wat ons betreft een verdachte is?'

'Misschien is dat ook wel zo,' zei Decker.

'En wat ons betreft is Ivan de Verschrikkelijke ook nog steeds een verdachte, ook al benaderen we hem niet dienovereenkomstig.'

'Klopt.'

'Maar omdat wij zogenaamd denken dat Raymond Holmes verdacht is, hopen we dat Dresden zich voldoende zal ontspannen om op zijn praatstoel te gaan zitten.'

'Vooral als we inspelen op zijn ego,' zei Marge.

'We hebben uw hulp nodig, meneer Dresden,' kweelde Oliver. 'De politie rekent op u.'

'We kunnen het er net zo dik bovenop leggen als we willen,' zei Marge. 'Je hoeft een man maar een beetje te paaien en je zit gebakken. Mannen zijn in wezen kwetsbare figuren. Wij vrouwen hoeven niet eens veel moeite te doen. Een paar complimentjes op de juiste momenten en we worden getrakteerd op een film en een dinertje.'

17

Het adres was in een wijk die bestond uit besloten wooncomplexen van lage, gerenoveerde flatgebouwen, bestemd voor jonge tweeverdieners. Er waren naar schatting zeventig van die gebouwen die qua stijl keurig op elkaar aansloten. Van buiten veel hout en stucwerk, en iedere flat had een balkon. De iepen en platanen die drie decennia geleden waren geplant, waren nu volwassen bomen die voor schaduw en groen zorgden en dat was maar goed ook want in de zomer liep de temperatuur in West Valley regelmatig op tot boven de dertig graden. Dunn en Oliver volgden een bochtige weg tussen uitbundig bloeiende impatiens en azalea's en zagen onderweg twee zwembaden, vier jacuzzi's, een fitnesszaal met glazen wanden, een recreatiezaal, twee cafeetjes en tientallen parkeerplaatsen, waardoor de wijk de indruk wekte een zorgvuldig geplande leefgemeenschap met de karakteristieken van een luxueus winkelcentrum te zijn.

Dresden woonde op de bovenste etage van een gebouw van drie verdiepingen. Hij deed met een geïrriteerd gezicht open. Marge zag meteen dat de foto's hem geen recht deden. Hij had dik, donker haar, verrassend blauwe ogen en een ferme kin. Het enige wat zijn volmaakte uiterlijk verstoorde, waren de pokdalige putjes in zijn huid. Hij was iets kleiner dan zijzelf, ongeveer een meter vijfenzeventig, maar kon zich dankzij zijn knappe gezicht en gespierde lichaam een hautaine houding aanmeten. Hij droeg een zwart, mouwloos T-shirt, een joggingbroek en een handdoek rond zijn nek, hoewel hij niet de indruk wekte dat hij aan het sporten was geweest. Iedere haar op zijn hoofd zat keurig op zijn plek en er was nergens een druppeltje zweet te bekennen.

'Hartelijk dank dat we mochten komen,' zei Marge.

'Bedoelt u dat ik ook nee had kunnen zeggen?' was zijn kribbige reactie. 'Is het nog niet erg genoeg dat ik mijn vrouw heb verloren? Moet de politie me nu ook nog beletten het verzekeringsgeld te innen? Geld kan natuurlijk nooit de plaats van Roseanne innemen, maar ik snap niet waarom iedereen het me zo moeilijk maakt.'

Ze stonden nog buiten. 'Kunnen we dit gesprek niet beter binnen voortzetten?' vroeg Oliver.

Dresden snoof, maar stapte opzij. De rechercheurs gingen naar binnen en keken om zich heen. De flat was niet onaardig ingericht met moderne meubels zoals je die in iedere grote meubelzaak kon vinden. Het was er geen beestenbende, maar het kon netter. Her en der lagen kranten en een prullenbak zat vol lege bierblikjes, piepschuimbakjes van afhaalmaaltijden en wikkels van energierepen. De kamer kon bovendien wel wat vrouwelijke elementen gebruiken – bloemen, foto's, kaarsen – want het interieur had erg strakke lijnen en fletse kleuren in wit, grijs en lichtblauw, op de eenzame zwartleren bank na.

'Nou, ga zitten.' Hij gooide wat kranten van een zitkussen op de grond, wachtte tot de rechercheurs waren gaan zitten en ging toen door met zijn klaagzang. 'Misschien moet ik beminnelijk lachen en "alstublieft" zeggen om te krijgen wat me toekomt.'

'Waarom denkt u dat we iets voor u achterhouden?' vroeg Marge.

'Zeg, ik ben toch niet achterlijk!' Hij rukte de handdoek van zijn nek en liet die als een zweep in de lucht knallen. 'Ik weet dat de verzekeringsmaatschappij zich in alle bochten wringt om niet te hoeven betalen, en ik heb er natuurlijk niks aan als de politie blijft zeuren dat haar lijk niet is gevonden. Kan ík het helpen dat die lui van het bergingsteam zulke stommelingen zijn?'

Oliver nam het woord. 'U denkt dus dat uw vrouw bij de vliegramp is omgekomen, meneer Dresden?'

Dresden keek hem met een verbijsterd gezicht aan. 'Ja, natuurlijk! Als u daar andere ideeën over hebt, wil ik die graag horen!'

'Ik weet dat u boos bent.' Oliver sloeg zijn benen over elkaar. 'Wij krijgen ook geen hulp van de verzekeringsmaatschappij. En WestAir...' Hij maakte een vermoeid gebaar. 'Daar werken ze ons zelfs tégen. U bent dus onze laatste hoop. We hebben uw hulp nodig.'

'En als u ons helpt, kunnen wij ú misschien helpen,' zei Marge.

'Dan hebben we er allemaal iets aan,' zei Oliver. 'We hebben wat vragen voor u, maar die moet u niet verkeerd opvatten. We doen alleen ons werk.' Dresden trok een nors gezicht, maar Oliver zag dat hij toch iets bijdraaide. 'Wanneer hebt u voor het laatst iets van Roseanne gehoord?'

Dresden krabde aan zijn wang. 'Als u vragen gaat stellen... moet ik er dan geen advocaat bij halen?'

'Waarom denkt u dat u een advocaat nodig hebt?' vroeg Marge.

'We willen u juist helpen. Onze vragen zijn niet bedoeld om u ergens in te luizen, maar om een duidelijke tijdlijn te krijgen voor de laatste uren van het leven van uw vrouw. Die heeft de verzekeringsmaatschappij trouwens ook nodig.'

'We proberen haar laatste nacht vóór de ramp in beeld te brengen.' Marge tikte op haar blocnote. 'We hebben die nacht opgedeeld in uren. U hoeft alleen maar wat lege plekken in te vullen.'

'Voor ons is dit pure routine,' zei Oliver.

Het bleef stil. Toen zei Dresden: 'Goed dan. Ik zal u helpen, maar alleen als u niet door haar ouders bent gestuurd.'

'Nee, die hebben ons niet gestuurd,' zei Marge. 'Maar ik zal open kaart spelen. Ze hebben de afgelopen twee maanden vrijwel iedere dag naar het bureau gebeld. We weten dat ze u niet mogen.'

'Ze zijn niet goed bij hun hoofd.'

'Ze zijn overtuigd van hun eigen gelijk,' zei Marge.

'Daarom heb ik hun ook niet de waarheid verteld over de laatste keer dat ik Roseanne heb gezien.' Hij zuchtte. 'Op de dag vóór de ramp hebben Roseanne en ik een knallende ruzie gehad. Op een gegeven moment is ze woedend vertrokken. Ik denk dat het rond vier uur 's middags was.' Hij staarde voor zich uit. 'De volgende ochtend hoorde ik dat er een vliegtuig was neergestort.' Zijn ogen werden vochtig. 'Ik dacht dat ik gek zou worden... Ik...'

Hij ging niet door. 'Wist u dat ze op vlucht 1324 moest werken?' vroeg Oliver.

Het duurde even voordat Ivan weer sprak. 'Ze had 's avonds laat een bericht achtergelaten op het antwoordapparaat... dat ze voor iemand inviel en in San Jose was. Ze zei dat we verder zouden praten wanneer ze weer thuis was. Ze zou 's ochtends terugkomen. Maar toen...' Hij hief vertwijfeld zijn handen op.

'Hoe laat heeft ze gebeld?' vroeg Marge.

'Dat weet ik niet precies. Ik kwam erg laat thuis en heb haar niet teruggebeld.' Hij schudde zijn hoofd. 'Ik wou dat ik dat wel had gedaan... dat ik nog een keer met haar had gesproken. We hadden vaak ruzie, maar toch... Ik voel me zo schuldig.' Hij sloeg zijn handen voor zijn gezicht. 'Ik wil er niet eens aan denken. Dat doet me te veel pijn.'

Marge zei: 'Sorry dat ik zo bot moet doen, maar waar was u in de nacht vóór de ramp?'

'Niet in San Jose. Ik was kwaad en ben ergens aan het drinken geslagen. Niet erg slim van me, maar ja...'

'Waar hadden jullie ruzie om?' vroeg Marge.

'Om geld. Zoals gewoonlijk.'

'Niet om vrouwen?' Oliver wachtte niet op antwoord. 'U snapt natuurlijk wel dat we al wat gesnuffeld hebben en weten dat het tussen jullie niet snor zat. Dat u naar andere vrouwen keek en dat zij dat niet kon hebben. Maar we hebben gehoord dat ze zelf ook geen heilige was.'

Dresden zei niets. Misschien was hij, ondanks zijn eigen avontuurtjes, door de ontrouw van zijn vrouw te zeer in zijn eer geraakt, dacht Oliver. Op zachtere toon vroeg hij: 'Ging de ruzie om haar ontrouw?'

'Dat was niet de hoofdzaak. Maar als we kwaad werden, gooiden we allebei met modder. We hadden een vrij... open relatie. Maar echt, die laatste ruzie ging om geld.'

'We hebben anders gehoord dat ze erg kwaad was om uw vriendinnetjes.'

'En ik was kwaad om haar suikeroompje. Maar nogmaals, daar ging het niet om.'

'Zou ze naar San Jose zijn gevlogen omdat ze hem wilde zien?'

'Welnee,' antwoordde Ivan te rap. 'Die affaire was al lang afgelopen.'

'Hoe lang?'

Ze konden zien dat hem opeens een lichtje opging.

Punt een, Roseanne was in San Jose.

Punt twee, de bergingsploeg had haar lijk niet gevonden.

Ivan zette grote ogen op. 'Denkt u dat Roseanne naar hem toe is gegaan en dat haar iets is overkomen?'

'We onderzoeken alles,' zei Marge. 'Hoe eerder we erachter zijn wat er is gebeurd, hoe eerder u uw geld krijgt.'

'We willen details, meneer Dresden, om te zien of we over hetzelfde praten,' zei Oliver. 'Om te beginnen: wie is híj?'

'Weten jullie dat dan niet?'

'Ik wil een naam.'

'Raymond Holmes. God, toen ik die vent zag, kon ik nauwelijks geloven dat Roseanne zo laag was gezonken voor een horloge van Chopard.'

Marge zei: 'Je moet de macht van sieraden nooit onderschatten.'

Ivan snoof weer. 'Jullie vroegen of ze naar hem toe was gegaan? Ja, dat is heel goed mogelijk.'

'Maar u zei dat Roseanne had gezegd dat ze voor iemand inviel,' zei Marge.

'Nou en? Ze was in San Jose. Misschien is ze naar die vetkwab gegaan en hebben ze ruzie gekregen. Roseanne was een kei in ruzie uitlokken. Ze kon jennen als de beste. Ik kan me best voorstellen dat die lul zijn zelfbeheersing heeft verloren.'

'Kende u hem persoonlijk?' vroeg Oliver.

'Nee, ik heb hem nooit ontmoet. Ik ken hem alleen van foto's. Hij ziet eruit als een verlopen footballspeler.'

'Hoe weet u dan of Raymond Holmes snel geneigd is zijn zelfbeheersing te verliezen?'

'Ook als je van jezelf niet opvliegend bent, word je dat wel als je Roseanne een poosje kent. Ik weet dat Roseanne het met hem had uitgemaakt. Ik had haar een ultimatum gegeven – hij of ik. Daar hoefde ze niet erg lang over na te denken. Ik was erbij toen ze hem belde. Maar die vetkwab begreep het woord *nee* blijkbaar niet. Hij belde haar constant. Eén keer nam ik op toen hij belde en toen ik zei dat hij mijn vrouw met rust moest laten, reageerde hij heel onbeschoft. Ik heb toen gezegd dat ik hem zou vermoorden als ik hem ooit in de buurt van Roseanne zou zien. Toen zei hij dat ik dan snel moest zijn, omdat hij anders als eerste zou schieten.' Hij keek Marge aan. 'We hebben elkaar nooit ontmoet en er is niks gebeurd, maar uit dat ene gesprek had ik al begrepen dat hij een erg kort lontje heeft.'

'Zo te horen hebt u dat zelf ook,' zei Marge.

Dresden sloeg zijn ogen ten hemel en keek toen hulpzoekend naar Oliver. 'Ik heb hem nooit ontmoet. Ik zeg alleen hoe ik over hem denk.'

'En dat wilden we inderdaad horen,' zei Oliver. 'Maar we zitten met een probleem. We denken dat WestAir Roseanne helemaal niet op het dienstrooster heeft gezet voor vlucht 1324. Sterker nog, we kunnen helemaal geen rooster vinden waarop staat dat ze in San Jose zou gaan werken.'

Er viel een stilte. Dresden keek geïrriteerd. 'Misschien heb ik dan verkeerd onthouden wat er op het antwoordapparaat stond. Misschien zei Roseanne alleen dat ze in San Jose was en dat we nog wel over de ruzie zouden praten, en *ging ik ervan uit* dat ze op die vlucht werkte. Er is sindsdien zoveel gebeurd...' Zijn woede sloeg plotsklaps om in verdriet. 'Er zijn veel dingen die ik liever zou vergeten. U moet het me dus maar niet kwalijk nemen als ik me bepaalde dingen niet nauwkeurig herinner.'

'Oké. We weten dat het laatste telefoontje van Roseanne naar jullie eigen nummer was, via een gsm-mast in San Jose,' zei Oliver. 'Vertel eens hoe u hebt ontdekt dat ze een verhouding had met Holmes.'

'Roseanne had opeens allerlei dure sieraden die ze van haar salaris onmogelijk kon betalen. De druppel die de emmer deed overlopen was toen ze beweerde dat het Chopard-horloge een cadeautje van WestAir was, terwijl ik wist dat de maatschappij op de rand van een faillisement stond.'

Oliver lachte. 'Ja, we weten dat WestAir grote financiële problemen heeft.'

'De salarissen werden zelfs nooit op tijd uitbetaald. Dat leugentje van haar sloeg dus helemaal nergens op. Toen ik haar een beetje onder druk zette, heeft ze alles opgebiecht.' Hij lachte bitter. 'Al die keren dat ze had zitten zaniken als ik een avondje uit wilde met vrienden. Nu bleek dat ze met een onooglijke dikzak in bed was gedoken voor een stom horloge.'

Oliver trok zijn wenkbrauwen op. 'Dus bijna al jullie ruzies gingen om geld?'

'Ja. Roseanne kon het niet hebben dat ik af en toe een avondje zonder haar wilde gaan stappen.'

Marge zei: 'Misschien kwam dat doordat uw avondjes uit veel meer kostten dan háár avondjes uit.'

Dresden keek haar koel aan. 'Wat wilt u daarmee zeggen?'

'We zijn niet op ons achterhoofd gevallen, meneer Dresden. We hebben een paar dingen nagetrokken voordat we hierheen zijn gekomen,' zei Marge.

Oliver zei: 'Ik zal niet over u oordelen, want ik ga zelf ook wel eens naar Leather and Lace, maar ik verdien maar een gewoon salaris en zie daarom wijselijk af van het lapdancen, dat alleen voor mannen is die het zich kunnen veroorloven briefjes van honderd in de slipjes van de meisjes te steken.'

Daarop reageerde Dresden niet.

'Meneer Michelli houdt van een goede verstandhouding met de politie,' ging Oliver door. 'We weten dat u onlangs een grote schuld aan de club hebt afbetaald. U bent niet verplicht het ons te vertellen, maar we zijn wel nieuwsgierig waar u dat geld vandaan had.'

'Ik werk.'

'Dan moet u erg veel overuren gemaakt hebben,' zei Marge.

'Dat heb ik inderdaad, ja!'

'Meneer Dresden, vijftienduizend dollar is niet niks. Waar had u dat geld vandaan?'

'U zei zelf dat ik daar geen antwoord op hoef te geven.'

'Klopt,' zei Oliver. 'Maar aan de andere kant is het verstandig om onze nieuwsgierigheid te bevredigen. Anders gaan we op onderzoek uit.'

'Gaat uw gang,' zei Ivan nors. 'Ik heb niks te verbergen.'

Hoe vaak had Marge dat al niet gehoord? Ze zei: 'We kunnen makkelijk te weten komen of u een tweede hypotheek op de flat hebt genomen.'

'De flat is helemaal niet van mij,' zei hij kribbig. 'Tot Roseanne officieel is doodverklaard, blijven al haar eigendommen bevroren, mocht u dat nog niet weten.'

Oliver hief sussend zijn handen op. 'Ho, ho, niet zo boos. We willen alleen maar weten wat er is gebeurd.'

'Vraag dan eerst maar eens aan Raymond Holmes waar híj was op de avond dat ze me gebeld heeft.'

'Dat zullen we zeker doen.' Oliver stond op en legde zijn hand op Dresdens gespierde schouder. 'Ik probeer u echt nergens in te luizen. Ik wil alleen de waarheid. Uiteindelijk is dat voor u ook belangrijk, want zodra we weten wat er met Roseanne is gebeurd – bij de crash of in San Jose – krijgt u uw geld.'

Dresden vond het niet prettig dat zijn privéleven stukje bij beetje werd blootgelegd, maar antwoordde op stugge toon: 'Ik heb mijn auto verkocht. Ik rij nu in de BMW van Roseanne. Die kan ik niet verkopen, maar ik kan er goddomme wel in rijden.'

'Zie? Was dat nou zo moeilijk?' zei Oliver.

'Ik zou een paar dagen naar Mexico moeten gaan om een beetje tot rust te komen. In plaats daarvan werk ik me te pletter.'

'Tja, als je vijftienduizend dollar moet afbetalen, zit er niks anders op,' zei Oliver.

'Drieduizend dollar aan overuren, tienduizend voor mijn auto. Om de rest bij elkaar te krijgen heb ik de sieraden verkocht die Roseanne van die vetkwab had gekregen. Voor het horloge heb ik een vijfde gekregen van wat het waard is. Een of andere griet zal dat nog heel voordelig krijgen.'

18

Marge klopte op de open deur van Deckers kantoor. 'Heb je even?'

'Tuurlijk. Kom erin.' Decker keek op en zag dat Marge en Oliver erg tevreden keken. 'Is het goed gegaan bij Dresden?'

Marge gaf hem een samenvatting van het gesprek en zei tot slot: 'Hij zei dus dat Roseanne een bericht had achtergelaten op het antwoordapparaat om te zeggen dat ze in San Jose was.'

'En dat was zo ongeveer het enige wat klopte,' vulde Oliver aan.

Marge ging door: 'De eerste keer zei hij dat Roseanne had gezegd dat ze voor iemand inviel in San Jose. Nadat we hem hadden verteld dat niemand bij WestAir Roseanne op het dienstrooster voor San Jose had gezet, veranderde hij van taktiek en zei hij dat ze die avond wel in San Jose was, maar dat hij niet wist waarom.'

'Maar waarom wás ze daar nou eigenlijk?' vroeg Decker.

'Dresden kwam tot de voor de hand liggende conclusie dat ze naar Raymond Holmes was gegaan.'

'Hij zei er meteen bij dat Raymond Holmes een opvliegend karakter heeft,' zei Oliver.

'Kent hij hem dan?' vroeg Decker.

Marge zei: 'Nee, maar hij zegt dat hij hem een keer aan de telefoon heeft gehad. Wij hebben uit zijn verhaal begrepen dat ze elkaar toen verrot hebben gescholden, maar dat het daarbij is gebleven.'

'Weten we waar Ivan Dresden was toen zijn vrouw in San Jose was?' vroeg Decker.

'Hij zegt dat hij is uitgegaan, maar hij heeft er niet bij verteld waar hij de hele avond heeft gezeten,' zei Marge.

'Ik gok op Leather and Lace,' zei Oliver. 'Ivan heeft er uiteraard belang bij zijn slechte gewoonten geheim te houden tot hij het geld van de verzekering binnen heeft.'

Decker zei: 'Als Roseanne inderdaad van plan was de volgende ochtend naar huis te komen om alles uit te praten, moet ze die vlucht van vijf uur hebben genomen. Misschien is er iemand die zich dat herinnert.'

'Daar heb ik ook al aan gedacht,' zei Marge. 'Maar de bemanning van de vlucht van vijf uur was dezelfde bemanning als die van de vlucht van kwart over acht. En die zijn allemaal dood.'

'Maar de passagiers van de vlucht van vijf uur leven nog.' Decker vroeg zich af hoe het voelde om op het nippertje aan zo'n dood te zijn ontsnapt. 'Misschien kunnen we een passagierslijst krijgen en gaan vragen of iemand zich Roseanne herinnert.'

Oliver zei: 'Maar ook als niemand zich haar herinnert, kan ze die vlucht hebben genomen.'

'Natuurlijk.' Decker dacht na. 'Als het waar is wat Ivan zegt, als Roseanne van plan was 's ochtends naar huis te komen om alles uit te praten, waarom is ze dan niet rechtstreeks naar huis gegaan toen ze in Burbank was aangekomen?'

Marge antwoordde: 'A: Ze is helemaal niet naar Burbank gevlogen. B: Ze is wel naar Burbank gevlogen en uitgestapt voordat Erika Lessing op haar werk kwam, en daarna heeft niemand haar meer gezien. C: Door een plotselinge verandering in het dienstrooster moest ze tóch op vlucht 1324 werken en is haar lijk gewoon nog steeds niet gevonden.'

Oliver zei: 'A wil zeggen dat ze in San Jose is vermoord; B wil zeggen dat ze in Burbank is vermoord, en C wil zeggen dat ze bij de crash is omgekomen. Maar er is nog een D: Dat ze nog springlevend is en een andere identiteit heeft aangenomen.'

'Aangezien haar laatste telefoontje uit San Jose kwam, vinden we dat we met Raymond Holmes moeten gaan praten,' zei Marge.

'Wanneer willen jullie dat doen?' vroeg Decker.

'Ik heb morgen wel tijd,' zei Marge

'Ik niet. Morgen zit ik helemaal vol,' zei Oliver. 'Donderdag kan ik wel.'

'Donderdag kan ik niet,' zei Marge. 'Maar ik kan morgen best in mijn eentje gaan.'

'Bel Raymond Holmes en vraag wanneer het hem schikt,' zei Decker. 'Als het morgen is, ga ik met Marge mee. Als het donderdag wordt, ga ik met Scott mee. Ik wil hem graag zelf spreken. Roseannes ouders bellen mij altijd en ik vind dat ik hun iets verschuldigd ben.'

'Ik zal Holmes bellen.'

'Oké. En voordat jullie weggaan...' Decker overhandigde hun ieder een gebundeld stapeltje papier. 'Huiswerk. We hebben de volledige lijst van de huurders van het verwoeste flatgebouw in Seacrest, van 1974 tot heden. Ik heb 1974 tot 1983 genomen. Scott, jij doet 1984 tot 1994 en Marge de rest.'

'Wat moeten we precies doen?' vroeg Oliver terwijl hij erdoorheen bladerde.

'Nagaan waar de mensen op je lijst nu zijn. Van degenen die overleden zijn, willen we een overlijdensakte zien. Als je namen tegenkomt waarover geen duidelijke informatie bestaat, en die zullen er best zijn, kijk dan of het eventueel onze verbrande Jane Doe kan zijn.'

'Dit zijn heel veel namen,' zei Oliver.

'Ik heb er net zoveel,' antwoordde Decker.

'Al die telefoontjes...' Oliver schudde zijn hoofd. 'Voor je het weet heb je RSI. Daar kun je ziekteverlof voor krijgen, hoor.'

Decker trok een la open en haalde er een rekverband uit. 'Alsjeblieft.'

'Een rekverband helpt niet tegen RSI.'

'Dat weet ik. Maar als je het om je mond bindt, kun je in ieder geval niet meer zaniken.'

Decker voelde zijn ogen dichtzakken en het vel papier uit zijn vingers glijden en vroeg zich af of hij zich niet beter kon overgeven aan de verrukkelijke vergetelheid van de slaap. Het alternatief – zijn ogen opensperren in een poging nog wat werk af te krijgen – leek eigenlijk zonde van zijn tijd en energie.

'Zal ik die puzzel maar voor je bewaren?' vroeg Rina.

Decker deed zijn ogen open en zuchtte. 'Je mag hem ook oplossen, als je wilt.'

Rina pakte de vellen papier die op de dekens lagen en gooide ze op de grond. 'Doe het licht maar uit, dan kunnen we slapen.'

Dat leek hem een uitstekend idee. Hij trok aan het koordje van het leeslampje, zakte onderuit en legde zijn onderarm op zijn voorhoofd. 'Hoe laat is het?'

Rina schudde haar kussen op voordat ze ging liggen. 'Even over elven.'

'Je bent getrouwd met een ouwe vent.'

'Weet ik. Ik wilde naar een nachtclub, maar met jou is niks te beginnen.' Ze streelde zijn arm. 'Over welk aspect van de criminele wetenschap gaat dat fascinerende leesvoer?'

Decker glimlachte in het donker en liet zijn arm zakken. 'Het is een lijst van mensen die tussen 1974 en 1983 in het flatgebouw hebben gewoond waarop dat vliegtuig is neergestort.'

'Denk je dat die Jane Doe van jullie daartussen zit?'

'Ja. Ik heb ongeveer de helft van mijn lijst al afgewerkt. Ik las nu eigenlijk alleen de namen om te zien of er iemand in het oog sprong.'

'In welk opzicht?'

'Bijvoorbeeld een bekende naam uit een roemruchte zaak uit die tijd.'

'Zat je in 1974 al bij het LAPD?'

'Ja, maar niet bij Moordzaken. Toen werkte ik op Jeugd- en Zedendelicten.' Weer glimlachte hij. 'Zoals je je vast nog wel herinnert.'

'Ja, er staat me iets van bij.' Ze kroop tegen hem aan. 'Wat lijkt het opeens lang geleden dat we elkaar hebben leren kennen.'

Hij sloeg zijn arm om haar schouder en trok haar dicht tegen zich aan. 'Wat een prachtige dag was dat. Ik probeerde voor Kojak te spelen, maar jij zag me helemaal niet staan.'

'Jawel hoor. Ik vond je erg knap en charmant, veel knapper dan Kojak.'

'Echt waar?' zei Decker. 'Daar heb ik niks van gemerkt.'

'Dat mocht je ook niet merken. Ik zou me kapot hebben geschaamd.'

'Dan is het maar goed dat ik zo blind was.'

'Ben je op die lijst nog namen van vroeger tegengekomen?' vroeg Rina.

'Een stuk of wat komen me bekend voor. Die heb ik aangevinkt en morgen zal ik zien wat ik erover kan vinden. Misschien levert het iets op, al heb ik weinig hoop.'

'Is er geen andere manier om erachter te komen wie die vrouw was?'

'Heb ik je al verteld dat ik Mike Hollander vandaag heb gesproken?'

'Nee.' Rina richtte zich op een elleboog op. 'Hoe is het met hem?'

'Heel goed.' Decker ging tegen de kussens geleund zitten. 'Hij ziet er nog hetzelfde uit, alleen iets ouder en iets grijzer. Ik neem aan dat hij dat ook van mij heeft gedacht.'

'Welnee, jij bent al jaren geen spat veranderd,' zei Rina.

'Dat zeg je omdat je van me houdt.'

'Heb je hem de bouwtekeningen laten zien?'

'Ja, en hij heeft ze meteen bekeken. Hij zei dat hij ze voorrang zal geven en Cindy en Koby zo snel mogelijk een prijsopgave zal doen. Maar dat is niet wat ik je wilde vertellen. We raakten aan de praat over Jane Doe en het feit dat we geen reconstructie van het gezicht kunnen laten maken omdat de botten zo breekbaar zijn. Toen vertelde hij dat hij in een aflevering van *Cold Case Files* iets had gezien wat we misschien wel kunnen gebruiken.'

'Wat dan?'

'Computersoftware waarmee een schedel nagemaakt kan worden van hout of plastic. Het grote voordeel daarvan is dat een forensisch kunstenaar dan wél een gezicht kan boetseren. Daarvoor moeten namelijk de beenderen zichtbaar zijn, al heb ik niet helemaal begrepen hoe het precies in zijn werk gaat. Jammer genoeg is de aflevering in kwestie niet meer te koop en tot nu toe hebben we er geen exemplaar van kunnen bemachtigen.'

'Herinnert Mike zich niet om welke misdaad het ging?'

'Nee, dat is nu juist het probleem. Er staat een trailerfilmpje op internet, maar daarin wordt alleen verteld over welk forensisch aspect het gaat; ze gaan niet in op de zaak zelf. Ze zeiden alleen dat de misdaad in Wisconsin was gepleegd.'

'Dat filmpje moet ergens te krijgen zijn.'

'Ja, en Hollander is ernaar op zoek. Intussen heb ik Wanda Bontemps opdracht gegeven beruchte moordzaken uit Wisconsin onder de loep te nemen.' Decker liet zijn hoofd achterover zakken en slaakte een diepe zucht. 'We wanhopen nog niet, maar dat zal niet lang meer duren.'

'Jullie komen er vast wel uit.'

'Ik hoop het, maar niet alle zaken worden opgelost.'

'Misschien moet je Jane Doe even van je afzetten en in plaats daarvan je aandacht op het flatgebouw richten.'

Decker krabde op zijn hoofd. 'Lieve schat, het flatgebouw bestaat niet meer.'

'Natuurlijk wel. Het is ingestort en verbrand, maar het is er nog steeds. Muren zeggen veel, Peter. Ook geblakerde muren.'

'Dat weet ik. Hoe vaak heb ik niet het gevoel dat ik tegen een muur sta te kletsen wanneer ik een of andere sufferd voor me heb?'

'Je maakt er een grapje van, maar het is echt waar.'

'Ik maak er helemaal geen grapje van.' Decker zag af van verder sarcasme. Rina kwam niet vaak uit zichzelf met advies en wanneer ze het deed, was het verstandig te luisteren. 'Vertel eens wat je bedoelt.'

Rina zei: 'Cement, hout en as zijn dode dingen, maar dat wil nog niet zeggen dat ze ons niets vertellen. In het jodendom hebben we specifieke denkbeelden over muren die boodschappen in zich kunnen meedragen.'

Decker glimlachte. 'Het teken aan de wand.'

'Dat was letterlijk. Het "mene" uit het boek van Daniël. In dat geval was het een cryptische boodschap en er zijn hele boekdelen geschreven over wat het betekent. Maar de boodschappen zijn niet altijd zo mysterieus. Kijk maar naar de wetten inzake *tsarat*, melaatsheid. Niet de bacteriële vorm ervan die we nu kennen, maar spirituele melaatsheid. Je wordt besmet met *tsarat* wanneer je je schuldig maakt aan *lasjon hara*, roddelpraat over je medemensen. Dan krijg je zweren over je hele lichaam.'

'Zoals Mirjam, toen ze kwaad sprak over Mozes.'

'Ze sprak geen kwaad over haar broer. Ze vond alleen dat hij meer tijd moest besteden aan zijn vrouw. Maar God nam er aanstoot aan. Mirjam werd onmiddellijk getroffen door *tsarat*, omdat ze een profetes was; een heilige vrouw mag niet over haar broer roddelen, zelfs niet met goede bedoelingen. Je wordt meestal gewaarschuwd voor *tsarat*. Eerst krijgen de muren van het huis de ziekte, een zichtbare waarschuwing voor de bewoners dat ze hun leven moeten beteren. Als ze het teken aan de wand negeren, verspreidt de ziekte zich langzaam tot de bewoners er lichamelijk mee besmet raken.'

'Oké,' zei Decker, 'als ik weer eens een Jane Doe vind, zal ik eerst op de muren van haar huis naar zweren zoeken.'

Rina kuste zijn hand. 'U spot ermee, inspecteur, maar dat is inderdaad wat een goede rechercheur doet: de plaats delict centimeter voor centimeter bekijken om de moord te kunnen oplossen.'

'Dat weet ik, Rina, maar in dit geval is de plaats delict vernietigd.'

'Niets wordt ooit volledig vernietigd,' antwoordde Rina. 'Neem Jeruzalem. Iedere keer dat iemand daar gaat graven, om archeologische redenen of alleen maar om de fundering voor een gebouw te leggen, komt er iets tevoorschijn. Soms gewoon recent afval, maar soms oude munten of sieraden of waterkruiken. Tien jaar geleden heeft iemand midden in de wijk Rehavia een oude graftombe uit de tijd van de Tweede Tempel ontdekt. Als iets boven het aardoppervlak wordt vernietigd, wil dat nog niet zeggen dat er onder de grond geen interessante dingen te vinden zijn.'

'Ik zeg ook niet dat álles vernietigd is. Bij de bergingswerkzaamheden zijn honderden lichaamsdelen en persoonlijke eigendommen tevoorschijn gekomen. Ik zeg alleen dat het gebouw zelf volkomen verwoest is en dat het terrein één grote asbak is geworden.'

'As kan een heel goed conserveringsmiddel zijn,' zei Rina koppig. 'Bij rondleidingen door de tunnels onder de Klaagmuur zie je precies waar de Romeinen de stenen van de Tweede Tempel hebben weggehaald. Ze hadden het hele gebouw afgebroken en de rest in brand gestoken. Tot op de dag van vandaag worden er voorwerpen gevonden die daardoor bewaard zijn gebleven.'

'Jeruzalem is veel ouder dan Canoga Park.'

'Maar Los Angeles heeft zijn eigen oudheden. Kijk maar naar de La Brea Tar Pits... en alle gebruiksvoorwerpen van de Chumash-indianen die zijn opgegraven.'

'Als ik een sabeltandtijger vind, zal ik eerlijk toegeven dat ik ongelijk had,' antwoordde Decker.

'Nu doe je weer sarcastisch.'

Decker glimlachte. 'Lieverd, ik begrijp wel wat je bedoelt en ik weet dat Jeruzalem ondanks alle vernietigingen tjokvol geschiedenis zit, maar het terrein van de Tweede Tempel was een stuk groter dan het flatgebouw op Seacrest. Dan is het ook logisch dat er meer bewaard is gebleven.'

'Dat is waar,' gaf Rina toe. 'Maar ook een minder imposant gebouw kan een verhaal te vertellen hebben. Neem bijvoorbeeld 'Het verbrande huis' in Jeruzalem. In het begin van de jaren zeventig hebben archeologen een Romeins huis uit de tijd van de Tweede Tempel ontbloot, dat tot op de grond was afgebrand. Weet je hoeveel spullen onder de as bewaard zijn gebleven? Niet alleen de fundering, Peter, ze hebben ook een heleboel oude gebruiksvoorwerpen gevonden. En dat huis was op geen stukken na zo groot als het flatgebouw aan Seacrest. Nou jij weer.'

Decker streek over zijn snor. 'Goed punt.'

Het was inderdaad een goed punt. Hoe vaak had hij niet op een plaats delict bergen afval doorzocht om belangrijke sporen te vinden. Door dit gesprek met Rina realiseerde hij zich dat hij een heel belangrijk aspect van het onderzoek had verwaarloosd. Niemand was naar de plaats delict gegaan, naar de plek waar Jane Doe was gevonden, om de forensische bevindingen ter plekke te bekijken.

'Wat denk je?' vroeg Rina.

'Dat je een heel slimme vrouw bent. En dat het hoog tijd is dat ik de plaats delict ga bekijken.'

19

Soms werd de zonsopgang in Los Angeles ingeleid door een indrukwekkend kleurenspektakel in vurig oranje, vorstelijk purper en onwerkelijk roze. Op andere dagen begon de dageraad als een grauwsluier onder een wolkendek waar de zon niet doorheen kon komen. Dat was het geval op deze junidag. De grijze smog hing als een pluizige deken boven de vallei waarin de stad genesteld lag en het was kil en klammig. Vies weer, zeiden de bewoners op zulke dagen.

Het was ook niet bevorderlijk voor Deckers humeur dat hij stond te kijken naar een uitermate troosteloos landschap: een zwartgeblakerd terrein, omgeven door een drie meter hoog rasterhek, alsof het een kooi in een dierentuin was die opnieuw ingericht moest worden. Bulldozers en stalen vaten voor giftige stoffen stonden verspreid over het terrein en gaven het een onheilspellend aanzien. Geel afzetlint fladderde in de wind die de stank van verkoolde misère met zich meevoerde. Decker trok de rits van zijn windjack wat hoger dicht en schonk een bekertje koffie vol uit zijn thermosfles. Hij keek op zijn horloge. Het was nog geen zeven uur. De werkploeg begon pas om tien uur en de enige persoon die hij had kunnen bereiken, een veldwerker van de NTBS genaamd Catalina Melendez, had twee schoolgaande kinderen en kon daarom niet voor achten hier zijn.

Niet dat hij het vervelend vond. Het stelde hem in de gelegenheid het terrein rustig te bekijken en het verzuim van de afgelopen weken goed te maken. Hij draaide de dop op de thermosfles en zette hem op de stoep. Toen stak hij zijn vingers door het koude metaal van het hek en liet zijn blik langzaam over het terrein gaan waar de ramp had plaatsgevonden.

Hoe moest dat geweest zijn… gevangen te zitten in die vuurzee?

Terwijl hij het grauwe tafereel bekeek, zag hij vanuit zijn ooghoek iemand rondscharrelen. 'Hé,' riep hij. 'Politie!'

De donkere gedaante draaide zich snel om, klom over het hek en was in een mum van tijd verdwenen. Decker liet hem gaan; hij kon hem toch niet inhalen. Misschien was het alleen maar een dakloze die hier had geslapen, al vreesde hij eigenlijk dat het iemand was die hier kwam snuffelen. Dergelijke plekken trokken altijd mensen aan die hoopten munten, sieraden en andere waardevolle voorwerpen te vinden.

Decker maakte wat aantekeningen, pakte toen zijn fototoestel en begon foto's te maken. Tegen de tijd dat hij alles had gefotografeerd wat hem de moeite waard leek, was het bijna acht uur. Twintig minuten later arriveerde Catalina Melendez, een kleine, stevige vrouw met een lichtbruine huid. De wind blies haar zwarte krullen om haar gezicht en in haar mond. Toen ze de lokken van haar lippen plukte, zag hij dat ze kortgeknipte nagels had. Ze was gekleed in een zwarte broek, met laarzen en een jack met het embleem van de NTBS in grote gele letters op de rug.

'Sorry dat ik zo laat ben.' Ze haalde een sleutelbos tevoorschijn en begon naar de juiste sleutel te zoeken. 'Mijn jongste vond het nodig om een pak sap om te gooien. Bent u er al lang?'

'Nee, net,' loog Decker. 'Bedankt dat u bereid was zo vroeg hierheen te komen, mevrouw Melendez.'

'Zeg maar gewoon Cat, hoor.' Weer streek ze haar krullen weg. 'Jammer dat de wind net opsteekt. Dan waait de as zo op. Hebt u toevallig een mondkapje meegebracht? Het is niet goed om die troep in te ademen.'

Decker haalde een kapje uit zijn jaszak en bond het voor.

'Daar gaan we dan.' Cat ontsloot een van de vijf hangsloten die het terrein beveiligden. 'Uw naam is Decker?'

'Zeg maar Pete.'

'Oké. En je werkt op Moordzaken?'

'Ja... op bureau West Valley.'

'En dit gaat over de Jane Doe die we tien dagen geleden hebben gevonden?'

'Ja. Kun je me laten zien waar jullie dat lijk hebben gevonden?'

'Ja zeker,' zei Cat. 'Pas op waar je loopt en probeer op het pad te blijven.'

Decker zag een uitgesleten, ongelijke vore die door het terrein liep. Hij zei tegen Cat dat het hem verbaasde dat er nog zo veel verkoold puin lag.

'Ja, we werken met opzet heel langzaam, niet alleen omdat we voortdurend naar sporen zoeken die aanwijzingen kunnen geven over de toedracht van het ongeluk, maar ook omdat we geen biologisch materiaal over het hoofd willen zien. Eigenlijk vallen alle lichaamsdelen onder de verantwoordelijkheid van de lijkschouwer, maar wij zijn aan dit werk gewend en de mensen van het mortuarium niet.'

'En eigenlijk valt Jane Doe onder onze verantwoordelijkheid, omdat het inmiddels wel duidelijk is dat ze is vermoord.'

'Ja, we wisten meteen dat Jane Doe niet het vermiste slachtoffer uit het vliegtuig was – niet die stewardess.'

'Roseanne Dresden.'

'De raadselachtige Roseanne.'

'Zijn er geen aanwijzingen gevonden dat ze in het vliegtuig zat?'

'Dat moet u aan de lijkschouwer vragen. Maar...' Cat liet haar stem dalen. '... volgens mij heeft iemand een fout gemaakt. Of een opzettelijke fout.'

'Fraude,' zei Decker.

Cat haalde haar schouders op. 'Onderzoeksteams van verzekeringsmaatschappijen zijn erg competent, maar ze krijgen nooit álle oplichters te pakken. En hoe meer tijd er verstrijkt, hoe moeilijker het wordt.'

Decker wist dat het niet de eerste keer zou zijn dat iemand tegen zijn vrouw zei dat ze hem voor dood moest laten verklaren en dan verdween. En dat ze later samen met het geld van de verzekering elders leefden als God in Frankrijk. Wie weet probeerden ook Roseanne en Ivan de verzekeringsmaatschappij op te lichten.

Voorzichtig liepen ze tussen de kuilen en poelen met verkoolde materie door. Sporen onder het puin, net als in dat huis in Jeruzalem waar Rina hem over had verteld. Soms woei er een windvlaag over het terrein en draaide de as warrelend om hun enkels, als een zwerm wespen. Het was een ongenaakbaar, zwart landschap van as en rook, maar hier en daar waren alweer gezonde groene sprietjes opgeschoten die naar het zonlicht reikten. As was goede mest. De enige andere kleuren in het sombere schilderij waren de zakjes en bekertjes van fastfoodrestaurants. Cat raapte een zak van McDonald's op die vol zat met afval en mieren.

'Gadver!' Ze keek om zich heen en gooide de zak in een container. 'Ik kan het niet uitstaan dat mensen hun troep zomaar neergooien; wie weet hoeveel sporen je daarmee verpest. Godzijdank zijn we hier bijna klaar.'

De media waren al tot de voorlopige conclusie gekomen dat het ongeluk was veroorzaakt door een mankement in het hydraulische systeem. Hij vroeg Cat wat ze daarvan vond.

'Ik zou het niet weten,' antwoordde Cat. 'We hebben duizenden fragmenten van dat vliegtuig geborgen. Die liggen nu allemaal in een hangar op het vliegveld. Ingenieurs gaan ze bekijken om te proberen de oorzaak te achterhalen, maar daar zijn ze zeker een jaar mee bezig. Misschien nog langer. En misschien zullen ze er nooit achter komen.'

Decker zei: 'Je zei dat jullie meteen wisten dat Jane Doe er niet bij hoorde. Hoe weet je dat zonder het lijk te onderzoeken?'

'Ervaring. En het lijk was te compleet. Het meeste wat we hier hebben geborgen, bestond uit kleine stukjes.'

'Toch zijn alle slachtoffers geïdentificeerd.'

'Ja, de lijkschouwer en zijn mensen hebben fantastisch werk gedaan. Het is niet te geloven wat een goed team allemaal kan doen met een enkele tand of een stukje bot. En wij... ach, als je dit werk maar lang genoeg doet, leer je vanzelf onderscheiden wat er wel en niet thuishoort.' Cat raadpleegde haar elektronische kompas. 'Oké, hier hebben we haar gevonden.' Ze wees naar een met kalk gemarkeerde plek. 'Ik heb de coördinaten in mijn elektronische agenda opgeslagen, want ik had al zo'n idee dat er vroeg of laat iemand van de politie een kijkje zou komen nemen.'

De bewuste plek zat in de zuidwestelijke hoek van het flatgebouw. Decker trok handschoenen aan en hurkte neer. 'Mag ik eraan komen?'

Cat hurkte naast hem. 'Ja, maar niet te wild.'

Decker duwde voorzichtig de as uiteen en liet die als zand door zijn vingers glijden in de hoop iets te vinden wat van Jane Doe kon zijn geweest. 'Weet je toevallig of ze boven het niveau van de fundering lag of eronder?'

'Dat is moeilijk te bepalen omdat een groot deel van de fundering is ingezakt toen het gebouw werd geplet. Bij het graven was het erg moeilijk om onderscheid te maken tussen ervoor en erna. Eén ding kan ik je wel vertellen. We vinden altijd veel stiekems, vooral als een gebouw geheel is ingestort.'

'Stiekems?'

'Geld, sieraden, drugs, wapens... spullen die de mensen verstopt hadden.'

Decker bleef zoeken, maar vond niets. Dingen die solide leken, vielen uiteen wanneer hij ze oppakte. Laag na laag schepte hij met zijn handen behoedzaam de as weg. Opeens voelde hij iets hards dat in de grond vast leek te zitten. Hij groef er voorzichtig omheen tot het loskwam. Het met as besmeurde voorwerp was hard, rond en had een gat in het midden. Ondanks de hitte van het vuur die tot honderden graden Celsius moest zijn opgelopen, was het voorwerp intact gebleven.

'Wat heb je daar?' vroeg Cat.

Decker veegde het voorwerp af aan de mouw van zijn jack om het een beetje schoon te maken en gaf het haar.

'Een plastic ring,' zei ze. 'Zo'n prullerig ding als kinderen in een surprisezakje krijgen op een verjaardagsfeestje... of uit een kauwgumballenautomaat.'

'Mag ik hem nog even zien?'

Ze gaf hem de ring. Ondanks het feit dat er aarde aangekoekt zat, zag Decker dat er op de ring een blauwe steen of een blauw stukje glas zat. Als het een edelsteen in een gouden ring was geweest, had het een in cabochon geslepen saffier in de pinkring van een man kunnen zijn. Het verbaasde hem dat het plastic niet was gesmolten. Misschien had de ring precies onder het lijk gelegen of nog dieper. Hij hield hem omhoog in het inmiddels krachtige zonlicht. Toen de ring in de warmte van de zonnestralen baadde, veranderde de kleur van de steen van donkerblauw naar lichtblauw en toen naar roze. Decker begon te lachen.

'Wat is er?' vroeg Cat.

'Ik weet wat dit is. Een stemmingsring.' Hij keek haar aan. 'Jij bent te jong om je deze dingen te herinneren. Ze waren in de jaren zestig en zeventig erg populair. Misschien was deze van mijn Jane Doe. Mag ik hem meenemen?'

'Als je denkt dat je er iets aan hebt.'

'Wie weet. Misschien herinnert iemand zich een jonge vrouw die een stemmingsring droeg.'

Cat stond op. Decker volgde haar voorbeeld. Ze zei: 'Ik moet er wel eerst een foto van maken en de gegevens noteren: datum, tijdstip, plaats, want we moeten natuurlijk wel navragen of hij niet van een van de slachtoffers was.'

'Uiteraard.' Decker wachtte tot ze ermee klaar was en deed de ring toen in een papieren zakje. Hij keek erin. Zonder invloed van licht en warmte had de steen een kleur die het midden hield tussen loodgrijs en asgrauw.

Het voelde onwezenlijk aan om met WestAir van Burbank naar San Jose te vliegen in een vliegtuig dat identiek was aan het toestel dat slechts enkele maanden geleden was neergestort. Decker was erg gespannen toen ze opstegen en slaakte een zucht van verlichting toen het toestel zijn kruissnelheid had bereikt en de stewardessen drankjes begonnen te serveren. Hij keek op zijn horloge, in de eerste plaats om zijn hartslag te meten, want zijn hart klopte nog steeds sneller dan normaal, maar ook om te zien hoe lang het nog zou duren voordat ze er waren. Het was bijna twee uur en ze hadden nog veertig minuten te gaan. Hij keek opzij naar Marge die in haar notitieboekje bladerde. Ze had haar haar in een paardenstaart gebonden en droeg een witte blouse, een zwarte rok en zwarte pumps. Ze had tegenwoordig een leesbril nodig en droeg er een met een klein, donker montuur. Ze zag eruit als een sexy schooljuffrouw.

'Raymond Holmes klonk dus bereidwillig?'

'Erg bereidwillig zelfs.'

'Ondanks het feit dat hij getrouwd is en we hem vragen komen stellen over zijn vriendin?'

'Nou, hij vroeg wel of we zijn gezin erbuiten konden houden. Toen ik zei dat ik geen enkele reden zag om zijn vrouw en kinderen erbij te betrekken, stemde hij meteen in.' Ze nam haar bril af, keek naar Decker en trok haar wenkbrauwen op. 'Bijna verdacht snel.'

'Gladde jongen?'

'Ik weet het niet, Pete. We denken allemaal nog steeds dat Roseanne niet in het vliegtuig zat, en als dat inderdaad zo is, gaan we nu misschien praten met de man die haar heeft vermoord.'

'Ik weet het. Laten we eerst proberen meer te weten te komen over hun relatie. Als hij iets te maken heeft met haar verdwijning, moeten we hem zover krijgen dat hij toegeeft haar gezien te hebben op de avond voordat ze is verdwenen.'

'Oké. Hoe wil je het aanpakken?'

'Dat hangt mede af van wat we bij WestAir in San Jose te weten komen. Werkt de directie inmiddels al mee, of werd je weer verwezen naar de speciale eenheid?'

'Ze doen iets minder stug. Iemand heeft me een naam gegeven – Leslie Bracco. Die had dienst aan de incheckbalie voor de vlucht van vijf uur van San Jose naar Burbank. Ze is er niet als we aankomen, maar we kunnen haar spreken nadat we bij Holmes zijn geweest. Ik heb gezegd dat we er rond vijf uur zijn.'

'Dat moet lukken. Dan kunnen we Holmes het beste net zo aanpakken als Ivan Dresden. Zeggen dat we met hem willen praten om vast te stellen wat Roseanne die laatste avond precies heeft gedaan.'

'Ja, dat klinkt ook volkomen logisch.' Ze leunde naar links en keek uit het raampje. 'Hoe lang zouden we nodig hebben voor het gesprek met die grondstewardess, denk je?'

'Ik weet niet. Misschien zijn we binnen twintig minuten klaar, misschien zitten we er twee uur. Hoezo?'

'Zomaar.'

Decker grinnikte. 'Hebben jullie plannen voor een avondje uit?'

'Ik heb tegen Will gezegd dat hij om acht uur iets kan reserveren. Dat leek me wel haalbaar.'

'Dat is te hopen. Ik vlieg om tien over half negen terug naar huis. Jij?'

Ze keek een beetje benepen. 'Morgenochtend om half zes.'

Decker grijnsde.

'Niet zeuren, hè,' zei ze. 'Ik sta altijd vroeg op. Waarom zou ik dat nu dan niet doen?'

'Ik heb niks gezegd.'

'Dat hoeft ook niet.' Ze prikte hem in zijn ribben. 'Die grijns zei genoeg.'

20

San Jose was de op twee na grootste stad van Californië en stond als tiende op de ranglijst van alle steden van de Verenigde Staten, maar genoot niet het respect dat het verdiende. De naam was vooral bekend dankzij de hitsingle 'Do you know the way to San Jose?' van Hal David en Burt Bacharach uit de jaren zestig, al hadden die de naam alleen gekozen vanwege het rijm. San Jose was geen slaperige provinciestad, zoals de meeste mensen dachten. Het was een metropool van een miljoen inwoners, met wolkenkrabbers, musea, parken, universiteiten en heel veel hightech bedrijvenparken. San Jose vormde samen met Sunnyvale, Cupertino en Santa Clara het hart van Silicon Valley – het middelpunt van alles wat met technologie te maken had.

Misschien tien van de mensen die er woonden, werkten níét direct of indirect voor Apple, IBM, Intel, Adobe, Sun Microsystems, Oracle, Cisco, Hewlett-Packard enzovoort, enzovoort, en Raymond Holmes was een van hen. Hij noemde zichzelf projectontwikkelaar, maar zijn huis was geen advertentie voor zijn financiële talenten. Het was een bescheiden, houten bungalow, opgetrokken in ranchstijl – wit met groene luiken – op een terrein van nog geen zeshonderd vierkante meter. Aan de voorzijde een groen lapje gras met aan het einde ervan een kleurig bloemperk met een grote variëteit aan bloemen – impatiens, begonia's, margrieten, rozemarijn, lamsoor en azalea's.

Decker stopte voor het huis, zette de motor af en vroeg aan Marge: 'Als hij getrouwd is, waarom heeft hij ons dan bij hem thuis uitgenodigd? Ook als zijn vrouw en kinderen er niet zijn, kunnen ze op ieder willekeurig momen thuiskomen.'

'Ik heb geen idee,' antwoordde Marge. 'Van sommige mensen snap je niks.'

Ze haalden hun schouders op, stapten uit en liepen naar het huis.

Toen Decker aanbelde, deed Holmes meteen open.

Men had hem beschreven als een grote vent en dat was hij. Zeker één meter negentig lang en vijftig kilo te zwaar. Van al die extra kilo's puilde een groot deel over zijn broekriem, als de bollende top van een muffin, en zijn zwarte poloshirt zat strak over die dikke buik gespannen. Rond zijn veel smallere heupen droeg hij een slobberige, kakikleurige broek en zijn blote voeten waren gestoken in sportschoenen. Hij had een rond, glad gezicht met een dubbele kin, ogen als kooltjes antraciet, een wipneus en een gemêleerde ringbaard. Hij moest dik, donker haar hebben gehad, maar daarin voerde grijs nu de boventoon. Een leesbril met halve glazen stond halverwege zijn neus. Zijn ogen keken over de glazen heen. 'Bent u de rechercheurs uit Los Angeles?'

'Ja,' antwoordde Decker. 'Bent u Raymond Holmes?'

In plaats van antwoord te geven, vroeg hij: 'Mag ik identificatie zien?'

'Natuurlijk.' Decker en Marge haalden hun penning en identiteitsbewijs tevoorschijn. De grote man bekeek ze aandachtig en zei toen met een vrij hoge stem die niet strookte met zijn gestalte: 'Je kunt tegenwoordig niet voorzichtig genoeg zijn. Al dat terrorisme en die vervalste identiteiten. Je weet gewoon niet meer wie wie is. Kom erin.'

Marge en Decker gingen naar binnen en kwamen uit in een kale, half afgewerkte ruimte. De muren moesten nog geschilderd worden en ze liepen op de houten ondervloer. Ronde uitsparingen in de wanden gaven aan waar de stopcontacten en lichtschakelaars moesten komen. Dankzij de grote ramen was het een lichte kamer. Holmes ging hen voor door een ander vertrek, vermoedelijk de eetkamer, naar een ruimte die zo te zien de keuken moest worden. Langs de muren liepen kale buizen en in het midden van het vertrek stond een inklapbare tafel met vier stoelen. De aannemer nodigde hen uit te gaan zitten.

'Sorry voor al het stof, maar hier zitten we beter dan op mijn kantoor.'

'Bent u aannemer?' vroeg Decker.

'Projectontwikkelaar,' antwoordde Holmes. 'Dit is een van mijn vele projecten.'

Decker keek om zich heen. 'Hoe oud is dit huis? Jaren veertig?'

Holmes ging zitten, zijn benen gespreid om zijn buik de ruimte te geven. Hij haalde een zakdoek uit zijn zak en bette daarmee zijn voorhoofd. Het was niet erg warm, maar dikke mannen transpireren snel.

'Bent u geïnteresseerd in onroerend goed?'
Decker antwoordde met een glimlach. 'Mijn dochter en schoonzoon gaan verbouwen, vandaar. Hoe lang zit u al in deze business?'
'Mijn hele leven.' Hij keek op zijn horloge. 'Hoor eens, ik wil niet onbeleefd overkomen, maar ik heb de werkploeg een uurtje weggestuurd omdat we over een... delicate zaak moeten praten. Over drie kwartier komen ze terug.'
'Dan moeten we voortmaken,' zei Decker. 'Allereerst bedankt dat we op zo korte termijn mochten komen, meneer Holmes.'
'U hebt me niet echt verteld waar het over gaat,' zei Holmes. 'Over Roseanne Dresden, heb ik begrepen. Heeft ze me geld nagelaten of zo?'
Marge en Decker wisselden een snelle blik. Decker zei: 'Haar nalatenschap is nog niet aan de orde gekomen. Daarom zijn we juist hier. Het bergingsteam heeft haar lijk niet gevonden en aangezien er sinds de ramp al aardig wat tijd is verstreken, wordt Roseanne Dresden nu als vermist beschouwd.'
Holmes streek weer met de zakdoek over zijn voorhoofd. 'Ik hoop dat dit niet bot of eigenaardig overkomt, maar worden na dergelijke rampen alle slachtoffers altijd teruggevonden?'
'Nee,' zei Decker, 'maar meestal wel aanwijzingen dat de persoon in kwestie aan boord was: persoonlijke eigendommen of op zijn minst een vliegticket. Voor de bemanningsleden, die geen tickets behoeven, is er een dienstrooster. Tot nu toe zijn geen van die dingen boven water gekomen wat Roseanne aangaat.'
Marge zei: 'We hebben ook niemand gevonden die haar aan boord van dat vliegtuig heeft zien gaan.'
'Integendeel,' zei Decker. 'De grondstewardess die bij de gate in Burbank werkte, zweert dat Roseanne níét aan boord van dat vliegtuig is gegaan.'
'Daarom staat ze nu als vermist te boek,' zei Marge.
Decker zei: 'Als er op de plaats van de ramp alsnog iets wordt gevonden waarmee bewezen is dat Roseanne in het toestel zat, wordt dit gesprek overbodig, maar aangezien niemand sinds die ochtend nog iets van Roseanne heeft gehoord, stelt de politie een onderzoek in naar haar verdwijning.'
'Ik meen gelezen te hebben dat ze haar lichaam hadden gevonden. Een paar weken geleden al.'

'Het bergingsteam had een lichaam gevonden, maar dat was niet van Roseanne.'

Holmes bleef over zijn voorhoofd wrijven met de zakdoek. 'Van wie was het dan?'

'Dat weten we niet.'

'Hoe weet u dan dat het Roseanne niet is?'

'Omdat de forensisch tandheelkundige heeft gezegd dat het niet haar gebit is.'

'Berust identificatie daar dan op?' Holmes knipperde een paar keer snel achter elkaar met zijn ogen. 'Op het gebit?'

'Ja. Tandglazuur is de hardste substantie in het menselijke lichaam. Vaak blijven tanden en kiezen intact als de rest van het lichaam verbrandt.'

'Ik zal u vertellen waarom we u wilden spreken,' zei Marge. 'De laatste keer dat Roseanne via haar mobieltje heeft gebeld, was vanuit San Jose.'

Holmes reageerde daar niet op.

Marge specificeerde wanneer dat telefoontje precies was gepleegd. 'We zijn aan het uitzoeken wat Roseanne heeft gedaan in de uren voordat ze is verdwenen. Het telefoontje kwam uit San Jose, u woont in San Jose, u hebt een relatie met haar gehad.'

'Gehad, ja,' zei Holmes. 'Voltooid verleden tijd. Ik heb een relatie met haar gehád. Daar is ongeveer acht maanden geleden een einde aan gekomen en sindsdien heb ik haar niet meer gezien.'

De rechercheurs zeiden niets. Toen Decker tot zes had geteld, ging Holmes door: 'Het spijt me dat ik u niet kan helpen. Als u dit meteen had gezegd, had u niet helemaal hierheen hoeven komen. Nu hebt u hier uw kostbare tijd aan verkwist.'

'Maar nu we hier toch zijn, willen we u een paar dingen vragen,' zei Decker.

'Om een beter inzicht te krijgen in wie Roseanne was,' voegde Marge eraan toe.

Weer keek de man op zijn horloge. 'U hebt een half uur.'

'Wanneer hebt u haar voor het laatst gezien?'

'Ik weet de datum niet uit mijn hoofd, maar die kan ik opzoeken in mijn agenda. Het moet erin staan, omdat we naar Percivil's zijn gegaan en ik een tafel had gereserveerd.' Zijn kaken begonnen op iets denkbeeldigs te kauwen. 'Het was haar lievelingsrestaurant.' Kauw, kauw. 'Toen ze me huilerig aankeek, wist ik dat het voorbij was. Ze zei dat ze het nog een keer wilde proberen met die zak van een man van haar. Ik ben er niet in geslaagd haar daarvan af te brengen.'

'Hebt u daarna niets meer van haar gehoord?'

'Nee.'

Decker zei: 'Dus als we die datum verifiëren – en u zegt dat u het ergens genoteerd hebt staan – en we de belgegevens van Roseannes telefoon bekijken, zullen we zien dat u elkaar na die datum niet meer hebt gebeld?'

De kaken hielden stil en puilden uit alsof de man aan weerskanten van zijn gezicht een tumor had. 'Ik bedoelde dat ik haar nooit meer heb gezien. Ik heb haar wel een paar keer gebeld.'

'Waarom hebt u haar gebeld?' vroeg Marge.

'Ik wilde haar terug hebben. Maar het is niet gelukt,' zei Holmes. 'Uiteindelijk heb ik me erbij neergelegd. Weg Roseanne, einde verhaal. En einde van dit gesprek.'

Decker glimlachte. 'Nog een paar vragen.'

Marge zei: 'Doet u ons een plezier, meneer Holmes. En uzelf.'

Toen Holmes niets zei, vatte Decker dat op als een teken dat hij kon doorgaan. 'Het spijt me dat ik u dit moet vragen, meneer Holmes, maar waar was u op de avond voordat het vliegtuig is neergestort?' Hij gaf hem de datum.

'Dat weet ik niet uit mijn hoofd.' Hij keek de rechercheurs een voor één aan en veegde weer het zweet van zijn voorhoofd. 'Als u die data even voor me opschrijft, en alle andere datums waarover u iets wilt weten, kan ik het opzoeken en laat ik u wel weten of ik ergens anders dan thuis was.'

'Het bedoelde telefoontje is rond middernacht gepleegd,' zei Decker.

'Als het rond middernacht was, sliep ik hoogstwaarschijnlijk. Ik moet 's ochtends vroeg op.'

'We willen graag weten wat u die avond hebt gedaan,' zei Marge.

'En die dag,' zei Decker.

'Ja, dat is goed, maar dat moet ik in mijn agenda nakijken. Ik bel u wel.' Holmes knipperde weer met zijn ogen. 'Ik wil de desbetreffende pagina ook wel voor u kopiëren. Zijn er nog meer data die u interesseren? Zeg het gerust. Dan hoeft u het niet allemaal apart te vragen.'

Marge en Decker wisselden een snelle blik. 'Zou u die hele week voor ons willen kopiëren?'

'Tuurlijk.'

'Wanneer kunnen we het verwachten?' vroeg Marge.

Decker zei: 'Morgen zou prettig zijn. Ik zal u een nummer geven voor FedEx.'

Holmes knipperde weer met zijn ogen en veegde het zweet van zijn voorhoofd. 'Als u me dan verder met rust laat, wil ik dat wel doen. Morgen om drie uur stuur ik het met FedEx. Wat is het nummer?'

Decker gaf hem de informatie. 'Veel dank voor de medewerking.'

'Geen dank. Ik heb al heel lang om Roseanne gerouwd, nog voordat ze dood was, als u begrijpt wat ik bedoel.'

'Ja, ik begrijp het,' antwoordde Decker.

'Zijn we dan klaar?'

Marge zei: 'Nog niet helemaal. En we zijn u écht dankbaar dat u ons bij deze voor u zo gevoelige zaak behulpzaam bent. Als u Roseanne al zo lang niet had gesproken, hoe wist u dan dat ze in het verongelukte vliegtuig zat?'

Holmes bekeek haar met een minachtende blik. 'Het nieuws over de ramp heeft hier op alle voorpagina's gestaan, omdat het vliegtuig op weg was naar San Jose. Er zijn veel bewoners van onze stad omgekomen, rechercheur. We waren er allemaal erg mee begaan.'

'Maar hoe wist u dat Roseanne op die vlucht zat?'

'Ze stond op de lijst van de slachtoffers.' Hij leunde achterover tot de voorpoten van zijn stoel van de grond kwamen. De stoel kiepte bijna, maar Holmes wist het evenwicht te herstellen voordat hij viel. 'Ik was er kapot van. Ik had geen idee dat ze nog steeds op deze route werkte.' Hij likte aan zijn lippen. 'Ik hield nog steeds van haar. Ik was zo van streek dat ik die ochtend niet eens naar mijn werk ben gegaan.' Hij wreef met de zakdoek over zijn voorhoofd. 'Ik geloof dat ik tot op die dag niet echt had geaccepteerd dat het definitief uit was tussen ons. En nu zegt u dat ze helemaal niet in dat toestel zat... God, ik weet niet wat ik daar nou van moet denken... ik voel me heel vreemd.'

'Misschien zat ze wél in het toestel,' zei Marge. 'We weten niets zeker.'

'Kunt u de week van de crash ook uit uw agenda kopiëren?' vroeg Decker. Toen dat hem een zure blik opleverde, zei hij: 'Dan hebben we dat maar gehad.'

'Goed,' zei Holmes nors. 'Zijn we nu dan klaar?'

Marge zei: 'Andere mensen met wie we hebben gesproken, lieten doorschemeren dat u moeite had met het feit dat er een einde was gekomen aan uw relatie met Roseanne.'

'Hoe bedoelt u?'

'Ivan Dresden zei dat hij ruzie met u heeft gehad,' zei Decker.

Holmes' kaken stulpten weer uit. 'Nou en?'

'Hij zei dat u hem hebt bedreigd.'

'Hij mij eerst.' De grote man leunde naar voren. 'We moesten allebei nogal wat woede en frustraties afreageren. Roseanne deed soms dingen waar je stapelgek van werd.' Hij hief zijn handen op. 'Maar dat is nu allemaal verleden tijd. Ik ben eroverheen. En die zak ook, neem ik aan... tenzij hij de reden is waarom Roseanne vermist wordt.'

'Denkt u dat hij haar heeft vermoord?' vroeg Marge hem recht op de man af.

'Ik acht hem er in ieder geval wel toe in staat. Hij is een klootzak. Heeft hij u verteld hoe vaak hij met andere vrouwen in bed lag?'

'We weten dat hij nogal wat avontuurtjes had,' antwoordde Marge.

'Hij kon niet van de vrouwen afblijven!' zei Holmes op barse toon. 'Hij gaf al zijn geld uit aan strippers en werd kwaad als Roseanne een beetje aandacht wilde.'

'Hoe hebt u Roseanne eigenlijk leren kennen?' vroeg Decker.

'Ik moest voor zaken in Los Angeles zijn en op de terugweg werkte zij op die vlucht. Ze keek een beetje bedroefd, maar toen ik vroeg of er iets was, ontkende ze dat. Ze kon natuurlijk ook niet zomaar met een passagier over haar privéleven praten. Heel toevallig kwam ik haar later tegen in de bar van haar hotel. Ik wist best dat ze in het begin dacht dat ik zomaar een ouwe, dikke kerel was die hoopte te kunnen scoren, maar toen we een poosje hadden zitten praten... klikte het tussen ons. Het klikte echt.' Zijn gezicht versomberde. 'Pas toen we elkaar al een half jaar kenden, zijn we voor het eerst met elkaar naar bed gegaan. We hadden een heel speciale relatie, al vindt u dat vermoedelijk moeilijk te geloven.'

'Helemaal niet,' zei Marge.

Holmes keek op zijn horloge, legde zijn handen op zijn knieën en kwam overeind. 'Het spijt me, maar u moet nu echt gaan. De werklui komen zo dadelijk terug en dit gesprek heeft oude wonden opengehaald. Ik heb een paar minuten nodig om tot mezelf te komen.' Hij hijgde een beetje. 'Ik zal u de kopieën uit mijn agenda per FedEx toesturen. En daarmee is voor mij de kous af.'

Decker stond op en gaf hem zijn visitekaartje. Marge deed hetzelfde. Ze zei: 'Nog een laatste vraag, meneer Holmes. Hebt u enig idee waarom Roseanne in San Jose was, als ze niet op deze lijn werkte?'

'Nee, geen flauw idee,' zei Holmes.

'Doe 'ns een gok,' drong Decker aan.

Een diepe zucht. 'Kom, ik loop even met u mee naar buiten.'

Decker verroerde zich niet.

Holmes zei: 'Misschien slaat het helemaal nergens op, maar stel dat ze uiteindelijk toch genoeg had gekregen van Ivan en erover dacht bij me terug te komen?'

'Maar ze is niet bij u gekomen.'

'Nee. Misschien is ze van gedachten veranderd toen ze hier was. Of misschien is ze bij kennissen op bezoek gegaan. Ze heeft vrij lang op deze route gewerkt en kende hier wel wat mensen.'

'Mannelijke of vrouwelijke kennissen?' vroeg Marge.

'Ik dacht eigenlijk aan haar vriendinnen, maar wie weet had ze een nieuwe vriend. Ik zou het niet weten want we hadden geen contact meer, zoals ik al zei.'

Marge pakte haar notitieboekje. 'Kunt u me namen geven van vriendinnen van haar?'

'Eh...' Weer draaide hij zijn pols om op zijn horloge te kijken. 'Ik herinner me een Christie en een Janice. Of Janet.'

'Achternamen?' vroeg Marge.

Weer een zucht. 'Christie... iets met son op het einde. Jorgenson, Ivarson, Peterson...'

'Een Skandinavische naam?'

'Dat dacht ik wel.'

'En Janet of Janice?'

'Van haar weet ik het niet.'

'Hoe ziet Christie eruit?' Marge liet hem nog niet met rust.

'Normale lengte, halflang blond haar, blauwe ogen, klein neusje, anorectisch met lange benen en platte kuiten. We hebben twee of drie keer samen met haar gegeten. Janice of Janet heb ik maar één keer ontmoet. Zij was een brunette met lichtbruine ogen, goed figuur, iets ouder dan de anderen. Maar nu moet u echt gaan. Mijn vrouw weet goddank niets van mijn relatie en dat wil ik graag zo houden. Ik heb u volledige medewerking verleend en daar verwacht ik iets voor terug.'

'We zullen ons best doen. Mocht u zich herinneren wat de achternaam van Christie precies was of als u iets anders te binnen schiet over die laatste dag van Roseanne, belt u ons dan alstublieft.'

'Bent u niet nieuwsgierig naar wat er met haar gebeurd is?' vroeg Marge.

'Natuurlijk wel, maar daar kan ik verder niks mee. Ik ga me nu helemaal op mijn huwelijk en mijn kinderen concentreren.' Holmes streek over zijn baardje. 'Maar als u iets ontdekt, hoor ik dat graag van u. Vooral omdat ik zo behulpzaam ben geweest.'

'We zullen ons best doen,' zei Decker.

'Dan zal ik ook voor u mijn best doen, inspecteur. Voor wat, hoort wat.'

21

‘Wat denk je?’ vroeg Marge toen Peter optrok.
‘Ik wil nog geen vonnis vellen.’
‘Hij was erg behulpzaam.’
‘En dat zei hij ook wel tien keer.’
‘Misschien omdat hij nerveus was.’
‘Of omdat hij zich schuldig voelt. Hij transpireerde ook erg.’
Ze dacht na. ‘Aan de andere kant stuurt hij ons de kopieën van zijn agenda waar we om gevraagd hebben.’
Decker haalde zijn schouders op. ‘Die kan hij vervalsen.’
‘Maar als we die gaan napluizen, zou hij door de mand vallen. Dat weet hij ook wel. Het zou fijn zijn als we die Scandinavische Christie konden vinden. Als Roseanne op de avond vóór de ramp bij haar op bezoek is geweest, zou ze Holmes een alibi geven.’
‘Misschien kent onze volgende contactpersoon die Christie,’ zei Decker. ‘Hoe laat kunnen we bij haar terecht?’
‘Om vijf uur. En het is nu pas half vier.’
‘Kun je haar bellen om te vragen of we eerder kunnen komen?’
‘Ik kan het allicht proberen.’ Marge zette haar mobieltje aan. ‘Er zijn een paar berichten binnengekomen. Misschien zit er een van Leslie bij.’ Ze luisterde naar haar antwoordapparaat en toetste haar code in. ‘Vega… om te zeggen dat alles in orde is maar dat ze haar mobieltje afzet om te kunnen studeren. God, dat kind is zo overgevoelig. Een bericht van Willie…’ Ze luisterde glimlachend. ‘Ach, wat een schat… O, eentje van Scott…’
‘Wat zegt hij?’
Marge luisterde. ‘Mike Hollander is naar je op zoek. Hij is erg opgewonden. Hij heeft de film gevonden van die zaak uit Wisconsin.’
‘Dat is goed nieuws.’

'Of je hem terug wilt bellen... wacht, er is ook een bericht van Leslie Bracco... ze haalt vijf uur niet. Of we niet voor half zes willen komen.' Marge klapte haar mobieltje weer dicht. 'We hebben twee uur vrije tijd. Zal ik Oliver terugbellen?'

'Graag. Vraag of hij het nummer van Hollander heeft, want dat heb ik niet bij me.'

'Goed. Zeg, ik ben een beetje wee. Zullen we ergens een kop koffie gaan drinken?'

'Ik heb eigenlijk ook wel trek. Ik heb vanochtend om zes uur een bakje cornflakes gegeten en daarna niks meer. Ik lust wel iets.'

'Heeft Rina je geen lunchpakketje meegegeven?'

'Dat wilde ze wel, maar het leek me beter van niet. Tegenwoordig weet je niet meer wat je wel en niet mag meenemen in het vliegtuig. Stel je voor dat iemand een bom maakt van een broodje rosbief.'

Het mobieltje ging toen Decker net de rekening betaalde voor twee broodjes tonijn, twee porties patat en twee koppen koffie, te declareren bij het LAPD. Zijn hersens werkten altijd veel beter wanneer zijn maag gevuld was en hij hoopte dat hij tijdens het gesprek met Holmes niets belangrijks over het hoofd had gezien. In het belvenster zag hij het nummer dat hij een uur geleden had gebeld. Hij drukte op de groene toets. 'Ik hoor dat je goed nieuws voor me hebt, Mike.'

'Het leven is mooi, Pete, en het wordt steeds mooier. Die technologie heet Rapid Prototyping en ik zal je uitleggen hoe het werkt.'

'Ogenblikje, Mike, dan stap ik in de auto, zodat ik je beter kan verstaan en ook dingen kan opschrijven.'

'Ga je gang.'

Toen hij in de auto zat – ditmaal reed Marge – pakte Decker zijn notitieboekje. 'Ik zet je op de speaker zodat Margie kan meeluisteren.' Hij draaide het volume hoger, drukte op de toets en legde de telefoon op het dashboard van de huurauto.

'Hoi, Marge,' zei Hollander.

'Hoi, Michael. Hoe voelt het om weer politiewerk te doen?'

'Heerlijk.'

'Je bent bij ons altijd welkom, dat weet je,' zei Decker. 'Goed, ik ben zover. Zeg het maar.'

'Ik ga je voorlezen wat ik heb opgeschreven. Zoals ik al zei, heet de technologie Rapid Prototyping. Het wordt in de industrie gebruikt om modellen te maken. Ik zal je het voorbeeld geven dat in de film wordt getoond. Stel dat Ford Motor Company met de computer een motorblok ontwerpt. Op de computer krijg je een tweedimensionale afbeelding van een driedimensionaal voorwerp. Maar het bedrijf heeft een driedimensionaal voorwerp nodig om mee te werken. Stel dat, om maar even bij Ford te blijven, ze het motorblok onder de motorkap willen zetten om te zien hoeveel ruimte het in beslag neemt. Daarvoor gebruiken ze Rapid Prototyping. Het is een technologie waarmee je driedimensionale modellen kunt maken aan de hand van een tweedimensionale afbeelding.'

'Tot zover is het duidelijk,' zei Marge.

'Met deze techniek hebben ze in Wisconsin het probleem opgelost. Eerst hebben ze een CT-scan gemaakt van de schedel. Ik heb het mortuarium alvast gebeld. Ze hebben zelf geen CT-scanner maar alle ziekenhuizen wel. Misschien kunnen we vragen of we er een mogen gebruiken. Maar ook al heb je de apparatuur, dan moet je ook nog een laborant hebben die de dwarsdoorsneden kan maken van de hele schedel. Kunnen jullie me nog volgen?'

'Helemaal,' zei Marge. 'Ga maar door.'

'Iedere röntgenfoto van de CT-scan is een doorsnede van één millimeter dikte.'

Daarop volgde een stilte. 'Mike, ben je er nog?' vroeg Marge.

'Ja, ogenblikje... oké, ik heb het. Wanneer alle röntgenfoto's zijn gemaakt, heb je iemand nodig die de foto's kan invoeren in een computer die is gekoppeld aan die prototype-machine. De computer geeft die machine dan opdracht met een laser papier te snijden voor iedere foto van de CT-scanner. Ieder stuk papier vertegenwoordigt dan één dwarsdoorsnede van één millimeter dikte van de schedel. Niet van de binnenkant, uiteraard, alleen van de buitenkant. Is dit duidelijk? Het is makkelijker te begrijpen als je het op film ziet.'

'Ik geloof dat ik het wel snap,' zei Decker. 'Je krijgt steeds een papieren omtrek van de dwarsdoorsneden van één millimeter dikte.'

'Juist. Alleen is elke papieren omtrek maar ongeveer één-ééndui-zendste van een inch dik, omdat de computer tussen de röntgenfoto's interpoleert om het uiteindelijke model glad te krijgen.'

'Oké,' zei Decker. 'Ga door.'

'Dus... waar was ik gebleven? O ja. De machine snijdt een papieren omtrek van ongeveer één-éénduizendste inch dikte en plaatst die op de vorige papieren omtrek. Wanneer het klaar is, heb je een grote stapel papieren omtrekken die samen de schedel vormen. Dan perst een ander onderdeel van de machine die stapel tot je een driedimensionale vorm van de originele schedel krijgt.'

Decker zei: 'Laat me dit even samenvatten. Men maakt een CT-scan van de schedel en krijgt dwarsdoorsneden van één millimeter dikte. De foto's van de CT-scan worden in een computer geladen die in verbinding staat met de prototypingmachine. De prototypingmachine snijdt papieren omtrekken van het computermodel gebaseerd op de foto's van de CT-scan. Iedere omtrek is één-éénduizendste inch dik. De papieren omtrekken worden opgestapeld. Dan worden ze door een ander deel van de machine op elkaar geperst en krijgt het geheel de vorm van de oorspronkelijke schedel, maar dan van papier.'

'Precies,' zei Hollander. 'Dat heb je snel door.'

'Ik mag graag timmeren,' zei Decker. 'Als je een ongebruikelijke vorm nodig hebt, kun je die zelf maken door laagjes laminaat op elkaar te lijmen. Uiteindelijk krijg je hier dus een schedel die in wezen van hout is.'

'Heel goed!'

'En de forensisch kunstenaar gebruikt de houten schedel om er een gezicht op te boetseren.'

'Juist. Maar het allermooiste is dat er een juridisch precedent bestaat voor deze procedure. De rechtbank in Wisconsin heeft bepaald dat de nagebootste schedel gebruikt mag worden voor forensische doeleinden, omdat alle beenderen identiek zijn aan het origineel.'

'Samengevat,' zei Decker, 'moeten we allereerst een uitermate kwetsbare schedel in een CT-scanner zien te krijgen. Dan moet een CT-laborant een reeks röntgenfoto's maken. Vervolgens moet ik een bedrijf zoeken dat ons toegang kan verstrekken tot een Rapid Prototyping-machine. Dan moeten we nog altijd een programmateur hebben die de gescande foto's in de computer kan invoeren, en tot slot moeten we een technicus hebben die de machine kan bedienen waarmee het driedimensionale voorwerp wordt vervaardigd.'

'Het klinkt ingewikkeld, maar volgens mij kun je veel makkelijker aan dergelijke machines komen dan je denkt,' zei Hollander. 'Er zijn heel wat automobielfabrieken in de Valley.'

'Dat is waar en ik maak me ook geen zorgen over de machine zelf. Ik vraag me alleen af hoe we aan het geld hiervoor kunnen komen.'

Even bleef het stil aan de andere kant van de lijn. Toen zei Hollander: 'Zie, daarom ben ik zo blij dat ik gepensioneerd ben. Ik hield van het speurwerk, maar de administratieve rompslomp zette overal altijd zo'n domper op.'

De bungalow stond in dezelfde wijk als het huis dat Raymond Holmes aan het opknappen was, had ook dezelfde stijl, maar zag er een beetje verwaarloosd uit. Hier en daar bladderde de verf af en de tuin zag er niet erg florissant uit. Aan de voorzijde was een veranda met wat tuinstoelen en daar gingen Marge en Decker zitten wachten tot Leslie Bracco zou komen.

Toen de minuten wegtikten en het bijna zes uur was, belde Marge naar Will om te vragen of hij de reservering in het restaurant kon verschuiven naar negen uur. Will antwoordde heel ridderlijk dat hij toevallig vroeg klaar was met zijn werk en met alle plezier zuidwaarts wilde rijden om haar de tijd en moeite te besparen naar hém te komen. Er waren verscheidene goede restaurants in San Jose waar je zelfs vrij laat nog terecht kon.

Leslie arriveerde om tien over zes met een sleutelbos in haar hand. Het was een kleine, stevige vrouw van tegen de vijftig met vierkante schouders en een pagekopje van zwart haar dat was doorweven met grijs. Groene ogen en dikke lippen in een rond gezicht met appelwangen. Ze droeg een donkerbruin broekpak met onder het nauwsluitende jasje een donkerroze wollen trui, en ze liep op eenvoudige bruine instappers. 'Sorry dat ik zo laat ben. Er kwam maar geen einde aan de vergadering. We hebben een advertentiecampagne georganiseerd met heel lage ticketprijzen om klanten terug te lokken en dat heeft vrij veel succes. WestAir heeft besloten ermee door te gaan.' Ze opende de voordeur. 'Wacht u al lang?'

'Valt mee,' zei Decker

'U bent erg beleefd.' Ze ging naar binnen, trok de gordijnen open en deed wat schemerlampen aan. De rechercheurs volgden haar.

'Het gaf ons mooi de tijd om onze aantekeningen bij te werken.' Decker glimlachte naar haar en toen ze teruglachte, liet ze een blinkend wit gebit zien. 'Ik ben inspecteur Decker en dit is brigadier Dunn, met wie u al hebt gesproken.'

'Hallo.' Leslie hevelde haar tas over van haar ene naar haar andere arm en stak haar rechterhand uit. Eerst naar Marge en toen naar Decker. 'Gaat u zitten. Let maar niet op de rommel.'

De rommel bestond uit een keurig opgevouwen krant op de lage tafel. Verder zag alles er spic en span uit. Het interieur kon model staan voor een meubelreclame – een bankstel met bekleding in rozenpatroon en fauteuil met voetenbank. In de hoek een piano waarop een heleboel ingelijste familiekiekjes stonden. Aan de muren hingen nog meer foto's. De dikke, beige vloerbedekking was smetteloos.

Leslie gooide haar tas op de bank. Toen bedacht ze zich en zette hem op een bijzettafel. 'Hebt u trek in koffie? Ik ga voor mezelf een kopje maken, dus het is geen enkele moeite.'

'Graag.' Marge keek naar de foto's aan de muren. Op de meeste stonden Leslie, haar man en drie kinderen in allerlei vakantieoorden. Een recentere foto was van een skivakantie – zes jonge volwassenen met vier kleuters en baby's. Op die foto was haar echtgenoot een bleke, kale man die op een stoel zat met een kleuter op schoot. Hij droeg een badstoffen badjas en lachte van oor tot oor.

Leslie was weduwe en haar man was vermoedelijk overleden aan kanker.

De stewardess zag Marge naar de foto kijken. Ze kreeg tranen in haar ogen. 'Dat was Jack.' Een geforceerd glimlachje. 'Het is nu al drie jaar geleden, maar ik mis hem nog steeds verschrikkelijk.'

'Wat kijkt hij trots,' zei Marge.

'Dat was hij ook.' Ze droogde haar tranen. 'Ons eerste kleinkind. Hoe drinkt u uw koffie?'

'Zwart, graag,' zei Decker.

'Ik ook,' zei Marge.

'Da's makkelijk.' Ze verdween en kwam een paar minuten later terug met drie mokken koffie op een dienblad. Ze zette het op de lage tafel, deelde de koffie rond, ging op de tweezitsbank zitten, deed haar schoenen uit en zette die netjes onder een bijzettafeltje. Toen trok ze haar benen onder zich op en pakte haar mok. 'Hè, lekker een kopje koffie.'

'Ja, heerlijk,' zei Decker. 'Het is u niet aan te zien dat u vier kleinkinderen hebt, mevrouw Bracco.'

'Vijf zelfs. Die foto is al oud. Dank u voor het compliment. Iedereen zegt dat ik er jong uitzie voor mijn leeftijd. Volgens mij komt dat doordat ik een goed huwelijk had. Jack was piloot. We hielden allebei van reizen. Zelfs toen de kinderen nog klein waren, sleepten we hen overal mee naartoe. Mijn zoon heeft die zwerflust geërfd. Mijn dochters hebben daarentegen echt wortel geschoten.'

'Wonen ze bij u in de buurt?' vroeg Marge.

'Ja, hun echtgenoten werken in de hightech en ze wonen allebei in een mooi huis in een wijk met uitstekende scholen. Mijn zoon en zijn vrouw wonen in de buurt van Sitka in Alaska; ze werken daar voor het Fish and Game Department.'

'Wel wat anders dan hightech,' zei Decker.

'Ja, hij volgt helemaal zijn eigen weg.' Leslie nam een slokje koffie. 'Mijn baas zei dat u met me wilt praten over Roseanne Dresden. Waar kan ik u mee van dienst zijn?'

'Ze weten bij WestAir dus dat we hier zijn?' vroeg Marge.

'Ja zeker. Ze hebben me verzocht volledige medewerking te verlenen, wat ik trouwens ook zou hebben gedaan als ze het niet hadden gezegd. Ze schijnen het belangrijk te vinden dat ik me behulpzaam opstel... en niet alleen door u koffie aan te bieden.'

Decker lachte. 'Soms is dat al genoeg. Maar ik zal u wat informatie geven. Sinds de ramp heeft niemand meer iets van Roseanne Dresden vernomen. In het begin dacht iedereen dat ze zonder ticket was meegevlogen en samen met alle andere inzittenden was omgekomen. Het probleem is dat we daarvan geen bevestiging kunnen vinden. Geen lijk, geen persoonlijke bezittingen, geen ticket, geen dienstrooster... helemaal niets.'

'Wat ons betreft wordt ze vermist,' zei Marge. 'Nu proberen we na te gaan wat Roseanne precies heeft gedaan voordat ze is verdwenen. We weten dat ze op de avond vóór de ramp rond middernacht haar mobieltje heeft gebruikt. Het telefoontje liep via een gsm-mast in San Jose. Weet u daar toevallig iets van?'

'Nee, daarvan niet.' Leslie schudde haar hoofd. 'Maar ik kan u wel helpen. Ik heb Roseanne op de ochtend van de ramp gezien.' Weer kreeg ze tranen in haar ogen. 'Ik werkte op de ticketbalie.' Ze kneep haar lippen op elkaar. 'Ik kende de hele bemanning. Iedereen vindt het nog steeds zo verschrikkelijk... O hemel, daar komen de waterlanders weer.' Tranen stroomden over haar wangen. Ze pakte een papieren zakdoekje en drukte het tegen haar ogen. 'Als ik eraan denk, begin ik al te huilen.'

'Ik kan me voorstellen dat het nog erg schrijnend is,' zei Decker.

'Dat is een goed woord. Het schrijnt, ja. Zo voelt het precies.'

Decker wachtte een paar minuten tot ze haar emoties in bedwang had. Toen zei hij: 'Dus u hebt Roseanne op de ochtend van de ramp gezien?'

'Ja, en met haar gepraat.'

Marge probeerde er zo kalm mogelijk uit te zien. Ze sloeg een nieuwe pagina van haar notitieboekje op. 'Wanneer was dat?'

''s nachts. Rond kwart over vier, denk ik. Ze zou meeliften naar Burbank.'

'Droeg ze haar uniform?' vroeg Marge.

Leslie schudde haar hoofd. 'Nee, ze was in burger. Ik was verbaasd haar te zien. Ze had al een tijd niet op die lijn gewerkt. Ze zei dat ze de dag daarvoor vanuit Burbank naar San Jose was gekomen om met de directie te praten over een overplaatsing. Ze wilde vanuit San Jose gaan werken.' Ze sloeg haar ogen neer. 'Ze vertelde me heel eerlijk dat het met haar huwelijk niet goed zat en dat ze van plan was te gaan verhuizen om dichter bij haar ouders te wonen.'

'Ze is dus op de dag vóór de ramp naar San Jose gekomen?' vroeg Decker.

'Dat zei ze.'

'Heeft ze gezegd hoe laat ze hier was?' vroeg Decker.

'Nee, maar dat moet terug te vinden zijn. Ze zal wel met WestAir zijn gevlogen. En als ze met de directie wilde praten, moet ze voor vijven hier geweest zijn, want om vijf uur gaat het kantoorpersoneel naar huis.'

Marge dacht snel na. Toen Oliver en zij met Ivan Dresden hadden gepraat, had de effectenmakelaar gezegd dat zijn vrouw rond vier uur 's middags het huis uit was gestormd. Dan kon ze onmogelijk diezelfde dag hier met de directie hebben gesproken.

Iemand loog.

Ze zag aan Peters gezicht dat hij hetzelfde dacht.

Decker zei: 'U hebt haar dus in de nacht voor de ramp om ongeveer kwart over vier gezien. Weet u zeker dat ze de vroege vlucht naar Burbank heeft genomen? Is het mogelijk dat ze zich heeft bedacht?'

'Daar kan ik geen antwoord op geven, omdat ik het niet weet, maar ik denk van niet.'

'Hebt u haar aan boord van het vliegtuig zien gaan?'
'Ach, hemeltje.' Leslie dacht na. 'Ook dat kan ik niet met zekerheid zeggen, maar het lijkt me sterk dat ze niet is ingestapt, want ze zei zelf dat ze op weg naar huis was.' Ze nam nog een slokje koffie. 'Tenzij iemand van de directie haar heeft gebeld... hoewel... op dat uur?'
'Niet volgens de belgegevens van haar mobieltje,' zei Marge.
Decker zei: 'Als Roseanne in burger was, wil dat dan zeggen dat ze op die nachtvlucht... welk nummer was dat?'
'Het nummer was toen 1325, maar dat is inmiddels veranderd.'
'Als ze in burger aan boord van vlucht 1325 is gegaan, wil dat dan zeggen dat ze op die vlucht niet werkte?'
'Waarschijnlijk niet, nee.'
'En als ze niet op vlucht 1325 werkte, hebt u dan enig idee waarom ze dan meteen vlucht 1324 terug naar San Jose zou hebben genomen?'
'Misschien viel ze op het laatste moment voor iemand in,' zei Leslie. 'Of misschien had er inmiddels iemand van de directie gebeld en gevraagd of ze kon komen voor nog een gesprek.'
'Daarvan is niets te vinden in de belgegevens,' zei Marge.
'Misschien heeft ze zelf de directie gebeld via een gewone kantoortelefoon, om een duur mobiel gesprek uit te sparen,' zei Leslie.
'Denkt u dat?' vroeg Decker.
'Ik weet het niet. Ik zeg gewoon wat er in mijn hoofd opkomt.'
'Ja, tuurlijk, prima,' zei Dekcer. 'Maar ze zei dus dat ze naar San Jose was gekomen omdat ze van hieruit wilde gaan werken.'
'Ja.'
'Enig idee waar ze heeft overnacht?'
Leslie haalde haar schouders op en keek van hen weg.
Marge zei: 'We hebben al met Raymond Holmes gesproken, mevrouw Bracco.'
'U weet het dus.'
'Ja,' zei Marge. 'Heeft Roseanne het met u over meneer Holmes gehad?'
Ze dacht na. 'Nee, dat niet, maar iedereen wist dat ze elkaar kenden.'
'Kent u Raymond Holmes?' vroeg Decker.
'Ja. Hij reisde vroeger vaak met WestAir... de laatste tijd niet meer. Misschien had hij vanwege Roseanne een aversie tegen WestAir ontwikkeld.'

'U weet dus dat ze een verhouding hadden.'

'Hij sprak wel eens over Roseanne... waar ze naartoe gingen, wat ze deden. Ik vond dat niet erg kies, maar Roseanne praatte er openlijk over, dus vond hij blijkbaar dat hij dat ook wel kon doen. Ray is niet wat je noemt bescheiden. Hij zat ook altijd op te scheppen over hoeveel hij verdiende... om je te imponeren. Maar ik raak van zulke dingen nooit onder de indruk.'

Marge zei: 'Holmes zei dat hij Roseanne al zes maanden niet had gezien toen het vliegtuig neerstortte.'

'Daar weet ik echt niets van,' zei Leslie.

'Hij noemde een vriendin van Roseanne hier in San Jose... twee vriendinnen eigenlijk.' Marge keek in haar boekje, niet omdat ze de namen was vergeten, maar om een officiële indruk te maken. 'Christie en Janet of Janice.'

'Christie Peterson en Janice Valley. Twee stewardessen van WestAir. Janice werkt tegenwoordig vanuit Reno... alweer een maand of vier. Christie woont hier.'

'Het is dus mogelijk dat Roseanne bij Christie heeft overnacht?' vroeg Decker.

'Dat zou kunnen. Zal ik haar even bellen? Dat doe ik liever dan dat ik u haar telefoonnummer geef.'

'Heel graag,' zei Decker.

Leslie stond op en verdween achter gesloten deuren. Tien minuten later kwam ze terug met een velletje papier. 'Dit is haar adres en telefoonnummer. Ze zei dat u over een half uur met haar kunt komen praten, als u wilt.'

'Dat komt ons heel goed uit,' zei Decker. 'Hebt u gevraagd of Roseanne bij haar heeft overnacht?'

'Nee, dat is mijn zaak niet, dat is úw zaak. Ik heb alleen gezegd dat ik twee rechercheurs uit Los Angeles op bezoek heb die ook met haar willen praten over Roseanne. Christie reageerde erg emotioneel. Ik verzoek u dan ook het discreet aan te pakken.'

'Dat zullen we zeker proberen,' antwoordde Decker.

'Ja, ik weet het. U doet alleen uw werk.' Ze zuchtte. 'Het is al bijna donker. Ik kan beter even een plattegrondje voor u tekenen.'

'Graag,' zei Marge.

'Hier is mijn visitekaartje, voor als u nog meer vragen hebt.'

Decker pakte het aan en stak zijn hand in zijn binnenzak. 'En als u nog iets te binnen schiet wat met de zaak te maken kan hebben, hebt u hier mijn kaartje.'

Leslie pakte het aan, deed haar tas open en haalde er een adresboekje uit. Met beroepsmatige efficiency zette ze het telefoonnummer erin.

Decker glimlachte. 'U neemt geen halve maatregelen, zie ik. U zou voor ieder bedrijf een aanwinst zijn.'

'Dank u.' Haar glimlach had een zweem van droefenis. 'Ik ben nogal dwangmatig. Ik denk dat ik zo ben geworden door de manier waarop ik ben opgegroeid – als mishandeld kind van alcoholistische ouders. Als je pech hebt, verval je in dezelfde slechte gewoonten. Als je geluk hebt, zoals ik, en een man als Jack ontmoet, ontwikkel je betere manieren om tegen je angsten te vechten.'

22

Holmes had een goed oog voor detail. Hij had Christie Peterson uitstekend beschreven, tot en met haar lange benen en platte kuiten. Ze was ongeveer één meter vijfenzestig lang en zo mager dat haar joggingbroek om haar benen slobberde. Uit de korte mouwen van haar T-shirt staken sprieterige armen met puntige ellebogen.

De stewardess woonde in een kleine tweekamerflat niet ver van het centrum van de stad. Het meubilair was functioneel en onopvallend en de zitkamer had kamerbreed, beige, hoogpolig tapijt. In afwachting van de komst van de rechercheurs had ze een kan water en een schaaltje gemengde noten op tafel gezet. Zelf dronk ze witte wijn. Ze had gevraagd of de rechercheurs ook een glas chardonnay wilden, maar die hadden dat beleefd afgewezen.

Decker legde uit waarom ze waren gekomen en Christie bevestigde hun vermoedens. Roseanne had die nacht bij haar gelogeerd. Toen ze haar vroegen in wat voor stemming ze was geweest, aarzelde de stewardess geen seconde.

'Ze was kwaad op Ivan.'

'Heeft ze u verteld waarom?'

'Ja zeker. Vanwege die stripteasedanseres. Marissa, Melissa, iets met een M. Roseanne wist al een tijdje dat ze iets met elkaar hadden, maar wat voor haar de doorslag gaf, was dat Ivan evengoed naar die nachtclub bleef gaan en daar geld aan die meid uitgaf.' Ze lachte kort. 'Als hij toch al met haar naar bed ging, vond ze, moest hij er niet voor hoeven te betalen.'

'Wanneer heeft ze u gebeld om te vragen of ze hier kon overnachten?'

'Even denken...' Christie nam nog een slokje wijn. ''s Ochtends om een uur of tien, elf.'

Marge pakte de belgegevens van Roseannes telefoon. 'Ik heb een gesprek naar een nummer in San Jose om drie minuten over half elf.' Ze las het nummer voor.

'Ja, dat ben ik,' zei Christie.

'Weet u nog wat ze precies zei?'

'Alleen dat ze naar San Jose kwam en of ze hier kon blijven slapen. Ik hoorde aan haar stem dat ze erg gespannen was, dus heb ik haar gevraagd of er iets was. Ze zei dat ze me 's avonds alles zou vertellen. Ik heb verder niet aangedrongen.'

'Hoe laat was ze hier?' vroeg Decker.

'Om een uur of zes.' Ze likte aan haar bovenlip en zette haar glas neer. 'We zijn ergens een hapje gaan eten. Ze was nog steeds boos. Ze heeft in het kort iets verteld over de ruzie, maar wilde liever over de toekomst praten. Ze was hierheen gekomen voor een gesprek met Personeelszaken om te zien of ze vanuit San Jose kon gaan werken. Ze was serieus van plan te gaan scheiden en wilde dichter bij haar ouders wonen.'

'Heeft ze gezegd om hoe laat ze voor dat gesprek was uitgenodigd?'

'Nee.' De stewardess schudde haar hoofd. 'Dat heeft ze er niet bij gezegd.'

'Hoe is het gesprek verlopen?' vroeg Marge.

'Goed. Ze zei dat ze een vacature voor haar hadden. Ze was blij. Ze zei iets in de trant van… "Er gaat tenminste nog íéts goed in mijn leven".'

'Hoe lang hebt u getafeld?' vroeg Marge.

Christie haalde haar schouders op. 'Dat weet ik niet meer.' Toen klaarde haar gezicht op. 'Ik weet wel dat we voor negenen hier terug waren, omdat ik die avond zou uitgaan. Ik heb gevraagd of ze mee wilde, maar daar had ze geen zin in.'

'Waar bent u naartoe gegaan?'

'O, naar een van de nachtclubs hier in de buurt.'

'Om hoe laat was u weer thuis?' vroeg Decker.

'Dat weet ik niet precies, maar Roseanne was nog op. We hebben nog wat gepraat. Ze was redelijk gekalmeerd en ik weet nog dat ik tegen haar heb gezegd dat ze er een stuk beter uitzag of zoiets. Toen vertelde ze me dat ze definitief had besloten bij Ivan weg te gaan.'

'Was ze blij met dat besluit?'

'Blij is niet het juiste woord. Ze had er vrede mee. Ik geloof dat ze vond dat dit haar enige keus was. Ik heb gezegd dat ik helemaal achter haar stond. Ik ben erg laat naar bed gegaan en toen ik wakker werd, was ze al weg. Volgens mij heeft ze niet eens geslapen. Ze heeft de sleutel op de tafel achtergelaten met een heel lief briefje erbij.'

Eindelijk! dacht Marge. Misschien kregen ze nu iets concreets in handen. 'Hebt u dat briefje nog?'

'Nee, sorry. Ik heb het weggegooid.' De stewardess kreeg tranen in haar ogen. 'Misschien is het maar beter dat ik het heb weggegooid. Ik word zo verdrietig als ik aan haar denk.'

Decker stak het sleuteltje in het contact en keek op het klokje op het dashboard. Het was bijna acht uur. Hij was op tijd voor zijn vlucht, maar had niet zoveel tijd als hij had gehoopt. 'Wil je echt niet dat ik je ergens afzet?'

'Echt niet,' zei Marge. 'Will vindt het helemaal niet erg om me bij het vliegveld af te halen.'

'Will is een goeie vent.' Decker startte de motor.

'Zeker weten.' Marge liet haar hoofd tegen de hoofdsteun rusten en sloot haar ogen. Ze was hard toe aan een goede maaltijd met een lekker wijntje. Ze fronste. 'Wat is dat voor lawaai, Pete?'

Decker hoorde het op hetzelfde moment. Een raar gebonk, en de auto waggelde. 'Dat klinkt niet goed.'

'Nee.'

Decker remde voorzichtig af en stuurde de auto bij de eerste de beste gelegenheid naar de stoep. Ze stapten uit om de schade te bekijken.

Ze hadden maar liefst twee lekke banden, beide aan de passagierskant.

'Goeie hemel!' zei Marge. 'Moet je nou kijken!'

'Verdomme nog aan toe!' Decker stampte met zijn voet. Hij keek op zijn horloge.

Marge legde haar hand op zijn schouder. 'Ik regel dit wel, Pete. Neem jij maar een taxi, dan kun je je vlucht tenminste halen.'

Decker staarde naar de scheefgezakte auto. 'Niet te geloven!' Hij bukte zich om de lekke banden nader te bekijken. 'Verdomme!' Hij kwam weer overeind. 'Een of andere klootzak heeft de banden doorgesneden!'

Marge bleef stoïcijns en toetste het nummer van Will Barnes in. 'Zulke dingen gebeuren. Bel een taxi en ga naar huis.'

'Ik laat jou hier echt niet in je eentje achter!'

'Ik ben niet alleen. Ik heb Will.'

Decker negeerde dat, belde de inlichtingendienst en vroeg om een gratis nummer van WestAir.

'Hoi, met mij,' zei Marge in haar mobieltje. 'We hebben een probleempje. Iemand heeft de banden van onze auto doorgesneden... Geen idee, alleen dat het moet zijn gebeurd toen we bij iemand op bezoek waren, want daarvóór waren de banden nog goed... Nee, we merkten het pas toen we op weg gingen. Waar we zijn? Goeie vraag. Moment, dan kijk ik even op mijn gps...' Ze drukte op wat toetsen op haar telefoon. 'Willy, ben je daar nog?... Oké, we zijn in Bradford Street.' Ze keek om zich heen of ze een huisnummer zag. 'En we staan voor nummer 13455. Een villawijk... Nee, je hoeft niet hierheen te komen. Ik neem wel een taxi. Maar ik wacht even tot de politie... Dank je wel, schat. Ja, goed, als je het per se wilt, wacht ik hier op je. Een kwartiertje, zeg je? Tot zo dan.'

Ze verbrak de verbinding en keek naar Decker, die zijn telefoon tegen zijn oor gedrukt hield. 'Ik word doorverbonden.'

'Will komt hierheen.'

Decker zei: 'Vlieg jij morgenochtend om half zes terug met WestAir?'

'Ja, maar je hoeft echt niet te blijven.'

Decker hief zijn hand op en sprak in de telefoon: 'Dat is goed. Ja, ik zal het nummer van de reservering noteren. Hebt u een ogenblikje? Dan pak ik een pen.' Marge gaf hem snel haar notitieboekje en pen. Decker fluisterde: 'Bedankt.' In de telefoon zei hij: 'Ja, zegt u het maar.' Hij schreef het nummer op en verbrak de verbinding. Vervolgens belde hij naar Rina. Tegen de tijd dat hij de situatie aan zijn vrouw had uitgelegd, had Marge de politie en het autoverhuurbedrijf gebeld.

Tien minuten later parkeerde Will Barnes zijn auto achter de scheefgezakte huurauto. Hij stapte uit en stak zijn duimen onder de brede leren riem van zijn gebleekte spijkerbroek. Op de spijkerbroek droeg hij een wit overhemd. De veterdas maakte het imago compleet. Hij was een lange, gespierde vent, die er goed uitzag voor een man van achter in de vijftig. Hij gaf Decker een hand en Marge een zedig kusje op haar wang. Zijn ronde, rozige gezicht was glad geschoren. Zijn donkere ogen versomberden toen hij de situatie opnam. 'Da's lullig, zeg.'

'Weet je toevallig of er in deze wijk veel vandalisme is?' vroeg Decker.

'Geen idee. Dat zou je aan de politie moeten vragen. Maar dit is Silicon Valley. Er zijn hier een heleboel tieners die te veel geld en te weinig ouderlijk toezicht hebben.'

'Ik dacht ook aan tieners,' zei Marge.

Een politiewagen stopte achter de auto van Barnes. Vijf minuten later kwam een sleepwagen van het verhuurbedrijf aanrijden en was het feest compleet. Nadat iedereen aan elkaar was voorgesteld, bekeken de agenten de schade die de vandalen hadden aangericht en begonnen ze een rapport op te maken. Bewoners keken uit de ramen en deden hun voordeur open. Opeens moesten allerlei mensen toevallig hun hond uitlaten. Ze vroegen wat er was gebeurd en keken meelevend naar de kreupele huurauto. Een paar mensen vertelden dat ze zelf ook te maken hadden gehad met kleine incidenten – een ingegooide ruit en wat graffiti. De meesten zeiden echter dat het een veilige wijk was.

De politie had er bijna een uur voor nodig om alle formaliteiten af te werken. Tegen de tijd dat de orde was hersteld, was het bijna tien uur en viel Marge om van de honger. Ze keek naar Will. 'Ik wil graag iets eten, maar ik heb geen idee wat er op dit uur nog open is.'

'Het restaurant waar ik eerst naartoe wilde, gaat om elf uur dicht,' zei Barnes, 'maar ik heb een tafel voor drie kunnen boeken bij Sarni's. Dat is een uitstekend Italiaans restaurant en ze zijn open tot middernacht.'

Marge sloeg haar arm om zijn middel. 'Je bent geweldig.' Ze glimlachte naar Decker. 'Hou je van Italiaans?'

Decker zei: 'Bedankt voor de uitnodiging, maar ik ben afgepeigerd. Als het niet te ver van jullie route is, mogen jullie me afzetten bij mijn hotel.'

'Je moet evengoed iets eten, baas,' zei Marge.

'Maak je over mij geen zorgen. Gaan jullie maar lekker samen.'

Barnes deed geen moeite hem over te halen. 'In welk hotel heb je geboekt?'

'De Airport Foundation Inn.'

'Daar komen we langs.'

Ze stapten gedrieën in de Honda Accord. Twintig minuten later liep Decker naar een cafeetje in de buurt van het hotel, waar hij een broodje eisalade en een kop cafeïnevrije koffie bestelde. Afwezig tekende hij figuurtjes op een notitiebloc terwijl hij nadacht over wat er met Roseanne kon zijn gebeurd.

Hij maakte een overzicht met de kop 'De laatste dag in het leven van Roseanne Dresden' en vatte het als volgt samen:

1. Vóór half elf 's ochtends krijgt ze ruzie met haar man en belt ze Christie Peterson om te vragen of ze bij haar kan overnachten.
2. Daarna belt ze WestAir in San Jose en vraagt om een gesprek. Volgens Christie wilde Roseanne vanuit San Jose gaan werken en daar ook gaan wonen om dichter bij haar ouders te zijn. Roseanne praat met mensen van Personeelszaken. Er is een vacature.
3. Om ongeveer zes uur 's avonds gaat ze met Christie uit eten.
4. Christie gaat om negen uur uit en komt laat thuis. Roseanne is nog op. Ze vertelt Christie dat ze heeft besloten tot echtscheiding over te gaan.
5. Op de dag van de vliegtuigramp ziet Leslie Bracco Roseanne 's nachts om kwart over vier. Roseanne vertelt Bracco min of meer hetzelfde als ze Christie heeft verteld. Leslie weet niet beter dan dat Roseanne om vijf uur 's nachts op het vliegtuig van San Jose naar Burbank is gestapt.

Voor daarna waren er legio mogelijkheden:

1. Ze is omgekomen bij de ramp met vlucht 1324 – de kans daarop is groot.
2. Eenmaal thuis heeft ze opnieuw ruzie gekregen met haar man, ditmaal met fatale gevolgen.
3. Ze is naar huis gegaan, heeft haar spullen ingepakt en is van de aardbodem verdwenen. Maar waarom was ze dan voor het gesprek met Personeelszaken naar San Jose gevlogen?
4. Er is een kleine kans dat ze niet op het toestel naar Burbank is gestapt. Misschien is ze van gedachten veranderd en in San Jose gebleven en is haar daar iets overkomen. En misschien heeft dat dan iets te maken met Raymond Holmes, of met een andere, onbekende factor.

Decker krabde op zijn hoofd en begon weer poppetjes te tekenen terwijl hij de rest van zijn broodje opat. Toen pakte hij zijn mobieltje en toetste het nummer in dat hij eerder die middag in zijn boekje had genoteerd. Er werd na drie belletjes opgenomen. Een norse stem zei 'Hallo?'

'Meneer Holmes, u spreekt met inspecteur Peter Decker…'

'Ogenblik.' Decker hoorde een omfloerst gesprek. Even later siste Holmes op een zachte, giftige toon: 'Weet u wel hoe laat het is?'

Decker keek op zijn horloge en zei kalmpjes: 'Zes over elf. Ik weet dat u vroeg op moet en hoopte u nog te treffen voordat u naar bed gaat. Als het u niet uitkomt, bel ik u morgen wel.'

'Eerst stoort u me tijdens mijn werk en nu valt u me thuis lastig. Ik kan u aanklagen!'

'Ik wil u alleen maar iets vragen.'

'Bel mijn advocaat maar.'

'Dat wil ik best doen, maar weet u zeker dat u het over die boeg wilt gooien? U hebt gezegd dat uw vrouw niet mag weten dat u met ons hebt gesproken en dat vind ik ook helemaal niet erg, maar als u dit via een advocaat wilt spelen, komt ze er onherroepelijk achter en...'

'Wat wilt u nou eigenlijk van me? Ik heb Roseanne acht maanden geleden voor het laatst gezien. Waarom gelooft u me niet? Moet ik soms een leugentest doen?'

Dat was precies wat Decker wilde! 'Dat is geen gek idee. Het zou in ieder geval de druk van de ketel halen. Wanneer komt u weer eens naar L.A.?'

'Voorlopig niet!' zei hij fel. 'De huizen in L.A. zijn me veel te duur. Bovendien, waarom zou ik het u makkelijk maken? Als u dit zo graag wilt, komt u maar bij mij. Regel maar iets in San Jose en als ik toevallig tijd heb, kom ik wel.'

'Goed. Dan bel ik u binnenkort om een aantal data door te geven waaruit u kunt kiezen.'

'Als het maar in kantoortijd is. Als u me nog een keer na vijven belt, dien ik een aanklacht in. En dan stuur ik wel degelijk mijn advocaat op u af.'

'Duidelijk, meneer Holmes. Nogmaals, erg bedankt voor al uw hulp. Ik vind het echt niet prettig om mensen lastig te vallen, maar ik moet nu eenmaal mijn werk doen. Maar vergeet niet, zodra u de test succesvol hebt doorstaan en we u van onze lijst kunnen schrappen, kunnen we hier een streep onder zetten.'

Het bleef lang stil. Toen Holmes weer sprak, had zijn stem veel van het gif verloren. 'Ik hoop dat u dat meent. Het spijt me erg dat Roseanne dood is of vermist wordt of wat dan ook, maar dat gaat mij verder echt niets aan. Ze heeft me laten stikken en ik ben haar en haar nagedachtenis helemaal niets verschuldigd. Ik moet een gezin onderhouden en heb er geen behoefte aan dat de politie me op de huid zit.'

'Ik begrijp het.'

'Nee, u begrijpt het niet.' Hij slaakte een diepe zucht. 'Ik wil hier vanaf zijn. Kunnen we het morgen rond het middaguur doen? Dan kan ik wel een uurtje vrijmaken.'

'Morgen?'

'Ja, morgen. Is dat een probleem?'

'Dat is een beetje kort dag...'

'Nu moet u eens even goed luisteren. Ik doe dit omdat ú het wilt. U bent hier nu toch, dus regel het maar... verdomme, mijn vrouw roept me. Bel me morgen om tien uur om te zeggen waar ik moet zijn.'

Hij hing op.

Decker had een paar visitekaartjes meegenomen van de agenten die de gevandaliseerde auto waren komen inspecteren. Het leken hem aardige kerels. Misschien zou de politie van San Jose zo goed willen zijn hem te helpen en morgen een ervaren leugendetectortechnicus voor hem kunnen regelen. Alleen had het geen zin het bureau daar nu nog over te bellen.

Hij zat een poosje te dubben of hij Marge moest bellen om haar op de hoogte te brengen van zijn plannen, voor het geval ze erbij wilde zijn. Aan de ene kant wilde hij haar niet storen, maar aan de andere kant vond hij dat ze op de hoogte moest blijven.

Uiteindelijk belde hij toch. Hij trof haar toen Will en zij net het restaurant verlieten en beschreef de nieuwe ontwikkelingen zo smeuïg mogelijk.

'Heeft hij zelf aangeboden een leugentest te ondergaan?' vroeg ze.

'Als ik het morgen rond lunchtijd kan regelen, komt hij. Je hoeft niet te blijven, maar ik wou je in ieder geval de keus geven.'

'Natuurlijk blijf ik. Ik ben net zo nieuwsgierig als jij. Ik moet wat dingetjes regelen, maar je kunt op me rekenen, baas.'

'Goed, dan bel ik je morgen om een uur of acht.'

'Dat klinkt heel wat beter dan om vijf uur mijn bed uit te moeten. Tussen haakjes, dan moeten we nog wel de vliegtickets veranderen. Doe jij dat of zal ik het doen?'

'Da's waar ook. Laat dat maar aan mij over, Margie. Ik heb toch niks beters te doen en ik ken het nummer inmiddels uit mijn hoofd.'

23

Om acht uur 's ochtends begon Decker te bellen. Tegen de tijd dat hij een deskundige forensisch psychofysioloog had gevonden om de leugendetectortest uit te voeren, een tijdstip voor de test had geregeld en bevestiging van hogerhand had gekregen dat de kosten gedekt zouden worden, was hij twee uur verder, gloeide zijn oor en was hij hees van het praten.

Omdat alles binnen zo'n kort tijdsbestek moest gebeuren, kon de test op z'n vroegst om drie uur 's middags worden uitgevoerd, op het kantoor van de officier van justitie. De kosten werden gedeeld door het politiebureau West Valley en de ouders van Roseanne. Meneer en mevrouw Lodestone hadden niet geweten dat hun Rosie geen smetteloos leven had geleid, maar lieten zich daardoor niet van de wijs brengen. Ze wilden weten wat er met Roseanne was gebeurd, en als zou blijken dat ze was vermoord, wilden ze weten wie het had gedaan. In hun ogen was Ivan nog steeds de boosdoener, maar Raymond Holmes zou ook een goede kandidaat zijn als feiten en gegevens hem verdacht zouden maken.

Drie uur was een stuk later dan Holmes had gehoopt. Hij raasde en tierde en vloekte, maar verscheen toch keurig op tijd en zonder advocaat. De psychofysioloog – een onschuldig ogende, zestigjarige, grijsharige vrouw genaamd Sheila Aronowitz – had er een kleine twintig minuten voor nodig om de test voor te bereiden. Nadat alle elektrodes, riemen en banden aan Holmes' lichaam waren bevestigd – wat aan de aannemer het commentaar ontlokte dat hij recht had op een laatste maaltijd als hij op het punt stond geëlektrocuteerd te worden – wilde Sheila eerst wat met hem praten voordat ze hem de testvragen stelde. Ze wilde zeker weten dat Holmes begreep hoe het apparaat werkte en waar al die accessoires voor dienden. Ook had ze erop gestaan dat Holmes iets at, omdat ze van mening was dat een uitgebalanceerd bloedsuikerpeil noodzakelijk was om een optimaal resultaat te krijgen.

Al met al waren ze na het broodje en het praatje al een uur verder. Toen ze eindelijk aan de test begonnen, stelde ze Holmes tien vragen.

1. Is uw naam Raymond Holmes?
2. Bent u getrouwd en hebt u drie kinderen?
3. Woont u in San Jose?
4. Werkt u in San Jose?
5. Bent u achtenvijftig jaar oud?
6. Hebt u Roseanne Dresden gekend?
7. Hebt u Roseanne Dresden het afgelopen jaar gezien?
8. Hebt u Roseanne Dresden de afgelopen vier maanden gezien?
9. Hebt u iets te maken met de verdwijning van Roseanne Dresden?
10. Hebt u Roseanne Dresden vermoord?

Decker, Marge en een jonge, pas afgestudeerde assistent-officier van justitie genaamd Grant Begosian keken in de aangrenzende kamer vanachter de spiegelwand toe en zagen Holmes emmers vol zweet produceren bij het beantwoorden van de tien eenvoudige vragen. Decker wist dat een van de metingen van een polygraaftest via galvanische huidweerstand liep, te weten de vochtigheidsgraad van de vingertoppen. In dat opzicht liet Holmes de naald vast en zeker helemaal uitslaan, zelfs bij de simpele vraag of hij Raymond Holmes heette.

Het was alweer een tijd geleden dat Decker getuige was geweest van een polygraaftest. De dagen van het gekras van een naald op kettingpapier waren voorbij. Tegenwoordig werd het onderzoek digitaal uitgevoerd. Toen Sheila haar vragen stelde, keek ze naar het scherm van een laptop en drukte ze af en toe op een toets. De test zelf nam niet veel tijd in beslag. Toen het voorbij was, bevrijdde ze Holmes van alle draadjes, banden en galvanometers. Zorgvuldig pakte ze de apparatuur bij elkaar terwijl Holmes zwijgend toekeek en zijn gezicht probeerde droog te wrijven met een doorweekte zakdoek. Toen ze al half de deur uit was, kon de aannemer zich niet langer inhouden en flapte hij de voor de hand liggende vraag eruit.

'Heb ik het goed gedaan?'

Sheila glimlachte liefjes, zei dat ze zo dadelijk terugkwam en vroeg of hij iets wilde eten of drinken. Holmes vroeg om een kop koffie met een croissant.

Decker, Marge en assistent-officier van justitie Grant Begosian zaten nog naar Holmes te kijken en zich te verbazen over de enorme productie van diens zweetklieren, toen Sheila binnenkwam. Ze wendden gedrieën hun hoofd om en keken haar vragend aan. 'En?'

Ze zei: 'Een ogenblikje geduld. Ik wil niet tot overhaaste conclusies komen.'

Dus wachtten ze terwijl Sheila haar laptop aansloot en de test op het scherm zette. Van haar gezicht viel niets af te lezen toen ze de gegevens bestudeerde. Ze leek zich er niets van aan te trekken dat er drie mensen vol spanning naar haar keken terwijl ze zat te werken. Na een poosje keek ze op en leunde tegen de rugleuning van haar stoel.

'Naar mijn mening heeft meneer Holmes geen onwaarheden verteld.'

Marge trok een gezicht. 'Dus hij is geslaagd?'

'Dit is geen examen waar je een cijfer voor krijgt, brigadier; we meten vier fysiologische verschijnselen waarop de persoon in kwestie geen invloed kan uitoefenen. Ik kan niet instaan voor de geloofwaardigheid van deze man. Ik kan alleen zeggen dat te oordelen naar de metingen van zijn bloeddruk, hartslag, ademhaling en galvanische huidreactie, meneer Holmes mijn vragen niet onoprecht heeft beantwoord.'

'Alle vragen?' vroeg Decker.

Sheila glimlachte. 'Negen van de tien om precies te zijn. De enige vraag die een zweem van leugenachtigheid heeft opgeleverd, maar waarover ik geen onomstotelijk oordeel kan geven, was de vraag of zijn naam Raymond Holmes is. Dit zien we trouwens wel vaker. De fysiologische resultaten van de meting van het antwoord op de eerste vraag duiden soms, juist omdát het de eerste vraag is, op een opwelling van angst, ook al doen we nog zo ons best de persoon in kwestie op zijn gemak te stellen.'

'Dank u wel, mevrouw Aronowitz.' Decker glimlachte flauwtjes. 'Als Holmes de waarheid spreekt, is dat prettig om te weten. Dan kunnen we onze aandacht op andere dingen richten.'

Assistent-officier van justitie Begosian zei: 'Hartelijk dank dat u op zo korte termijn bent gekomen.' Hij keek naar Marge en Decker.

'Graag gedaan.' Sheila haalde een vel papier tevoorschijn. 'Naar wie gaat de rekening?'

Decker pakte de rekening aan. 'Die neem ik wel mee. Als er problemen mochten zijn, belt u maar.' Hij gaf haar zijn visitekaartje. 'En nogmaals hartelijk dank.'

Ze deelde zelf ook visitekaartjes uit. 'Voor het geval u nog eens van mijn diensten gebruik wilt maken.' Zodra ze weg was, zei de assistent-officier van justitie: 'Wilt u hem het nieuws vertellen, of zal ik het doen?'

Decker keek naar Begosian, die er nog jonger uitzag dan zijn dochter. Hij was te mager, te fris en te jongensachtig voor de ernst van het recht, maar zo zagen ze er in het begin allemaal uit. Als hij lang genoeg bleef, zou hij vanzelf in de functie groeien. 'Ik wil meneer Holmes graag zelf het goede nieuws vertellen, als u het niet erg vindt. Ik wil ervoor zorgen dat er tussen ons geen onbehagen blijft bestaan. Wie weet heb ik hem later nog nodig.'

'Gaat uw gang.'

De twee rechercheurs gingen de verhoorkamer binnen waar Holmes nerveus heen en weer liep. 'U kunt zich ontspannen,' zei Decker. 'We zijn klaar.'

De aannemer hield op met ijsberen. 'Helemaal? Of alleen met de test?'

'De polygraaf heeft uitgewezen dat u niet onoprecht bent geweest.' Decker stak zijn hand uit. 'Ik stel het erg op prijs dat u dit hebt willen doen. Nogmaals dank voor uw komst.'

Holmes leek het gebaar in overweging te nemen, veegde toen zijn rechterhandpalm af aan zijn broek en gaf Decker een hand. 'Nou ja, u doet ook alleen maar uw werk, natuurlijk.'

'Zo is het.' Marge stak hem haar hand toe.

Holmes gaf haar ook een hand. 'Dan is dit dus klaar.'

'Ja,' zei Decker. 'U mag gaan en ik beloof dat ik u niet meer zal bellen, tenzij ik een specifieke vraag voor u heb.'

'Hoe bedoelt u?'

'U hebt haar goed gekend,' zei Decker. 'Misschien zal ik u nog eens bellen als ik hulp nodig heb… als ik uw inzicht wil.'

'Ik geloof echt niet dat ik verder nog iets voor u kan doen,' antwoordde Holmes.

'Daar hebt u ongetwijfeld gelijk in. Tot ziens en veel succes.'

Holmes keek Decker aan met een geagiteerde blik. 'Succes? Waarmee?'

'Rustig maar.' Decker glimlachte. 'Ik bedoel met dat huis. Met de verbouwing.'

'O... bedankt.' Holmes vertrok zijn mond, maar een glimlach werd het niet. 'En u veel succes met het onderzoek. Dat meen ik.' Hij wreef met een papieren zakdoekje over zijn voorhoofd. 'Maar val me alstublieft niet meer lastig. Dat meen ik ook.'

Holmes liep de kamer uit en liet de deur met een klap achter zich dichtvallen.

Dankzij de extra dag in San Jose hadden Marge en Will Barnes ook een extra nacht. De tortelduifjes vroegen of Decker samen met hen ergens iets wilde gaan eten, maar hij wees het aanbod beleefd af en zei dat hij naar huis wilde. Hij had een taxi naar het vliegveld willen nemen om rustig te kunnen nadenken, maar Barnes stond erop hem weg te brengen. Onderweg naar San Jose International overlegden de geliefden uitgebreid waar ze die avond zouden gaan dineren. Decker sloot zich ervoor af en probeerde helemaal nergens aan te denken, wat niet eens erg moeilijk bleek te zijn. Hij was zo moe, oververmoeid eigenlijk, dat hij niet eens iets kon bedenken om over na te denken. Hij vocht tegen de slaap en besloot straks in het vliegtuig een dutje te doen.

Toen ze voor ingang van de vertrekhal stopten, stapte Marge samen met hem uit. 'En nu, Pete?'

'Naar huis, eten en onder de douche.'

'Ik bedoel eigenlijk wat onze volgende stap is in de zaak-Roseanne.'

'Daar heb ik nog niet over nagedacht.'

'Ik zou nogmaals met Ivan moeten gaan praten,' zei Marge. 'We weten nu dat hij heeft gelogen over het tijdstip van de ruzie. Hij zei dat het 's middags was geweest, maar wij weten inmiddels dat Roseanne rond het middaguur uit L.A. is vertrokken. Ik stel voor het hem gewoon te vragen, onder het mom dat we details aan het verifiëren zijn en dat we op een vraag hierover zijn gestuit, blabla.'

'Ja, doe maar.'

'Ik zal tegen Oliver zeggen dat hij hem moet bellen om iets af te spreken.'

'Wil je hem naar het bureau laten komen voor een ondervraging?'

'Ik denk dat we meer van hem los krijgen als we naar hem toe gaan.'

'Goed. Regel het maar en dan hoor ik het wel.' Decker wreef in zijn ogen. 'Ben je al klaar met de namenlijst van het flatgebouw in Seacrest?'

'Ik ben over de helft.'

'Ik heb ongeveer twee derde af. Laten we die lijsten de komende dagen ook afwerken.'

'Ik zal het voorrang geven.'

Decker stak zijn duim op. 'Veel plezier.'

Marge glimlachte. 'Hij heeft besloten die baan te nemen... Will.'

'In Santa Barbara?'

'Ja. Heerlijk, hè? Daarmee komt alles op een heel nieuw niveau.'

'Geweldig.'

Spontaan omhelsde ze Decker. 'Doe je Rina de groeten van me?'

Decker keek haar na toen ze in Wills auto stapte en ze samen wegreden en werd zich er opeens van bewust dat hij een brede grijns op zijn gezicht had.

'Denk je dat ze gaan trouwen?' vroeg Rina.

Decker sloeg de dekens op en stapte in bed. 'Nog niet. Als hij in Santa Barbara gaat werken, zitten ze nog altijd honderdvijftig kilometer bij elkaar vandaan, maar dan kunnen ze met de auto naar elkaar toe, in plaats van steeds te moeten vliegen en dat zal de relatie vast een duw in de goede richting geven.'

'Hoe oud is Marge?'

'Begin veertig.'

'En hij is midden vijftig?'

'Ja.'

'Voor beiden een geschikte leeftijd,' zei Rina. 'Ik hoop dat Will van dwarsfluit houdt.'

Decker glimlachte. Marge bespeelde dat instrument, maar alleen voor zichzelf. Voor haar was het te vergelijken met zingen onder de douche: een heel persoonlijke muzikale uitlaatklep. 'Ze lijken echt veel gemeen te hebben.'

'Dat is fijn.' Rina kroop tegen hem aan en Decker sloeg zijn arm om haar schouders. 'Ik wens hun veel geluk.' Ze keek op naar haar man. 'Je ziet er erg moe uit.'

'Ik ben ook moe.'

'Ben je daarginds iets wijzer geworden?'

'In sommige opzichten. Roseannes ex-minnaar heeft met succes een leugendetectortest afgelegd, en een stewardess was er vrij zeker van dat Roseanne 's nachts om vijf uur is teruggevlogen van San Jose naar Burbank. Vooralsnog ziet het ernaar uit dat ze is verdwenen nadat ze in Burbank was aangekomen.'

'Verdenk je nog steeds haar man?'

'Logischerwijze valt de keus op hem. Ik weet zeker dat hij geheimen heeft.' Decker haalde zijn schouders op. 'Maar al die mensen die bij de ramp zijn omgekomen hadden vast ook allerlei geheimen.'

'Geheimen voor hun medemensen, geen geheimen voor God.'

'Dat is iets om over na te denken.' Decker fronste. 'Ik weet niet of ik wel in zo'n persoonlijke god geloof. Naar mijn idee heeft God wel iets beters te doen dan zich druk te maken over de kleine probleempjes van ons dagelijkse leven.'

'Soms denk ik dat ook. Ik bedoel, wat maakt het Hasjeem uit of ik een blauwe of een roze jurk draag? Maar toch rijmt dat niet met de joodse geloofsbeginselen. We hebben immers het concept van de Hasjgacha Pratit – dat God precies weet en ziet wat we doen.'

'Het staat iedereen vrij te geloven wat hij wil.'

'Soms ben ik er absoluut zeker van dat Hasjeem zich persoonlijk bemoeit met ons nietige leven. Zo veel belangrijke dingen gebeuren zonder dat er een aanwijsbare oorzaak lijkt te zijn, dat je dat niet aan toeval kunt toeschrijven.'

'Dat zou een atheïst juist wel doen... ze toeschrijven aan toeval.'

'Ik geloof liever in goddelijke inmenging. Dat is veel romantischer en veel poëtischer.'

'Maar jij hebt dan ook een romantische en poëtische inslag. Ikzelf geloof om een heel andere reden in God. Ik heb hem nodig. Wie moet ik anders uitschelden als er van alles fout gaat?'

24

Het was een van de zeldzame ogenblikken waarop hij letterlijk tijd uittrok om te genieten van de mooie dingen van het leven. Toen hij naar zijn slapende dochter keek, met haar rode haar uitgespreid over haar gezicht en haar kussen, besefte hij dat het leven weliswaar te snel voorbijgleed, maar dat hij in ieder geval hier op aarde een paar wondertjes had gecreëerd. Twee, om precies te zijn, maar van het tweede kon hij meer genieten dan van het eerste. Hoewel hij Cindy fulltime meedroeg in zijn hart, was ze altijd slechts parttime in zijn leven aanwezig geweest. Daarentegen was hij nu volledig betrokken bij Hannahs tienertijd, met alle bijbehorende zorgen en problemen, en op dagen dat hij het gevoel had dat er nooit een eind aan die beproeving zou komen, troostte hij zich met de gedachte dat hij er tenminste voor haar was als ze hem nodig had.

Hij schudde zachtjes aan haar schouder. 'Wakker worden, Rosie. Het is een prachtige dag en de hoogste tijd dat je eruit komt.'

Hannah slaakte een diepe zucht en deed haar ogen open. 'Dag, pap.'

Hij gaf haar een kus op haar voorhoofd. 'Ik ben in de keuken.'

'Nog vijf minuutjes.'

'Nee, meisje. Ik breng je vandaag naar school, dus het is opschieten geblazen.'

Ze draaide zich om en trok het dekbed over haar hoofd. 'Kan ima me niet wegbrengen?'

'Dan zou je mijn sprankelende gezelschap moeten ontberen.'

'Ik hou van je sprankelende gezelschap, aba, maar ik heb zo'n slaap.'

'Ik weet dat je oneindig lang in bed kunt blijven. Jammer genoeg voor jou bestaat er ook nog zoiets als school.'

'Kun je mijn vissen voeren en mijn tas vast meenemen?'

Decker keek naar het aquarium van zijn dochter. Aan de wekelijkse uitjes naar de dierenwinkel was helaas een einde gekomen. Tegenwoordig had Hannah in het weekend andere dingen te doen en de bevolking van het aquarium was daardoor geslonken tot twee klipvissen en twee grote bodembewoners – een meerval en een clownbotia. Gelukkig zagen deze overblijvers er wel gezond uit. Hij schudde wat voer in het water en pakte Hannahs schooltas, die een ton leek te wegen. 'Wat wil je eten?'

'Niks.'

'Cornflakes en sap?'

'Ik heb geen honger.'

'Je moet iets eten.'

'Alleen sap. Ik neem op school wel een glas melk.'

'Is vandaag zo'n dag dat je van jezelf alleen vloeibaar voedsel mag?'

'Wat een ondervraging! Ik had net zo goed nog vijf minuten kunnen slapen.'

'Maar dan had je ook vijf minuten minder van mijn sprankelende gezelschap genoten.'

'Aba!' Ze ging zitten en streek haar haar uit haar gezicht. 'Ga weg. Ik moet me aankleden.'

Hij salueerde en verdween. In de keuken zette hij koffie en schonk voor zijn dochter een groot glas sinaasappelsap in, al wist hij dat ze er maar een derde van zou opdrinken. Hannah was lang voor haar leeftijd, wat niet verbazingwekkend was, en zoals iedere tiener had ze een hekel aan haar lichaam, dat bestond uit slungelige armen en benen die bevestigd waren aan een dikke romp. Niet dat ze dik was; haar armen en benen hadden naar verhouding alleen nog niet de juiste proporties. Ze zat midden in de puberteit, waardoor ze afwisselend in een chagrijnige, gesloten en sarcastische stemming was. En soms was ze kwetsbaar en vreselijk lief.

Zijn mobieltje ging. Een bekende stem aan de andere kant van de lijn zei: 'Ik heb je toch niet wakker gebeld?'

Het was Koby. 'Nee, hoor,' zei Decker. 'Ik heb vandaag dienst als chauffeur. Hoe is het ermee?'

'Met heel veel moeite ben ik er niet alleen in geslaagd een apparaat te scoren, maar ook een bijbehorende techneut. Maar het moet wel precies om vijf uur vanmiddag gebeuren, anders duikt de techneut de kroeg in.'

'Moment, ik begrijp er niks van.' Decker schonk een kop koffie in en nam een slok. 'Waar heb je het over?'

'De computertomograaf met laborant voor uw schedel.'

Het duizelde Decker. 'Bedoel je dat je de apparatuur en een laborant hebt geregeld om een CT-scan te maken van de schedel van onze Jane Doe?'

'Dat bedoel ik.'

'Geweldig! Dank je wel. Ik ga meteen het mortuarium bellen. Maar ik wist hier helemaal niets van. Wie heeft jou daarvoor ingeschakeld?'

'Mijn favoriete rechercheur Scott Oliver. Ik wilde hem een plezier doen, omdat ik diep in mijn hart weet dat hij nog steeds een beetje verliefd is op mijn echtgenote. Zeg, mijn dienst begint over tien minuten. Cindy zei dat je zondag komt om te helpen met de verbouwing.'

'Klopt. Om hoe laat willen jullie me hebben?'

'Cindy maakt een brunch, dus laten we zeggen om elf uur. Rina gaat een ontwerp voor de tuin maken. Hannah mag uiteraard ook komen, al denk ik dat die wel iets beters te doen heeft.'

'Dan zie je ons om elf uur verschijnen. Nogmaals bedankt. Ik neem aan dat je bergen hebt moeten verzetten om die toestemming te krijgen.'

'Dat valt mee. Eén berg maar.'

Tegen de tijd dat Decker alle namen op de lijst van de huurders van Seacrest had afgewerkt, was het over tweeën. Niet dat hij erin was geslaagd iedereen te vinden. Over zeven vrouwen in de leeftijdsgroep van vierentwintig tot vijftig jaar die in de jaren 1974-1983 in het flatgebouw hadden gewoond, had hij geen informatie gevonden. Samen met de vermiste vrouwen op de lijsten van de andere twee rechercheurs bracht dit het totaal op maar liefst zesentwintig. Dat hield in dat ze moesten blijven speuren, al hielden ze daarvoor steeds minder methoden over.

Ze moesten Jane Doe dringend een gezicht geven.

Hij had toch maar geboft met Koby, die als hoofdverpleger op de couveuseafdeling toegang had tot veel medische apparatuur, al moest het zijn overredingskracht zijn geweest die hier de doorslag had gegeven. Die jongen was de charme in eigen persoon. En dat de laborant een van zijn beste vrienden was, was natuurlijk ook gunstig.

Toeval of Hasjgacha Pratit?

Decker was te moe om daarover te kunnen filosoferen. Hij had hoofdpijn van de cafeïne en zijn maag knorde. Het was tijd om wat oerbehoeften te bevredigen. Hij pakte zijn colbert en liep op het parkeerterrein van het politiebureau Marge en Oliver tegen het lijf.

'Welkom terug,' zei hij tegen Marge.

'Dank je wel. We zitten met een kink in de afsprakenkabel.'

'Hoezo?'

'We hebben Ivan de Verschrikkelijke gebeld,' zei Oliver.

'Hij was niet blij.'

'Dat kan ik me voorstellen. Wat is het probleem?'

'Na veel gesoebat heeft hij erin toegestemd dat we om zes uur bij hem mogen komen, na zijn werk.'

'Maar we hebben ontdekt dat hij meestal al om half vijf, vijf uur ophoudt met werken,' zei Oliver.

Decker zei: 'Hij zal beweren dat jullie niet op tijd waren en dat hij niet kon wachten.'

'Daarom willen we om uiterlijk vier uur al bij zijn flat zijn,' zei Oliver. 'Voor het geval hij iets dergelijks van plan is.'

'Maar als we om vier uur bij de flat willen zijn,' zei Marge, 'hebben we geen tijd om de schedel naar het ziekenhuis te brengen.'

'Ligt de schedel nog in het mortuarium?' vroeg Decker.

'Vier uur geleden nog wel.'

'Dan weet ik het goed gemaakt,' zei Decker. 'Ik regel het vervoer van de schedel wel. Ik moet eerst even iets eten, maar daarna ga ik rechtstreeks naar de Crypte.'

'Als je een goede daad wil doen, bel dan Mike Hollander,' zei Oliver. 'Ik neem aan dat hij er wel bij wil zijn.'

'Ja, Mike heeft hard gewerkt. Hij heeft de hele ochtend aan de telefoon gehangen om zo'n Rapid Prototyping-apparaat te zoeken.' Marge lachte. 'Hij werkt nu harder dan vroeger in Foothill.'

'Toen sprak hij alleen maar over met pensioen gaan,' zei Decker. 'Hij had vast niet verwacht dat hij ooit naar dit werk zou terugverlangen.'

'De energie straalt van hem af!'

'Ik bel hem wel,' zei Decker. 'Ik kan wel wat gezelschap gebruiken.' En tegen Oliver. 'Bedankt dat je dit met Koby hebt geregeld, Scott, al had je me even een seintje moeten geven.'

'Ik had het je vanochtend willen vertellen. Ik had geen idee dat die jongen het zo snel kon regelen.'

'Als Koby iets wil,' zei Decker, 'laat hij er geen gras over groeien.'
Oliver glimlachte triest. 'Dat weet ik als geen ander.'

Om tien over vier stoof een zwarte BMW langs de civiele politiewagen en draaide de ondergrondse parkeergarage in terwijl bonkende rap uit de opgevoerde stereo dreunde. Toen Dresden nietsvermoedend langsreed, ging Marge rechtop zitten en bewoog haar verkrampte schouders. Ze keek naar Oliver. 'Hoeveel minuten zullen we hem geven?'

'Als we meteen gaan, staan we tegelijk met hem voor de deur van zijn flat.'

'Dan gaan we meteen.'

Ze stapten uit en arriveerden bij de flat op het moment dat Dresden zijn sleutel in het slot stak. De effectenmakelaar keek erg onthutst terwijl zijn blik heen en weer flitste tussen Oliver en Marge. Onthutst en nerveus, dacht Marge. Als een rat in de val.

Ivan keek op zijn horloge. 'Zou u niet om zes uur komen?'

'We waren toevallig in de buurt.' Oliver liep nog twee stappen door zodat hij en Marge aan weerskanten van Dresden kwamen te staan. 'We hebben alleen maar een paar vragen. Als we dit meteen even doen, bent u er maar van af.'

'Mag ik misschien eerst naar binnen gaan?'

Marge en Oliver gaven geen antwoord op de retorische vraag. Ze bleven zo dicht bij hem staan dat hij bijna geen ruimte had om de deur te openen. Hij moest zo ongeveer zijwaarts over zijn eigen drempel stappen. Zodra hij binnen was, volgden de rechercheurs hem zonder te wachten of hij ze ook binnen zou vragen.

Ivan gooide zijn aktetas en zwarte colbertje op de bank en de autosleutels op het aanrecht. Hij trok zijn rode das los, liet hem als een sjaal om zijn nek hangen en maakte het bovenste knoopje van zijn blauwe overhemd los. Hij deed een kastje open en haalde er een fles Johnnie Walker Blue uit. Nadat hij een flinke scheut in een kristallen glas had geschonken en er wat ijsblokjes bij gedaan, nam hij een teug, smakte met zijn lippen en glimlachte.

'Zo. Wat kan ik voor u doen?'

Oliver zei: 'Mogen we gaan zitten?'

'Waarom zou u? U hebt toch alleen maar een paar vragen?'

'Dat klopt.'

'Wat wilt u weten?'

Ze hielden hem nog even in spanning. Marge liet haar blik over de muren van de flat dwalen. Het bewijsmateriaal dat ze hadden, had hun al veel verteld. Bijvoorbeeld dat Roseanne van Burbank naar San Jose was gevlogen. Maar het had niets losgelaten over de vraag of Roseanne was omgekomen bij de vliegtuigramp. Als ze was teruggevlogen naar Burbank en níét in het verongelukte toestel was gestapt, moest ze naar huis zijn gegaan.

Ergens in de flat moest haar verhaal te vinden zijn.

Wat is er gebeurd, Roseanne?

Ze liet haar blik afdalen naar de vloer, zocht naar sporen van bloedvlekken op de plinten en in de voegen tussen de tegels. Haar ogen dwaalden over het smetteloze witte tapijt in de hoop iets te vinden – een klein vlekje dat hij niet had kunnen verwijderen. Ze deed het op een natuurlijk manier, terwijl Oliver een gesprek aanknoopte met Dresden.

'Meneer Dresden, het verhaal dat u ons hebt verteld, klopt op een paar punten niet helemaal.'

'Het was geen verhaal,' protesteerde Dresden. 'Een verhaal is fictie. Wat ik u heb verteld, is de waarheid. Laten we daarover duidelijk zijn.'

'Sorry,' zei Oliver. 'Het is absoluut niet mijn bedoeling uw eerlijkheid in twijfel te trekken. Ik wil alleen maar wat feiten verifiëren.'

'Ik ben anders duidelijk genoeg geweest.' Dresden nam nog een teug. 'Ik heb niet geprobeerd het mooier te maken dan het was. Anders zou ik niets over de ruzie gezegd hebben.'

Oliver zag vanuit zijn ooghoek dat Marge rondliep en de flat nauwkeurig bekeek. Hij moest Dresdens aandacht vasthouden. 'Het punt is, meneer, dat uw vrouw volgens ons niet bij de vliegtuigramp is omgekomen.'

'Ja, dat zei u de eerste keer ook al. Maar dat ze haar niet hebben gevonden, wil niet zeggen dat ze niet in het toestel zat.'

'Meneer Dresden, we weten dat Roseanne op de ochtend van het ongeluk vanuit San Jose is teruggevlogen naar Burbank. Dat weten we omdat we naar San Jose zijn gegaan en daar hebben gesproken met mensen die zelf hebben gezien dat ze die ochtend de eerste vlucht naar Bob Hope Airport heeft genomen. We weten ook dat ze op die vlucht niet werkte. Dat weten we omdat we met iemand van WestAir hebben gesproken, die ons heeft verteld dat ze niet op het dienstrooster van die vlucht stond en dat ze in burger was. Kunt u me volgen?'

Dresden zei niets. Hij dronk met kleine teugjes uit zijn glas. Oliver zag dat zijn handen beefden.

Hij zei: 'Wat we ons nu afvragen, is waarom Roseanne – die niet op die route werkte – zou zijn teruggevlogen naar San Jose terwijl ze daar net vandaan kwam.'

'Hoe moet ik dat weten?' Dresden kreeg een boze blik in zijn ogen. 'Misschien had haar vriendje haar gebeld.'

'Wie bedoelt u? Holmes?'

'Wie anders? Misschien had die rijke lul haar eindelijk weten in te palmen. Hebben jullie daar wel eens aan gedacht?'

Vanuit de andere hoek van de kamer zei Marge: 'Ja zeker. En we hebben Holmes dan ook ondervraagd. Hij heeft haar gedurende de laatste drie maanden van haar leven niet gesproken.'

Dresden zei smalend: 'En dat geloven jullie zomaar?'

'Nee. Daarom hebben we hem verzocht een polygraaftest af te leggen.'

'Dat is een leugendetector...'

'Ik weet godverdomme wel wat een polygraaf is!'

'En nu vroegen we ons af,' zei Oliver, 'of u daartoe ook bereid bent.'

'Om een polygraaftest te doen?' Dresden zette een ongelovig gezicht. 'Waarom?'

'O, gewoon, om u van alle verdenking te zuiveren.'

'Verdenking? Om te beginnen weet iedereen dat die tests onbetrouwbaar zijn en dat ze bij een rechtszaak niet als bewijsmateriaal gebruikt mogen worden.'

Oliver glimlachte beminnelijk. 'Natuurlijk. Maar als iemand ze met goed gevolg aflegt... is dat erg prettig.'

'Het is gegaan zoals ik u heb verteld. Roseanne en ik hadden ruzie, ze is woedend vertrokken en daarna heb ik haar niet meer gezien.'

'Juist. En hoe laat was het toen u ruzie kreeg?' vroeg Oliver.

'Wat?' vroeg Dresden.

'Hoe laat was het toen u ruzie kreeg?'

'Rond acht uur 's ochtends.'

'Rond acht uur 's ochtends?' herhaalde Oliver op een vragende toon.

'Zo ongeveer. Dat heb ik u al verteld. Maken jullie geen aantekeningen van zulke dingen?'

'Juist wel. En daarom vind ik het zo vreemd. De eerste keer hebt u ons namelijk verteld dat het rond vier uur 's middags was.'

'O ja?'

'Ja.'

'Nee, dat hebt u mis,' hield Dresden vol. 'Het was 's ochtends. Voordat ik naar mijn werk ben gegaan. Roseanne was met haar verkeerde been uit bed gestapt. Ze begon zomaar te schelden, zonder dat ik iets had gedaan. Dat ik dom was, dat ik lui was, dat ik nergens goed voor was... de ene belediging na de andere kreeg ik naar mijn hoofd geslingerd. Terwijl ik alleen maar "goedemorgen" had gezegd. Misschien had ik dat niet "met gevoel" gezegd. Misschien was ze ongesteld. Misschien had ze gewoon zin om op me te katten. Vrouwen! Ik zal nooit iets van ze begrijpen.'

Je bent niet de enige, dacht Oliver. 'Waarom hebt u dan eerst gezegd dat de ruzie 's middags om vier uur had plaatsgevonden?'

'Ik kan me niet herinneren dat ik dat heb gezegd, brigadier,' zei Dresden onverschillig. 'Als u het zegt, zal het wel zo zijn, maar ik zou niet weten waarom ik zou zeggen dat we 's middags ruzie hadden gekregen terwijl het 's ochtends was. Wat zou ik daarmee bereiken?'

Oliver zag dat zijn handen niet meer beefden. Misschien hielp de drank hem zich te ontspannen of was hij nu minder bang voor de vragen. 'Oké, één vraagteken hebben we uit de weg geruimd. Maar we hebben nog een ander probleem, een veel groter probleem. Waar is Roseanne naartoe gegaan nadat ze in Burbank was geland?'

'Ik heb geen idee,' zei Dresden. 'Iedereen zei dat ze bij de ramp was omgekomen. Alleen u schijnt te denken dat dat niet zo is...' Hij keek opeens naar Marge, die van alles in haar notitieboekje opschreef. 'Wat bent u aan het doen?'

'Ik maak aantekeningen over wat ik zie... ik probeer me in te leven in het leven van uw vrouw.'

'O ja? Nou, ik vind dat ik genoeg vragen heb beantwoord. U mag nu wel gaan.'

Marge liet haar pen vallen. 'Oeps.' Ze ging op haar knieën zitten en keek onder de bank. 'Waar is die pen gebleven?'

Ze stak haar hand onder de bank. Een plekje van het tapijt voelde hard aan, wat erop wees dat het bedekt was geweest met iets kleverigs. Dat kon bloed zijn, maar dat was niet waar ze op uit was. Een voorwerp van roze metaal had naar haar liggen lonken. Ze trok het voorwerp naar zich toe: rechthoekig, plat en ongeveer zo groot als een pakje sigaretten.

Een mobiele telefoon, roze metallic met madeliefjes. Ze draaide hem om. Op de achterkant stond in blokletters R.D. Ze hield hem omhoog, zodat Ivan hem kon zien. 'Wat is dit?'

'Die is van mij.' Ivan holde de kamer door om hem uit haar hand te grissen. Zijn gezicht had een kleur gekregen alsof hij te lang in de zon had gelegen. 'Ik had graag dat u nu wegging!'

'Van u?' vroeg Marge. 'Hebt u een roze mobieltje met de initialen R.D. op de achterkant?'

'Wegwezen!'

Dresdens mobiel ging. Automatisch stak hij zijn hand in zijn zak. Hij stopte abrupt. Te laat: hij had zichzelf verraden.

Oliver hield zijn mobiel omhoog. 'Ik bel u, meneer Dresden.' Hij wees naar het roze telefoontje. 'En het is niet dat mobieltje dat nu rinkelt, maar de telefoon in uw zak.'

'En wat bewijst dat? Ik ben die telefoon maanden geleden kwijtgeraakt. U hebt hem voor me gevonden. Bedankt. En lazer nou op, anders bel ik niet alleen mijn advocaat maar ook de politie!'

Oliver hief zijn handen op. '*Peace, man*. We gaan al.'

Dresden rukte de deur open en schreeuwde: 'En waag het niet om nog eens terug te komen, tenzij u een rechterlijk bevel hebt!' Zijn gezicht was rood aangelopen en zijn handen beefden zo dat de ijsblokjes in het glas tinkelden.

Marge en Oliver liepen door de kamer naar de open voordeur.

Op hun dooie gemak.

25

Decker bracht de telefoon naar zijn andere oor. 'Zeg dat nog eens.'

'Ik heb bij Dresden thuis mijn pen laten vallen,' zei Marge. 'Toen ik me bukte om hem onder de bank vandaan te halen, bleek daar een roze mobieltje te liggen. Dresden zei dat het van hem was, maar toen Oliver zijn nummer draaide, ging de telefoon die hij in zijn zak had over... niet de telefoon die ik had gevonden.'

'Oké.'

'Toen beweerde hij dat hij dit roze met madeliefjes bedrukte mobieltje met de initialen R.D. op de achterkant een paar maanden geleden was kwijtgeraakt.'

'Oké. En nu wil je dus – momentje.' Hollander was uit de diepten van de Crypte opgedoken. Decker keek op zijn horloge. 'Wat is er aan de hand?'

'Ze zijn bijna klaar met inpakken. Over tien minuten kunnen we vertrekken.'

'Het is al bijna vijf uur.'

'Ik heb Koby gebeld. De laborant is bereid te wachten, maar dit gaat het LAPD waarschijnlijk een etentje kosten.'

'Dat is geen ramp. Als ze het in het ziekenhuis maar goedvinden dat we de apparatuur gebruiken.'

'Daar heb ik niet naar gevraagd, omdat ik het antwoord niet wil horen.'

Decker haalde zijn vingers door zijn haar en haalde diep adem. 'Waarom moet het inpakken van een schedel zo allemachtig lang duren?'

'Geduld, Pete.' Hollander glimlachte en speelde met de punten van zijn snor. 'Je wilt toch niet dat het bewijsmateriaal wordt beschadigd?'

Decker sloeg zijn ogen ten hemel en sprak weer in de telefoon. 'Sorry, Marge, daar ben ik weer. Ga door.'

Marge zei: 'Om het maar even samen te vatten: Oliver en ik zijn ervan overtuigd dat het mobieltje van Roseanne Dresden is. De vraag is: als ze bij de vliegtuigramp is omgekomen, wat deed haar telefoon dan bij haar thuis onder de bank?'

'Je hebt dat mobieltje bij toeval gevonden?'

'Ja,' jokte Marge. 'Ik liet mijn pen vallen en toen ik hem opraapte, zag ik het mobieltje.'

'Je hebt geen laden of kasten geopend...'

'Nee. Ik liet mijn pen vallen en zag de telefoon.'

'En Dresden zegt dat hij van hem is.'

'Nee, hij zegt dat het een telefoon is die hij maanden geleden is kwijtgeraakt.'

'Hoe kunnen we bewijzen dat dat niet zo is?'

'Het ding is roze metallic met madeliefjes en achterop staan de initialen R.D.'

'Daarom kan hij nog wel van hem zijn.'

'Weet ik.' Ze dacht even na. 'Laten we allereerst uitzoeken waar Roseanne de telefoon heeft gekocht en kijken of de informatie overeenkomt met de rekening. En nagaan of Dresden ooit een identieke telefoon heeft gekocht.'

'Zelfs als we erachter komen waar Roseanne het mobieltje heeft gekocht, wat me op zich onmogelijk lijkt, bewijst het niets. Dresden kan zeggen dat ze het voor hem had gekocht. Hij kan zelfs ontkennen dat je haar telefoon hebt gevonden. Kun jij het tegenovergestelde bewijzen?'

Marge zei: 'Het is een opvallende telefoon, Pete. Ik heb Roseanne nooit ontmoet. Hoe zou ik hem dan zo nauwkeurig kunnen beschrijven?'

'Dresden kan evengoed zeggen dat ze dat mobieltje voor hem had gekocht.'

'Met de initialen R.D. op de achterzijde?'

'Misschien heeft ze het een tijdje gebruikt en toen aan hem gegeven.'

'Ik zou vrienden van Roseanne kunnen vragen haar mobieltje voor me te beschrijven.'

'Daar kan Dresden tegenin brengen dat je hen eerst hebt uitgehoord over haar telefoon en toen hebt geprobeerd hem erin te luizen.'

Marge gaf het niet zo snel op. 'En als ik een schriftelijke verklaring opstel over wat er vanmiddag is gebeurd? Als Oliver en ik die ondertekenen en dateren, hebben we bewijs dat we het telefoontje hebben gevonden vóórdat we navraag zijn gaan doen bij vrienden van Roseanne.'

Decker dacht even na over dat idee. 'We hebben hier op het bureau een notaris. Laat haar als getuige optreden wanneer jullie tekenen. Dan kan Dresden niet zeggen dat jullie met de datum hebben geknoeid.'

'Goed.'

'Daarmee is het probleem van de authenticiteit geregeld, maar niet het probleem van de getuigen. Dresden kan altijd zeggen dat jullie de vrienden van Roseanne woorden in de mond hebben gelegd en dat ze medewerking hebben verleend omdat ze hem niet kunnen uitstaan. Dat zou heel plausibel klinken, want ze hébben een hekel aan hem.'

'En als we de notaris meenemen? Dan kunnen we de getuigen in haar bijzijn een verklaring laten ondertekenen dat dit de eerste keer is dat we hem of haar vragen stellen over Roseannes mobiele telefoon.'

'Dat is geen gek idee,' gaf Decker toe. 'Goed, doe dat maar. Hou de vraaggesprekken heel strak omlijnd. Bel vrienden van Roseanne en vraag of jullie even mogen komen. Wanneer je er bent, stel je twee vragen. Eén: Had Roseanne een mobiele telefoon? Twee: Kunt u die zo gedetailleerd mogelijk beschrijven? Neem kant-en-klare verklaringen mee, waarin staat dat de getuige deze twee vragen heeft beantwoord zonder enige aanmoediging of inmenging van agenten van het LAPD. De notaris zal de handtekening notarieel bekrachtigen. Daarmee is bewezen dat er met de documenten niet is geknoeid.'

Decker ging meteen door.

'Tweede ronde. Wat gaan we doen met die notarieel bekrachtige verklaringen?'

'Als Roseanne bij de ramp is omgekomen, hadden de bergingsploegen haar mobieltje moeten vinden, tenzij het was gesmolten. In plaats daarvan heb ik het bij haar thuis onder de bank gevonden. Wij denken daarom dat Roseanne niet bij de ramp is omgekomen, maar naar huis is gegaan nadat ze de vroege vlucht van San Jose naar Burbank had genomen. Daarna heeft niemand meer iets van haar vernomen.'

'Het kan een oud mobieltje zijn.'

'Het kan ook het mobieltje zijn dat ze in gebruik had. We weten dat ze in San Jose een mobieltje bij zich had, omdat ze daarvandaan heeft gebeld. We kunnen er dus van uitgaan dat ze het op de terugweg bij zich had. Hoe is haar mobieltje in de flat terechtgekomen als ze zelf bij de crash is omgekomen?'

'Misschien is ze vanuit Burbank eventjes naar huis gegaan, heeft ze de telefoon in de flat laten vallen en had ze geen tijd om ernaar te zoeken omdat ze snel terug moest naar het vliegveld.'

'De flat is in West Valley. Ze kan onmogelijk heen en weer zijn gereden en op tijd terug zijn geweest op het vliegveld, zelfs niet als er helemaal geen verkeer was op de snelweg. En je weet wat een files er tussen zeven en acht uur op de 101 staan.'

'Ik bedenk opeens iets,' zei Decker. 'Waar was haar auto ten tijde van de ramp? Stond die niet op het vliegveld geparkeerd?'

'Ik heb geen idee, maar ik weet wel dat Dresden er nu in rijdt. Ik neem aan dat hij hem heeft gehouden omdat hij zijn eigen auto moest verkopen om de schulden aan de stripclub af te betalen. Ivan heeft ons er bij het eerste gesprek al op gewezen dat haar rekeningen weliswaar zijn bevroren, maar dat het niet verboden is in haar auto te rijden.'

'Dat is misschien wél verboden, maar wie zou hem moeten aanklagen?'

'Pete, ook als de BMW van Roseanne op het vliegveld stond, wil dat nog niet zeggen dat ze die daar zelf heeft neergezet. Dat kan iemand anders net zo goed na de ramp hebben gedaan.'

Hollander tikte op Deckers schouder en stak zijn duim op. 'We zijn zover.'

'Marge, ik moet gaan. Jij gaat dus al dit extra werk doen – getuigen zoeken die het mobieltje van Roseanne kunnen identificeren – om een rechter ervan te overtuigen dat de telefoon van Roseanne niet in haar flat had moeten liggen als ze bij de vliegtuigdramp om het leven was gekomen. Met andere woorden, als ze niet bij de ramp is omgekomen, wil het feit dat haar telefoon onder de bank lag zeggen dat ze op de ochtend van de crash thuis was. En sindsdien is ze spoorloos verdwenen. Wij verdenken Ivan ervan daar iets mee te maken te hebben, en het feit dat Roseannes telefoon onder de bank lag, is voor ons reden een rechterlijk bevel om huiszoeking aan te vragen.'

'Ik had het niet beter onder woorden kunnen brengen.'

'En wie weet lukt het. Ga dus eerst maar eens getuigen zoeken die de telefoon kunnen beschrijven. Maar denk erom, zelfs als we mensen vinden die zweren dat het mobieltje van Roseanne was, kan Ivan nog altijd zeggen dat hij precies zo'n telefoon had gekocht.'

'Roze metallic met madeliefjes en R.D. op de achterkant?'

'Misschien wilde Ivan in contact komen met zijn vrouwelijke kant.'

De groep bestond uit Decker, Hollander, Koby, twee onderzoekers van het mortuarium – Gloria en Fred – en een CT-laborant genaamd Jordon Shakman. De laborant was één meter drieëntachtig lang, zwart, en werd door iedereen Shak genoemd. Hij en Koby kenden elkaar al zeven jaar; hun vriendschap was ontstaan op hun werk en door de combinatie van hun namen. Toen Koby nog vrijgezel was en ze regelmatig samen ergens iets gingen eten, reserveerden ze altijd een tafeltje voor Koby en Shak, wat vooral indruk maakte toen Shaquille O'Neal nog voor de Los Angeles Lakers speelde. Ze waren altijd als sterren bejegend, ook nadat ze in het restaurant waren aangekomen en duidelijk werd dat ze niet de echte Koby en Shak waren, want niemand durfde er iets van te zeggen omdat ze zo groot waren en er zo imponerend uitzagen.

'Recordtijd,' zei Koby tegen Shak toen ze klaar waren.

'Met een losse schedel kun je veel sneller werken dan met een angstig kind,' antwoordde Shak.

'Ik zou ook bang zijn,' zei Decker, met een blik op de CT-scanner.

'De CT-scanner is tenminste nog open,' zei Shak. 'U zou eens moeten zien hoe mensen reageren op de MRI-buis. Ik heb volwassen mannen in tranen zien uitbarsten als ze erin geschoven worden.'

'Wat gaat er nu gebeuren?' vroeg Decker.

'Hebt u officiële documenten over de verdere verwerking van de foto's?' vroeg Shak aan de onderzoekers van het mortuarium.

Gloria gaf antwoord. Ze was een vrouw van achter in de dertig met donkere, weetgierige ogen. 'Die heb ik.' Ze gaf Shak een map met documenten. 'De forensisch patholoog zal morgenochtend contact met u opnemen om u door te geven waar de foto's naartoe gestuurd moeten worden. U kunt ze rechtstreeks naar haar computer sturen, maar we hebben ook een uitdraai van alle beelden nodig omdat we in de Crypte geen apparatuur hebben om de foto's te ontwikkelen.'

'Dat kunnen wij wel voor u doen, maar dat kost een paar dagen.'

Gloria keek naar Decker. 'Is dat in uw tijdskader in te passen, inspecteur?'

'We hebben ze uiteraard hoe eerder hoe liever, maar we zijn nog aan het zoeken naar prototypingapparatuur en dat kan nog wel even duren.'

'Ik ben ermee bezig,' lichtte Hollander toe.

'En als iemand het voor elkaar kan krijgen, ben jij het, Mike.' Decker wendde zich tot de laborant. 'Hebt u over de schedel nog iets te zeggen wat voor ons van belang kan zijn?'

'Ik ben maar een laborant,' zei Shak. 'De interpretatie laat ik over aan de radioloog.'

'Dan zijn we klaar. Hebt u hulp nodig bij het inpakken van de schedel?' vroeg Decker aan de mensen van het mortuarium.

'Nee, dank u,' antwoordde Fred.

'U mag gerust gaan,' zei Gloria.

Decker stak Shak zijn hand toe. 'Heel hartelijk dank.'

Koby schraapte zijn keel. 'Het is bijna zes uur. Cindy werkt tot elf uur, dus gaan Shak en ik ergens een hapje eten. Willen Michael en jij soms mee?'

'Graag! Ik heb honger als een paard!' zei Hollander verheugd. 'Eh... als de baas het ook wil, tenminste. Ik rij met hem mee.'

De baas wilde het niet. De baas wilde veel liever naar huis, onder de douche en dan de avond thuis doorbrengen met zijn vrouw en dochter. Maar Hollander, Koby en Shak hadden vrijwillig enorm veel voor hem gedaan en daar mocht wel iets tegenover staan. 'Ik moet wel Rina even bellen. Als zij er geen bezwaar tegen heeft, ga ik graag mee.'

Shak keek naar Gloria en probeerde niet te gretig te doen. 'U bent uiteraard ook van harte welkom... u allebei.'

Gloria beantwoordde dat met een stralende glimlach. 'Wij moeten juffrouw Doe terugbrengen.' Ze gaf Shak haar visitekaartje. 'Misschien een andere keer.'

'Goed...' Shak glimlachte ongewoon verlegen terug. 'Prima.'

Decker klapte zijn mobieltje dicht. 'Rina vindt het best.'

Koby straalde. 'Te gek. Ik had er al op gehoopt en ben zo vrij geweest een tafel te reserveren bij een Italiaan. Ik ben ervan uitgegaan dat jullie dat wel goed vonden. Het eten is er geweldig en wie houdt er nou niet van Italiaans?'

'Het lijkt de goeie, ouwe tijd wel.' Hollander wreef over zijn buik. 'Ik vind het zo leuk dat ik dit etentje voor mijn rekening neem.'

'Daar komt niks van in,' zei Decker. 'De politie heeft vandaag ontzettend veel hulp gekregen. Het LAPD zal de rekening met plezier betalen.'

De stem uit de intercom zei dat Farley Lodestone op lijn drie zat. Decker hoefde niet op zijn horloge te kijken. Als Farley belde, was het negen uur. De man was zo stipt als de Big Ben. Decker telde tot drie, drukte op de knop en nam de hoorn van de haak. 'Hallo, Farley. Hoe is het ermee?'

'Hetzelfde. Hoe gaat het ermee?'

'Er gebeurt van alles.' Decker sprak vol vertrouwen. 'We zijn bezig een interessant spoor na te trekken, maar je weet dat ik je er niets over kan vertellen.'

'Waarom niet? Ik kan best een geheim bewaren.'

Decker glimlachte. 'Dat weet ik, Farley; maar zo werken wij nu eenmaal niet. Ik wil er alleen maar mee zeggen dat we Roseanne niet zijn vergeten. Al kan dat ook moeilijk, als je iedere dag belt om ons aan haar te herinneren.'

Lodestone bromde: 'En dat blijf ik doen tot we iets te weten komen.'

'Ik neem het je niet kwalijk. Ik zou hetzelfde doen als het om mijn dochter ging. Ik moet zeggen dat Shareen en jij enorm veel geduld aan de dag leggen en ik wil je graag bedanken dat je zo'n vertrouwen in me hebt.'

'Wie zegt dat ik vertrouwen in je heb?'

Decker glimlachte. 'Misschien sla ik mezelf te hoog aan. Je hebt groot gelijk dat je sceptisch bent, Farley, maar ik doe echt mijn uiterste best.'

Even bleef het stil aan de andere kant. Toen zei Farley: 'Shareen zegt dat ik je niet aldoor moet lastigvallen. Maar ik kan het niet helpen. Ik zal je blijven bellen, omdat ik niet anders kan. Het is niets persoonlijks. Dat weet je toch wel?'

'Ja, dat weet ik.'

'Ik heb het nummer van je mobiel en het nummer van het bureau zelfs op de vriendenlijst van mijn mobieltje gezet. Dat is een duidelijk bewijs dat ik het echt meen, van het bellen. Nu kan ik beide nummers bellen voor 6,99 per maand en net zo lang praten als ik wil. Ik dacht bij mezelf, als ik tóch bel, kan ik dat net zo goed voor het goedkope tarief doen.'

'We blijven eraan werken, Farley. Bedankt voor het bellen.'

'Op dit moment kan ik jou nog nergens voor bedanken, Pete. Maar ook dat moet je niet persoonlijk opvatten. Ik hoop dat de dag zal komen dat ik "bedankt voor alles" kan zeggen.'

Hollander klonk erg opgetogen door de telefoon. 'Ik heb moeten bidden en smeken, maar ik heb een prototypingapparaat voor je gescoord! Bij Katumi Motors. Je hoeft geen dankjewel te zeggen. Ik heb liever geld.'

Decker grijnsde breed. 'Mike, je bent geweldig.'

'Er is een klein probleempje. We kunnen het apparaat niet tijdens kantooruren gebruiken. Ik had eerst afgesproken voor zaterdag, maar toen herinnerde ik me dat jij op zaterdag niet werkt, dus heb ik het verzet naar zondag. Rond het middaguur.'

'Geweldig. Ik zal het doorgeven aan de Crypte, zodat ze ervoor kunnen zorgen dat de CT-foto's dan klaar zijn.'

'Niemand houdt ervan om op zondag te werken, rabbi. Dit gaat je op zijn minst een rondje pils kosten.'

'Geen probleem.' Marge klopte op de deurpost van zijn kantoor. Oliver en zij stonden te wachten. 'Bedankt voor al je hulp, Mike. Ik zal er zijn, maar nu moet ik ophangen.'

'Oké, Pete, en ook nog bedankt voor het werk. Koby en Cindy zijn een geweldig stel. Complimenten.'

Decker grijnsde van oor tot oor toen hij ophing. 'Hoe staan de zaken?'

'Dit zijn de door de notaris bekrachtigde verklaringen over ons bezoek aan Ivan Dresden,' zei Marge. 'We hebben vanmiddag een afspraak met Arielle Toombs en met David Rottiger. Ze weten dat we over Roseanne komen praten, maar we hebben niet gezegd dat het om haar mobieltje gaat.'

Oliver voegde eraan toe: 'Dat leek de beste manier om vooroordelen uit te sluiten. Door hun niets te vertellen zonder dat de notaris erbij is.'

Decker bekeek de documenten en zei: 'Ja, vind ik ook.' Hij gaf de paperassen aan Marge. 'Goed werk, mensen. Ik hoor dan nog wel wat jullie te weten zijn gekomen.'

'Hoe staat het met de röntgenfoto's?' vroeg Oliver.

'Dat is allemaal geregeld. In de Crypte hebben ze kopieën van de foto's. Ik heb een schriftelijk verzoek ingediend bij de hoofdinspecteur voor een kopie voor ons. Maar het beste nieuws is dat Hollander een prototypingapparaat heeft gevonden dat we kunnen gebruiken. Zondag gaat het gebeuren.'

'Hé, wat goed van hem,' zei Oliver.

'Ja, het was echt helemaal zijn project en ik ben blij dat hij het voor elkaar heeft gekregen.'

'Hij heeft de koorts van het politiewerk weer goed te pakken!' lachte Marge.

'Ik zal Strapp om de nodige documenten vragen zodat we dit snel in werking kunnen zetten,' zei Decker. 'Zodra we een duplicaat van de schedel hebben, kunnen we een rechter toestemming vragen het voor forensische doeleinden te gebruiken. Hollander zegt dat er een juridisch precedent is voor het gebruik van een prototype. Het is alleen te hopen dat ons plan niet verzand raakt in gerechtelijke procedures.'

Oliver zei: 'Zodra wij onze informatie hebben, dienen we een verzoek in om huiszoeking te mogen doen. Jij kunt beter meegaan, Pete, als we de zaak aan de rechter voorleggen. Onze beweegredenen zijn niet al te sterk en jouw rang kan dan van invloed zijn.'

'Welke rechter heb je in gedachten, Oliver?'

'Ik had gedacht Carla Puhl te bellen. Ik kan goed met haar overweg.'

Decker grijnsde. 'Dat geloof ik graag.'

Oliver knipoogde en vertrok.

Marge lachte. 'Scott is en blijft een scharrelaar, maar wel een charmante scharrelaar, er schuilt geen kwaad in.'

De edelachtbare Carla Puhl leek meer belangstelling te hebben voor haar lange, rode nagels dan voor de redenen die Decker aanvoerde om een rechterlijk bevel voor huiszoeking te krijgen. Haar toga hing aan een hangertje en de rechter was gekleed in een rood topje en een minirok van spijkerstof. Halverwege een zin stak ze haar wijsvinger op en wees naar een stoel.

'Ga zitten, inspecteur.'

Decker voldeed aan haar verzoek. Marge en Oliver stonden zo onopvallend mogelijk tegen de gelambriseerde muur van het vertrek en lieten het zware werk graag over aan de baas.

Rechter Puhl bladerde in de notariële bescheiden en schudde haar hoofd. 'Het enige wat u tegen deze arme man kunt aanvoeren, is het bezit van een roze mobieltje?'

'Edelachtbare, zijn vrouw wordt al meer dan twee maanden vermist. Ze stond op het punt van hem te scheiden en hem alles af te nemen. De flat staat op haar naam, de bankrekeningen staan op haar naam, zij was degene die de rekeningen betaalde. Haar man was haar regelmatig ontrouw, met onder andere een stripteasedanseres. Hij stond voor vijftienduizend dollar in het krijt bij een stripclub en heeft zijn auto en Roseannes sieraden verkocht om die schuld af te betalen nadat ze was verdwenen. Nu rijdt hij in de BMW van zijn vrouw.'

'En wat heeft dat te maken met dat roze mobieltje?'

'Dresden heeft beaamd dat hij en Roseanne op de dag voordat ze is verdwenen hooglopende ruzie hebben gehad. Toen brigadier Dunn bezig was hem daarover te ondervragen, liet ze haar pen vallen en vond ze bij toeval een roze mobiele telefoon...'

Weer onderbrak de rechter hem met een kort gebaar. 'Wat wilt u met dat mobieltje, inspecteur?'

'Ivan Dresden zei eerst dat het van hem was. Toen bleek dat het niet de telefoon is die hij momenteel gebruikt, zei hij dat hij hem maanden geleden was kwijtgeraakt.'

'Een roze telefoon met madeliefjes?'

'Dat vonden wij ook vreemd.'

'U hebt geen antwoord gegeven op mijn vraag. Wat wilt u met dat mobieltje?'

'Om te beginnen wil ik weten of dit het mobieltje was dat Roseanne in gebruik had. Dat is makkelijk na te gaan. We hoeven het alleen maar op te laden om te kunnen zien van welke datum het laatste gesprek is. Dan weten we of Ivan liegt of niet. Als het de telefoon is die Roseanne in gebruik had, hebben we bewijs dat ze op de ochtend van het ongeluk in de flat was.'

'Nee, dat de telefoon in de flat was. Niet Roseanne.'

Decker reageerde daar niet op.

Puhl ging door: 'Ook als Roseanne er was, wil dat nog niet zeggen dat ze niet bij de ramp om het leven is gekomen. Misschien is ze naar huis gegaan, is de telefoon uit haar tas gevallen en is ze zonder telefoon teruggekeerd naar het vliegveld.'

'We hebben dat uitgerekend, edelachtbare,' zei Decker. 'Als ze met een snelheid van tachtig kilometer per uur reed, zou ze precies vijf minuten over hebben gehad als er geen ander verkeer op de weg was en ze slechts vijf minuten thuis is gebleven. Maar het was tussen zeven en acht uur 's ochtends en u weet wat een files er dan staan.'

'Hmm...' Rechter Puhl tikte met haar nagels op het bureau. 'Oké, inspecteur, ik weet het goed gemaakt. U krijgt een rechterlijk bevel voor inbeslagneming van de mobiele telefoon die brigadier Dunn en brigadier Oliver hebben beschreven in deze bescheiden. Dan kunt u uw hypothese ter plekke testen. Als het niet de telefoon was die ze tot vlak voor haar verdwijning in gebruik had – als het een oude telefoon was – houdt de huiszoeking daar op. Als het de telefoon was die ze in gebruik had, hebt u toestemming om door te gaan met de huiszoeking.'

'Edelachtbare, de kans is groot dat meneer Dresden het bewijsmateriaal heeft vernietigd of weggegooid.'

'Dan moet hij zich schamen! Hij weet toch wel dat je vandaag de dag zulke geintjes niet kunt uithalen? Als dat het geval is, geef ik uw ploeg toestemming de flat te doorzoeken, maar binnen bepaalde grenzen, inspecteur. Kom me niet aan met vingerafdrukken, vezels en haren, zelfs niet met bewijzen van kleine bloedingen. De vrouw woonde daar, dus zult u al die dingen daar aantreffen. Ik geef u echter wel toestemming te zoeken naar bewijzen van bloedverlies en spatpatronen die groter en/of niet in overeenstemming zijn met een redelijke hoeveelheid bloedverlies naar aanleiding van een huishoudelijk ongelukje. Ik heb er niets op tegen dat u deskundigen op dit gebied meeneemt. Maar maak niet al te veel rommel, goed?'

'We zullen ons best doen. Dank u wel, edelachtbare.'

Ze praatte door terwijl ze de documenten uitschreef. 'Nog een waarschuwing. Als uw deskundigen sporen van een vrij grote hoeveelheid bloed aantreffen op een bank of een stoel of het bed, zonder bijbehorend spatpatroon, wees dan alstublieft heel voorzichtig met uw conclusies. Mannen vergeten vaak dat vrouwen soms lekken wanneer ze ongesteld zijn. Neem haar echtgenoot niet in hechtenis omdat Roseanne niet snel genoeg haar tampon had verwisseld.'

26

Decker moest een paar keer hard op de deur kloppen voordat degene die ze hebben moesten, antwoord gaf. Hij zei: 'Opendoen, meneer Dresden, dit is de politie.' Toen er niet meteen werd gereageerd, voegde hij eraan toe: 'We hebben een rechterlijk bevel, meneer. Doe de deur open!'

Een paar seconden later hoorde Decker dat een sleutel werd omgedraaid, maar de deur bleef dicht.

De stem zei: 'Ik wil de papieren zien!'

'Die zal ik u laten zien als u de deur opendoet.'

'En als ik dat niet doe? Trapt u hem dan in?'

'Niet overdrijven, meneer Dresden. We hebben...' Decker trok een gezicht tegen Marge en Oliver. 'We zijn gekomen voor de mobiele telefoon die brigadier Marge Dunn een paar dagen geleden heeft gevonden. De telefoon in kwestie staat gedetailleerd beschreven in dit document.'

Opeens vloog de deur open. Dresden hield hem nog net op tijd tegen, anders zou de deurknop tegen de binnenmuur zijn geknald. Hij kneep zijn ogen iets toe toen hij Decker zag. 'Wie bent u?'

Decker haalde zijn identiteitskaart tevoorschijn. Terwijl Dresden de kaart bekeek, bekeek Decker de effectenmakelaar. Ivan was een knappe man, een donker, somber, gothic type. Hij was gekleed in een mouwloos T-shirt en een korte broek en had een handdoek om zijn hals. Zijn gezicht was droog en zag er niet verhit uit: hij moest ofwel nog aan zijn workout beginnen of had die al een tijdje achter de rug. Of de sportkleding was maar voor de show. Hij nam er overdreven veel tijd voor om Deckers kaart te bekijken.

'Hebt u niets beters te doen dan mensen lastig te vallen als ze net thuis zijn van hun werk?'

'Het zou weinig zin hebben te komen wanneer u niet thuis bent, meneer Dresden.'

De effectenmakelaar zei nijdig: 'Ik wil dat huiszoekingsbevel zien.'

Decker gaf hem het document en bleef met een uitgestreken gezicht staan wachten terwijl Dresden langzaam de juridische tekst las. Niet dat die erg ingewikkeld was.

Uiteindelijk sloeg Dresden met het document in zijn open hand. 'Ik heb uw twee knechtjes al uitgelegd dat het een oude telefoon was. Ik heb hem niet eens meer. Ik heb hem weggegooid. U bent dus voor niks gekomen, maar ambtenaren zitten er natuurlijk niet mee dat ze het geld van de belastingbetalers verkwisten.'

Decker bleef volkomen neutraal kijken. 'In het rechterlijk bevel staat dat we ernaar mogen zoeken.'

'Mijn hele flat overhoop halen?' Dresden grinnikte sarcastisch. 'Nee, dank u. Daar pas ik voor.'

Decker had er genoeg van. Hij drong langs Dresden heen, ervoor oppassend hem niet opzij te duwen. 'Er valt niets te kiezen, meneer Dresden. We zijn gekomen om deze taak uit te voeren en dat zullen we doen.' Hij bleef in het midden van de woonkamer staan en trok handschoenen aan.

Marge en Oliver kwamen ook binnen. Marge zei: 'Als u dat mobieltje nog hebt, kunt u het beter gewoon aan ons geven.'

'Zijn jullie doof?' vroeg Dresden op felle toon. 'Ik heb net gezegd dat ik het heb weggegooid!'

Decker zei tegen zijn rechercheurs: 'Dunn, jij doet de keuken; Oliver, jij de slaapkamers. Ik neem de woonkamer voor mijn rekening.' Hij keek weer naar Dresden. 'We gaan er evengoed naar zoeken. En als we het niet vinden, hebben we volgens dit rechterlijke bevel toestemming forensische deskundigen te laten komen om naar sporen van een misdrijf te zoeken. Daar zal heel wat tijd mee gemoeid zijn. Ik stel dus voor dat u ergens rustig gaat zitten zodat wij onze gang kunnen gaan.'

'Ik heb nog nooit zoiets belachelijks...'

'Als u de telefoon hebt, kunt u hem beter nú overhandigen.'

'Ik heb hem niet!' snauwde Dresden. 'Ik heb hem weggegooid... ach, laat ook maar. Ik ga mijn advocaat bellen.'

'Doe dat.' Decker pakte zijn mobieltje en belde de technische recherche. 'Met inspecteur Decker van West Valley. Is Mike Fagen aanwezig? Ja, ik wacht wel.'

'Wie is je meerdere?' schreeuwde Dresden.

'Hebt u het tegen mij?' vroeg Decker.
'Ja. Ik wil...'
'Ogenblikje,' zei Decker tegen Dresden. 'Mike, met inspecteur Decker. Het ziet ernaar uit dat we jullie nodig hebben, want meneer Dresden zegt dat hij de telefoon heeft weggegooid. Wanneer kunnen jullie beginnen met sprayen?'
'Sprayen?' vroeg Dresden geschrokken. 'Wat gaan ze sprayen?'
'Ogenblikje, Mike, ik kan niet twee gesprekken tegelijk voeren en Dresden staat hier te schreeuwen.' Decker legde zijn hand op het microfoontje van zijn telefoon. 'Mijn meerdere is hoofdinspecteur Strapp. Als we de telefoon niet vinden, gaan we een spray gebruiken waarmee bloed en bloedspatten zichtbaar worden. U hoeft niet bang te zijn voor uw spullen. Er wordt een blauwe gloed zichtbaar als er bloedproteïne aanwezig is. Verder zie je er niks van.' Hij sprak weer in zijn mobiel. 'Sorry, Mike. Hoe snel kunnen jullie hier zijn?'
'Dit is werkelijk niet te geloven!' riep Dresden terwijl hij begon te ijsberen. 'Alsof het nog niet erg genoeg is dat ik onlangs mijn vrouw verloren ben, heeft de politie het gore lef om hier zomaar binnen te komen en me te beschuldigen van moo...'
Dresden zweeg abrupt en draaide zich om. Hij had er tot nu toe niet verhit uitgezien, maar nu opeens wel. Hij kreeg een kop als een boei en begon hevig te transpireren. Nu zag hij er wél uit alsof hij een stevige workout achter de rug had. Decker vroeg zich vaak af wat het doel van lichamelijke inspanning precies was. Als men het alleen deed om de hartslag te laten versnellen, waren daar wel andere methoden voor, zonder urenlang op een geestdodende loopband te hoeven lopen. Hij kon er zo al drie noemen: seks, stress en cafeïne.
'Als u iets breekt of vernielt, klaag ik u aan!' riep Dresden. 'U hebt het recht niet... godverdomme, wat gebeurt daar?' Dresden keek geschrokken om toen er lawaai klonk in een van de slaapkamers en snelde de gang door. Decker hoorde hem tekeergaan tegen Oliver.
Nadat Decker zijn gesprek met de technische recherche had beëindigd, bekeek hij de woonkamer om te beoordelen hoe ze het onderzoek straks het best konden aanpakken. Dresden had de telefoon waarschijnlijk echt weggegooid. Als er incriminerende informatie op stond, was het logisch dat hij zich er onmiddellijk van had ontdaan. Al waren er ook mensen die na het plegen van een gewelddaad belastend bewijsma-

teriaal juist hielden. Van die misdadigers waren sommigen te arrogant of te lui om de moeite te nemen de spullen weg te doen, terwijl anderen bezwarend bewijsmateriaal wilden houden als aandenken, om hun verwrongen geest de gelegenheid te geven de misdaad steeds opnieuw te beleven.

In de woonkamer stond een groot, wit wandmeubel waar een televisietoestel en geluidsapparatuur in pasten, met laden, kastjes en planken. Het was eigenlijk een ouderwets meubelstuk nu de meeste mensen een flatscreen-tv hadden. Ivan was er blijkbaar nog niet aan toegekomen er eentje te kopen. Misschien stond het boven aan zijn verlanglijstje voor als hij het verzekeringsgeld zou vangen.

Het witte gevaarte bevatte een grote, ouderwetse televisie die achter deurtjes was weggestopt. Aan weerszijden ervan waren planken. Aan de ene kant waren die gevuld met dvd's, cd's en stereoapparatuur; aan de andere kant stonden boeken en nog meer cd's, en één plank was gereserveerd voor wat snuisterijen en foto's: zes in zilveren lijstjes gevatte foto's, allemaal van Ivan, in sportieve poses. Een paar geurkaarsen en een kleine verzameling porseleinen poezen waren het enige bewijs dat hier een vrouw had gewoond.

Decker begon met de kast. Behoedzaam haalde hij de boeken, cd's en dvd's eruit om te kijken of er iets achter lag. Toen er niets tevoorschijn kwam, keek hij achter de stereo. Toen hij zeker wist dat de telefoon niet in de kast was verstopt, keek hij onder de banken en stoelen. Omdat de woonkamer, eethoek en keuken van de flat een open ruimte waren, met een eetbar als scheiding, kon hij Marge die in de keuken de kastjes doorzocht, horen en zien.

'Al iets gevonden?' vroeg hij haar.

'Nog niet. Jij?'

'Ook niet.'

De drie rechercheurs werkten tot zonsondergang. Ze doorzochten laden en kastjes, gluurden onder stoelen en banken, snuffelden in het medicijnkastje, tilden het matras van het echtelijke bed om te zien of er iets onder verstopt was. Anderhalf uur nadat ze waren begonnen, arriveerden de deskundigen van de technische recherche. Tegen die tijd had Ivan zich min of meer in zijn werkkamer gebarricadeerd.

De technische recherche had er een uur voor nodig om alle vertrekken van de flat te onderzoeken. Ze besloten allereerst de vloerbedekking te bespuiten op de plek onder de bank waar Marge de pen had laten vallen en harde haartjes had gevoeld. Vervolgens bewerkten ze de muren, de houten vloer en de plinten in de keuken. Daarna bespoten ze de muren van de woonkamer, de werkkamer, de logeerkamer en de slaapkamer. Tot slot spoten ze het luminol ook op het matras van het echtpaar. Tegen die tijd was het buiten donker. Ze trokken de gordijnen dicht en deden de lichten uit, waardoor het pikkedonker werd in de flat.

Je kon niet zeggen dat er nergens een blauwe gloed van bloedproteine te zien was. Als je goed keek, zag je hier en daar wat vlekjes in de keuken (kleine ongelukjes bij het bereiden van maaltijden), een duidelijke gloed rond het toilet in de badkamer (ook urine gloeit onder luminolspray), en zoals rechter Puhl al had voorspeld, zaten er een paar blauwe vlekken op het echtelijke matras (menstruatielekkage), maar niets wees erop dat in deze flat iemand buitensporig had gebloed.

Ze deden het licht weer aan. Decker verzocht de agenten van de technische recherche ook de hoeken van alle tafels en de eetbar te bespuiten. Hij redeneerde dat er misschien een handgemeen had plaatsgevonden, waarbij Ivan Roseanne een duw had gegeven, waardoor het mobieltje uit haar hand was gevlogen en onder de bank gegleden. Misschien was ze gevallen en met haar hoofd op de hoek van een tafel terechtgekomen, waardoor ze bewusteloos was geraakt zonder dat er veel bloed had gevloeid. Misschien was ze door die klap zelfs gestorven.

De hoeken van de eetbar en tafels leverden niets op. Op de eetbar waren wel wat blauwe vlekjes te zien, maar die konden net zo goed van vlees of kip zijn, want Luminol maakt geen onderscheid tussen dierlijk en menselijk lichaamsvocht. De technici schraapten op die plekken wat monsters bij elkaar, in de hoop dat het voldoende zou zijn om te kunnen vaststellen of het om menselijk bloed ging.

En de harde haartjes die Marge – en ook Decker – onder de bank had gevoeld, leverden geen gloed op. Daar moest iets anders gemorst zijn, waarschijnlijk frisdrank.

Vier uur nadat ze waren begonnen, bedankte Decker Dresden voor zijn tijd en medewerking. Dresden vergaf hem edelmoedig en gaf Decker een stevige hand. 'Ik hoop dat dit definitief een einde maakt aan de kwaadaardige geruchten over mijn liefde voor mijn vrouw. Haar dood was een enorme schok, inspecteur, maar door al die afgrijselijke insinuaties was het alsof ik nog een keer opnieuw moest rouwen.'

Decker zei: 'Het spijt ons dat we u hebben lastiggevallen, meneer Dresden, maar het lijk van uw vrouw is nog steeds niet gevonden. U hebt er vast wel begrip voor dat we ons werk doen, het onderzoek voortzetten.'

'Ja, ik weet dat u niet anders kunt, maar het is echt afschuwelijk als je eerst je vrouw verliest en dan ook nog als verdachte wordt beschouwd inzake haar verdwijning. Als u me niet kwalijk neemt, had ik nu graag dat u vertrok. Ik heb er behoefte aan alleen te zijn... en ik wil graag de boel opruimen en schoonmaken.'

'Dat begrijp ik.' Decker keek Dresden aan en glimlachte traag. 'U hebt uw advocaat uiteindelijk niet laten komen.'

'Nee, ik heb hem toch maar niet gebeld. Het zou me handenvol geld kosten, terwijl hij hier alleen maar had zitten duimendraaien. Ik wist dat ik hem niet nodig had. Ik heb niets te verbergen.'

Ze stapten gezamenlijk in de politiewagen, met Oliver aan het stuur en Marge naast hem, om terug te keren naar het bureau, waar hun auto's stonden. Oliver zei: 'Zou die gluiperd dan toch niets te maken hebben met de verdwijning van zijn vrouw? Massa's mannen zijn ontrouw. Niet veel mannen maken hun vrouw af.'

'Ja, dat is waar, maar van de mannen die hun vrouwen wél afmaken, heeft negentig procent een vriendin.' Marge keek over haar schouder naar Decker. 'Wat denk jij, Pete?'

'Ik weet het niet. Ik zie hem er wel voor aan. Het is nog altijd mogelijk dat Roseanne wél bij de crash is omgekomen, maar voor hetzelfde geld is ze vermoord, alleen niet bij haar thuis.'

Marge zei: 'Als ze ergens anders is vermoord, kan Dresden het evengoed gedaan hebben.'

'Of niet,' zei Oliver. 'Misschien was de telefoon die we gevonden hebben écht een oud exemplaar dat Roseanne was kwijtgeraakt. Misschien had ze een nieuwe gekocht die er precies hetzelfde uitzag.'

'Dan had Ivan dat toch gewoon kunnen zeggen?'

'Ja, maar hij wist ook wel dat we allerlei verdenkingen zouden hebben toen je dat telefoontje onder de bank zal liggen.'

'Weggooien is nog veel verdachter,' zei Marge. 'Dat is een kenmerk van een kwaad geweten.'

Decker zei: 'Als Ivan haar heeft vermoord, maar niet in de flat, waar zou hij het dan gedaan hebben?'

Marge haalde haar schouders op. 'Misschien in zijn auto. Misschien heeft hij hem daarom verkocht.'

'Aan wie heeft hij hem verkocht?' Toen er op die vraag geen antwoord kwam, zei Decker: 'Dat moeten we dan maar eens uitzoeken.'

Katumi Motors, een fabriek die auto-onderdelen maakte, was gevestigd in het hart van het noordelijke deel van de Valley. Het was een groot, langwerpig gebouw met aan de voorzijde een gazon waarin ruimte was uitgespaard voor een bloembed met witte petunia's die de naam *katumi* vormden. Op het industrieterrein waren behalve fabrieken ook groothandels in graniet, steen, hout en marmer gevestigd. Decker, die er regelmatig kwam om te profiteren van de groothandelsprijzen wanneer hij aan een of andere klus werkte, vond dat het terrein er alweer lelijker uitzag dan de vorige keer dat hij hier was. Vandaag hing er ook nog een laag wolkendek en de vochtige, grauwe lucht rook naar regen. Mede door het ontbreken van bomen kreeg hij het gevoel dat hij zich op een oud, verwaarloosd legerterrein bevond.

Bij Katumi nam men hem mee naar de derde etage, waar hij werd voorgesteld aan Brian Alderweiss, een in een witte jas gestoken technicus van begin dertig die de onbetwiste leider van de afdeling Rapid Prototyping was. Het massieve apparaat stond in het midden van een grote zaal; langs de wanden stonden een heleboel computers, monitors en minder herkenbare apparaten opgesteld. Brian en zijn assistenten moesten eerst de CT-foto's in de computer laden, wat vrij veel tijd kostte, en ze vervolgens afstellen op de laserarm van de machine. Tijdens het werk legde hij uit wat hij aan het doen was. 'De belangrijkste data die we aan de laserstraal moeten doorgeven, betreffen het deel van de foto dat moet worden uitgesneden. Als je daarbij een fout maakt, krijg je niet het gewenste model.'

'Haast u zich vooral niet,' zei Decker goedig. Uren later waren de technici nog steeds aan het kalibreren en kreeg Decker spijt van zijn woorden, al kon hij bitter weinig doen. Bovendien was híj hier niet belangrijk. Het ging erom dat vooralsnog anonieme ouders de gelegenheid zouden krijgen hun dochter te begraven.

Toen de machine uiteindelijk in werking werd gezet, voerde een precisielaserstraal de opdracht uit die de computer hem gaf en werden flinterdunne plaatjes hout uitgesneden en als velletjes papier opgestapeld.

Alderweiss zei: 'De machines in onze fabriek ontvangen virtuele ontwerpen uit onze computers en maken dan dwarsdoorsneden van de computerbeelden. Bij ons gebruiken we deze technologie voor alles wat te maken heeft met nieuwe of erg grote ontwerpaanpassingen die invloed hebben op mechanische onderdelen onder de motorkap, zoals motorblokken en accu's. Het helpt enorm als je een tastbaar model hebt om uit te proberen of het past in de ruimte die ervoor is ontworpen.'

'De technologie is dus eigenlijk een CT-scanner voor machines,' zei Decker.

De technicus dacht nogal lang na over Deckers terloopse opmerking. 'In zekere zin is dat zo, maar we verleggen de grenzen van de technologie voortdurend. Van de virtuele dwarsdoorsneden maken we met computergestuurde ontwerpsoftware weer een tastbaar voorwerp. En dankzij de precisietechnologie die we nu tot onze beschikking hebben, maken we niet alleen modellen, maar kunnen we ook kleine auto-onderdelen vervaardigen van een bijzonder hoog precisieniveau.'

Hollander mengde zich in het gesprek: 'Wie had ooit kunnen denken dat we al die nieuwerwetse robottechnologie nog eens zouden gebruiken om moorden op te lossen.'

'Ja, het is onvoorstelbaar.' Alderweiss praatte graag over zijn apparaat. 'Ik werk pas vijf jaar met Rapid Prototyping en heb ontwikkelingen in de technologie meegemaakt die ik nooit voor mogelijk had gehouden. Bijvoorbeeld, vroeger werd een model gemaakt door allemaal laagjes van een vloeibare of poederachtige substantie op elkaar te leggen. Op die manier konden we vrijwel iedere vorm creëren, maar met het negatieve volume, al het spul dat binnen de perimeter van zo'n model zit, konden we niets. Tegenwoordig kunnen we zelfs motoronderdelen maken, zowel de binnen- als de buitenkant, door middel van specifieke computerbevelen. De mogelijkheden zijn ongelimiteerd.'

Decker knikte, al begreep hij niet precies waar Alderweiss het over had. Dat de man van zijn werk hield, was duidelijk. Zijn wijd uit elkaar staande, lichtbruine ogen flonkerden iedere keer dat hij iets vertelde. Decker had inmiddels wél begrepen dat het woord 'rapid' in Rapid Prototyping niet veel zei, want erg snel ging het niet. Voor een voorwerp ter grootte van een menselijke schedel moest de machine vele tientallen laagjes flinterdun hout laseren en opstapelen. De klus zou nog vele uren in beslag nemen, en daarna moesten alle uitgesneden omtrekken worden samengeperst tot er een nauwkeurige replica was ontstaan van de schedel van Jane Doe.

'Denk u eens in wat een machine met een dergelijke resolutie voor u zou kunnen doen,' zei Alderweiss.

'Waarschijnlijk heel veel,' zei Decker die zijn best deed net zo veel geestdrift op te brengen.

'Neem bijvoorbeeld meswonden. Iemand zou een CT-scan van de snee kunnen maken en onze lasermachine zou dan beeld voor beeld de vorm ervan kunnen nabootsen. Uiteindelijk zou u een replica van het mes krijgen met alle eventuele oneffenheden.'

'Maar vlees is geen bot,' wierp Decker tegen. 'De wond trekt dicht zodra het mes eruit wordt getrokken, dus zouden de dimensies niet kloppen.'

Daar zei Alderweiss niets op.

'Maar er zijn inderdaad eindeloos veel toepassingen denkbaar,' voegde Decker eraan toe.

De technicus knikte maar beperkte zijn conversatie met Decker hierna tot een minimum. Hollander daarentegen kon het goed vinden met Alderweiss en ze babbelden samen enthousiast over de wonderbaarlijke versmelting van de wetenschap en de techniek.

Het was inmiddels al zes uur en zo te zien zou het een lange avond worden. De machtige laserstraal had er een paar uur voor nodig gehad om slechts een kwart van de schedel te produceren, wat inhield dat het uiteindelijke prototype pas tegen de ochtend klaar zou zijn. Decker verveelde zich stierlijk maar was bereid erop te wachten om de rechter later te kunnen verzekeren dat de forensische bewijsketen niet was onderbroken. Wat hem echter erg dwarszat, was dat hij Cindy en Koby in de steek had gelaten. Hij had beloofd vandaag te komen helpen met de verbouwing. En alsof hij zich daarover nog niet schuldig genoeg voelde, had hij die belofte moeten breken nadat Koby zo veel moeite voor hem had gedaan en een deel van zijn vrije tijd had opgeofferd om Decker aan de CT-scanner te helpen.

Hij rekte zich een beetje overdreven uit. 'Als jullie me niet nodig hebben, ga ik even mijn benen strekken... ik word stijf van het zitten.'

'We zijn voorlopig nog wel even bezig,' antwoordde Alderweiss.

Hollander zei: 'Ik begin trek te krijgen. Wil jij iets eten, Brian?'

'Als het bezorgd kan worden.'

'Waar ik vandaan kom, is pizza vaste prik.'

'Prima. Ik bel wel even. Wat voor soort willen jullie?'

'Maakt me niet uit.' Hollander vroeg aan Decker: 'Jij, Deck?'

'Misschien straks.'

'Als je plannen had voor het avondeten, moet je gewoon gaan, hoor. Ik blijf sowieso hier. Je weet dat ik niet bij machines ben weg te slaan.'

'Bedankt, Mike, als je het echt niet erg vindt...' Decker excuseerde zich en verliet het gebouw. De zon ging net onder. Hij draaide Cindy's nummer. Ze nam op toen de telefoon drie keer was overgegaan. 'Hoe gaat het?' vroeg hij.

'Nou... laat ik het zo zeggen. Er zit op het moment een groot gat in de achtermuur. Je kunt dus wel zeggen dat er gewerkt wordt.'

'Ik vind het zo ellendig dat ik niet...'

'Pap, je vergeet dat ik zelf ook bij de politie zit. Ik heb er alle begrip voor en vind het helemaal niet erg. Je móét dit gewoon doen – de replica van die schedel laten maken – want die moord zal niet worden opgelost tenzij je Jane Doe een gezicht geeft, en ik weet hoe onopgeloste zaken aan je vreten. Ik vergeef het je in het algemeen belang van de maatschappij.'

'Dat is heel lief van je, maar ik vind het óók niet leuk dat ik Mike bij jullie heb weggehouden.'

'Ach, hoe meer werk zich hier opstapelt, hoe eerder Koby zal toegeven dat we hulp van buitenaf nodig hebben. Op dit moment dreigt een enorme stapel gipsplaten zijn geliefde rozentuin te verpletteren. Ik geloof dat hij eindelijk begint in te zien dat we dit niet eigenhandig kunnen opknappen, hoe graag hij ook met een spijkerpistool in de weer is.'

'Toch wil ik graag iets goedmaken,' zei Decker. 'Hebben jullie al plannen voor het avondeten?'

'Nog niet,' zei Cindy. 'We zijn nog te druk met het afdekken van het grote gat in de muur met een nog grotere lap zeildoek.'

'Rina is naar haar ouders. Ik moet hier blijven tot de schedel klaar is, maar ik hoef er niet van minuut tot minuut bij te zijn, want Hollander houdt de wacht. Ik kan niet al te ver weggaan, maar als jullie deze kant op kunnen komen, trakteer ik jullie op een etentje.'

'Waar ben je?'

'In de buurt van Rosco en Sepulveda.'

'Daar kun je niks te eten krijgen.'

'Dat is waar, tenzij je trek hebt in marmer of baksteen. Maar als jullie bereid zijn naar de Valley te rijden, kunnen we iets verder naar het zuiden vast wel iets vinden.'

'Eerlijk gezegd blijf ik liever thuis, pap. Ik moet nog zo veel rommel opruimen. Kunnen we het een andere keer doen?'

Decker liet niets van zijn teleurstelling merken. 'Natuurlijk, meisje.'

'Hoe vordert het werk aan de schedel?'

'Traag, maar zoals je al zei is dit de beste kans om te weten te komen wie Jane Doe is. Het is een indrukwekkende technologie, zelfs voor zo'n digibeet als ik.'

'Jammer dat ik niet even kan komen kijken. Het klinkt fascinerend. Laat je er straks door een forensisch kunstenaar een gezicht op boetseren?'

'Uiteraard.'

'Ik ben benieuwd hoe goed de gelijkenis zal zijn.'

'Ik ook. Bedank Koby nogmaals voor zijn hulp.'

'Bel hem zelf even, als je wilt. Hij staat op dit moment op mijn straflijstje, want ik weet wel wat ik liever deed dan de muur van mijn keuken aan diggelen slaan. Aan de andere kant is het wel zo dat hij en Mike Hollander uitstekend met elkaar overweg kunnen. Ik geloof dat Mike een vaderfiguur voor hem aan het worden is. Dat was een schot in de roos, pap. Bedankt.'

Decker glimlachte. 'Ik doe wel eens íets goed.'

'Soms,' gaf Cindy toe. 'Maar ga nou niet naast je schoenen lopen van verwaandheid!'

27

Lauren Decanter liet de draaischijf met de van geperst papier gemaakte schedel langzaam in het rond draaien en bestudeerde Jane Doe centimeter voor centimeter. 'Fantastisch!' Ze keek Decker vol ontzag aan. 'Dit is precies wat we nodig hebben. Je kunt alle noodzakelijke anatomische ijkpunten heel duidelijk zien.'

'Een wonder van de moderne technologie,' antwoordde Decker. 'Hoewel dit meisje niet met moderne technologie om het leven is gebracht.'

Lauren streek over het schedeldak. 'Een ouderwetse klap op haar hoofd.' Ze keek weer naar Decker. 'Wat kunt u me over dit geval vertellen, inspecteur?'

'Daar heb ik onderweg over zitten denken. Ik zal je vertellen wat we weten: De patholoog-anatoom en de forensisch orthodontist zijn beiden van mening dat het gaat om een vrouw van begin twintig; dat kunnen ze zien aan de conditie van de tanden en kiezen die nog in de boven- en onderkaak zitten. Ook weten we dat ze in of na 1974 is gestorven, omdat ze een tourjack van een popgroep uit 1974 droeg.'

'Welke popgroep?'

'Priscilla and the Major.'

Lauren dacht na. 'Nooit van gehoord.'

'Het was een duo. De Major was een echte majoor uit het leger die volgens mij in Vietnam had gevochten, maar Priscilla was de ster voor wie het publiek kwam. Zij schreef en zong de liedjes. Hun stijl was een beetje zoetig, een uitloper uit een eerder tijdperk, dat was verdrongen door hardrock en de psychedelische muziek die toen in zwang was.'

'Oké.' Ze begon aantekeningen te maken. 'Priscilla and the Major. Ik neem aan dat het duo een nogal conservatief publiek had als de man in het leger had gezeten.'

'Het leger was toen inderdaad niet populair, en hun publiek was inderdaad wat aan de conservatieve kant. Toch hadden ze hits in de Top 40. Alle belangrijke radiostations lieten hun nummers horen en ze hadden aardig wat fans. Als ik hen met een soortgelijke groep uit die tijd zou moeten vergelijken, zou het de Carpenters zijn. Ken je die?'

'Hij speelde piano, zij was de drummer. Is ze niet gestorven aan anorexia?'

'Ja, maar in die tijd had niemand in de gaten dat ze met problemen kampte. Ze werden beschouwd als de nette tegenhangers van de langharige, rusteloze jeugd. Nixon heeft hen op het Witte Huis ontvangen. Als ik me goed herinner zijn Priscilla and the Major ook een keer bij de president geweest. Priscilla leeft trouwens nog. Ze woont in Porter Ranch, mocht je met haar willen praten. Ze is dol op roze.'

'Een erg vrouwelijke kleur. Een fan van Priscilla zal dus vrij conservatief zijn geweest, maar niet extreem conservatief als ze naar de Top 40 luisterde.'

'Mijn idee.'

Lauren maakte weer wat notities. 'En omdat ze een tourjack droeg en een fan was van een duo dat smartlappen zong, denkt u dat Jane Doe niet een tippelaarster of een aan lager wal geraakt hoertje was?'

'Waarom vraag je dat?'

'Vanwege de klap op haar hoofd. Die lijkt mij impulsief en niet gepland. Iets wat een klant van een hoer zou doen, of een dronken vent als een tippelaarster nee zei.'

'Ik ben het met je eens dat er nauw en persoonlijk contact moet zijn geweest, maar ik dacht eigenlijk aan de partner van de vrouw – haar vriend of echtgenoot. Ik heb het idee dat het meisje, als ze inderdaad begin twintig was, misschien een beetje naïef was voor haar leeftijd.'

'Waarom denkt u dat?'

'Op de plek waar het lijk is gevonden, lag een stemmingsring. Weet je wat dat is?'

'Nee.'

'Een stemmingsring heeft een steen die reageert op je gemoedsstemming en daardoor van kleur verandert. Als hij rood is of een andere warme tint heeft, ben je gelukkig, en als hij blauw is of een andere koude tint heeft, ben je ongelukkig. De steen reageert uiteraard op de temperatuur van je huid.'

'Toen u die ring vond, was de steen dus blauw?'

'Bijna zwart.' Decker schudde zijn hoofd. 'Hij moet heel lang zwart zijn geweest. Maar waar het om gaat, is dat stemmingsringen populair waren onder tienermeisjes. Vandaar mijn redenering dat onze Jane Doe een beetje naïef moet zijn geweest. Iemand die droomde over *love* en *peace* en hogere sferen.' Hij zweeg even. 'Soms worden dergelijke jonge vrouwen ingepalmd door een verkeerd soort mannen.'

'Ik begrijp wat u bedoelt,' zei Lauren. 'Gaat u ook met de forensische computertekenaar praten?'

'Als hij dat wil. Ik ben benieuwd in welke mate de interpretaties van het gezicht overeenkomen.'

'Meestal zitten we vrij dicht bij elkaar.' Ze glimlachte. 'U hebt me al iets op weg geholpen. Bedankt voor uw overpeinzingen.'

'Wanneer kun je me iets laten zien, denk je?'

Lauren zette haar laptop aan. 'Ik wil eerst wat onderzoek doen naar dat tijdperk.'

'Wat voor soort onderzoek? Misschien kan ik je daarbij ook helpen?'

'U hebt al voldoende geholpen. Nu heb ik visuele informatie nodig, omdat het herscheppen van een gezicht een visuele bezigheid is. Ik ga Priscilla and the Major opzoeken... ik wil zien wat voor soort fans ze hadden en of er foto's van die fans bestaan. Ik wil ook oude artikelen en modetijdschriften lezen. Voor deze zaak heb ik waarschijnlijk meer aan *Seventeen* dan aan *Ladies' Homes Journal* of *Vogue*.'

'Ze lijkt me inderdaad niet iemand die *Vogue* las.'

'Maar haar moeder misschien wel. Wanneer ik bladen uit die tijd bekijk, komt de hele periode voor me tot leven.' Ze bekeek Decker aandachtig. 'U hebt ook in Vietnam gevochten, hè?'

'Ja. Net als veel politiemannen van mijn leeftijd.'

Ze bleef naar hem kijken. 'Maar uw gezicht heeft iets... u hebt beslist een wilde periode gekend in uw leven.'

'Dat zie je zeker aan mijn rimpels.' Decker hield een wrange glimlach tegen. 'Het was juist vrij tam en het is al lang geleden.'

'En u was thuis het oudste kind.'

Decker knikte. 'Maar ook dat hoeft niemand te verbazen. De oudste houdt ervan om de baas te spelen en de politieacademie past helemaal in die oerbehoefte.'

Lauren bestudeerde hem nog steeds. 'Op dit moment gaat er een speelse gedachte door u heen. Uw ogen plagen me een beetje zonder met me te flirten. Ik wil wedden dat u dochters hebt.'

'Ik heb dochters en zonen.' Hij zweeg even. 'Stiefzonen, maar je kunt ze als mijn eigen zonen beschouwen. Ze hebben alleen mij als vader gekend sinds ze zes en acht waren en ze zijn nu midden twintig.'

'Maar de meisjes zijn uw biologische dochters?'

'Ja.'

'Hmm... u maakt de indruk dat u nog met jonge kinderen te maken hebt.'

Decker lachte. 'Goed dan, ik zal het maar opbiechten. Mijn oudste dochter is bijna dertig, maar mijn jongste dochter is pas veertien.'

'Aha!' zei Lauren triomfantelijk. 'Ik wist het! Ik heb een neus voor deze dingen. Als ik een reconstructie maak, is het net alsof de persoon met me praat en mijn vingers in de juiste richting stuurt. Het is te vergelijken met een zesde zintuig.'

'Geldt dat ook voor jou en de aandelenmarkt?'

'Nee, inspecteur, helaas ben ik erg slecht met cijfers.'

Decker dacht dat hij er vroeg bij was toen hij de volgende ochtend om negen uur in de Crypte aankwam. Lauren zat echter al op haar plek, verdiept in de jaren zeventig – foto's, artikelen uit *Time* en *Newsweek*, opengeslagen exemplaren van *Fashion Weekly, Seventeen* en *Vogue*, wat kledingstukken uit die tijd. Ze was nog steeds bezig de schedel te bestuderen, maar had de ijkpunten al aangegeven met pinnetjes. Links van haar lagen langwerpige blokken rozerode klei. Haar boetseerinstrumenten lagen netjes uitgestald aan haar rechterhand. Een cd van Priscilla and the Major speelde zachtjes.

'Ik wou dat ik een grammofoonplaat met hun muziek kon beluisteren,' zei ze tegen Decker. 'Dan zou ik echt helemaal in de juiste sfeer komen.'

Ze droeg een wit koksschort over haar spijkerbroek en zwarte topje. Haar kastanjebruine haar was tot een staart gebonden en ze had zich niet opgemaakt. Toen ze het eerste reepje klei op de schedel aanbracht, zei Decker bijna 'Halleluja!'

'Bent u van plan hier de hele dag te blijven?' vroeg Lauren.

'Word je er zenuwachtig van als ik toekijk?'

'Nee,' antwoordde Lauren, 'maar door u verandert de energie in de kamer. Dit is een instinctief procedé. De schedel praat tegen me en zal misschien niet zeggen wat ze zou willen zolang u erbij bent.'

'O...' Decker zweeg even en vroeg toen: 'Zal ik dan straks maar terugkomen?'

'Zij en ik zullen tegen het eind van de dag uitgepraat zijn. Het beste zou zijn als u dan een kijkje komt nemen.'

Hij keek op zijn horloge. Het was tien voor half tien. 'Om een uur of drie?'

'Dat is goed.'

Om tien voor half vier was ze aardig opgeschoten, maar het hoofd was nog lang niet klaar. Het gezicht had vorm gekregen, maar de gelaatstrekken waren nog vaag, alsof hij er met bijziende ogen naar keek. De tafel lag vol kleikruimels. Ze deed een stap achteruit en bewoog haar schouders. Ze strengelde haar met klei besmeurde vingers ineen, strekte haar armen en rekte zich uit. 'Ik ben blij dat u er bent. Ik raak bij dit werk vaak helemaal verkrampt.'

'Mag ik je een kop koffie aanbieden?'

'Eerlijk gezegd heb ik helemaal vergeten te eten tussen de middag.' Ze liep naar de diepe gootsteen en begon haar handen te wassen. Het duurde even voordat ze alle klei van haar vingers en onder haar nagels vandaan had. Toen haar handen schoon waren, pakte ze een bruin papieren zakje en haalde er een dubbele witte boterham belegd met sla en worst uit. 'Jee, wat heb ik opeens een honger.'

'Wil je er iets bij drinken?'

'Nee, dank u, ik heb zelf iets meegebracht.' Ze haalde een blikje cola en een zakje chips uit haar tas.

Decker zei: 'U bent de enige vrouw die ik ken die geen cola light drinkt.'

Ze nam nog een hap van haar brood, scheurde het zakje chips open en haalde er met een precies gebaar ééntje uit. 'Voedsel interesseert me niet erg. Ik ben geen fijnproever. Iedereen zegt dat ik de smaak heb van een kind van tien.' Ze maakte het blikje open en dronk door een rietje. 'En daar hebben ze waarschijnlijk gelijk in.'

'Aan die boterham mankeert anders niks.'

'Wilt u de helft?'

'Nee, nee.' Decker glimlachte. 'Dank je.'

'Ik ben dan wel geen fijnproever, maar God heeft dat gecompenseerd door me een goed visueel inzicht te geven. Dit werk is eigenlijk een roeping.' Ze nam weer een chipje uit de zak. 'Het is niet voldoende dat je artistiek bent. Je moet ook een goede tastzin hebben, want zodra je voelt hoe het gezicht vorm begint te krijgen, moet je je erdoor laten leiden, en niet andersom.' Ze at de rest van haar brood en nog een paar chips. Ze veegde met een servet haar mond en handen schoon en klopte op haar maag. 'Dat is beter. Nu kan ik weer verder.'

'Hoeveel tijd heb je nog nodig?'

'Dat weet ik niet precies. Kom tegen het eind van de middag maar terug. Dan kan ik u misschien iets meer laten zien.'

'Om een uur of zes?'

Ze pakte een scalpel. 'Ja, dat is prima.'

Om tien over zes was Jane tevoorschijn gekomen uit de voorheen nog vage klei. Ze had een brede neus, een spitse kin, een brede mond, hoge jukbeenderen en een wat naar voren staand voorhoofd. Laura vroeg, zonder haar blik van de buste af te wenden: 'Wat vindt u ervan?'

'Ik vind dit fantastisch.'

'Dank u. Hebt u tijd voor een praatje?'

'Ja zeker.' Hij ging naast haar zitten. 'Zeg het eens.'

'Ik ben in gesprek met haar, maar we zijn nog niet tot een conclusie gekomen. Misschien kunnen we wat brainstormen.'

'Als je denkt dat je daar iets aan hebt.'

'Om te beginnen heeft Jane een breed voorhoofd en hoge jukbeenderen. Ik denk dat ze van Latijns-Amerikaanse of indiaanse afkomst is. Of misschien zelfs een Eskimo.'

'Interessant. De patholoog-anatoom dacht namelijk ook dat ze mogelijk van Latijns-Amerikaanse afkomst is.'

'Ja, dat zou heel goed kunnen. Punt twee: in de jaren zeventig waren er niet zo veel anorectische vrouwen als nu. Mede omdat ze nog zo jong was, heb ik haar wangen iets aangedikt. Kunt u zich daarin vinden?'

'Ja.'

'Mooi.' Lauren glimlachte. 'Volgende punt. U denkt dat ze in de jaren zeventig is vermoord.'

'In of na 1974. Vanwege het jack.'

'Ik heb er het een en ander over opgezocht. In die tijd was de disco erg in zwang. Ik heb naar wat nummers van Barry White en Donna

Summer geluisterd. Priscilla and the Major vielen niet onder disco, hè?'

Decker lachte. 'Nee. Bij disco moet je denken aan John Travolta in *Saturday Night Fever*.'

Lauren knikte, maar je kon zien dat het haar niets zei.

'Wit pak, geföhnd haar, grote glitterbal boven de dansvloer.'

'Dat klinkt als een bar mitswa.'

'Eh... een beetje. Disco was toen de ultieme dansmuziek. Priscilla and the Major speelde soft rock.'

'Ja, en dat brengt het kapsel terug van iets extreems naar iets algemeens. Ik heb tienerbladen uit die tijd bekeken. De tv-serie *Charlie's Angels* was erg populair.'

'Klopt.'

'Als u zegt dat de jonge vrouw een beetje naïef was en met de mode meedeed, dan zou ik de kapsels van de drie sterren van die serie zeker in overweging nemen. En dan hebben we te maken met drie heel verschillende stijlen: Jaclyn Smith had het klassieke lange, bruine, golvende haar; Kate Jackson had een donker, recht kapsel met een middenscheiding en een wegvallende pony, wat haar het zelfverzekerde uiterlijk van een rijk meisje gaf. En Farrah Fawcett-Majors... tja, ik weet niet hoe je haar kapsel moet noemen. Ze had een enorme bos golvend haar, geföhnd tot losse krullen, die alle kanten uit stonden. Iets wat meisjes thuis nooit zelf voor elkaar konden krijgen, denk ik.'

Decker glimlachte. 'Ik vlieg pardoes terug in de tijd. Dat kapsel van Farrah Fawcett-Majors was een enorme rage. Er waren toen heel veel meisjes met van die wapperende krullen.'

'Net zo'n rage zeker als het laagjeskapsel van Jennifer Aniston een paar jaar geleden.' Lauren dacht na. 'Als het een bedeesd meisje van Latijns-Amerikaanse afkomst is, zie ik haar niet met de blonde lokken en blauwe ogen van Farrah Fawcett-Majors. Dan had ze eerder het lange, golvende, bruine haar van Jaclyn Smith.'

'Geloof me, alle meisjes probeerden er toen uit te zien als Farrah Fawcett-Majors, ongeacht wat voor kleur haar en ogen ze hadden. Farrah was dé ster van de show.'

'Dan weet ik het goed gemaakt,' zei Lauren. 'Ik kan alle drie de stijlen van Charlie's Angels op Jane uitproberen – de blonde Farrah met de geföhnde krullen, het stijle haar van Kate Jackson en de bruine golven van Smith. Als we foto's nemen van Jane met drie verschillende kapsels, hebben we meer kans om erachter te komen wie ze was.'

'Goed idee. Je kunt ook de kleur van het haar en de ogen aanpassen. Ze had misschien van zichzelf bruin haar, maar je kunt blond ook uit een potje halen.'

'Goed. Als we Farrah Fawcett doen, geven we Jane vrij blond haar en blauwe ogen. Voor Jaclyn nemen we donkerblauwe ogen en donker haar. Kate krijgt bruine ogen en bruin haar. Nog één ding, inspecteur. We kunnen er ook een paar foto's bij doen waarop Jane een bril draagt. Contactlenzen waren toen erg duur. Ik weet dat grote monturen toen in de mode waren, maar ik denk dat die niet bij haar gezicht pasten. Ik zie haar eerder met een rond, metalen brilletje.'

'Goed, hoor. Doe maar.'

Lauren pakte een doos pastelstiften en begon te schetsen. Twintig minuten later had ze een tekening klaar van een jonge vrouw met donkere ogen en donker haar dat uitwaaierde als dat van Farrah Fawcett. Een ovaal gezicht met een breed voorhoofd; een metalen brilletje op de brug van haar neus. Haar lippen waren van haar tanden weggetrokken in een brede lach. Maar het waren vooral haar ogen waar Decker vol verwondering naar keek; niet de kleur, maar de uitdrukking ervan. Het waren de ogen van iemand die altijd vrolijk was, iemand die zich niet kon voorstellen dat er ooit nare dingen zouden gebeuren.

De forensisch kunstenares bekeek het resultaat van haar werk. 'Ik zal proberen deze blik over te brengen op het geboetseerde model.'

'Hoe lang gaat dat duren?'

'Zeker een halve dag. Ik wil er graag een nachtje over slapen. Als u nou eens morgenmiddag terugkwam.'

'Uitstekend. Maar laat me nog even alles samenvatten, om te zien of ik het goed heb begrepen. Je gaat diverse stijlen op Jane uitproberen... pruiken van de kapsels van de jaren zeventig, bruine en blauwe ogen, blond en donker haar, verschillende soorten brillen en ook voorbeelden zonder bril, en steeds zal ze het roze jack en de stemmingsring dragen. Hopelijk brengt een van de foto's dan iemand dertig jaar terug in de tijd.'

Lauren knikte. 'De bedoeling is dat iemand zal uitroepen: "Hé, die ken ik!"'

'Precies,' zei Decker. 'Iemand die Jane haar naam zal teruggeven.'

28

'Ze heeft een gezicht.' Marge spreidde de foto's uit op haar bureau en sorteerde ze op kapsel. 'Meerdere gezichten zelfs.'

'Nee, hetzelfde gezicht, maar met steeds een andere aankleding.' Decker stond achter Marge en keek mee over haar schouder. Zijn jasje hing open en hij droeg zijn pistoolgordel, maar was niet gewapend. Hij stak zijn pistool meestal niet bij zich wanneer hij kantoorwerk deed. 'Lauren heeft schitterend werk geleverd.'

Marge liet haar blik heen en weer gaan tussen Laurens interpretatie van de schedelbotten en het via de computer vervaardigde gezicht. 'Ik vind het verbazingwekkend dat de twee gezichten bijna eender zijn.'

'Ik geloof dat ze met wederzijdse instemming tot het eindproduct zijn gekomen,' zei Decker.

'En zo gedetailleerd. Eén ding is zeker: Roseanne Dresden is het niet.' Marge pakte een van de foto's waarop Jane het donkere, halflange, steile haar van Kate Jackson en bruine ogen had en een metalen bril droeg. 'Nu moeten we al deze foto's gaan vergelijken met die van de jonge vrouwen op onze lijst die dertig jaar geleden spoorloos zijn verdwenen. Een hoop werk, vooral omdat we niet weten in welk jaar precies dit meisje is verdwenen.'

'Maar nu hebben we tenminste iets in handen. Onze rechercheurs hebben ieder al een set van deze foto's gekregen. Ik ga ervoor zorgen dat iedere agent in de stad ze krijgt, want ook bij routineonderzoeken kun je zomaar ergens tegenaan lopen.'

Marge zei: 'Bontemps en Wang hebben oorspronkelijk aan de vermiste personen gewerkt. Als ze niet de deur uit zijn wegens een andere zaak, kan ik hun opdracht geven dit weer op te pakken. Nu kunnen ze de vermiste vrouwen uit de dossiers tenminste vergelijken met deze foto's.'

'Heel goed,' zei Decker. 'Maak ook gebruik van aanplakbiljetten. Zeg tegen Oliver dat hij van de foto's raambiljetten moet laten maken met de vraag 'Kent u deze vrouw'?'

'Hoeveel?'

'Zoveel als het budget toestaat. Ik wil deze zaak bekendheid geven. Met wie heb je indertijd gesproken bij de *Times*?'

'Ene Rusty. Hij zit in het dossier.'

'Bel hem en zeg dat je hem moet spreken. Probeer het voor elkaar te krijgen dat ze een artikel schrijven over Jane. Vertel hem dat de politie naar een bepaalde vrouw op zoek was en een heel andere vrouw heeft gevonden. Overtuig hem ervan dat het een mooi human-intereststukje is voor op de voorpagina. Gooi al je charmes in de strijd en overmeester de arme, nietsvermoedende jongen.'

Marge lachte. 'In dit geval hoef ik geen charmes in de strijd te gooien. Ze hebben nog iets goed te maken omdat ze Roseanne Dresden in de slachtofferlijst hadden opgenomen zonder dat te checken. Als ik de krant aan die blunder herinner, zal de redactie maar al te graag meewerken met de politie.'

Ze spraken af in een van de vele Starbucks ten westen van het centrum van L.A., op nog geen vijftien minuten lopen van de wolkenkrabbers en de krant. Marge was er veel te vroeg en had een brouwsel voor zich staan dat hete melk, chocola, slagroom en een snufje pepermunt bevatte. Je kon het nauwelijks koffie noemen, maar het was zoet, heet en schuimig, en ze vond dat ze af en toe best een aanslag mocht plegen op haar portemonnee en haar lijn.

Ze droeg een lichtgewicht, donkerblauw pak met een roomkleurig hemdje eronder en eenvoudige zwarte schoenen. Haar haar was nu lang genoeg voor een paardenstaart, maar ze droeg het liever los. Ze had wat rouge opgedaan en eyeliner aangebracht. In haar oren droeg ze eenvoudige paarlen oorknopjes. Ze kon zó op een poster voor een willekeurig bedrijf – als bankemployee, aankomend juriste, boekhoudster of verzekeringsagente: kantoorbanen die duur klonken maar slecht betaald werden.

Vanaf haar tafel had ze vrij zicht op de ingang van het café en toen Rusty binnenkwam, wierp ze een blik op haar horloge. Hij was vijf minuten te vroeg; deze jongen zou het nog ver schoppen. Ze stond op en zwaaide. Rusty Delgado zwaaide terug. Hij was gekleed in een kakikleurige broek, een blauw chambray overhemd en een colbert dat hem niet goed zat omdat het te lang was voor zijn gedrongen gestalte. Ze gaven elkaar een hand en ze overhandigde hem een briefje van vijf dollar. 'Geen smeergeld, alleen een vriendschappelijk gebaar zodat je een kopje vergif kunt gaan bestellen.'

'Ik dacht dat koffie goed voor je was zolang je het met mate dronk.'

'Niet de koffie is de boosdoener, maar alle andere dingen die erin gaan.'

Delgado lachte. 'Ik ben zo terug.'

Marge ging weer zitten. Ze wist dat Tricia Woodard nog steeds Delgado's baas was, maar aangezien Tricia niet de moeite had genomen haar terug te bellen over de lijst van WestAir, had Marge er geen behoefte aan met haar te praten. Delgado, daarentegen, was behulpzaam geweest. Je kon soms beter praten met een onderschikte die je kende, dan met een baas die je nog nooit had ontmoet. Delgado kwam terug met een grote, dampende mok, ging zitten en keek haar aan met een gretige blik in zijn blauwe ogen.

Ze zei: 'Ik heb een mooi verhaal om voor te leggen aan je baas.'

'Fraude bij WestAir?'

'Fraude of nog iets beters. Moord.'

'De vermiste stewardess?' Rusty pakte meteen zijn blocnote, maar Marge legde haar hand erop.

'Wacht even. Straks kun je aantekeningen maken. Om te beginnen ben ik geen verzekeringsagent.'

'U bent een undercoveragent.'

'Nee, ik ben rechercheur, daarom ben ik niet in uniform, en ik werk op de afdeling Moordzaken. Aanvankelijk zochten we naar bevestiging dat Roseanne Dresden was omgekomen bij de ramp met vlucht 1324, maar algauw kregen we te maken met allerlei verwikkelingen. Op de plek waar het toestel is neergestort is een ander lijk gevonden.' Ze gaf hem een zo beknopt mogelijke samenvatting.

Tegen het einde van het verhaal haalde ze de foto's van Jane Doe uit haar tas en spreidde ze op de tafel uit, zodat Delgado ze kon bekijken.

'Dit is het gezicht dat de forensisch kunstenaar aan het onbekende lijk heeft gegeven dat dertig jaar onder het flatgebouw heeft liggen rotten. Vraag niet hoeveel moeite het heeft gekost om een kopie van de schedel te laten maken, wat nodig was omdat de echte schedel in een veel te kwetsbare staat verkeert. Hoe we erin zijn geslaagd een replica te maken die voor forensische doeleinden gebruikt kan worden, is op zich al een artikel waard.'

'Waarom denkt u dat die vrouw al dertig jaar dood is?'

'Omdat we weten wanneer het jack is gemaakt dat ze aanhad.' Marge wees naar een foto. 'Dit is de Farrah Fawcett-look. Zoals je ziet, hebben we ook andere stijlen.'

'Op oude foto's hadden tantes van mij hun haar precies zo. Interessant, hè, dat een blanke vrouw zelfs binnen de Latijns-Amerikaanse gemeenschap zo veel invloed had op het modebeeld?'

'Roem is macht.' Marge nam een teug van haar koffie. 'Rusty, iemand heeft een moord gepleegd en is daarvoor niet gestraft. Je snapt dat we de moordenaar graag alsnog willen pakken. Daarvoor hebben we de hulp van het publiek nodig en jij bent de aangewezen persoon om aan deze zaak bekendheid te geven.'

'En hoe zit het met de stewardess?'

'Roseanne Dresden wordt nog steeds vermist.'

'En weet u zeker dat deze vrouw Roseanne niet kan zijn?'

'Ja. Het gezicht dat de forensisch antropoloog haar heeft gegeven, lijkt in geen enkel opzicht op dat van Roseanne Dresden. Bovendien kloppen de gebitsgegevens niet.' Ze leunde naar voren en keek Delgado ernstig aan. 'Jullie hebben een lelijke fout gemaakt door Roseanne Dresden op de slachtofferlijst te zetten. Niet jij. Je baas.'

'Maar u bent er nog steeds niet voor honderd procent zeker van dat Roseanne niet bij die ramp is omgekomen.'

'Nee, niet voor honderd procent. Maar hoe meer dagen er verstrijken zonder dat we Roseanne vinden, hoe meer het erop gaat lijken dat ze is vermoord. En omdat haar naam in de krant stond, hebben we aanvankelijk helemaal geen aandacht aan haar besteed, terwijl we meteen naar haar hadden kunnen gaan zoeken.'

Delgado zweeg.

'Dit heeft niets met jou te maken. Jij bent behulpzaam geweest, Rusty, en dat stel ik zeer op prijs. Daarom heb ik jou gebeld. Jou, Rusty, en niet je baas.'

'Ik vind het uiteraard heel fijn dat u zo veel vertrouwen in me hebt.' Hij keek bezorgd. 'Maar... ik moet het ofwel aan mijn baas vertellen, of iets achter haar rug om doen. Ik zit dus nogal moeilijk.'

'Regel dat zoals je goeddunkt. Iedereen draagt zijn eigen kruis. Dit is een geweldig verhaal, Rusty.' Marge bewoog haar hand langzaam door de lucht terwijl ze een denkbeeldige krantenkop voorlas. '"Speurtocht naar vermiste stewardess leidt rechercheurs naar dertig jaar oude moordzaak". Een zaak met alle verwikkelingen, kronkelingen, pathos en mysterie die je je kunt wensen. Het enige wat we willen, is dat jullie deze foto's afdrukken en de hulp van de lezers inroepen om de vrouw te identificeren.'

'De moord is dertig jaar geleden gepleegd. De dader is misschien al dood.'

'Ik denk eerder dat hij in de vijftig is en zich nog steeds zit te verkneukelen dat hij nooit is gepakt,' antwoordde Marge. 'Kijk naar de toekomst, Delgado. Als we de moordenaar vinden, komt er een arrestatie en een rechtszaak. Wie garandeert je dat je ooit nóg zo'n verhaal in je schoot geworpen krijgt?'

'Het is zonder meer de doorbraak waar iedereen in mijn positie op hoopt.' De jongeman likte aan zijn lippen. 'Natuurlijk zal ik u helpen. Ik hoop alleen dat Tricia het niet voor me zal verpesten.'

'Je mag aan iedereen vertellen dat ik met jou heb gepraat en niet met Tricia.'

Delgado schudde zijn hoofd. 'Waarom doet u dit voor mij?'

'Omdat je me hebt geholpen toen ik je nodig had. Dit is de kans van je leven, Delgado; verknoei hem niet.'

Hij spreidde zijn handen. 'Natuurlijk ga ik er werk van maken. Kunnen we de hele zaak nog een keer doornemen, maar nu iets langzamer? Ik moet erover nadenken hoe ik dit het beste kan brengen bij de hoofdredacteur.'

'Ja, ik heb nog wel wat tijd, als jij maar belooft dat je de foto's van onze Jane Doe in de krant zult zetten.'

'Daar kunt u van op aan, brigadier. Onze lezers zijn dol op foto's. Ik denk wel eens dat de onderschriften het enige zijn wat ze lezen. Internet zou geen lang leven zijn beschoren als er niet zo veel foto's en filmpjes op stonden. Niemand heeft nog geduld om een gedetailleerd artikel te lezen.'

'We zijn een volk geworden met een slecht concentratievermogen.'

'We zijn opgegroeid met Sesamstraat, computers en instantcommunicatie, brigadier. We hebben het helemaal aan onszelf te wijten.'

29

Zodra het artikel was verschenen, stroomden er zo veel telefoontjes binnen dat er dag en nacht mensen aan de telefoon moesten zitten. De meldingen waren erg gevarieerd. Het was iemands verloren gewaande dochter, het was iemands verloren gewaande zus, het was een kennis van een kennis die naar Frankrijk was geëmigreerd en van wie sindsdien niets meer was vernomen, het was tante Janice of nichtje Ellie. Alle namen werden genoteerd en nagetrokken. Soms bleek een tante Janice nog te leven. Soms was er over nichtje Ellie niets te vinden en werd ze op een nieuwe lijst gezet.

Hebt u een foto van haar?

Men mailde een foto. Zodra die binnenkwam, zag de dienstdoende rechercheur meteen dat de twee vrouwen helemaal niet op elkaar leken en dertig jaar in leeftijd verschilden.

Ik geloof niet dat het uw nichtje Ellie is, maar we hebben het genoteerd.

Verder waren er de nodige malloten. Jane Doe was eigenlijk Gamma-Blobulin Moonbeam, een buitenaards wezen dat vanaf Alpha Centauri naar de Aarde was gestuurd. Het mooiste dat Wanda te horen kreeg was een verhaal dat Jane Doe een reïncarnatie was van Gucci, een geliefd maltezerhondje dat voortijdig aan zijn einde was gekomen toen het de straat was overgestoken en overreden door een Porsche Boxster die door rood was gereden.

De aandacht die Jane Doe in de pers kreeg, schoot bij Farley Lodestone in het verkeerde keelgat.

'Er wordt meer ophef gemaakt over een vrouw die al dertig jaar dood is dan over mijn dochter, die pas een paar maanden wordt vermist,' zei hij boos tegen Decker.

'Farley, we zijn Roseanne echt niet vergeten.'

‘Omdat ik aldoor bel!’

‘Nee, omdat we blijvend bezig zijn met het onderzoek naar haar verdwijning,’ zei Decker. ‘We zitten hier echt niet te niksen. We hebben de belgegevens van haar telefoon en de afschriften van haar creditcards meerdere keren doorgenomen. We hebben iedereen opgebeld met wie ze in de maanden voor haar verdwijning contact heeft gehad. We zijn naar San Jose gegaan om te praten met de mensen die ze daar kende.’

‘Naar San Jose hadden jullie niet hoeven gaan. Je weet net zo goed als ik dat die klootzak haar heeft vermoord.’

‘Farley, we hebben de rechter om een huiszoekingsbevel gevraagd en iedere centimeter van de muren, vloeren en meubels in de flat van je dochter onderzocht. Als iemand Roseanne iets heeft gedaan, is het niet in de flat gebeurd. We hebben dagen werk gehad om de auto op te sporen die Ivan heeft verkocht en toen hebben we die binnenstebuiten gekeerd. We hebben Ivans buren nogmaals ondervraagd, voor het geval hun inmiddels iets te binnen is geschoten. We nemen alles steeds weer door. We hebben nog steeds geen moordwapen, geen bewijsmateriaal en geen plaats delict, maar we geven het niet op.’

Lodestone gaf geen antwoord.

‘Ben je er nog?’ vroeg Decker.

‘Ja. Ik ben alleen maar kwaad dat jullie zo veel tijd aan een lijk besteden in plaats van naar mijn dochter te zoeken.’

Roseanne was niet de enige zaak waar Decker zich mee bezighield. En Jane Doe ook niet. Hij had dertig rechercheurs onder zich die aan honderden zaken werkten. Hij wist niet wat hij nog meer kon zeggen om de man ervan te overtuigen dat ze hun uiterste best deden.

Er viel niets anders te zeggen.

En als hij, god verhoede, in dezelfde situatie verkeerde, zou hij er vermoedelijk precies zo over denken als Farley.

‘Farley, we doen ons best. Echt waar.’

‘Maar het is niet genoeg!’

‘Ik weet dat je gefrustreerd bent…’

‘Ik ben kwaad!’

‘En dat neem ik je niet kwalijk. Ik wou dat ik nieuws voor je had…’

Lodestone hing abrupt op.

Decker sloeg zijn ogen ten hemel en gooide de hoorn op de haak. Hij deed zijn best, maar Farley had gelijk. Het was niet genoeg.

Falen was balen.

Op de zevende dag nadat het artikel van Rusty Delgado was verschenen, zat Marge aan de telefoon toen er een melding binnenkwam over Jane Doe die haar meer hoop schonk dan alle andere tot dan toe. Ze knipte met haar vingers om Scott Olivers aandacht te trekken en zei geluidloos tegen hem: 'Waarschuw Decker.' Even later kwam de inspecteur aan de lijn. Nadat hij zich aan de vrouw had voorgesteld, verzocht Marge haar vriendelijk haar verhaal nogmaals te vertellen.

'Zoals ik al aan de brigadier heb verteld, is mijn naam Cathie Alvarez en bel ik vanwege de Jane Doe in de krant.'

Decker zei: 'Hartelijk dank, mevrouw Alvarez. En wat wilt u ons vertellen?'

'Nou, het is natuurlijk al heel lang geleden, maar die vrouw lijkt erg op mijn nichtje Beth.'

'O ja?'

'Ja, op de foto in de krant waar ze een metalen bril draagt en net zulk haar heeft als Farrah Fawcett-Majors. Beth had ook zulk haar, alleen donker, maar alle meisjes hadden toen zulk haar. Beth had ook zo'n bril, maar veel meisjes hadden zo'n bril. Wat voor ons eigenlijk de doorslag geeft, is de stemmingsring. Beth droeg altijd een stemmingsring. Niet dat ze die nodig had. Beth was zo positief ingesteld. Ze lachte altijd.'

Decker kreeg het er warm van en pakte een notitiebloc. Volgens Lauren was Jane Doe van Latijns-Amerikaanse afkomst en Alvarez viel in die categorie. 'Hebt u soms een foto van Beth?'

'Nee, sorry, niet hier. Maar ik heb het artikel doorgestuurd naar mijn moeder, de tante van Beth. We hebben er samen een vol uur over gepraat en ze is het met me eens. We denken allebei dat het Beth is, maar we hebben nog niets tegen mijn oom en tante gezegd. Als het Beth niet is, zou het natuurlijk verschrikkelijk zijn als we hun verdriet voor niks opnieuw oprakelen.'

'En mag ik u vragen wie uw oom en tante zijn?'

'Peter en Sandra Devargas. Ze zijn in de zeventig, maar nog erg vitaal. Ze hebben behalve Beth nog vijf kinderen en een heleboel kleinkinderen, maar uiteraard kan niemand de plaats van Beth ooit innemen.'

'Dat spreekt vanzelf.'

'Ik weet zeker dat ze het graag willen weten... dat ze haar naar behoren willen begraven als...'

Ze zweeg toen ze door emoties werd overmand. 'Sorry. U krijgt natuurlijk een heleboel telefoontjes en iedereen denkt dat het iemand is die ze hebben verloren.'

'Dat is waar, maar we vatten ieder telefoontje heel serieus op. Wat is er met uw nichtje gebeurd?'

'Zij en haar man zijn tweeëndertig jaar geleden spoorloos verdwenen.'

'Hebt u de precieze datum?'

'Juni 1976.'

Eindelijk iets concreets. Halleluja. 'Waar woonden ze, mevrouw Alvarez?'

'U mag wel Cathie zeggen, hoor. Ze woonden in Los Angeles... ergens in de San Fernando Valley, maar het precieze adres weet ik niet. Ik woon nu al vijftien jaar in Long Beach. Ik kom oorspronkelijk uit Santa Fe, New Mexico.'

Decker kreeg steeds meer het gevoel dat ze de juiste persoon aan de lijn hadden. In Santa Fe woonden veel mensen van indiaanse afkomst. 'En de ouders van Beth heten Peter en Sandra Devargas?'

'Ja. Ze wonen in Santa Fe, vlak bij het Plaza. Bent u bekend in Santa Fe?'

'Brigadier Dunn, luistert u nog mee?'

'Ja.'

'Weet u waar het Plaza in Sante Fe is?'

'In het centrum van de stad.'

'Dat klopt,' zei Cathie.

Decker vroeg: 'Hebt u het adres en telefoonnummer van de familie Devargas?'

'Natuurlijk, maar ik had eigenlijk niet graag dat u hen zomaar opbelt.'

Decker begon snel over iets anders. Hij zou zo dadelijk nog wel terugkomen op de ouders. 'Waarom zijn Beth en haar man in Los Angeles gaan wonen?'

'Beth was net getrouwd met de jongen met wie ze op de middelbare school al verkering had, Manny Hernandez, de succesvolle quarterback van BMOC en de knapste jongen van de school. Alle meisjes waren verliefd op hem, ik ook, maar omdat ik pas tien was, was ik blij dat Beth hem kreeg... zo bleef hij in de familie. Ik weet niet precies waarom ze naar L.A. zijn gegaan. Ik weet nog wel dat mijn moeder me vertelde dat Beth daar in het begin niet gelukkig was, dat ze haar familie miste. Maar uiteindelijk raakte ze eraan gewend. Toen ze op een gegeven moment een week niet had gebeld, hebben haar ouders geprobeerd háár te bellen en toen bleek het nummer niet meer te bestaan. Een week later zijn mijn oom en tante naar L.A. gevlogen, maar Beth en Manny woonden niet meer op het adres dat ze van hen hadden en niemand wist waar ze waren. Het was alsof ze van de aardbodem waren verdwenen.'

'En dat was in juni 1976?'

'10 Juni, als ik me niet vergis. Ik geloof dat het zelfs op het journaal is geweest.'

'Dunn, kijk of er iets over te vinden is op internet.'

'Ik ben al bezig,' zei Marge. 'En Oliver ook.'

'Kijk of je foto's kunt vinden.' Decker sprak weer tegen Cathie Alvarez. 'Cathie, ik ben bezig alle gegevens in mijn computer in te voeren. Blijf nog even aan de lijn tot ik dat klaar heb...' Decker typte de informatie in de databank. 'We hebben al veel dossiers over vermiste personen uit dat tijdperk bekeken, maar we zochten steeds naar een vrouw alleen. Misschien staat dit onder... ja, ja. Hier heb ik iets. Vermist: Ramon en Isabela Hernandez, sinds 13 juni 1976.'

'Dat zijn ze, inspecteur. Ze hebben hun namen verengelst. Dat deden we allemaal om Amerikaanser te worden. Ramon en Isabela werden Manny en Beth.'

'Even kijken of er een foto bij staat...'

Marge stormde binnen en duwde een geprinte foto onder zijn neus. Oliver volgde haar op de hielen. Hij zei: 'We hebben beet!'

Twee verschillende foto's. De ene was zo te zien een schoolfoto van Beth, of eigenlijk van Isabela – een lieftallige brunette met een gulle lach. De tweede foto was een trouwfoto: hetzelfde lieftallige meisje in een witte jurk met sluier naast een ernstig kijkende, knappe, potige jongeman met dikke lippen en donkere, smeulende ogen.

Een jongen van wie je problemen kon verwachten.

'Zei u niet dat Beth een bril droeg?' vroeg Decker aan Cathie.

'Ja.'

'We hebben hier twee foto's van haar zonder bril. De ene is een trouwfoto en de andere vermoedelijk een schoolfoto, en de meeste meisjes zouden bij die gelegenheden natuurlijk hun bril afzetten.'

'Dat klopt. Dus u hebt nu ook een foto van Manny?'

'Zijn trouwfoto. En hij is of was een knappe man.' Deckers hartslag versnelde. 'Ik ben het met je eens dat de Jane Doe die we hebben gevonden sterk op je nichtje Isabela lijkt.'

'Hebt u alleen Beth gevonden? Alleen een Jane Doe?'

'Ja.'

'Manny dus niet.'

'Niet op de plek waar we Jane Doe gevonden hebben.'

Stilte op de lijn.

Decker zei: 'Cathie, ik moet met je tante praten.'

'Ja...'

'Je klinkt aarzelend. Waar ben je bang voor? Is je tante een ziekelijke of zwakke vrouw?'

'Nee, ze is juist erg sterk...' Ze zuchtte. 'Het heeft te maken met onze cultuur, inspecteur. Niet dat er een goede manier bestaat om dit nieuws aan mijn tante te vertellen, maar ik denk dat u meer medewerking zult krijgen als u zelf naar haar toe gaat.'

'Ik ben blij dat je me dit vertelt. Ik was al van plan om naar Santa Fe te gaan, maar ik dacht dat de schok minder groot zou zijn als ik haar eerst zou bellen.'

'Dat begrijp ik, maar ik denk toch...' Ze schraapte haar keel. 'Weet u, ik ga regelmatig bij mijn ouders op bezoek. Het is geen lange reis. Southwest vliegt op Albuquerque en dan is het maar een uurtje rijden naar Santa Fe.'

'We zullen je vliegticket en onkosten vergoeden.'

'Daar zeg ik het niet om.'

'Als je ons helpt een zaak op te lossen, heb je recht op onkostenvergoeding. Kun je nog even aan de telefoon blijven terwijl ik de website van Southwest op het scherm zet?' Hij tikte de data in. 'Hier heb ik het. Het is nu half elf. Om tien over half vijf vanmiddag is er een rechtstreekse vlucht van LAX naar Albuquerque. Is dat voor jou haalbaar?'

'Wilt u dan vandaag al gaan?'

'Ja. Hoe eerder hoe beter.'

'O...' Weer werd haar stem verstikt door tranen. 'Dan moet ik mijn man even bellen. Ik kan vandaag wel vliegen, ja. Dat is geen probleem.'

'Dank u, dank u. Zijn er verder nog onkosten die we voor u kunnen dekken? Een kinderoppas misschien?'

'Ik klink blijkbaar erg jong, als u dat denkt. Dank u voor het compliment, maar mijn kinderen zijn al het huis uit.'

'Je klinkt inderdaad jong.'

'Ik ben negenenveertig.'

'Voor mij klink je niet alleen jong, maar bén je jong. Ik kom samen met twee rechercheurs die aan deze zaak werken: brigadier Marge Dunn, die je aan de telefoon had, en brigadier Scott Oliver. Kun je om drie uur vanmiddag bij Terminal One zijn? Er staat altijd een lange rij voor Southwest.'

'Ik zal er zijn.'

'Je zult ons makkelijk herkennen,' zei Decker. 'Zoek maar naar drie mensen die eruitzien als politie.'

'Dit is allemaal wel erg onverwachts.'

'Dat weet ik. Je hebt geen idee hoe blij ik ben dat je hebt gebeld. Nog één ding, voordat we ophangen. Woonden de ouders van Ramon Hernandez ook in Santa Fe?'

'Ja, maar Manny's moeder is ongeveer tien jaar geleden overleden. Hij had een broer, maar ik weet niet wat er van hem geworden is. Als zijn vader nog leeft, zit hij in de gevangenis. Hij heeft bij een overval op een nachtwinkel twee mensen gedood. Ik heb gehoord dat hij is veroordeeld tot vijftig jaar gevangenisstraf. In het begin was mijn tante ervan overtuigd dat Manny iets te maken had met het feit dat Beth spoorloos was verdwenen. Maar de privédetective die ze in de arm had genomen, heeft Beth noch Manny gevonden.'

'Voor zover je weet, wordt Manny dus ook vermist.'

'Voor zover ik weet, maar ik weet niet alles.'

'Wat bedoel je daarmee?'

'Manny had een dubieuze reputatie. Beth trok zich daar niets van aan omdat ze verliefd op hem was, maar mijn oom en tante hadden het er moeilijk mee. Jaren later heb ik gehoord dat mijn tante vermoedde dat Beth zwanger was toen ze met Manny trouwde. Manny kennende kan ik me niet voorstellen dat hij een baby wilde. Later, toen ik zelf volwassen was, heb ik altijd gedacht dat ze naar Californië waren gegaan opdat Beth zich kon laten aborteren zonder dat de familie het te weten zou komen. Ik heb daar geen bewijs van, maar dit denk ik.'

'Ik begrijp het.'

'Toen ik klein was, ging ik altijd met de hele familie naar de kerk. Ik herinner me heel duidelijk dat tante Sandy na de mis altijd twee kaarsen aanstak. Ik dacht dat de ene voor Beth en de andere voor Manny was. Per slot van rekening waren ze samen verdwenen. Maar nu weet ik dat de twee families weinig met elkaar ophadden, ook niet toen Manny's moeder nog leefde. De tweede kaars was helemaal niet voor Manny. Die was voor het nooit geboren kleinkind.'

'Treurig,' zei Decker.

'Ja, dat is het zeker.' Cathies stem was gedaald tot een fluistertoon. 'Het is allemaal verschrikkelijk triest.'

30

Tijdens de daling naar het vliegveld van Albuquerque werd het vliegtuig geteisterd door harde windstoten en de landing verliep niet bepaald zacht. Het toestel raakte de grond met een bons die Decker in al zijn wervels voelde, maar ze waren heelhuids aangekomen en daar ging het uiteindelijk om. De turbulentie had hem op zijn zenuwen gewerkt, zwartgallige gedachten opgewekt aan de laatste minuten van vlucht 1324. Gedachten die hem een verlammende angst bezorgden. Bewust richtte hij zijn gedachten op de zware taak die hen wachtte.

Bij aankomst begon het net te schemeren en tegen de tijd dat ze een auto hadden gehuurd en op de I-25 naar Santa Fe zaten, was het helemaal donker. Marge chauffeerde, Cathie zat naast haar en de mannen achter in de ruime wagen. Dunn was de afgelopen drie jaar meerdere malen in de hoofdstad van New Mexico geweest en reed rustig en bekwaam. Na een kwartiertje waren de lichtjes van Albuquerque achter hen verdwenen en pinkten er duizenden sterren aan de weidse hemel boven de woestijn. Afgezien van wat verlichte billboards en borden waarop stond aangegeven welke oude indiaanse territoria ze doorkruisten, was er helemaal niets te zien.

'In dit gebied hebben duizenden jaren de twaalf noordelijke stammen gewoond,' vertelde Cathie. 'De noordelijke stammen zijn in tegenstelling tot de Cherokee en de Sioux niet uitgeroeid, hoewel de Spanjaarden hen niet als gelijkwaardigen behandelden. Mijn moeder is een afstammeling van de Santa Clara-stam; de verre voorouders van mijn vader kwamen uit Mexico, maar onze familie woont nu al vijf generaties in Santa Fe.'

Ze was een tengere vrouw van amper één meter zestig met halflang, glanzend zwart haar dat als zwarte zijde bewoog wanneer ze haar hoofd omdraaide om iets tegen de mannen achterin te zeggen. Ze had groene ogen, een brede neus en een rond gezicht. Ze was eenvoudig gekleed in een spijkerbroek met daarop een katoenen trui, want ongeacht hoe warm het overdag in Santa Fe was, zoals ze had uitgelegd, daalde de temperatuur 's avonds altijd aanzienlijk, omdat de stad op een hoogte van ruim tweeduizend meter lag.

Toen ze de countygrens van Santa Fe overschreden zag Decker nog steeds niets wat op een stad leek. Tien minuten later verliet Marge de snelweg en reden ze verder over een driebaansweg. Er was erg weinig verkeer. Je zag niet veel in het donker, maar Decker kreeg de indruk dat de hoofdstad van het westen bestond uit lage gebouwen die bijna allemaal waren afgewerkt met steenklei of stucwerk in verschillende tinten bruin. Veel van de gebouwen leken op zachte massa's zonder hoeken en scherpe randen, alsof het zandkastelen waren. Maar er waren ook eenvoudige, vierkante blokkendozen. Al met al had de stad dankzij de uniforme aardetinten het karakter van het oude wilde Westen behouden.

Het hotel waar Marge kamers had besproken stond in het centrum, aan het Plaza. Inchecken zou nog geen twintig minuten in beslag hebben genomen, maar de rechercheurs wilden er geen tijd aan verkwisten. Ze reden regelrecht door naar het adres van de familie Ruiz, want ze hadden niet alleen haast om deze taak zo snel mogelijk te verrichten, maar waren zich er ook van bewust dat ze te maken hadden met zenuwachtige, oude mensen en dat het inmiddels al bijna negen uur was.

Het adres was in een wijk die South Capital heette. De straten waren smal en hadden soms geen stoepen en op veel van de huizen ontbraken de huisnummers. Hier en daar had Marge moeite de brede auto door de donkere stegen te manoeuvreren. Opeens wees Cathie naar een oprit en Marge maakte een scherpe bocht naar links. De voren in het ongeplaveide pad eindigden abrupt bij een garage.

Twee vrouwen stonden buiten te wachten. De koplampen beschenen hun magere, door kleurige sjaals omwikkelde gestalten. Marge zette de motor af en deed de koplampen uit en meteen was het pikkedonker, op een zwak, geel peertje boven de garagedeur na. Cathie duwde het portier open en klopte haar spijkerbroek af. Ze liep naar de gerimpelde vrouwen en omhelsde hen zwijgend. Gedrieën liepen ze door het donker naar de achterdeur.

De rechercheurs volgden hen en Oliver, die als laatste naar binnen ging, trok de deur achter zich dicht. Ze kwamen uit in een ovenwarme keuken die naar gist en suiker rook, en daalden een paar traptreden af naar een woonkamer propvol snuisterijen en prullaria. Kruisbeelden, kaarsen, keramiek, wandkleden, geweven manden en andere soorten kunstnijverheid sierden planken en tafels. Het zware, boerse meubilair paste perfect bij de dikke balken van het lage plafond en de houten vloer van brede planken die door de jaren heen prachtig glad was geworden. Hoewel het binnen niet koud was, dansten er vlammetjes in de halfronde open haard.

De twee oude dames hadden hun sjaals afgedaan. Ze waren vrijwel eender gekleed in een ruime blouse en een lange, wijde rok en liepen op sandalen. Cathie Alvarez stelde hen aan de rechercheurs voor. Lucy Ruiz, Cathies moeder, had met grijs doorweven zwart haar dat ze had opgestoken. Sandra Devargas – Tía Sandy, die de moeder van Beth was – droeg haar lange, grijze haar in een staart.

Tot nu toe had Cathie op een bezorgde, maar levendige toon gesproken, maar nu ze met haar moeder en tante sprak, klonk haar stem vrijwel emotieloos. De twee vrouwen knikten en glimlachten onzeker naar de rechercheurs. Lucy nodigde hen uit plaats te nemen aan een ronde eetkamertafel die was gedekt met kleurig keramisch serviesgoed. Zodra de rechercheurs waren gaan zitten, begonnen de oude vrouwen etenswaren op te dienen.

Allereerst kwam er een schaal warme maistortilla's op tafel, afgedekt met een doek. Vervolgens verschenen er schaaltjes rode salsa, groene salsa, grof gesneden tomaten, rode pepers, gemengde olijven, geroosterde groenten en gegrilde kip. Tot slot kwam Lucy de keuken uit met een grote pot hete, geurige thee, die ze in kommetjes schonk die de vorm van dieren hadden.

Cathie pakte een tortilla en vulde hem met de bijgerechten. 'Hoe wisten Tía Sandy en u dat ik zo'n honger had, mama?'

De dames glimlachten fijntjes. Sandy pakte de schaal met tortilla's en hield die voor aan de rechercheurs. 'Ga uw gang.'

Lucy zei: 'Neem gerust. Waarom zou u met een lege maag blijven zitten?'

Marge en Oliver pakten elk een gloeiend hete tortilla. 'Het ziet er allemaal erg lekker uit.'

Decker zei dat hij vegetariër was en vroeg of er varkensvet in de gerechten zat.

'Nee, alles is bereid met plantaardige olie,' zei Lucy. 'Bovendien worden maistortilla's nooit met vet bereid. De tortilla's van gewone bloem wel, al maak ik die tegenwoordig ook met plantaardige olie.'

'Maar met vet smaken ze toch anders,' merkte Sandy op.

'Ja, met vet zijn ze lekkerder, maar vet is niet goed voor de bloedvaten,' zei Lucy.

Sandy zei: 'Ik gebruik het wel nog steeds voor korstdeeg.'

Lucy knikte. 'Ja, je kunt met olie geen goed korstdeeg maken. Het is een keuze tussen wat goed is voor je hart en wat goed is voor je smaakpapillen.'

'Het gaat niet alleen om de smaak. Als je een knapperige korst wilt, moet je echt vet gebruiken.'

'Dat is waar,' zei Lucy instemmend. 'Dat is waar.' Ze pakte een tortilla en vulde hem met stukjes kip. 'Toch krijg ik zonder vet ook best een knapperige korst.'

'Ja,' zei Sandy, 'jouw taarten zijn altijd verrukkelijk.'

'Maar geen ervan is zo lekker als jouw pompoentaart.'

Sandy bloosde. 'Doe niet zo mal.'

Lucy zei: 'Ik ken niemand die zulke lekkere pompoentaarten maakt als Sandy, maar ze maakt ze alleen met verse pompoen en die is er nu niet.'

Marge glimlachte. 'Dan moeten we in het najaar nog maar eens terugkomen.'

'Ja,' zei Sandy. 'Doet u dat.'

Decker had al één tortilla op en begon aan de tweede. Hij had honger en het smaakte hem heerlijk. Zulk eten kreeg je alleen bij mensen thuis. Het was jammer dat Rina er niet bij was. Met haar gave om over ieder willekeurig onderwerp te kunnen praten, zou ze hoge ogen hebben gegooid bij de vrouwen. En ze sprak graag over recepten. Rina had een zwak voor oudere mensen die nog echte traditionele gerechten wisten te bereiden.

De vrouwen stonden op en verdwenen in de keuken. Na het heerlijke voedsel werden er nu schaaltjes met gedroogd fruit, noten en koekjes op tafel gezet. Ze praatten over koetjes en kalfjes en de vrouwen probeerden de rechercheurs vragen te stellen zonder nieuwsgierig over te komen. Toen het arsenaal aan beleefde vragen was uitgeput, moedigde Decker de vrouwen aan iets over hun kinderjaren te vertellen. Ze herinnerden zich hoe klein en dorps Santa Fe was geweest toen ze jong waren en beschreven het als een kleine *pueblo*-stad die sanatoria met hete bronnen had voor mensen die leden aan reumatiek en hart- en longziekten. Daarna vertelden ze over hun roerige tienerjaren gedurende de Tweede Wereldoorlog en hoe iedereen had geroddeld over de geheime wetenschappers in de tijdelijke behuizing in Los Alamos.

Ze spraken kort over hun echtgenoten, die naar hun bowlingavond waren en over een uurtje thuis zouden komen. Geen woord over hun kinderen, om begrijpelijke redenen.

Tegen de tijd dat ze waren uitgegeten, was het bijna elf uur. Marge had de receptie van het hotel al gemeld dat ze pas laat zouden inchecken, maar excuseerde zich en stond op van de tafel om voor alle zekerheid nogmaals te bellen.

Geen probleem, zei de receptionist.

Gelukkig maar.

Het zou een lange avond worden.

Een kwartier later kwamen de mannen thuis. Ze aten de kliekjes op, ook al hadden ze samen met hun vrienden gegeten. Peter Devargas was mager en pezig, had lichtblauwe ogen en een haakneus. Op een randje sneeuwwit haar na, dat rond zijn achterhoofd van zijn ene naar zijn andere oor liep, was hij volkomen kaal. Tom Ruiz was een gedrongen man met een dikke bos zilverwit haar, een brede neus en groene ogen. Cathie leek sprekend op hem, wat vooral opviel toen ze naast elkaar aan tafel zaten.

Tegen de tijd dat de mannen klaar waren met eten en de tafel was afgeruimd, was het middernacht. Marge had moeite wakker te blijven, Oliver zei niet veel meer en Decker dronk het ene kopje thee na het andere om helder te blijven. Vergeleken met de vier oudjes, die nog klaarwakker waren, maakten ze geen beste indruk.

Peter Devargas zei: 'Ik vind dat we er lang genoeg omheen gedraaid hebben.' Met een blik op zijn vrouw zei hij: 'Mijn nichtje zegt dat u een foto hebt van Isabela.'

'Niet precies een foto.' Decker legde uit wat ze hadden gevonden en hoe de forensische reconstructie in het werk was gegaan. Hij sprak langzaam en methodisch. Niemand onderbrak hem, maar ze knikten alle vier steeds wanneer hij een korte pauze inlaste. 'We vermoeden dat het stoffelijk overschot er meer dan dertig jaar heeft gelegen. Aan de hand van specifieke ijkpunten heeft een forensisch kunstenares de beenderen een gezicht gegeven. Cathie vindt dat de jonge vrouw sprekend op haar nichtje lijkt.'

'Het gaat dus om een gezicht dat een beeldhouwster heeft aangebracht op de schedel van het skelet dat men heeft gevonden,' zei Devargas.

'Ja.'

'Nou, laat maar eens zien.'

Decker keek naar Sandy. Ze hield haar hand voor haar mond geslagen. Haar zus hield haar andere hand omklemd. Cathie had haar arm door die van haar vader gestoken en liet haar wang op zijn schouder rusten. Decker haalde de foto van Jane Doe tevoorschijn en gaf hem aan Devargas.

De oude man wierp een korte blik op de foto en sloot zijn ogen. Toen hij ze weer opendeed, gaf hij de foto terug aan Decker. 'Ja, dat is ze.'

Tía Sandy slaakte een kreetje en sloeg nu beide handen voor haar gezicht. Lucy zei:'Katarina, haal gauw een glas water voor Tía Sandy.'

Cathie onderdrukte een snik. 'Ik ga al.'

Tom Ruiz klopte zijn zwager zachtjes op zijn rug. Er stonden tranen in de ogen van Devargas, maar hij knipperde ze snel weg. 'Wanneer kunnen we mijn meisje terugkrijgen, zodat we haar naar behoren kunnen begraven?'

'Dat zullen we zo snel mogelijk regelen,' antwoordde Decker. 'We zouden er erg mee geholpen zijn als we een wetenschappelijke bevestiging hadden dat het Isabela is.'

'Gebitsfoto's,' verduidelijkte Marge.

Devargas keek naar zijn vrouw. Tía Sandy sloeg een kruis, liet haar handen toen op haar schoot zakken en strengelde haar vingers zo strak ineen dat de knokkels wit werden. Ze sprak echter met vaste stem. 'Ze was in behandeling bij dokter Bradley en dokter Chipley.'

Tom Ruiz zei: 'Dokter Chipley is al lang dood, maar Fred Bradley leeft nog. Ik heb hem bij het lentepannenkoekenontbijt op het Plaza nog gezien... wanneer was dat?'

'Een week of vier geleden,' antwoordde Lucy.

'Weet u of hij zijn oude dossiers heeft bewaard?' vroeg Oliver aan de oude man.

'Ik bel hem wel even.' Devargas pakte de telefoon.

Tía Sandy zei: 'Peter, het is midden in de nacht.'

'Hij vindt dat vast niet erg, gezien de omstandigheden. Weet je waar hij woont, Tom?'

'Ik geloof in Quail Run. Hij is een enthousiast golfer.'

Devargas belde Inlichtingen, kreeg het nummer en werd doorverbonden. Het duurde even voordat er werd opgenomen. Hij zei: 'Fred, met Peter Devargas. Sorry dat ik je wakker bel, maar dit is een spoedgeval. Je weet dat mijn dochter jaren geleden is verdwenen... Isabela, ja. Heb jij haar gebitsfoto's nog? Ze hebben in Los Angeles een skelet gevonden en...' Devargas kreeg het opeens zo te kwaad dat hij niets meer kon zeggen. Hij gaf de telefoon aan Decker en liep snel de kamer uit. Decker vertelde aan de gepensioneerde tandarts wie hij was en legde de situatie uit.

'O... juist,' zei Bradley. 'Nu snap ik het.' Een korte stilte. 'Ik heb mijn praktijk jaren geleden verkocht aan Jerome Rosen, een aardige jongeman uit New York die met zijn gezin hier is komen wonen. Hij doet het erg goed. Maar ik heb hem dan ook een goedlopende praktijk aan de hand gedaan.'

'Dus als iemand de gebitsfoto's heeft, is het dokter Rosen.'

'Ogenblikje, meneer. Het is laat, ik ben oud en u gaat me veel te snel. Ik heb niet gezegd dat dokter Rosen de gebitsfoto's heeft, ook al heeft hij de dossiers van al mijn voormalige patiënten. Het dossier van Beth... zo noemde iedereen Isabela... heb ik vanwege de bijzondere omstandigheden zelf gehouden. Ik dacht... nou ja... ik hoopte dat iemand op een dag met uw vraag zou komen en ik wilde verhoeden dat de foto's zouden wegraken toen ik mijn praktijk overdeed aan dokter Rosen.'

Decker stak zijn duim op naar Marge en Oliver. Normaal gesproken zou daarop een high five zijn gevolgd, maar de stemming was te somber voor een dergelijk gebaar. 'Erg slim van u om haar gebitsfoto's te bewaren.'

'Ach, iedere weldenkende tandarts zou dat doen. Zoals ik al zei, heb ik altijd op dit telefoontje gehoopt. Of eigenlijk hoopten we allemaal op beter nieuws, maar dat was na al die jaren niet erg waarschijnlijk, en ik vond dat als het arme kind dood was, ik er op zijn minst voor kon zorgen dat ze geïdentificeerd kon worden, zodat haar arme ouders haar tenminste kunnen laten begraven.'

'Wanneer kunnen we de foto's komen halen?'

'Dat zal tot morgen moeten wachten. Ik moet ze eerst opzoeken. Kunt u om één uur bij me komen?'

'Doen we.'

'Goed.' Bradley gaf hem het adres. 'Tot morgen dan. Goedenavond.'

'Goedenavond.' Decker hing op en keek naar de mannen. Peter Devargas was terug en zijn ogen stonden uitdrukkingloos in zijn strakke gezicht. 'Hij heeft haar gebitsfoto's zelf bewaard. Dat is goed nieuws.'

De ouders knikten. Ze zaten er als verdoofd bij. Tweeëndertig jaren waren in één keer weggevaagd. De wond was heropend en de pijn was ondraaglijk.

Decker zei: 'Ik weet dat u het op dit moment erg moeilijk hebt, maar we moeten over uw dochter praten. Zoals u natuurlijk al hebt begrepen, is ze vermoedelijk vermoord.'

'Hebt u alleen het skelet van Isabela gevonden?' vroeg Devargas.

'Ja. We hebben geen aanwijzingen gevonden dat haar man samen met haar is gestorven, als u dat bedoelt.'

'Dat bedoel ik,' antwoordde Devargas. 'En het verbaast me niets dat u zijn skelet niet hebt gevonden. Want die schoft heeft het natuurlijk gedaan.'

Het was alsof Decker Farley Lodestone hoorde.

'Ik wil graag meer over hem horen... over Manny.'

Daarop bleef het stil in de kamer, op het half binnensmondse gemompel van Peter Devargas na: 'Ik heb die schoft nooit gemogen. Toen ze voor het eerst met hem thuiskwam, zag ik meteen dat hij niet deugde.'

'We willen zoveel mogelijk informatie over hem. Voor zover we weten, wordt hij óók vermist. Ik stel voor dat we morgen terugkomen om te praten over wat er is gebeurd.'

'Ik kan u nu al vertellen wat er is gebeurd. Die vuilak heeft haar vermoord!'

'Dat is heel goed mogelijk,' zei Decker. 'Maar daarom hebben we zoveel mogelijk informatie nodig.'

Sandra Devargas mengde zich in het gesprek. 'Ik kan u een heleboel vertellen.'

'Hoe bedoelt u?' vroeg Decker. 'Nu?'

De oude vrouw sloeg met haar vlakke hand tegen haar voorhoofd.

‘Wat dom van me! U bent natuurlijk erg moe.’

‘Dat valt wel mee, maar ik ben morgenochtend ongetwijfeld veel helderder van geest. Is het goed als we om een uur of acht, negen komen?’

‘Dat is prima. Het ontbijt zal klaarstaan.’

‘Hartelijk dank, mevrouw Devargas. We zullen vast trek hebben.’

Cathie knikte goedkeurend. Het zou onbeleefd zijn geweest als hij niet op de uitnodiging was ingegaan.

‘U mag ook vroeger komen,’ zei Devargas. ‘Ik doe vannacht toch geen oog dicht.’

‘Nee, we zullen vannacht geen oog dichtdoen,’ herhaalde Sandy. ‘Maar eerlijk gezegd doe ik dat al tweeëndertig jaar niet.’

31

Bij het aanbreken van de nieuwe dag strekte een kristalheldere hemel zich boven dieppaarse bergen uit. De wereld was zo scherpomlijnd en had zulke intense kleuren dat het bijna een schilderij leek. Decker maakte een wandeling rond het Plaza, het groene vierkant in het hart van de stad. Rondom het plein waren boetiekjes waar folkloristische producten, waaronder ook kleding, werd verkocht. Indianen waren bezig onder de luifels van hun winkels hun waren uit te stallen op oude, wollen dekens: handgemaakte zilveren sieraden, keramische voorwerpen, flessen gevuld met gekleurd zand. Tegen de tijd dat hij terugkeerde naar het hotel, zaten Marge en Oliver in de lobby te wachten. Peter Devargas had gebeld. Ze mochten komen wanneer ze wilden.

Tijdens het ontbijt met het bedroefde echtpaar was de stemming nogal ingetogen, maar dat weerhield niemand ervan flink toe te tasten. Op tafel stonden schalen met roerei, forelrilette met salsa, bonen, rijst en de dampende maistortilla's die aan geen enkele maaltijd ontbraken. Erbij kregen ze vers grapefruitsap en geurige koffie. Toen alles schoon op was, begon Sandra de tafel af te ruimen. Iedereen hielp een handje mee en binnen een handomdraai was de vaatwasser gevuld.

Nu gingen ze in de woonkamer zitten, de rechercheurs op een rijtje op de bank, Sandra met haar benen onder zich opgetrokken in de fauteuil. Ze droeg vandaag een kaftan en haar lange, grijze haar hing los. Devargas droeg een spijkerbroek en werkshirt. Hij leunde tegen de muur en staarde uit het raam naar de grote populier in de voortuin. Cathie en haar ouders, Tom en Lucy Ruiz, zouden later op de dag komen.

Om het gesprek te openen zei Marge tegen Sandra Devargas: 'We stellen het erg op prijs dat u op zo'n moeilijke dag als deze bereid bent met ons te praten. Het zou fijn zijn als we een paar foto's van Beth en Manny konden krijgen.'

'Zoveel als u kunt missen,' zei Oliver.

Peter gaf antwoord: 'Van Beth hebben we er een heleboel. Maar ik wil ze wel terug hebben.'

'Natuurlijk,' zei Marge. 'Met foto's van Manny zouden we ook geholpen zijn.'

'Dat is dan jammer, want die heb ik allemaal verbrand,' zei Devargas.

'Waarom denkt u dat hij schuldig is aan haar dood?'

Peter draaide zich om naar de rechercheurs. 'Omdat hij addergebroed is.'

Decker vroeg aan Sandra: 'Wat vond u van Manny?'

Ze gaf niet meteen antwoord, maar dacht er eerst over na. 'Hij was charismatisch, knap om te zien, de ster van het footballteam.'

'Een *running back*,' zei Devargas tegen de mannen. 'Een snelle jongen met een vlotte babbel, waar alle meisjes voor vielen.'

'Ja, hij had altijd wel een vriendinnetje,' zei Sandra.

'Van al die aandacht werd hij zo verwaand als de pest.' Devargas sprak op bittere toon. 'Hier was hij een grote vis in een kleine vijver, maar toen ze eenmaal naar Los Angeles waren getrokken, was dat snel afgelopen. Als je het mij vraagt was hijzelf de enige die vond dat hij heel wat was.'

'Je zult toch moeten toegeven, Peter, dat hij hier een hele fanclub had.'

'Daar hoorde ik niet bij.'

'Nee, maar jij was geen tienermeisje met een onbesproken hart.' Ze zuchtte. 'Ik geloof dat hij in Los Angeles iets van zijn zelfvertrouwen verloor. In het begin waren ze daar allebei ongelukkig. Ik dacht zelfs dat ze daarom misschien zouden terugkomen naar Santa Fe, waar iedereen van hen hield.'

'Waar iedereen van háár hield,' verbeterde Devargas haar.

Hij klonk steeds meer als Farley Lodestone, dacht Decker. 'Hebben ze ooit overwogen terug te keren naar Santa Fe?'

Sandra haalde haar schouders op. 'Niet dat ik weet. En toen waren ze opeens spoorloos verdwenen.'

'Zíj was spoorloos verdwenen, híj heeft de benen genomen.' Devargas keek de rechercheurs nijdig aan. 'Volgens mij leeft hij nog. Als u ook maar een tiende van uw salaris waard bent, zorgt u ervoor dat hij gevonden wordt!'

'Als hij nog leeft, zullen we dat ook doen,' zei Oliver. Hij wendde zich tot Sandra. 'Denkt u dat Manny verantwoordelijk is voor haar dood?'

'Soms wel, soms niet,' antwoordde Sandra. 'Ik beschuldig mensen niet graag zonder bewijs.'

'Waar leefden ze van?'

'Beth werkte als serveerster en Manny had diverse baantjes.'

'Hij was een doodgewone conciërge.'

'Er is niks mis met eenvoudig werk, Peter.' En tegen de rechercheurs zei ze: 'Hij had een baan als conciërge, maar hij nam ook andere klusjes aan, vooral timmermanswerk. Daar was hij goed in.'

'Ze hadden constant ruzie,' zei Devargas. 'Ze kwamen altijd geld tekort.'

'In het begin waren er veel spanningen,' stemde Sandra in. 'Later ging het een stuk beter.'

'Hoe kwam dat?' vroeg Marge.

'Misschien doordat ze toen geacclimatiseerd waren. Ze hadden allebei een vaste baan, maar ik geloof dat het vooral heeft geholpen dat ze zich bij een kerkgemeenschap hadden aangesloten. Toen kregen ze vrienden met dezelfde interesses en ook geestelijke leiding.'

'Het was geen echte kerk,' snoof Devargas. 'Het was eerder een sekte.'

'Beth is katholiek opgevoed,' ging Sandra door, 'maar bij ons zijn oude stamgewoonten doorgedrongen in het katholieke geloof. Ik ben een afstammeling van de Santa Clara-indianen en onze kinderen hebben geleerd de Heilige Geest op verschillende manieren te eerbiedigen. Daarom kunnen we onconventionele manieren van godsdienstbeleving heel goed accepteren. En daarom was het ook logisch dat Beth zich thuisvoelde bij een groepering waar men de dingen iets anders deed dan anderen.'

'Het ging helemaal niet om onconventionele godsdienstbeleving,' dramde Devargas door. 'Ze zeiden dat ze een commune gingen oprichten. Daar zou het natuurlijk allemaal drugs en seks zijn wat de klok sloeg.'

'Dat weet je helemaal niet, Peter.'

'Ik weet dat Manny de hele tijd hasj rookte.'

'Niet de hele tijd.'

'Iedere keer dat ik hem zag, rook ik het aan zijn adem. We hebben Beth gewaarschuwd, maar ze wilde niet luisteren.'

Sandra zei daar niets op. Decker maakte razendsnel aantekeningen. 'Waarom denkt u dat die kerk een sekte was?'

'Omdat het de jaren zeventig waren,' zei Devargas. 'Zo waren de jongeren toen. Ze hokten samen, rookten hasj en hielden orgiën.'

'Peter, je overdrijft verschrikkelijk. Er waren toen heel leuke jongeren. Ze protesteerden alleen maar tegen de gevestigde orde.'

Devargas snoof minachtend. Zijn blik ging heen en weer tussen Decker en Oliver. 'U bent ongeveer van haar generatie. Ik neem aan dat u zich die wilde tijd nog wel herinnert.'

'Ja, maar ik heb er geen deel aan gehad,' zei Decker. 'Ik heb eerst in Vietnam gevochten en ben daarna bij de politie gegaan.'

'Hetzelfde geldt voor mij,' zei Oliver.

Devargas knikte hen met een schoorvoetend respect toe. 'Maar u weet dat die communes alleen maar een excuus waren om drugs te kunnen gebruiken en orgiën te houden. Beth was zelf niet zo, maar ze was stapel op die jongen.'

'Had die kerk een naam?' vroeg Decker.

'De Kerk van het Land... of zoiets,' sneerde Devargas.

'De Kerk van het Zónneland,' corrigeerde Sandra. 'Per slot van rekening zat hij in Californië.'

'Bent u ooit met uw dochter naar een dienst van die kerk gegaan?'

'Nee,' zei Devargas. 'Daar waren we niet in geïnteresseerd.'

'Ik ben één keer gegaan,' gaf Sandra toe. 'Het was erg alternatief, maar wel leuk. De groep had een winkelpand gehuurd en er waren ongeveer dertig leden.'

'Weet u nog waar het was?'

'In San Fernando,' antwoordde Sandra.

Decker zei: 'Je hebt de San Fernando Valley en de stad San Fernando, die in de San Fernando Valley ligt. Kunt u zich toevallig de naam van de straat herinneren?'

Sandra dacht diep na. 'Becker Street, geloof ik.'

Marge zei: 'Becker Street valt onder bureau Foothill.'

'Goed geheugen heb jij,' zei Decker. 'U zei dat het langzamerhand beter ging met de jongelui. Heeft Beth u dat verteld?'

'Ja,' antwoordde Sandra. 'Ongeveer een maand nadat ik bij hen was geweest, belde Beth dolenthousiast op. Ze klonk weer als de vrolijke dochter die ze altijd was geweest. De kerk had achter die winkel een lapje grond en de planten deden het daar erg goed. Dat had haar op een idee gebracht. Als ze nu eens hun geld bij elkaar legden en ergens in Californië wat grond kochten om daar organisch voedsel te verbouwen? Een collectieve boerderij leek haar een prachtige manier om God te dienen en hun dagelijkse brood te verdienen. Ik was blij, want ik kreeg de indruk dat ze eindelijk een richting in hun leven hadden gevonden, wat hard nodig was.'

'Het was uiteraard je reinste bedrog,' zei Devargas. 'U hebt zeker al geraden wie over het geld ging?'

Decker vroeg: 'Wie had bepaald dat Manny over het geld zou gaan?'

'Hijzelf waarschijnlijk.'

'Toen ze opeens waren verdwenen...' Sandra sloeg een kruis en keek naar de grond. Toen ze weer opkeek, waren haar ogen droog. 'We wilden graag praten met de andere leden van de kerk. We dachten dat de verdwijning misschien iets te maken had met het feit dat Manny het beheer had gekregen over het geld van de kerk.'

'Natuurlijk had het daarmee te maken!' zei Devargas. 'Het geld was samen met Manny en Beth verdwenen. We wilden met de andere leden van de kerk praten, maar die waren zo kwaad dat ze niet eens onze telefoontjes aannamen. En degenen die nog wel met ons spraken, zeiden dat onze kinderen hen hadden bestolen.'

'Toen niemand onze telefoontjes wilde aannemen, hebben we besloten zelf te gaan. Tegen de tijd dat we er waren, was het winkelpand waarin de kerk was gevestigd, leeggehaald en zat de deur op slot.'

'Hoe lang werden Beth en Manny vermist toen u in L.A. aankwam?' vroeg Decker.

'Hooguit twee weken,' zei Sandra. 'Toen Beth een paar dagen niet belde, dacht ik dat ze het gewoon druk had. We spraken elkaar niet elke dag. Tegen het einde van de eerste week begon ik me zorgen te maken. En toen hebben we geprobeerd contact op te nemen met de andere leden van de kerk.'

'Ik heb het dossier gelezen,' zei Marge. 'Het was dunner dan ik had verwacht, dus is het misschien niet compleet, maar ik herinner me niet dat er iets in stond over de Kerk van het Zonneland, noch over geld dat Manny voor die groepering beheerde.'

'Ik heb het dossier ook gelezen,' zei Oliver. 'Er staat helemaal níéts in over die kerk, noch over een andere kerk.'

Marge zei: 'Hebt u de politie over uw twijfels omtrent de kerk verteld?'

'Natuurlijk,' zei Devargas. 'Ik heb hun alles verteld over de kerk en het geld. Ik heb hun zelfs de naam van die vriendin van Beth gegeven.'

'Zij was de enige die bereid was met ons te praten toen we belden,' zei Sandra. 'Toen duidelijk werd dat Beth en Manny vermist werden, was ze erg verdrietig.'

'Ja, om het geld dat was verdwenen,' zei Devargas smalend.

Marge zag een lichtpuntje en vroeg: 'Herinnert u zich nog hoe die vriendin heette?'

'Ze had drie namen,' zei Devargas.

'Alyssa Bright Mapplethorpe,' zei Sandra. 'Ze zei dat ze een ver familielid was van de kunstenaar Robert Mapplethorpe.'

'Weet u wat er van Alyssa geworden is?' vroeg Oliver.

'Nee, sorry, ik heb geen idee,' zei Sandra. 'Maar ik heb haar oude telefoonnummer misschien nog wel.'

'Dat zou een goed houvast zijn,' zei Marge.

'Herinnert u zich misschien nog namen van andere leden van die groep?' vroeg Oliver.

Ze dachten even na. Toen schudden ze allebei hun hoofd.

'Ik zal u vertellen wat ik me herinner,' zei Devargas. 'Dat de politie het niet als een misdaad beschouwt als twee volwassen mensen hun koffers pakken en ergens anders gaan wonen. Dat is een normale gang van zaken, zeiden ze. Ik zei: "Dat kan best wezen, maar mijn dochter zou zoiets nooit doen... ze zou haar moeder nooit zo in het ongewisse laten." Toen heb ik hun verteld dat Manny het beheer over het geld van de kerk had.'

'Ik herinner het me nu weer,' zei Sandra. 'De rechercheur zei dat als Manny geld van de kerk had gestolen, de kerk een klacht moest indienen. Dan konden ze het als een misdrijf beschouwen en een onderzoek instellen.'

'Ik wist dat de kerk geen klacht zou indienen,' zei Devargas. 'Om te beginnen bestond die groep niet meer. Bovendien wilden ze de politie er natuurlijk niet bij halen vanwege alle drugs en seks. Misschien hadden ze dat land wel willen kopen om marihuana te kweken, weet ik veel.'

'Peter, je moet niet van alles uit je duim zuigen.'

'Ik zeg niet dat het zo was, maar je kunt ook niet zeggen dat het níét zo was.'

'We hebben een privédetective gehuurd om Beth te zoeken,' zei Devargas. 'Maar daar zijn we niks mee opgeschoten. Hij heeft een paar van de leden van die kerk opgespoord, maar die wilden niet helpen. Ze zeiden alleen maar dat Beth en Manny hen hadden bestolen en met de noorderzon waren vertrokken.'

'Ik had gehoopt dat hij Alyssa zou vinden,' zei Sandra. 'Maar dat gebeurde niet. Ongeveer een maand nadat de kinderen waren verdwenen heb ik haar nog een keer gebeld, maar het nummer was niet meer in gebruik.'

'Hoe heette de privédetective die u had gehuurd?'

'Caleb Forsythe,' vertelde Devargas hem. 'Hij is acht jaar geleden gestorven. Veel heeft hij niet gedaan. Alleen maar hier en daar wat vragen gesteld en ons toen de rekening gestuurd.'

'En de zaak was ook al maanden oud tegen de tijd dat we Forsythe inhuurden.'

'We hebben verrekte veel tijd verknoeid toen we zaten te wachten tot de politie iets zou doen.'

'Uiteindelijk is de politie naar hen gaan zoeken,' zei Sandra. 'Het kwam toen ook op het nieuws. Ze riepen de hulp van de kijkers in en opeens was het onderzoek in volle gang. Ze kregen veel telefoontjes, maar het heeft allemaal niet geholpen.'

'Dat was ongeveer twee maanden nadat ze waren verdwenen. Ik weet zeker dat mijn kleine meid toen al niet meer in leven was.' Devargas draaide zich abrupt om, liep weer naar het raam en staarde naar de populier in de voortuin. Sandra sloeg een kruis en slaakte een zucht.

Oliver vroeg: 'Weet u over hoeveel geld Manny het beheer had?'

'Minstens vijfduizend dollar,' zei Devargas. 'Dat vind ik nú zelfs veel geld, laat staan dertig jaar geleden.'

'Dat is zo,' zei Decker instemmend, 'maar zelfs in de jaren zeventig was het geen fortuin.'

'Junks overvallen zelfs oude vrouwtjes om hun cheque van vijftig onnozele dollars steungeld,' sneerde Devargas. 'Als Manny in L.A. aan harddrugs verslaafd is geraakt, kwam vijfduizend dollar hem goed van pas.'

Decker zei: 'Cathie heeft me verteld dat de moeder van Manny een aantal jaren geleden is overleden en dat zijn vader in de gevangenis zit.'

Devargas zei half binnensmonds: 'De appel valt niet ver van de boom.'

'Martin Hernandez heeft bij een roofoverval twee mensen gedood,' vertelde Sandra. 'Het was afschuwelijk, maar toen Beth verkering kreeg met Manny heb ik geprobeerd mijn mening over de jongen daardoor niet te laten beïnvloeden.'

'Christelijke naastenliefde,' zei Devargas snuivend. 'Onze grote fout!'

'Je mag de zonden van een vader niet op zijn zoon verhalen. Bovendien was zijn moeder, Clara, een zachtaardige vrouw. Dat zul zelfs jij moeten toegeven, Peter.'

'Dat kwam doordat ze de helft van de tijd dronken was.'

'Ze is aan de drank geraakt nadat de kinderen verdwenen waren. Iedereen verwerkt zoiets op zijn eigen manier.'

Devargas gaf daar geen antwoord op. Hij zou geen millimeter van zijn standpunt afwijken.

Sandra zei: 'Clara en ik hadden weinig gemeen, behalve ons verdriet. Ze had een zwaar leven. Haar man en haar andere zoon, Belize, zaten allebei in de gevangenis. Manny was haar laatste hoop. Toen hij verdween, raakte ze aan de drank en werd ze een kluizenaar. Vijf jaar nadat hij was verdwenen, is ze overleden. Vermoedelijk aan een gebroken hart.'

Decker vroeg: 'Weet u toevallig in welke gevangenis Martin Hernandez zit?'

Sandra zei: 'Santa Fe Correctional. Het is maar een kwartier rijden hiervandaan.'

'Is het een extra beveiligde inrichting?'

Sandra knikte. 'Hij heeft vijfenveertig jaar gekregen.'

Devargas zei: 'Vier keer is zijn verzoek om voorwaardelijke vrijlating geweigerd. Zo verstandig zijn ze tenminste wel.'

Sandra zei: 'Als hij lang genoeg blijft leven, wordt hij over drie jaar vrijgelaten.'

'De tragedie van ons rechtssysteem,' gromde Devargas.

Het was jammer dat Decker hem vanwege de conflicterende belangen niet in contact kon brengen met Farley Lodestone. Hun verlies en cynische instelling zouden een uitstekende basis zijn voor een hechte vriendschap. 'Wat is er van Manny's broer geworden?'

Ze haalden hun schouders op.

'Weet u waarom hij in de gevangenis terecht is gekomen?'

'Een roofoverval,' zei Devargas.

'Hoe oud moet hij nu zijn?'

'Hij was twee jaar ouder dan Manny,' zei Sandra. 'Hij is dus in de vijftig.'

'En hun vader?'

'Die is van onze leeftijd. Achter in de zeventig, of begin tachtig,' zei Sandra.

'U zei dat Martin Hernandez over drie jaar op vrije voeten komt, als hij zo lang blijft leven,' zei Decker. 'Is hij ziek?'

'Nee, maar u weet hoe het gaat in een kleine gemeenschap.' Ze maakte een hoofdbeweging in de richting van haar man. 'Men vergeet niets.'

'Nee, men vergeet niets,' herhaalde Devargas. 'Als Martin verstandig is, blijft hij tot zijn dood in die gevangenis zitten!'

Decker had nog tientallen vragen voor hen, maar die zouden moeten wachten. Toen hij op zijn horloge keek, zag hij tot zijn schrik dat het bijna één uur was. Over acht minuten moest hij bij Fred Bradley zijn, de gepensioneerde tandarts die beweerde dat hij de gebitsfoto's van Isabela Devargas had bewaard. Gelukkig was Santa Fe een kleine stad en was het toeristenseizoen met de daarmee gepaarde gaande opstoppingen nog niet begonnen.

Bradley was gekleed in een witte broek en een blauw overhemd en droeg witte bootschoenen; hij leek al een eindje in de tachtig te zijn: een man met een bleke, bijna doorzichtige huid, een drankneus, waterige blauwe ogen en een gekromde rug. Het was een joviale vent, die van het leven genoot en veel golf speelde. De woonkamer van zijn flat had uitzicht op een meertje in een golfbaan. Hij verzocht de rechercheurs te gaan zitten en bood hun een verscheidenheid aan drankjes aan. Nadat ze elk een glas frisdrank hadden gekregen – Bradley had zelf voor iets sterkers gekozen – bedankte Decker de gepensioneerde tandarts voor zijn tijd en voor het feit dat hij met een vooruitziende blik de gebitsfoto's van Isabela Devargas had bewaard.

Toen begon Bradley te praten. Eerst over Isabela, maar algauw dwaalde hij af naar allerlei dingen die weinig met de zaak te maken hadden. Decker vermoedde dat hij urenlang over 'de goeie, ouwe tijd' had kunnen doorgaan, als Oliver niet op zijn horloge had getikt en de spraakzame Bradley eraan had herinnerd dat ze nog terug moesten vliegen naar L.A. Ze bedankten hem voor de foto's en reden over de I-25 terug naar Albuquerque.

De rit naar de drukst bevolkte stad van New Mexico die op de heenweg een uur in beslag had genomen, duurde nu twee uur omdat ze net in de spits zaten. Ze moesten hollen om hun vlucht te halen en toen ze eenmaal in het toestel zaten – met Marge op de minst aantrekkelijke zitplaats in het midden – slaakten ze alle drie een zucht van verlichting. Cathie Alvarez had besloten niet met hen mee terug te gaan, maar nog een paar dagen te blijven om haar oom en tante bij te staan.

De gebitsfoto's van Beth hadden ze, en daarmee hadden ze hun doel bereikt, maar de reis had meer vragen opgeworpen dan antwoorden opgeleverd.

'We hebben niet eens met familie van Hernandez gesproken,' zei Marge toen ze waren opgestegen. 'En er zullen er toch best nog een paar in leven zijn.'

'Wat zouden we daarmee opschieten?' vroeg Oliver.

'Ik wil weten hoe andere mensen over hem denken.'

Decker zei: 'Ik heb een idee. Denken jullie dat Manny Hernandez, als hij nog leeft, wel eens bij zijn vader op bezoek gaat in de gevangenis?'

'Onder een valse naam is dat heel goed mogelijk,' zei Marge.

'Zelfs onder zijn eigen naam. Er zijn weinig mensen die zich de verdwijning van Beth en Manny herinneren. Ik denk niet dat de directie en gevangenbewaarders van de Sante Fe Correctional weten dat Martins zoon Manny dertig jaar geleden is verdwenen.'

Oliver zei: 'Santa Fe is een kleine stad. Ik wil wedden dat er onder die gevangenbewaarders ouwe rotten in het vak zijn die zich nog wel degelijk herinneren dat Manny en Beth indertijd zijn verdwenen. Manny zou stapelgek zijn als hij zich onder zijn eigen naam in het logboek zou laten inschrijven.'

Decker zei: 'We moeten evengoed de logboeken laten nakijken om te zien wie er zoal bij Martin Hernandez op bezoek komt. Misschien komen we Manny dan op het spoor. De meeste logboeken zijn nu digitaal, maar in de jaren zeventig en tachtig was dat nog niet zo.' Hij dacht even na. 'Laten we allereerst contact opnemen met de gevangenisdirectie om te zien of Martin recentelijk bezoek heeft gehad.'

'Wie zou er op bezoek gaan bij een man van tegen de tachtig? Zijn vrouw leeft niet meer. Zijn kinderen? De ene heeft zelf in de gevangenis gezeten en de andere wordt vermist.'

Decker zei: 'Als Martin bezoek krijgt, moet het toch ofwel zijn zoon de bajesklant zijn of Manny, of allebei.'

'Aangenomen dat ze nog leven,' zei Oliver. 'We weten niets over Belize Hernandez.'

'Hij zit niet in Santa Fe Correctional,' zei Marge. 'Dat heb ik al nagekeken.

Decker zei: 'De trouwfoto van Manny is de enige die we van hem hebben, toch?'

'Tot nu toe,' zei Marge. 'Zodra we terug zijn, bel ik zijn school om te vragen of ze ons foto's uit hun jaarboeken kunnen sturen.'

'Weet je wat handig zou zijn? Als we een recente foto hadden van Belize Hernandez. Op de forensische afdeling hebben ze software waarmee ze Manny ouder kunnen maken aan de hand van zijn trouwfoto. Het is goed dat we weten hoe hij er toen uitzag, maar als hij nog leeft, is hij nu midden vijftig. We moeten een manier zien te vinden om te weten te komen hoe hij er nu vermoedelijk uitziet.'

32

Rina deed de zilveren armband met turkooizen steentjes om haar pols. 'Hij is erg mooi.' Ze gaf haar man een kus op zijn wang. 'Dank je wel.'

'Geen dank.'

'Waar heb je hem gekocht?'

'Aan het Plaza, toen ik 's ochtends vroeg een eindje was gaan wandelen. Voor het Old Governor's Palace is een plaats waar indianen sieraden verkopen. Deze armband is gemaakt door een lid van de Santo Domingo-stam. Achteraf was ik blij dat ik hem meteen heb gekocht, want toen we eenmaal aan het werk gingen, bleef er geen minuut vrije tijd over. Erg jammer trouwens. Santa Fe is een mooie stad. Ik zou er graag eens met jou samen naartoe willen. Volgens mij zit de Chabad daar ook.'

'De Chabad zit overal. Als ik me niet vergis, heb ik op de foto's die dat ruimteschip terugstuurde van Mars, een replica van het beroemde 666 Building gezien.' Rina stak haar arm uit en bekeek de armband. 'Je hebt een goede smaak.'

'Dank je.' Decker stapte in bed en trok de deken over zijn vermoeide lichaam. 'Het is een lange dag geweest. Ik ben doodop.'

'In ieder geval zijn jullie niet voor niets gegaan.'

'Dat is waar. Al zijn we er nog lang niet. We moeten nog zien of de gebitsfoto's van Beth overeenkomen met het gebit van onze Jane Doe.'

'Twijfel je daar dan nog aan?'

'De gepensioneerde tandarts die zo verstandig is geweest röntgenfoto's te bewaren, is niet alleen over de tachtig, maar houdt ook van een borreltje. Het zou me niks verbazen als hij zich heeft vergist.'

Hij pakte haar hand.

'Sorry dat ik zo prikkelbaar ben. Dat heb ik wanneer we tegen een doorbraak aan zitten.'

'Weet ik. En je zult morgen vast en zeker een heel eind verder komen.'

'Dat hoop ik, want ik kan het niet uitstaan als een moordenaar zijn straf ontloopt.'

'Uiteindelijk zal hij toch voor zijn daden moeten boeten. Ook als hem geen straf wordt opgelegd door een rechtbank hier op aarde, zal dat gebeuren door een hoger gezag. Daar valt niet aan te ontsnappen: *Middah keneged middah*. Leer om leer.'

'Ik wou dat ik dat kon geloven.'

'Ik ben er soms ook niet zeker van, maar het is de grondslag van alle geloof en ik ben een gelovige vrouw.' Rina legde haar boek weg. 'Maar ik weet hoe frustrerend oude, onopgeloste zaken zijn.'

'Meestal is het duidelijk wie de trekker heeft overgehaald. Maar in sommige gevallen blijven we in het duister tasten.'

'Met deze zaak, die maar liefst tweeëndertig jaar oud is, hebben jullie in ieder geval wonderbaarlijk veel vooruitgang geboekt.' Ze boog zich over hem heen, kuste zijn wang en deed het licht uit. 'Ga maar lekker slapen.'

In het donker wreef Decker met zijn vlezige handen over zijn gezicht. 'Ik weet niet of ik de slaap zal kunnen vatten.' Hij keek naar de bewegende schaduwen op het plafond. 'Op momenten als dit kan ik me heel goed inleven in de obsessies van verslaafden.'

'Ik weet dat het je erg dwarszit dat iemand ongestraft een moord heeft gepleegd, maar niemand heeft het eeuwige leven en wanneer het zover is, besef je dat iemand anders over je beschikt.'

'Maar stel dat er niks meer is na de dood,' zei Decker. 'Geen hiernamaals. Dat je gewoon in je graf ligt te rotten en verder niks.'

'Misschien is dat ook wel zo,' zei Rina. 'Maar aangezien niemand dat weet, blijf ik liever in het tegenovergestelde geloven. Ook als achteraf zal blijken dat me een rad voor ogen is gedraaid, is geloven in God voor mij de gezondste manier van leven. Geloof is voor de levenden, Akiva, niet voor de doden.'

'Ik vind het schitterend als je me Akiva noemt. Dan klink je zo serieus!' Hij zweeg even en zei toen: 'Jij gelooft dus echt in leer om leer? Jij vindt dat het niet alleen maar een spreuk is om ons een hart onder de riem te steken?'

'Dat ook, maar daar gaat het niet alléén om. Maak het jezelf niet zo moeilijk. Wat die zaak van jullie betreft, heb ik een goed gevoel. Je hebt

Beth Hernandez geïdentificeerd en daarmee de eerste stap gezet om ervoor te zorgen dat de moordenaar zijn straf krijgt. En denk niet dat hij nog geen straf heeft gekregen omdat hij al die jaren op vrije voeten is gebleven. Misschien worstelt hij met verschrikkelijke gewetenswroeging. Maar zelfs als hij een kille psychopaat is, zoals jullie dat noemen, heeft hij al die jaren op zijn tellen moeten passen. Zelfs psychopaten hebben gevoel voor zelfbehoud.'

Decker glimlachte. 'Het is je gelukt. Je hebt mijn sombere stemming verjaagd.'

'Mooi zo. Denk je dat je nu kunt slapen?'

'Ik weet het niet.' Peter rekte zich uit. 'Ik ben nog steeds een beetje gespannen. Weet je wat? Praat nog wat over tuinieren. Daar val ik altijd van in slaap.'

Ze gaf hem een speelse tik.

Hij deed zijn ogen dicht, maar meteen zag hij Beth Hernandez voor zich. En de stilte werd gevuld door de stem van Farley Lodestone. Wanneer hij in zo'n bui was, probeerde hij aan ontspannende dingen te denken... paardrijden, een lange wandeling door de bossen in de herfst, seks...

Hij voelde het kriebelen in zijn onderbuik.

Misschien hoefde het niet bij verbeelding te blijven.

Hij keek naar de klok. Het was laat en hij was niet in een beste bui en Rina was waarschijnlijk te moe, maar hij sloeg evengoed zijn arm om haar heen. Ze kroop tegen hem aan en nestelde zich tegen zijn borst. Haar ogen waren gesloten en ze toonde geen tekenen van begeerte. Decker sloot ook zijn ogen en voelde zijn hartslag bedaren. Zijn ledematen verslapten en zijn hoofd werd zwaar. Geen seks, maar dit was ook fijn.

Marge stond bij zijn kantoor te wachten toen hij aankwam. Ze gaf hem een kop koffie, pakte de sleutels van hem aan en maakte de deur open. Ze zei: 'Heb je een afspraak gemaakt met Lauren, de forensisch kunstenares?'

'Ja, en niet alleen met Lauren.' Decker deed het licht aan en ging achter zijn bureau zitten. 'We hebben vanmiddag om twee uur in de Crypte een afspraak met iemand die is gespecialiseerd in digitale verouderingssoftware. Bedankt voor de koffie.'

'Iemand heeft muffins meegebracht van Coffee Bean. Wil je er een?'

Coffee Bean was het equivalent van de grotere, alomtegenwoordige Starbucks, maar zat alleen in Californië. Belangrijker was dat de producten koosjer waren. Zelfs Rina kocht er wel eens iets. 'Ja, graag.'

'Ik haal wel.' Marge legde een grote, bruine envelop op zijn bureau. 'In gevangenissen en op scholen begint de dag al vroeg. Bekijk de foto's en vertel me wat je ervan denkt. Ik ben zo terug.'

Decker dronk zijn koffie en keek eerst even wat er allemaal op zijn bureau was gelegd. Toen maakte hij het touwtje los waarmee de flap van de envelop was dichtgebonden. Er zaten foto's in. De eerste was een politiefoto – front en profiel – van een man van tussen de twintig en veertig. Een mager gezicht met een stoppelbaard, wilde ogen en een smalend opgetrokken bovenlip. Hij had dik, zwart haar en een ribbelig, zigzaggend litteken op zijn nogal vooruitstekende voorhoofd. Weinig losse huid daar; het hechten moest veel pijn gedaan hebben. De gegevens onder de foto vertelden hem dat Martin Hernandez één meter vijfenzestig lang was en ongeveer zeventig kilo woog. Op de dag van de arrestatie was hij zevenendertig jaar. Decker legde de foto op zijn bureau, met het gezicht naar boven.

Verder waren er gekopieerde foto's uit het gevangenisdossier: een oudere Martin, te oordelen naar het grijze haar, de nieuwe littekens en de rimpels. Er waren ook foto's die waren gemaakt nadat Hernandez een pak slaag had gekregen. Zijn gezicht was bont en blauw en hij had twee dichtgeslagen ogen en een kapotte lip. Op afzonderlijke foto's waren messteken in zijn armen te zien.

De laatste serie foto's was van een gekromde oude man met een golden retriever. Decker vond tussen de paperassen een krantenartikel dat bij de foto's hoorde. Martin Hernandez en een aantal andere gedetineerden hadden deelgenomen aan een hondentrainingsprogramma dat Laatste Kans heette. Gevangenen met levenslang, die waren uitgekozen wegens goed gedrag, hadden ieder een hond uit het asiel toegewezen gekregen die niemand hebben wilde en die een spuitje zou hebben gekregen. Plaatselijke reddingsorganisaties hadden de beste puppy's uitgezocht en met de directie van de gevangenis een speciaal programma uitgewerkt. De uitverkoren gevangenen moesten de honden zodanig africhten dat ze daarna mensen in rolstoelen zouden kunnen helpen. Ze moesten hun leren op bevel te gaan lopen en stil te staan, voorwerpen te apporteren, het licht aan en uit te doen en alarm te slaan.

De hond van Hernandez was als beste uit de bus gekomen en Hernandez was gekozen tot beste hondentrainer van de gevangenis.

De oude man straalde van trots. Zijn ogen verdwenen bijna in zijn kogelronde gezicht. Zijn onderkaak was ingevallen wegens ontbrekende tanden, maar zo te zien had hij geen probleem met kauwen en mankeerde er niets aan zijn eetlust, want hij was een stuk dikker dan op de eerste foto's.

Marge kwam terug met twee muffins. 'Wat een inhalig zootje! Het werd bijna een rel. Ik heb al mijn vernuft moeten gebruiken om de laatste twee te pakken te krijgen, al is bij de ene de bovenkant eraf, en die is juist het lekkerst.'

'Neem jij die hele maar, en geef mij de onthoofde.'

'Nee, ik heb liever de onthoofde. Ik doe aan de lijn.'

'Aan de lijn? Dat heb je helemaal niet nodig.'

'Lijnen is een chronische ziekte, Pete. Je hebt goede en slechte dagen, maar je komt er nooit van af.' Ze nam een hap van haar muffin. 'Mmm, heerlijk. Heb je de foto's al bekeken?'

'Ja. Manny lijkt niet op zijn vader. Volgens de oude politiefoto's was Martin op zijn zevenendertigste een vrij kleine, magere, pezige man. Manny Hernandez ziet er op zijn trouwfoto langer en robuuster uit en hij heeft ook een ronder gezicht. Ik weet niet of die deskundige vanmiddag veel aan deze foto's zal hebben als hij het gezicht van Manny ouder gaat maken.'

'Ben ik met je eens,' zei Marge. 'Toch heeft Martin iets bekends over zich. Volgens mij heeft Manny zijn ogen.'

Oliver klopte op de deurpost en kwam binnen. Hij was piekfijn gekleed in een blauw pak met een geel overhemd en witte das. 'Soms zit alles tegen, soms lacht het leven je toe. Ik heb Alyssa Bright Mapplethorpe opgezocht in het telefoonboek. Ze staat er gewoon in en ik heb haar meteen gebeld. Toen ik haar vertelde waar het om ging, reageerde ze heel behulpzaam. Meer dan behulpzaam. Ze wil graag met ons praten en ik heb om tien uur met haar afgesproken.'

'Ik ga mee,' zei Marge.

Oliver keek naar Decker, die zei: 'Gaan jullie maar. In de twee dagen dat ik hier niet ben geweest, hebben de stapels paperassen zich verveelvoudigd en dreigen ze zich meester te maken van mijn hele bureau. Bovendien heb ik nog meer rechercheurs en zaken waar ik me om moet bekommeren. Ik zie jullie vanmiddag wel in de Crypte.'

'Wat gaan we in de Crypte doen?' vroeg Oliver.

'Iemand gaat met computersoftware de foto van Manny Hernandez bewerken om hem ouder te maken.' Marge liet hem de foto's van Martin Hernandez zien. 'Het zou prettig zijn als we aan een foto van Belize Hernandez konden komen. Hij en Manny schelen niet veel in leeftijd en misschien lijken ze op elkaar.'

Oliver zei: 'Maakt dat dan iets uit? Ik dacht dat je maar een foto hoefde te scannen en dat de computersoftware alles verder zelf doet.'

'Tot op zekere hoogte, maar de forensisch kunstenaar moet er ook heel wat aan doen,' zei Decker. 'Er komt veel intuïtie bij kijken.'

'Ik ben blij dat te horen,' zei Marge. 'Computers zijn mooie machines. Ze kunnen dingen weergeven en reproduceren, maar voor zover ik weet kunnen ze niets zelf bedenken.'

Decker haalde diep adem en drukte op de knipperende toets. 'Hallo, Farley, hoe gaat het?'

'Nog altijd hetzelfde, Peter. Ik bel weer even om je eraan te herinneren dat ik er nog ben en Roseanne niet.'

'En ik ben nog altijd met de zaak bezig. Mijn agenten gaan vandaag weer praten met alle buren van Ivan om te proberen alsnog een getuige te vinden die iets heeft gehoord of gezien. Het is een groot wooncomplex, Farley, en de meeste mensen geven er de voorkeur aan hun neus niet in andermans zaken te steken, maar we geven de hoop niet op.'

'Ik snap niet waarom je nog steeds naar getuigen zoekt,' zei Farley. 'Pak de schoft op en martel hem tot hij bekent.'

'Je weet dat we dat niet kunnen doen.'

'Bedenk dan wat anders om een bekentenis aan hem te ontfutselen.'

'Was het maar zo eenvoudig.' Farley gromde iets onduidelijks. In Peters achterhoofd sudderde nog steeds de wens hem in contact te brengen met Peter Devargas. Wat zouden ze samen fijn op de wereld kankeren! 'Farley, over ongeveer een week komt er officieel een einde aan de bergingswerkzaamheden van vlucht 1324. Als het lichaam van Roseanne dan nog niet is gevonden...'

'Ze zullen het niet vinden en dat weet je donders goed.'

'Maar als het werk eenmaal is afgerond, kunnen we de hulp van het publiek inroepen. Wie weet komt er dan iemand met nieuwe informatie.'

‘Zoals?’

‘Dat weet ik niet, Farley. Sommige moordenaars hebben er behoefte aan het aan hun vriendin of minnares te vertellen. Erover op te scheppen.’

‘Een vraag, inspecteur. Tegen wie zou Ivan daarover moeten opscheppen?’

‘Ik spreek theoretisch, want we hebben geen bewijs dat Ivan iets met haar verdwijning te maken heeft. Maar als hij het heeft gedaan, zie ik hem er wel voor aan het aan iemand te vertellen. Misschien zelfs aan zijn vriendin.’

‘De paaldanseres? Pak die dan op en zoek uit of ze iets weet.’

‘We hebben met haar gesproken, Farley, maar ze zegt niet veel en wil er liever niet bij betrokken worden.’

‘Misschien wil dat zeggen dat ze iets weet.’

‘Misschien, maar voorlopig kunnen we niets van haar los krijgen. Bovendien wil ik niet dat ze aan Ivan doorbrieft dat we hem nog steeds als verdachte beschouwen.’

‘Dat weet hij allang.’

‘Ja, maar we hebben hem nu al een tijd met rust gelaten. Als we iets concreets te weten komen, zou het prettig zijn als we hem daarmee overwachts kunnen overvallen.’

‘Ja, dat is ook weer waar. Het valt me eigenlijk nog mee dat die lafaard niet al lang vertrokken is.’

‘Ik neem aan dat hij op het geld van de verzekering wacht. Op dit moment is dat het enige wat we op hem vóór hebben. Ik hoop dat een oproep via de televisie, nadat het bergingswerk is afgerond, iemand ertoe zal bewegen voor de dag te komen.’

‘Ik heb er weinig hoop op.’

‘Je weet maar nooit wanneer iemands geweten gaat opspelen.’

‘Die schoft heeft geen geweten,’ zei Farley. ‘God is zo ironisch als de pest. Hij geeft alleen brave mensen een geweten, mensen die het helemaal niet nodig hebben.’

33

Het huis stond op de grens van Venice Canals – de realisatie van de droom van Abbot Kinney om de sfeer van het oude Europa te verplaatsen naar het subtropische Zuid-Californië. De wijk bestond uit zes straten met tussenliggende kanalen die uitmondden in de Grote Oceaan. Oorspronkelijk hadden er langs de kanalen kleine, eenvoudige huizen gestaan. Dertig jaar geleden waren er grote villa's voor in de plaats gekomen en tegenwoordig moest je voor zo'n perceel algauw een miljoen dollar neertellen.

Van een gemeenschappelijke, biologische boerderij naar een architectonisch kunstwerk van drie verdiepingen. Alyssa Bright Mapplethorpe moest helemaal zijn omgeturnd. Als ze echter nog steeds utopische idealen koesterde, zat ze in het Californische Venice wel op de juiste plek. De wijk zat vol socialisten, communisten, iconoclasten, zwervers en veel van de oorspronkelijke hippies.

Marge parkeerde op de oprit die uitkwam op de smalle straat en liep met Oliver naar het huis, dat de vorm van opgestapelde blokken had met grote ramen die uitzicht boden op het water. Ze belden niet meteen aan, maar bleven even om zich heen staan kijken. Op de veranda stonden twee gerieflijke schommelstoelen en een tuinset. Bij het huis hoorde een steiger met twee roeiboten. Het water onder de grijze lucht was kalm en werd alleen verstoord door voortglijdende eenden die hun staartveren schudden en met hun peddelende poten een zilverkleurig kielzog achterlieten. De lucht was nevelig en rook zilt.

Oliver belde aan. De vrouw die opendeed stelde zich aan hen voor als Alyssa Bright Mapplethorpe. Ze was erg mager, bij het knokige af, midden vijftig, had halflang grijs haar en een gerimpeld gezicht dat licht was opgemaakt met wat rouge en lipgloss. Ze was gekleed in een spijkerbroek die haar O-benen accentueerde, een zachte, roze kasjmier trui en droeg gymschoenen. Ze nodigde de rechercheurs uit binnen te komen.

Het interieur was even modern als de buitenkant; de begane grond was één grote ruimte van chroom en glas. Het huis was zodanig ontworpen dat je overal uitzicht had op de zee. De woonkamer had een plafond van wel zeven meter hoog en een metalen wenteltrap leidde naar de hogere etages. Het weinige meubilair was roomwit van kleur, had een eenvoudig design en vormde een scherp contrast met de zwarte ebbenhouten vloer.

'Gaat u zitten,' zei Alyssa. 'Wilt u iets drinken? Water?' Ze wachtte niet op antwoord, maar liep meteen naar de open keuken, pakte drie handgeblazen glazen, vulde ze met ijsblokjes en kwam terug met flesjes bronwater en schijfjes citroen. 'Ik heb altijd dorst. Ik ben onderzocht op beide soorten suikerziekte, maar alles is in orde. Ik ben blijkbaar gewoon iemand die snel vocht verliest.'

Ze zette de glazen en flesjes voor hen neer, dronk haar eigen glas leeg en schonk het opnieuw vol.

'Het was een hele schok toen u vanochtend belde, rechercheur Oliver.' Er blonken tranen in haar ogen. 'Dit gesprek had al veel eerder moeten plaatsvinden.'

'We stellen het erg op prijs dat u ons hebt willen ontvangen,' antwoordde Oliver. 'Ik heb gesproken met de rechercheur die indertijd belast was met het onderzoek naar de verdwijning van Manny en Beth Hernandez. George Kasabian. Hij is inmiddels met pensioen, maar herinnert zich nog goed dat de leden van de kerk destijds niets met de politie te maken wilden hebben.'

Tranen gleden over haar wangen. 'We hebben het over de jaren zeventig, rechercheur. Toen we over de schok van de verdwijning heen waren en merkten dat ze ons geld hadden gestolen, waren we erg kwaad, maar niemand kwam met het voorstel de politie erbij te halen. De "juten" waren de vijand.'

'Ook omdat de leden van uw kerk allemaal aan de drugs waren,' zei Marge.

'Ja, dat heeft beslist de doorslag gegeven bij het besluit geen medewerking te verlenen, maar het was ook helemaal niet bij ons opgekomen dat Manny en Beth misschien iets was overkomen, tot de moeder van Beth opbelde. Ze was erg van streek en vroeg of ik hun kon helpen hen op te sporen. Ik zei dat ze beter naar de politie konden gaan. Toen zei ze dat ze dat hadden gedaan, maar dat geen van de leden van de groep bereid was met de politie te praten.'

Een diepe zucht.

'Ik heb gezegd dat ik zou informeren, maar toen ze weer belde, werd ik bang. Ik heb mijn koffer gepakt en ben vertrokken zonder aan iemand te vertellen waar ik naartoe ging. Als Manny en Beth inderdaad ons geld hadden gestolen, konden we ons daarbij neerleggen, ziet u, maar als hun iets was overkomen, wilden we er niets mee te maken hebben. De groep is uiteengevallen en we zijn ieder onze eigen weg gegaan.'

'Waar bent u naartoe gegaan?' vroeg Marge.

'Terug naar huis, naar Boston en naar de universiteit. Ik heb me helemaal op mijn studie toegelegd en nooit meer meegedaan aan protestdemonstraties, love-ins of sit-ins. Ik heb ook de drugs afgezworen. Dat was opeens helemaal over. Ik ben architect geworden, ben getrouwd, heb een dochter gekregen en een rustig leven geleid tot mijn dochter volwassen was en haar vleugels uitsloeg. Toen kwamen mijn ex en ik tot de ontdekking dat we eigenlijk niets gemeen hadden. Tien jaar geleden zijn we gescheiden. Hij is in het oosten gebleven, ik ben teruggekeerd naar Californië. Ik had mijn buik vol van de koude winters.' Ze pakte een papieren zakdoekje en bette haar ogen. 'Diep in mijn hart wist ik dat ik was teruggegaan om me met mijn verleden te verzoenen. Het was erg laf van me geweest dat ik L.A. was ontvlucht zonder een adres achter te laten waar ik te bereiken zou zijn. Daarmee moet ik meneer en mevrouw Devargas erg hebben gekwetst. Ze kunnen me vast niet uitstaan.'

'Mevrouw Devargas sprak juist in lovende woorden over u,' zei Marge.

'O ja? Die heb ik anders niet verdiend.' Alyssa sprak met een snik in haar stem. 'Niet dat ik hun iets had kunnen vertellen. Ik heb geen idee wat er met Manny en Beth is gebeurd.'

'We denken dat we het lijk van Beth hebben gevonden,' zei Oliver. 'De bevestiging kan ieder moment komen, want vandaag worden de gebitsfoto's vergeleken. De vrouw in kwestie is in ieder geval vrijwel zeker vermoord.'

Alyssa begon te huilen. Marge reikte haar een papieren zakdoekje aan. Ze wachtten tot ze weer enigszins was gekalmeerd en ze verder kon praten. 'Arm kind. Ik hoop dat het snel is gegaan en dat ze niet heeft geleden.'

'We weten alleen dat ze is vermoord,' zei Marge. 'We weten niet wie het heeft gedaan.'

Oliver voegde eraan toe: 'We weten ook niet wat er met Manny Hernandez is gebeurd. We staan open voor alle ideeën die u daarover mocht hebben.' Hij lette scherp op haar reacties. Ze maakte een hulpeloos gebaar en droogde haar tranen, maar zei niets. 'Hadden ze een goede relatie?' vroeg hij uiteindelijk.

'Manny en Beth bedoelt u?'

Oliver en Marge knikten.

'Tja, we waren allemaal erg jong en idealistisch en constant high van de hasj, dus ik kan het me allemaal niet zo nauwkeurig herinneren, maar ik geloof dat het wel goed zat tussen die twee.'

Marge en Oliver keken elkaar aan. 'Hadden ze wel eens ruzie?'

'Dat zal best, maar ik kan me geen dramatische scènes herinneren. Zij was dol op hem. Hij was minder demonstratief, maar hij was dan ook een man. Hij was altijd lief voor haar en gaf haar altijd complimentjes over haar kookkunst. Beth kon erg goed koken. Ze kwamen uit Sante Fe, New Mexico… maar dat weet u natuurlijk al.'

'Ja,' zei Marge. 'Maar ga door. U bent een bron van broodnodige informatie.'

Alyssa glimlachte. 'Het is erg aardig van u om dat te zeggen. Ik weet best dat u me diep in uw hart een afgrijselijk schepsel vindt.'

'Wat maakte Beth zoal?' zei Oliver.

'O… allemaal van die traditionele indiaanse gerechten. Manny was dol op lekker eten en zei altijd dat Beth de kokkin van dat restaurant zou moeten zijn in plaats van er als serveerster te werken… ja, nu herinner ik het me allemaal weer. Beth werkte als serveerster. Maar dat weet u zeker ook al?'

Dat wisten ze, maar een bevestiging was nooit weg. 'Ik heb gehoord dat Manny een baan had als conciërge,' zei Marge.

'Ja, maar hij was ook een bekwame timmerman. Hij heeft de kerk ontworpen – zowel de kapel als de kantoorvertrekken. En hij heeft zelf de banken en het altaar gebouwd. Manny was een prima jongen. Daarom durfden we hem het geld voor de boerderij ook best toe te vertrouwen… Weet u daarvan?'

Oliver zei: 'Men heeft ons verteld dat alle leden hun geld bij elkaar hebben gelegd en ergens in het noorden een biologische boerderij hebben gekocht.'

'Om precies te zijn zouden we land gaan kopen voor een biologische boerderij. Manny was bezig met de ontwerpen voor de gemeenschappelijke leefvertrekken. We hadden nooit gedacht dat hij en Beth ons zouden bestelen.'

Marge zei: 'We hebben ook gehoord dat Manny soms aanmatigend optrad.'

'Aanmatigend?' Alyssa schudde haar hoofd. 'Dat zou ik niet zeggen. Zijn enige zwakke punt was eigenlijk dat zijn visioenen soms te groots waren. Hij had ontwerpen gemaakt voor een volledig boerenbedrijf – een boerderij, een stal, een paardenwei, graasland voor het vee, een reusachtig huis en gastenverblijven. We hebben toen gezegd dat hij wat gas moest terugnemen. Om te beginnen zouden we nooit genoeg geld bij elkaar kunnen krijgen. Ten tweede wisten we geen van allen iets van het boerenbedrijf. We wilden klein beginnen.'

'Hoe reageerde hij op uw kritiek?' wilde Marge weten.

'Het was geen kritiek.' Ze schonk nog een glas water voor zichzelf in en dronk het achter elkaar leeg. 'Het was...' Een zucht. 'Als ik me goed herinner heeft hij de ontwerpen gewoon wat verkleind. Ons doel was twintigduizend dollar te sparen om een aanbetaling op het land te kunnen doen. We hadden ongeveer zevenduizend dollar op onze bankrekening en dat was lang niet gek, als je bedenkt dat we voortdurend moeite hadden de eindjes aan elkaar te knopen.'

'Zevenduizend was toen veel geld,' zei Oliver. 'Erg aantrekkelijk voor een potentiële dief.'

'Manny was trouwens niet de enige die op de handtekeningenkaart stond. Hij wilde per se dat er behalve Beth en hij nóg iemand zou zijn die geld zou kunnen opnemen. Stel dat er met hen iets gebeurde, zei hij, dan zou de groep niet eens geld van de bank kunnen halen.'

Dit vond Marge erg interessant. 'En wie was de andere persoon?'

'Christian Woodhouse.'

'Weet u wat er van hem geworden is?'

'Tot op zekere hoogte. Na mijn scheiding heb ik hem opgespoord en opgebeld. Ik hoorde dat hij zelf ook was gescheiden. Hij is nu directeur van een privéschool in Vermont.'

'Had u een relatie met hem?'

'We zijn een paar keer met elkaar uitgegaan, maar na een maand wisten we al dat het niets zou worden en zijn we als vrienden uit elkaar gegaan. Ik heb zijn telefoonnummer, maar hij zal u verder ook niets over Beth en Manny kunnen vertellen.'

'Waarom denkt u dat?' vroeg Oliver.

Alyssa liet de ijsblokjes ronddraaien in haar glas en dronk het water op. 'Toen mevrouw Devargas me belde om te vragen of ik iets van Beth had gehoord, ben ik meteen naar hun flat gegaan. Toen er niemand opendeed, heb ik de huismeester verzocht de deur open te maken. De flat was leeg. Ik dacht meteen aan het geld. Ik heb Christian gebeld en toen zijn we samen naar de bank gegaan om te zien of het geld nog op de rekening stond. Ik was erbij toen de balieassistente aan Christian vertelde dat de rekening was opgeheven.'

'Dat wil niet zeggen dat Beth en Manny die hadden opgeheven,' zei Oliver.

Alyssa keek verward; toen begon haar te dagen wat hij bedoelde. 'Denkt u dat Christian hen heeft vermoord, hun flat leeggehaald en de bankrekening opgeheven?' Ze lachte. 'Nee, nee, nee. Christian heeft om een kopie gevraagd van het desbetreffende document over het opheffen van de rekening. Een paar dagen later kreeg hij het toegestuurd; Manny's handtekening stond erop. Ik was erg verbaasd. Misschien ten onrechte. Een paar leden van onze groep zijn toen naar hen gaan zoeken.'

Ze schudde haar hoofd.

'Dat heeft niks uitgehaald. Uiteindelijk heb ik mevrouw Devargas gebeld. Ik heb niets over het gestolen geld gezegd, omdat ik haar niet van streek wilde maken. Ik heb alleen gezegd dat ze plotseling waren vertrokken en dat ik ervan uitging dat ze hadden besloten naar huis terug te keren.'

'Waarom?' vroeg Oliver.

'Dat leek me logisch.'

Even bleef het stil.

Toen zei Alyssa: 'De leden van de groep hebben onderling afgesproken elkaar te bellen als we iets van Beth en Manny zouden horen. De rest weet u. Tot uw telefoontje van vanochtend heb ik al die jaren niets over hen vernomen.'

'Denkt u dat Manny Beth heeft vermoord?'

'Alles is mogelijk, maar ik denk het niet,' zei Alyssa. 'Ze waren heel gelukkig samen en ik heb nooit iets gemerkt van problemen. Hoe zal ik het zeggen?'

Een korte stilte.

'De tijden waren toen anders. We leidden een heel vrij leven, als u begrijpt wat ik bedoel.'

'Vrije liefde,' zei Oliver.

'Die term heb ik al heel lang niet gehoord.' Alyssa glimlachte triest. 'Wanneer het er... hartstochtelijk aan toeging...' Ze schraapte haar keel. 'Beth en Manny deden daar nooit aan mee, voor zover ik weet, behalve met elkaar. Beth en ik waren goed bevriend. Als ze het wél deed, zou ze me dat verteld hebben.'

Marge bleef zoeken naar een reden waarom Manny Beth dood had willen hebben. Ze zei: 'Misschien wilde Manny het wel en Beth niet. Misschien heeft hij haar in een vlaag van woede een klap op haar hoofd gegeven. Zou dat kunnen?'

Weer schudde Alyssa haar hoofd. 'Als Manny eraan mee had willen doen, zou Beth hebben meegedaan. Manny had meer belangstelling voor eten en drugs dan voor seks. Als hij maar hasj, *frijoles* en *carne* had, was hij tevreden. Geen van ons had een opvliegend temperament. We waren bloemenkinderen. We waren de helft van de tijd stoned van de hasj en de lsd. Tijdens de besloten kerkdiensten waren we allemaal high.'

'Wat was het verschil tussen besloten en openbare diensten?'

'Iedere zondag hielden we een traditionele dienst om nieuwe mensen aan te trekken. Onze kerk was een mengeling van christendom, jodendom, unitarisme en indiaanse gebruiken die we van Beth en Manny hadden geleerd. Aan de openbare dienst kwamen geen drugs te pas. Als we van nieuwe leden vonden dat ze bij onze levensstijl pasten, nodigden we hen uit deel te nemen aan de besloten diensten. We kwamen eens per week bij elkaar en dan was het allemaal drugs, drank en seks wat de klok sloeg.'

Marge dacht aan wat Peter Devargas over de Kerk van het Zonneland had gezegd. Hij had het goed gezien. 'Namen Beth en Manny deel aan die diensten?'

'Natuurlijk. Ze werden net zo dronken of stoned als wij allemaal.'

'En de seks?'

'Zoals ik al zei, deden ze daar volgens mij niet aan mee. Ik weet nog dat Manny altijd stoned was. Beth moest op de terugweg altijd rijden.'

Oliver zei: 'Dit is allemaal erg verhelderend, maar het verklaart niet waarom we alleen het lichaam van Beth hebben gevonden, en niet dat van Manny.'

'Ondanks alles wat ik u heb verteld, blijft u hem dus verdenken.'

'Voor ons is hij een vraagteken,' antwoordde Marge.

'Denkt u dat hij nog leeft?'

'Het is mogelijk,' zei Marge. 'Hebt u toevallig foto's van hem?'

'Nee. Toen ik naar Boston terugkeerde heb ik dat deel van mijn leven definitief afgesloten. Ik heb alles weggedaan en me volledig toegelegd op mijn gezin en mijn carrière. Dankzij de naam Mapplethorpe gingen er vele deuren voor me open.'

'Bent u familie van Robert Mapplethorpe?

'Hij is een achterachterneef van me,' zei Alyssa. 'Ik heb hem een of twee keer ontmoet, maar meer ook niet. Een architect was veel te bourgeois voor het milieu waar hij in zat. Maar dat is verder niet belangrijk. Foto's van Beth of Manny heb ik helaas niet.'

'Ook geen oude groepsfoto's?'

'Ik heb een paar foto's van Christian Woodhouse bewaard. U hebt zeker wel begrepen dat we toen ook iets met elkaar hadden? Misschien heeft Christian nog foto's uit die tijd. Ik zal u het telefoonnummer geven dat ik heb bewaard, maar dat is wel van tien jaar geleden, hoor.'

'Beter dan niks,' zei Oliver.

Ze stond op en zei dat ze zo terugkwam. Toen ze buiten gehoorsafstand was, vroeg Oliver aan Marge wat ze ervan dacht.

'Haar verhaal strookt niet met wat Peter Devargas over Manny zei.'

'Vind je haar visie op Manny Hernandez geloofwaardiger dan die van Devargas?'

'Peter Devargas heeft verdriet en is boos. Hij zoekt een zondebok. Maar denk aan de andere feiten. We hebben het skelet van Beth gevonden, maar niet dat van Manny. Hij wordt nog steeds vermist en nu hebben we een getuige die zegt dat ze zijn handtekening heeft zien staan op het document over de opheffing van de bankrekening, wat een bewijs is dat hij er met het geld vandoor is gegaan. De conclusie waartoe Peter Devargas is gekomen, lijkt dus erg aanvaardbaar.'

Alyssa kwam terug met een velletje papier. 'Hier hebt u het telefoonnummer van Christian en dat van zijn mobiele telefoon, en ook zijn adres. Bel hem alstublieft niet op zijn werk. Het is een exclusieve privéschool en ik denk niet dat de leden van het bestuur veel begrip zullen hebben voor zijn verleden.'

'Dat zullen we in gedachten houden,' zei Oliver. 'Verder nog iets?'

'Wilt u Sandra Devargas de groeten van me doen als u haar spreekt? En zeggen dat ik het allemaal heel erg vind?'

'U kunt haar ook zelf bellen,' zei Marge.

Alyssa knikte en knipperde tegen haar tranen. 'Ja, dat zou ik eigenlijk moeten doen. Hebt u het nummer bij u?'

'Nee, maar ze staat in het telefoonboek van Santa Fe.' Marge vertelde haar wat het adres was.

Alyssa schreef het op. 'Het leven gaat niet altijd over rozen, hè?'

Marge knikte, al vond ze dat je reinste onzin. Het leven van sommige mensen ging automatisch over rozen omdat ze toevallig de kinderen waren van stinkend rijke ouders. Andere mensen, zoals Sandra en Peter Devargas, hadden weinig rozen maar veel doornen in hun leven.

34

Het computerlab was op de tweede etage van het mortuarium, zodat Decker zijn lunch kon verteren zonder gehinderd te worden door de knekelhuisgeur die in de gewelven van de Crypte hing. Omdat hij niet wist hoe de verkeerssituatie was, was hij bijtijds op pad gegaan en arriveerde hij een kwartier te vroeg. Toevallig reden Marge en Oliver ook net het parkeerterrein van het mortuarium op en konden ze meteen hun laatste gegevens uitwisselen. Oliver at een broodje pindakaas met jam, terwijl Marge Decker een beknopte versie gaf van de saga van de Kerk van het Zonneland.

'We moeten in ieder geval met Christian Woodhouse gaan praten, al was het maar om het plaatje compleet te maken.'

'Denk je niet dat hij er iets mee te maken had?' vroeg Decker. 'Híj kon ook bij het geld komen.'

Oliver slikte moeizaam. Op het brood zat meer pindakaas dan jam. 'Marge en ik vinden allebei dat Alyssa Bright Mapplethorpe geloofwaardig overkwam. Ze was erbij toen Christian naar de bank ging en ze hebben beiden Manny's handtekening op de papieren zien staan. We zijn geneigd haar te geloven.'

'En wat vind je van Alyssa's mening dat Manny "een prima vent" was?' vroeg Decker aan Marge.

Marge stak een pepermuntje in haar mond. 'Daarover wil ik nog geen uitspraak doen.'

Oliver zei: 'Ik zou Woodhouse op het lijstje van verdachten zetten als we de skeletten van Beth én Manny hadden gevonden, maar aangezien we alleen Beth hebben gevonden, vinden we dat we ons moeten blijven toeleggen op de vraag waar Manny Hernandez is gebleven.'

'Dat ben ik met je eens,' zei Decker. 'Maar bel Woodhouse evengoed even om hem te polsen.' En aan Marge vroeg hij: 'Heb je een foto van Belize Hernandez gevonden?'

‘Heb ik,’ zei ze trots. ‘Momentje...’ Ze rommelde in haar tas en haalde een aantal vellen faxpapier met zwart-witfoto’s tevoorschijn. ‘Alleen geen recente foto, omdat Belize momenteel niet in de gevangenis zit.’ Ze gaf hem een van de blaadjes. ‘Deze komt uit een politiedossier van 1973, toen hij wegens inbraak in hechtenis is genomen en een korte straftijd heeft uitgezeten in een gevangenis in het zuiden van New Mexico.’

De kopie was niet van erg goede kwaliteit. Toen de foto was genomen, was Belize net achttien. Hij had een gedrongen lichaamsbouw en ronde ogen in een zacht, rond gezicht. Zijn haar was gemillimeterd, maar hij had de lange bakkebaarden die in de jaren zeventig in de mode waren.

Toen Marge zag hoe geconcentreerd Decker de foto bekeek, vroeg ze: ‘Wat is er, Pete?’

‘Hij komt me bekend voor, maar ik kan hem niet thuisbrengen.’

‘Hij komt je bekend voor omdat hij erg op zijn broer Manny lijkt.’ Marge gaf hem de rest van de kopieën. ‘Dit zijn de schoolfoto’s van beide jongens.’

Decker vergeleek de foto’s, die in het eindexamenjaar waren genomen. Ze leken inderdaad op elkaar, maar Decker kon het gevoel niet van zich afzetten dat hij deze jongen ooit had ontmoet. Hij gaf de kopieën terug aan Marge. ‘Het lab heeft een uurtje geleden gebeld. Ze hebben Beth Hernandez definitief geïdentificeerd aan de hand van de gebitsfoto’s. Wat een geluk dat Fred Bradley die had bewaard.’

‘De forensisch computertechnicus zal zien of hij de identificatie nog kan bevestigen door een röntgenfoto van het skelet van Jane Doe over de trouwfoto van Beth heen te leggen, maar van het gebit zijn ze al zeker.’

‘Heb je haar ouders al gebeld?’

‘Ja, en je kunt je wel voorstellen hoe aangenaam dat was. Het wachten is nu op het moment dat haar lichaam wordt vrijgegeven, zodat ze haar kunnen begraven.’ Bijna werd hij overmand door emoties en hij concentreerde zich snel weer op hun werk. ‘Deze foto’s zullen van pas komen bij het ouder maken van Manny. Ik ben benieuwd wat de wonderen van de moderne technologie kunnen doen voor de criminologische wetenschap.’

Norton Salvo was een zachte, bleekroze man van achter in de twintig met kleine, luikende ogen; hij had iets weg van een darwinistisch schepsel dat zijn gezichtsvermogen had verloren omdat het altijd in het donker leefde. Hij knipperde zo vaak dat Decker zich afvroeg of hij last had van droge ogen of dat het een tic was. Hij droeg een wit overhemd – zonder borstzakje – een zwarte broek en sportschoenen met witte sokken. De computertechnicus bleek een vriendelijke jongeman te zijn die de rechercheurs om beurten een ferme, droge hand gaf. Hij sprak op de bevlogen manier van een ouderwetse goudzoeker en wilde zijn kennis van de laatste snufjes in de forensische software graag met hen delen.

Het computerlab was klein, maar aangezien er vrijwel geen meubels stonden, paste de groep van vijf er net in, zolang niemand bezwaar had tegen het gevoel in een volle lift te staan. In de kamer stonden twee tafels en twee stoelen en verder niets. Op een van de tafels stonden vier computerschermen en andere apparatuur die Decker niet kende. Norton scande de fotokopieën die Marge Dunn had meegebracht. Toen hij klaar was, gaf hij ze aan Lauren Decanter. De forensisch kunstenares was opgetogen deel uit te maken van de groep en bekeek de foto's aandachtig.

Salvo zei: 'De software moet allereerst de schedel- en gezichtsdimensies opmeten aan de hand van de foto's. Wilt u ondertussen misschien de superpositie zien van Beth Hernandez en de schedel?' Hij wachtte niet op antwoord, maar klikte met de muis. Meteen verscheen de schoolfoto van Beth op het grootste van de vier schermen. 'Dit is dus Beth Hernandez. En nu...'

Een klik met de muis zorgde voor een gesplitst scherm – Beth op de ene helft, het skelet op de andere helft.

'Dit is een röntgenfoto van uw Jane Doe die onder een specifieke hoek is genomen. Als we de beelden nu over elkaar heen schuiven...'

De corresponderende ijkpunten spraken boekdelen, van de oogkassen tot de vergane neusbrug. Ook als ze de gebitsfoto's niet hadden, zouden zelfs de grootste sceptici overtuigd worden door deze superpositie.

'Als er een rechtszaak komt, zal men u ongetwijfeld verzoeken een getuigenis af te leggen over uw expertise,' zei Decker.

'Daar heb ik geen enkel probleem mee. Het enige wat niet precies overeenkomt, is de deuk in de schedel waar haar hoofd is ingeslagen.'

Er klonk een piepje. 'Goed zo, die is klaar,' zei Salvo. 'We hebben de tweedimensionale gezichten en de computer gaat daar de gezichtsbeenderen onder aanbrengen. Bij het verouderingsproces doet de computer eigenlijk hetzelfde werk als Lauren. De software bepaalt de anatomische ijkpunten en gaat daarmee aan het werk. Maar software kan niets intuitiefs toevoegen. Daarom is de inbreng van Lauren zo veel waard.'

'Hou op. Ik bloos ervan,' zei Lauren.

Norton glimlachte verlegen, jongensachtig. 'Ik geef het programma nu opdracht het zachte weefsel dertig jaar ouder te maken.'

'Er rimpels, lijntjes en wallen in aan te brengen,' verduidelijkte Lauren. 'Naarmate we ouder worden, breekt het collageen af.'

'Daar hebben we hem.' Salvo klikte met de muis en op het scherm verscheen een nieuw beeld. Manny was nu vijfenvijftig en had een vlezig gezicht met rimpels. Zijn neus was breder geworden, hij had wallen onder zijn ogen, zijn mond was ook breder, zijn lippen dunner, en de mondhoeken stonden naar beneden. In zijn donkere haar zat veel grijs.

Lauren vroeg: 'Wat deed deze man voor werk voordat hij verdween?'

'Hij was conciërge,' antwoordde Decker.

Marge voegde eraan toe: 'Alyssa Bright Mapplethorpe zei dat hij ook een bekwaam timmerman was.'

Lauren zei: 'Denkt u dat hij ooit een kantoorbaan zou hebben gekregen?'

'Gezien het feit dat zijn vader en broer in de gevangenis zaten, lijkt dat me niet waarschijnlijk,' zei Marge. 'Ik vraag me nog steeds af of hij zelf niet ergens in de gevangenis zit.'

'Wat voor soort werk zou hij doen, als hij nog leeft?'

'Vermoedelijk het soort werk dat alle criminelen doen,' zei Oliver. 'Dakwerker.'

'Of iets anders in de bouw, gezien zijn ervaring als timmerman,' zei Decker.

Salvo zei: 'In ieder geval werk waarbij hij veel zou zijn blootgesteld aan de zon.'

'Gezien zijn beroep en achtergrond rookt hij waarschijnlijk ook,' zei Lauren.

'Daar heb je alle kans op,' zei Decker. 'Trouwens, op de foto's lijken zijn ogen bruin, maar zijn broer heeft donkerblauwe ogen. Misschien heeft hij van zichzelf een lichtere huid dan hier lijkt.'

‘In dat geval moet hij levervlekken en sproeten hebben gekregen.’ Salvo bracht wat wijzigingen aan en het gezicht dat nu in beeld kwam, was magerder, ouder en verdroogder. De haarlijn was teruggeweken en liet een voorhoofd vol lijntjes zien. ‘En we moeten ook aan zijn gebit denken. Als hij rookt en drinkt heb je kans dat hij inmiddels een paar tanden is kwijtgeraakt.’ Nog een klik en de mond was iets ingevallen. ‘Wat vindt u?’

Decker staarde naar het gezicht. Zonder zijn ogen ervan af te wenden, zei hij: ‘Wat vind jij, Lauren?’

Ze keek naar het gezicht op het scherm. ‘U bent er niet gelukkig mee.’

‘Hoe weet je dat?’

‘Het is mijn beroep dingen van gezichten af te lezen. Waar bent u niet gelukkig mee, inspecteur?’

Decker wendde zijn ogen van het scherm af. ‘Mag ik die faxen nog even zien?’

Lauren gaf hem de vellen papier. ‘Ik weet wat u dwarszit. Manny en zijn broer hadden allebei een rond gezicht. Uw beeld van Manny komt niet overeen met het gezicht op de computer omdat het te mager is.’

‘Ja, dat is het!’ zei Decker. ‘Als Manny nog leeft, is hij waarschijnlijk dikker.’

‘Een vadsig geworden ex-footballspeler,’ zei Lauren.

‘Precies,’ zei Decker. ‘Zelfs Manny’s vader, die erg mager en pezig was, is nu dik.’

‘Omdat het eten in de gevangenis vol vet, suiker en koolhydraten zit,’ zei Marge.

‘Moeten die maaltijden tegenwoordig niet beter uitgebalanceerd zijn?’ vroeg Lauren.

‘O, er zal heus wel een beetje proteïne in zitten,’ zei Marge, ‘maar je houdt het gespuis niet in bedwang met kropsla.’

Salvo zei: ‘Als ik het gezicht dikker maak, zal een deel van de rimpels verdwijnen.’

‘Vet is goed opvulmateriaal,’ zei Lauren. ‘Plastisch chirurgen gebruiken het om rimpels weg te werken.’

Salvo tikte op wat toetsen en het gezicht dat nu op het scherm verscheen, was voller en minder gerimpeld.

Decker was nog steeds niet tevreden.

‘De ouwe Hernandez is in de gevangenis echt dik geworden en deze man was als jonge volwassene al breder gebouwd dan zijn vader. Ik vind hem hier echt nog steeds te mager.'

'Maar als hij in de bouw werkt,' zei Oliver, 'krijgt hij veel lichaamsbeweging en is hij misschien niet zo dik als zijn vader, die al vijftig jaar op zijn kont zit.'

Decker schudde zijn hoofd. 'Wat je zegt is logisch, Oliver, maar ik heb nu eenmaal een beeld voor ogen van iemand die ik al eens heb gezien. Doe me dus een plezier en maak zijn gezicht nog wat dikker.'

Salvo deed het. Het beeld dat nu verscheen was dat van een dikke man met een glad gezicht.

Lauren zei: 'Dikke oude mannen hebben vaak meer hoofdhaar dan magere mannen van dezelfde leeftijd. Vraag me niet waarom, maar het is waar. Misschien heeft het te maken met hormonen. Geef hem eens wat meer haar, Norton.'

'Oké.' Weer speelde hij met de muis. 'Zo beter?'

Weer bekeek Decker de foto van Martin, Manny's vader. 'Kun je zijn onderkaak iets laten invallen, zoals die van zijn vader?'

Salvo voldeed aan zijn verzoek. Met hun vijven staarden ze naar het scherm. Marge krabde op haar hoofd en zei tegen Decker: 'Je hebt gelijk, Pete. Hij komt mij ook bekend voor.'

'O ja?' zei Oliver.

'Ja...' Decker voelde dat zijn hart sneller ging kloppen, maar schudde ongelovig zijn hoofd. Je had toeval en je had toeval.

De woorden van Rina: leer om leer. *Middah keneged middah.*

Het aforisme was alleen maar een cliché, maar soms werd een beeldspraak een cliché omdat het waar was.

'Zet hem eens een leesbril met halve glazen op.'

'Waarom?'

'Zomaar.'

'Oké.' Even later verscheen het gezicht mét bril op het beeldscherm.

'Allemachtig!' Marge sloeg met haar vlakke hand tegen haar voorhoofd. 'Dat is Raymond Holmes!'

Decker zei: 'Oftewel Manny Hernandez, die eigenlijk *Ramon* Hernandez heet.'

Oliver keek verward. 'Hebben jullie het over de Raymond Holmes als in Raymond Holmes, de minnaar van Roseanne Dresden?'

'Het kan raar lopen in de wereld,' zei Decker. 'Twee vermiste vrouwen en één man. Tenzij Marge en ik het mis hebben, en het puur toeval is dat de Raymond Holmes die we in San Jose ondervraagd hebben, een aannemer is die als twee druppels water op deze computerfoto lijkt.'

'Hebt u een foto van Raymond Holmes?' vroeg Salvo. 'Dan zou ik de beelden over elkaar kunnen schuiven.'

'Nee, van Holmes hebben we geen foto,' zei Decker.

'Lauren zei: 'Norton, kijk even in Google-face of je een foto van hem kunt vinden.'

'Goed idee.' Er volgden wat klikjes op het toetsenbord en met de muis. Een minuut later keken ze naar een kleine groepsfoto van vier jaar geleden waar Raymond Holmes ook op stond. Hij had samen met nog vier anderen de Golden Heart Award ontvangen die werd uitgereikt aan aannemers die hadden meegewerkt aan de bouw van huizen voor mensen uit de lage-inkomensklasse.

'Je kunt zijn gezicht amper zien, laat staan een idee krijgen van de beenderstructuur,' zei Marge.

'Ja, hier hebben we niet veel aan,' zei Salvo. 'Laat me even googelen om te zien of hij op andere websites voorkomt.' Met de naam als zoekterm kregen ze achthonderd treffers, waaronder een arts, een dominee, een dichter, een onderwijzer, een schrijver en nog een heleboel andere mensen. 'Het zal veel tijd kosten om dit allemaal na te trekken. Misschien kunt u beter even naar San Jose vliegen om met een zoomlens een foto van hem te nemen.'

'Is dit de man die de leugendetectortest succesvol heeft doorstaan?' vroeg Oliver.

'Yep,' zei Marge.

'Als ik Manny Hernandez was en een lijk in dat flatgebouw had gedumpt, zou ik er meteen tussenuit zijn geknepen toen ik hoorde dat er een vliegtuig op was neergestort.'

'Dat heeft hij toen niet gedaan, maar nu waarschijnlijk wel,' zei Decker. 'Toen we met hem zijn gaan praten heb ik hem dom genoeg verteld dat het lijk dat we in het afgebrande huis hadden gevonden, niet van Roseanne Dresden was. Ik denk dat Raymond Holmes diep in zijn hart hoopte dat we Beth voor Roseanne zouden aanzien.'

Oliver trok een gezicht. 'Je zou toch denken dat hij genoeg politieseries heeft gezien om te weten hoe men mensen identificeert.'

'Ja, maar het lijk was half verkoold,' zei Marge. 'Misschien dacht hij dat het moeilijk te identificeren zou zijn, dat we niet voldoende biologisch materiaal hadden om erachter te kunnen komen dat het Beth Hernandez was. En nadat hij de leugentest goed had doorstaan, dacht hij natuurlijk dat hij goed zat.'

'Mag ik weten waar dit over gaat?' vroeg Salvo.

Marge zei: 'Raymond Holmes was de minnaar van Roseanne Dresden. Iedereen dacht dat Roseanne bij de vliegtuigramp was omgekomen, maar haar lijk is niet gevonden. We zijn naar San Jose gegaan en hebben Raymond een leugentest laten doen waarbij we hem onder andere hebben gevraagd of hij Roseanne Dresden heeft vermoord. Hij heeft die test goed doorstaan. Dus hij is ofwel een ijskoude psychopaat of hij heeft haar inderdaad niet vermoord.'

Decker stak zijn vinger op. 'Zelfs als Holmes dacht dat hij wat Roseanne betrof goed zat, moet hij zenuwachtig zijn geworden toen we Jane Doe een gezicht hadden gegeven.'

'Tenzij hij niet weet dat we Jane Doe een gezicht hebben gegeven,' zei Salvo.

Marge zei: 'Het heeft op de voorpagina van de *L.A. Times* gestaan.'

'Hij woont niet in L.A.,' zei Salvo. 'Misschien leest hij de *L.A. Times* niet. Die lees ik ook niet.'

'Welke krant leest u dan?' vroeg Marge.

'Ik ben een computermens,' antwoordde Salvo. 'Ik lees het nieuws online. Als u een goede, recente foto van hem kunt krijgen, kan ik een superpositie maken van de twee foto's.'

Marge zei: 'We kunnen met een fototoestel naar San Jose gaan en een poging wagen.'

Decker zei: 'Laat me even nadenken.' Hij tikte met zijn voet op de vloer. 'Oké. Je kunt niet altijd op het uiterlijk afgaan, dus moeten we terugkeren naar ouderwets politiewerk. We moeten zoveel mogelijk over Raymond Holmes te weten zien te komen. Dat wil zeggen dat we terug moeten naar San Jose om op het gemeentehuis alles op te vragen wat over hem bekend is. Hij is aannemer en knapt huizen op voor de verkoop. Oliver, jou kent hij niet. Ga naar San Jose. Als Holmes nog niet op de vlucht is geslagen, moet je proberen foto's van hem te nemen.'

'Fluitje van een cent. Ik doe gewoon net alsof ik een huis wil kopen.'

Decker zei: 'Verder moeten we de logboeken van Santa Fe Correctional bekijken om te zien of Raymond Holmes ooit bij Martin Hernandez op bezoek is geweest. Je weet maar nooit.'

'En hoe zit het met Roseanne Dresden?' vroeg Oliver. 'Denk je dat Holmes Beth én Roseanne heeft vermoord?'

Marge zei: 'Roseanne is teruggevlogen naar Burbank.'

'Misschien heeft Holmes dezelfde vlucht genomen en haar in L.A. vermoord.'

'Scott, we hebben de passagierslijst van die vlucht doorgenomen. Holmes stond er niet bij.'

'Misschien gebruikte hij een schuilnaam.'

Decker masseerde zijn slapen. 'Daar wil ik voorlopig nog niet aan denken. Laten we eerst uitzoeken of Raymond Holmes en Ramon Hernandez één en dezelfde persoon zijn. Dat bezorgt me al meer dan genoeg kopzorg.'

35

Raymond Holmes leek niet bang te zijn ontmaskerd te worden. De aannemer was nog steeds in San Jose, waar hij bleef werken alsof hij een doodgewone, brave burger was. En misschien was hij dat ook, ondanks het feit dat hij als twee druppels water leek op de computercompositie van de vijfenvijftigjarige Manny Hernandez. Op Oliver maakte hij een ietwat louche indruk. Niet dat Holmes hem onder druk zette. Zijn tak-tiek was juist het tegenovergestelde: geveinsde onverschilligheid. 'Zíjn' huizen waren de beste, en de markt vertoonde een 'stijgende lijn' en voor het huis waarin Oliver geïnteresseerd was had hij 'meerdere' ge-gadigden, dus als hij het hebben wilde, moest hij snel een bod doen, an-ders zou hij ernaast grijpen. Tijdens het gesprek en de rondleiding door het huis slaagde Oliver erin een paar goede foto's van Holmes te maken terwijl hij zogenaamd de kamers fotografeerde.

Terwijl Scott zich bezighield met Holmes, probeerde Marge via offi-ciële wegen meer over hem te weten te komen. Het enige wat ze echter van de ambtenaren van het gemeentehuis loskreeg, was dat Holmes tweeëntwintig jaar geleden voor het eerst belastingaangifte had gedaan als zelfstandig aannemer. Als ze zijn belastingaangiften wilde inzien, moest ze terugkomen met een rechterlijk bevel. Gelukkig trof ze wel een sympathieke employee die bereid was haar een kopie te geven van zijn aannemersvergunning, die voor zover Marge het kon beoordelen hele-maal in orde was. Via het nummer van de vergunning kon ze Holmes' verzoek voor de vergunning opsporen, en op dat formulier stonden zijn geboortedatum en sofinummer.

Na een uur bellen met het gemeentehuis van Santa Fe had ze een be-vestiging dat de huwelijksakte van Ramon Hernandez en Isabella De-vargas daar in de archieven zat. Jammer genoeg kwamen de geboorte-data en sofinummers van Holmes en Manny niet overeen. Op het gemeentehuis van Santa Fe hadden ze ook het geboortebewijs van Ramon Hernandez. Zoals verwacht kwam de geboortedatum overeen met die op de trouwakte van Hernandez. Misschien had Raymond Holmes dan de identiteit van iemand anders aangenomen. Of misschien heette Raymond Holmes doodgewoon Raymond Holmes.

Toen Marge en Oliver terug waren uit San Jose, konden ze net zomin bewijzen dat er tussen de twee mannen verband bestond als toen ze ernaartoe waren gegaan. Ze konden Holmes moeilijk voor een ondervraging naar het bureau laten komen omdat hij toevallig leek op een door een computer vervaardigd portret van een man van wie ze niet eens wisten of hij nog leefde.

De volgende ochtend leverden Marge en Oliver bij Decker hun summiere rapporten in alsmede het digitale fototoestel met een paar goede close-upfoto's van Holmes. Decker las de rapporten en zei: 'Hij woont nu dus tweeëntwintig jaar in San Jose. Maar waar woonde hij eerst?'

'Geen idee,' zei Marge.

'Enig idee waar hij zijn belastingaangiften deed vóórdat hij in San Jose is gaan wonen?'

'Om die informatie te kunnen opvragen heb ik een rechterlijk bevel nodig. En om een rechterlijk bevel te krijgen moeten we bewijsmateriaal hebben.'

'Hoe zit het met het geboortebewijs van Holmes?'

'Zijn geboortedatum komt niet overeen met die van Hernandez.'

'Dat bedoel ik niet,' zei Decker geprikkeld. 'Ik bedoel of je een kopie van het geboortebewijs van Raymond Holmes kunt krijgen.'

'Hoe? Ik weet niet eens waar Raymond Holmes is geboren.'

'Maar je hebt zijn geboortedatum en sofinummer.'

'Zo goed met computers ben ik niet, Pete.' Marge probeerde niet te laten merken hoe gefrustreerd ze was. 'Ik zou niet weten hoe ik aan de hand van een geboortedatum en sofinummer aan iemands geboortebewijs kan komen.'

'Is er geen algemene databank van de Burgerlijke Stand? Je moet een geboortebewijs hebben om een sofinummer te krijgen.'

'Pete, je weet donders goed dat ze me die informatie niet zullen geven tenzij ik met een rechterlijk bevel kom. Als jij een rechter weet die me dat kan geven, ga ik onmiddellijk.'

Ze had gelijk. Als er geen doorbraak kwam, kwamen ze op deze manier geen stap verder. 'Zoek in elk geval uit wat precies vereist is om aan die informatie te komen. En ga aan iemand van de computerafdeling vragen of je ook op een andere manier aan een een kopie van een geboortebewijs kunt komen.'

'Oké.'

'Ik geloof dat ik ook voor Marge spreek als ik zeg dat ik hoop dat we hiermee niet grandioos onze tijd zitten te verkwisten,' zei Oliver. 'We hebben geen greintje bewijs tegen die man, Pete. Jullie hadden hem nogmaals kunnen ondervragen over Roseanne Dresden, maar nu hij de leugentest met succes heeft afgelegd, is die kans verkeken.'

'Hadden we maar een oude tandenborstel van Manny,' zei Marge. 'Het is makkelijker om het DNA van Raymond Holmes van een koffiebekertje te halen dan iets los te krijgen van de Burgerlijke Stand.'

Oliver zei: 'Dat is niet eens zo'n gek idee. Ik zou Devargas kunnen opbellen om te vragen of ze toevallig iets van Manny hebben bewaard.'

'Ze hebben zelfs zijn foto's weggegooid, Oliver, dus betwijfel ik ten zeerste dat ze zijn tandenborstel hebben bewaard.' Decker dacht even na. 'Maar je kunt het proberen. En als dat niets uithaalt, kunnen we proberen iemand die hem heeft gekend te laten bevestigen dat Raymond Holmes en Manny Hernandez één en dezelfde man zijn.'

'Wie?'

'Ik had gedacht aan meneer en mevrouw Devargas, maar ook als zij Holmes zouden aanwijzen, zou een rechter hun getuigenis misschien niet accepteren, tenzij die door iemand anders wordt ondersteund. Alyssa Bright Mapplethorpe of Christian Woodhouse?'

Marge zei: 'Alyssa heeft Manny al dertig jaar niet gezien.'

'Dito voor Woodhouse,' zei Oliver.

'Maar zij zijn de enigen die als onbevooroordeeld kunnen worden beschouwd. Regel wat foto's en laat die aan Alyssa zien. Als dat niks bevredigends oplevert, kunnen we Christian Woodhouse om een onderhoud verzoeken, maar laten we het eerst met Alyssa proberen. Woodhouse woont een eind weg.'

'Zoals je wilt,' zei Marge. 'Maar als je mensen zoekt die hem hebben gekend, kun je ook naar Santa Fe Correctional Center gaan en Martin Hernandez zo'n fotoreeks laten zien. Misschien wijst hij Raymond Holmes dan aan als zijn zoon. Ik weet dat hij erg oud is en al vijftig jaar in de bak zit, maar het is te proberen.'

Decker sloeg met zijn hand tegen zijn voorhoofd. 'Misschien kan Martin Hernandez Raymond Holmes niet als zijn zoon identificeren, maar zijn DNA kan ons veel vertellen. En dat moet in zijn gevangenisdossier staan. Dan hebben we alleen nog het DNA van Holmes nodig.' Hij keek naar Oliver. 'Scotty, ga terug naar Raymond Holmes en zeg dat je érg geïnteresseerd bent in het huis. Ga ergens een kop koffie met hem drinken en neem het koffiekopje stiekem mee. Of iets anders waar zijn DNA afgehaald kan worden. Als we voor vijftig procent zekerheid hebben dat Martin Hernandez de vader van Holmes is, denk ik dat een rechter wel een rechterlijk bevel zal uitvaardigen voor het opvragen van al zijn ambtelijke bescheiden. Dat had ik gisteren moeten bedenken. Nu moet ik de onkosten van nóg een vliegreis zien te verantwoorden.'

Decker legde de rapporten op zijn bureau en gaf het fototoestel terug aan Oliver.

'Ga de foto's van Raymond Holmes downloaden en afdrukken. Maak afdrukken voor je dossier, geef er een paar aan Norton Salvo voor het forensische werk en geef mij er ook een paar. Ik zal morgen in Santa Fe een fotoserie met Raymond Holmes erin aan de gevangenbewaarders laten zien. Ik ben benieuwd of hij hun bekend voorkomt. En ik zal de logboeken doornemen om te zien wie de afgelopen veertig jaar bij Martin Hernandez op bezoek zijn geweest.'

Oliver zei: 'Als Raymond Holmes en Manny Hernandez dezelfde persoon zijn en als hij bij zijn vader op bezoek is gegaan, zou hij dan zo dom zijn geweest zijn eigen naam in het logboek te zetten?'

'Als Holmes en Hernandez dezelfde persoon zijn, is hij blijkbaar zo arrogant als de pest. Ergens heel ver weg in zijn achterhoofd moet hij geweten hebben dat we er uiteindelijk achter zouden komen dat het skelet van zijn vrouw is. Desalniettemin blijft hij doodleuk huizen verkopen.'

'Dan is hij het misschien níet,' zei Marge. 'Want als hij Manny is, moet hij weten dat hij, zodra we Beth geïdentificeerd hadden, niet alleen de hoofdverdachte zou zijn inzake de moord op zijn vrouw, maar dat hij ook voor de verdwijning van Roseanne Dresden nummer één zou komen te staan, met stip.'

'Misschien denkt hij dat hem niks meer kan gebeuren omdat hij de leugentest met succes heeft doorstaan,' zei Oliver.

'We gaan er allemaal van uit dat deze man weet dat hij kan worden aangeklaagd wegens moord en toch doodgewoon huizen blijft opknappen en verkopen.' Marge schudde haar hoofd. 'Dat klinkt niet erg logisch.'

'Het klinkt krankzinnig,' zei Decker, 'maar vergeet niet dat mensen heel erg zelfingenomen kunnen zijn.'

Zelfs voor een doordouwer als Decker was de vlucht van zeven uur aan de vroege kant, maar hij had nu eenmaal een volle dag nodig. Door het tijdsverschil zou hij een uur kwijtraken, maar als de vlucht geen vertraging had, kon hij om elf uur in Santa Fe zijn. Op de Interstate 25 North bleek het gelukkig niet druk te zijn en boven het weidse landschap was de hemel blauwer dan hij ooit had gezien. De prachtige, zonnige dag was eigenlijk veel te mooi om in een gevangenis door te brengen.

Santa Fe Correctional lag in de rook van de stad. Het was een zwaarbeveiligde gevangenis, maar een deel van het complex gold als open gevangenis. Het was een laag gebouw zonder verdiepingen en stond midden op een vlak terrein dat begroeid was met paarse saliestruiken, dwergpijnbomen, jeneverbesstruiken, wilde looiersbomen en veel amarant. De wachttoren leek een kilometer hoog af te steken tegen de strakblauwe lucht. De temperatuur was aangenaam, maar de lucht was erg droog. Decker voelde bijna letterlijk hoe er steeds meer barstjes in zijn lippen en sinussen kwamen. Bij de hoofdingang liet hij zijn identiteitskaart zien, tekende het logboek en liep door de metaaldetector. Binnen werd hij opgewacht door een bewaker genaamd Curtis Kruse, een man van in de zestig met een bierbuik die het overhemd van zijn kakikleurige uniform op knappen zette. Zijn armen waren kort maar gespierd, zijn benen zo stevig als boomstronken. Hij had een rond gezicht, een onderkin, een dikke bos spierwit haar en staalgrijze ogen, ondoordringbaar als spiegels. Hij gaf Decker een stevige hand zonder overdreven te knijpen.

'Welkom in Sprookjesland.' Kruse nam Decker mee naar een kleine kamer met een stalen tafel en twee stoelen die aan de vloer waren geklonken. In een van de kale muren zat een doorkijkspiegel en in twee hoeken waren vlak onder het plafond videocamera's bevestigd. De bewaker deed de deur dicht. 'Ik hoop dat u vandaag niet alleen voor deze gevangenis bent gekomen.'

'Helaas wel, maar ik heb al tegen mijn vrouw gezegd dat we eens een lang weekend in Sante Fe moeten doorbrengen.'

'Het weer is vandaag perfect, behalve voor mensen met allergieën. De wind kan hier verschrikkelijk zijn.'

‘Het is vandaag gelukkig windstil,’ zei Decker.

‘Wacht maar tot vanmiddag, dan zal u duidelijk worden waarom Albuquerque het centrum van de ballonvaart is. Maar ter zake. Men heeft me verteld dat u inlichtingen wilt over Martin Hernandez. Marty is de laatste tijd erg braaf geweest, en met de laatste tijd bedoel ik de afgelopen tien jaar.’

‘Hij heeft zijn straf er bijna op zitten, nietwaar?’

‘Nog twee jaar, drie maanden en een paar dagen. Hij kan het u zelf vast tot op de minuut vertellen.’

‘Dat zal best. U was er niet bij, neem ik aan, toen hij hier kwam?’

‘Een beleefde manier om te vragen hoe lang ik hier al werk.’ Kruse glimlachte. ‘Tweeëntwintig jaar. Daarvóór zat ik in Casper, Wyoming, bij de politie. Mijn vrouw en ik zijn naar Santa Fe verhuisd vanwege de zachte winters. Ze houdt niet van kou, behalve om te skiën. Toen ik hier kwam werken, zat Martin er al een hele tijd.’

‘Heeft hij ooit problemen veroorzaakt?’

‘Bij tijd en wijle, zoals de meeste mensen hier,’ zei Kruse. ‘Ik weet dat hij een paar keer eenzame opsluiting heeft gekregen, maar hij maakte er geen gewoonte van, zoals sommigen. En naarmate hij ouder werd, werd hij rustiger. U weet hoe het gaat. Het testosteronpeil daalt, en daarmee de agressie. Nu is Martin een nieuwe carrière begonnen als hondentrainer.’

‘Ja, daarover heb ik iets gelezen.’

‘Hij kan goed met dieren omgaan. En dat is niet verwonderlijk. Hij leeft al ruim veertig jaar tussen beesten.’

‘Hoe is hij bij dat hondenprogramma betrokken geraakt?’

‘Dankzij goed gedrag en zijn leeftijd.’

‘Hoe oud is hij?’

‘Achter in de zeventig. Als u zijn geboortedatum nodig hebt, kan ik die wel opzoeken.’

‘Graag. En u werkt hier nu tweeëntwintig jaar?’

‘Dat heb ik gezegd, dus moet het waar zijn.’

‘Ik wil u graag een paar foto’s laten zien. Ik wil alleen maar weten of u een of meer van de mannen op de foto’s ooit hebt gezien.’

‘Laat maar eens kijken.’

Decker haalde twee enveloppen tevoorschijn met in elk ervan zes foto’s, waaronder één zwart-witte close-up van Raymond Holmes. Op de forensische afdeling hadden ze de foto een zo officieel mogelijk aanzien gegeven, maar je kon zien dat het geen foto uit een politiedossier of gevangenis was. Om ervoor te zorgen dat hij niet al te veel zou opvallen, waren zes van de andere foto's ook van gewone mensen, die toevallig op Holmes leken. Alle foto's waren met hetzelfde fototoestel genomen.

Kruse bekeek de foto's aandachtig. Hij wist dat hem werd gevraagd iemand officieel te identificeren en wilde geen fouten maken. Na een minuut wees hij op Raymond Holmes. 'Dit is zeker de man die u bedoelt?'

'Hebt u hem ooit gezien?'

'Hij komt al vijftien jaar twee keer per jaar op bezoek bij Martin Hernandez. Wat heeft hij gedaan?'

'Weet u zeker dat hij het is?'

'Er mankeert niks aan mijn ogen. Bovendien krijgt Martin verder nooit bezoek. Vroeger kwam zijn vrouw, maar die is jaren geleden overleden. Als u wilt, kunnen we het ook aan een paar andere bewakers vragen. U zult zien dat ze hem meteen zullen aanwijzen.'

'Heel graag.'

'Wat heeft hij gedaan?'

'Dat weten we nog niet precies. Voorlopig proberen we er alleen achter te komen wie hij is. Hij noemt zich Raymond Holmes, maar we vermoeden dat hij de zoon van Martin Hernandez is.'

'Dat zou heel goed kunnen. Hij komt altijd op Martins verjaardag en meestal tussen kerst en oud en nieuw. En zoals ik al zei, is hij iemand die opvalt omdat hij op vaste tijden komt en omdat Marty verder nooit bezoek krijgt.'

'Hij moet natuurlijk een identiteitsbewijs laten zien om binnen te komen.'

'En u wilt weten welke naam hij gebruikt wanneer hij bij Hernandez op bezoek komt.'

'Ja.' Decker knikte.

'Daar kunnen we makkelijk achter komen, inspecteur. Als u een momentje hebt, kijk ik even in de logboeken.'

'Dank u. Ik stel dit erg op prijs.' Decker lachte. 'U weet niet half hoezeer ik dit op prijs stel. Tot nu toe hebben we steeds bot gevangen.'

'Ik ken dat. Weet u wat? Ik stuur meteen Curly en Doug even naar u toe.' Toen Kruse lachte zag Decker dat zijn tanden de kleur hadden van eigeel. 'Ik durf er honderd dollar om te verwedden dat ze hem meteen aanwijzen.'

'Wedden doe ik nooit.'

Kruse lachte op een manier die het midden hield tussen gekakel en een gesnuif. Decker hoorde het nog toen de deur al lang achter hem was dichtgevallen. Tien minuten later kwam Curly binnen en wees Holmes meteen aan. Hij zei bijna woordelijk wat ook Kruse over de bezoeken aan Hernandez had gezegd. Toen Doug even later kwam, was het alsof er een film werd herhaald. Voor de goede orde maakte een man genaamd Jimbo het kwartet vol. Geen van de vier kon zich de naam van Holmes herinneren, maar ze herkenden hem meteen en wisten precies bij wie hij altijd op bezoek kwam. De drie bewakers waren bezig anekdotes over Martin Hernandez te vertellen toen Kruse terugkwam. Hij had een kopie gemaakt van een pagina van het logboek van 27 december. De handtekening was fors, rond en duidelijk leesbaar.

RAYMOND HOLMES

Het was verleidelijk om Holmes er meteen mee te confronteren, maar het was beter als ze eerst van beide mannen het DNA hadden. Dan konden ze Holmes het onomstotelijke forensische bewijsmateriaal voorleggen en zien hoe hij erop zou reageren.

Daarbij gingen ze er natuurlijk wel van uit dat Martin Hernandez de biologische vader van Manny Hernandez was.

Decker kreeg opeens nóg een idee. Hij vroeg zich af of de politie ooit van Holmes, toen die nog Ramon Hernandez was, de vingerafdrukken had genomen. Als Holmes de afgelopen vijftien jaar onder welke naam dan ook was opgepakt, zaten zijn vingerafdrukken in de databank van AFIS. Maar aangezien hij de afgelopen tweeëntwintig jaar een voorbeeldig staatsburger en inwoner van San Jose was geweest, was dit erg onwaarschijnlijk.

Decker zocht naar andere mogelijkheden. Als Holmes in het leger had gezeten, zelfs onder een andere naam, zaten zijn vingerafdrukken dáár in de databank. In gedachten doorliep hij een heel nieuw arsenaal van mogelijkheden toen de stem van Kruse hem onderbrak. 'U wilt Martin Hernandez zeker wel even spreken?'

'Heel graag.'

'Blijf rustig zitten. Ik haal de hondenfluisteraar wel even.'

36

Martin Hernandez zag er in zijn oranje gevangenispak uit als een wandelende sinaasappel toen hij door Curly en Kruse werd binnengeleid. Hij was half zo breed als hij lang was, had een grauw, vermoeid gezicht en liep met schuifelende pasjes vanwege de enkelboeien en vanwege zijn hoge leeftijd. Ze lieten hem plaatsnemen op een van de aan de vloer geklonken stoelen en bevestigden zijn enkelboeien aan een tafelpoot. Hij leunde achterover en sloeg zijn armen over elkaar. Zijn achterwerk puilde over de zitting van de stoel.

'Zul je je netjes gedragen, Martin, of moet ik je handboeien omdoen?' vroeg Kruse.

'Ik wil mijn vrijheid terug, meneer.' Hij had een hoge, schorre stem. Toen hij naar de bewaker glimlachte, zag Decker dat er niet veel over was van zijn gebit – een paar voortanden en achterin wat kiezen. 'Ik ga echt niets riskeren.'

'Heel verstandig van je.'

'Mag ik misschien een sigaret?'

Kruse keek naar Decker. 'Als u het niet erg vindt?'

'Helemaal niet.'

'Dank u wel,' zei Hernandez tegen Kruse.

'Je moet hém bedanken,' zei Kruse met een knikje naar Decker. 'Ik ben bereid je op je woord te geloven, Martin. Ik ga ervan uit dat je je netjes zult gedragen. Kan ik daarvan uitgaan?'

'Absoluut, meneer Kruse.'

'Deze meneer gaat je een paar vragen stellen. Denk erom dat je die naar waarheid beantwoordt. Begrepen?'

'Begrepen.' Iedere keer dat Hernandez sprak, perste hij de woorden uit zijn keel. 'Een sigaret zou fijn zijn. Een kop koffie ook. Mijn keel.' Hij hoestte slijm op. 'Die wordt zo droog als ik praat.'

'Waarom rook je dan, Martin?'

'Je moet hier íets te doen hebben.'

Kruse lachte weer. 'Daar zit wat in. Goed, je krijgt zo een sigaret en een kop koffie.'

Decker bekeek de gevangene. Een snelweg van littekens liep over de hals van de oude man en alle rijbanen waren bobbelig en glanzend wit. Je hoefde geen arts te zijn om te begrijpen wat er mis was met zijn stembanden.

Curly zei tegen Kruse: 'Ik ga weer aan het werk. Roep maar wanneer hij terug moet naar zijn cel.'

De twee bewakers verlieten het vertrek en lieten Decker in zijn eentje achter met Hernandez. Het gezicht van de oude man zat vol levervlekken, maar was niet erg gerimpeld. Aan zijn linkerslaap zaten een paar vochtige zweren die er zo vies uitzagen dat Decker zich afvroeg of hij huidkanker had. Hij had ruwe, eeltige handen met dikke, gele nagels die tot op het vlees waren afgekloven. Aan zijn rechterduim ontbrak een kootje.

'Wanneer komt u vrij?' vroeg Decker hem.

'Over twee jaar, drie maanden, achttien dagen en ongeveer zestien uur. Dan heb ik mijn tijd uitgezeten en verdien ik het om weer in vrijheid gesteld te worden. Zo staat het in de wet.'

'Bent u van plan met de honden te blijven werken?'

'Zeker weten.' Hernandez knikte heftig. 'We begrijpen elkaar. De honden die we hier krijgen, zijn maar één stap verwijderd van de groene kamer, als u begrijpt wat ik bedoel.'

De groene kamer was de gaskamer. 'U redt ze dus van de dood.'

'Zeker weten. Ons programma is hun laatste kans. We richten ze af zodat ze geadopteerd kunnen worden.'

'Heel goed.'

'Het is hun laatste kans... Ik ben hun laatste kans.'

'Vindt u dat u en de honden iets gemeen hebben?'

'Zeker weten. Iedereen verdient een tweede kans. Het zijn geen kwaaie beesten. Niemand begrijpt ze. Dat is het probleem. Ze bijten omdat ze bang zijn. Ze bijten omdat ze eenzaam zijn. Ze bijten omdat ze niemand hebben die van ze houdt.'

'Ze bijten ook omdat ze niet zijn opgevoed en afgericht.'

Hernandez smakte met zijn lippen. 'Je hebt africhten en africhten. Je moet zeker van jezelf zijn als je met honden werkt die niet zijn afgericht, en je moet een hond niet slaan om hem te leren gehoorzamen.'

'Maar het dier moet wel leren wie de baas is.'

'Ja. Dat is een belangrijke levensles... leren wie de baas is. Het heeft bij mij lang geduurd voordat ik dat doorhad, omdat niemand het me heeft geleerd.'

'Hebt u klappen gehad om te leren gehoorzamen, meneer Hernandez?'

'Ja. Mijn vader was een dronken nietsnut die me slecht heeft opgevoed. Als hij een beetje mededogen had getoond en als zijn handen niet zo los hadden gezeten, zou ik een beter mens zijn geworden.'

'Hebt u kinderen, meneer Hernandez?'

'Ja.'

'Jongens? Meisjes?'

'Jongens.'

'En hebt u hen met mededogen opgevoed?'

'Ik heb ze geleerd zich geen oor te laten aannaaien.'

'Zaten uw handen wel eens los?'

'Ik heb de jongens niet zo lang kunnen opvoeden, omdat ik algauw in de bak zat. Drieënveertig jaar nu al. Mijn vrouw heeft ze grootgebracht. God hebbe haar ziel. Ik mis haar nog steeds. Ze heeft veel goed gedaan met het weinige wat ze had.'

Kruse kwam binnen met twee koppen koffie. Hij nam een sigaret tussen zijn lippen, stak hem aan en gaf hem aan Hernandez.

De gevangene nam een lange trek. 'Aaah. Dit is het goede leven.'

'Doe er zuinig mee, Martin, want je krijgt er maar één.'

'Komt voor elkaar, meneer Kruse, komt voor elkaar.'

Kruse zei tegen Decker: 'De controlekamer is voortdurend bemand, dus u kunt gerust zijn. Als u klaar bent, kijkt u maar op naar de camera, dan komen we hem halen.'

'Bedankt voor al uw hulp.'

'Geen dank.' Kruse glimlachte. 'Wees braaf, Martin, je weet dat je tijd er bijna op zit.'

'Ja, dat weet ik. Daar denk ik elke dag aan.' Toen Kruse weg was, zei hij: 'Dat is echt zo. Ik denk daar elke dag aan.'

'Dat geloof ik graag.' Decker nam een slokje van de koffie, die zo troebel was als modder en zo bitter als gal.

'Voor een ouwe man als ik is het leven hier niet makkelijk,' zei Martin klagend. 'In de winter trekt de kou in mijn botten. En mijn longen zijn niet goed. Ik ben altijd bang voor longontsteking. Maar soms ben ik blij dat ik ziek ben, omdat het in de ziekenboeg beter is dan in de cellen.'

'Dat begrijp ik,' antwoordde Decker. 'Waar denkt u te gaan wonen wanneer u weer op vrije voeten komt?'

'Ik kan niet terug naar Santa Fe.' Hij nam een trek van zijn sigaret. 'Daar villen ze me levend. Ik heb twee mensen gedood bij een roofoverval. Ik neem aan dat u dat al weet.'

Decker knikte.

'Het was helemaal niet de bedoeling, maar als je lijf vol drugs en adrenaline zit en als er dan iemand beweegt wanneer dat niet had gemoeten... Ik had niks tegen die twee jongens, maar als je high bent, kunnen er rare dingen gebeuren.'

'U hebt me niet verteld waar u denkt te gaan wonen wanneer u vrij bent.'

'Ergens in het zuiden – Las Cruces, Silver City, Carlsbad. Daar is het 's zomers wel erg warm, maar 's winters tenminste niet zo koud.'

'Kent u daar mensen?'

Hij schudde zijn hoofd. 'Nee. Geen sterveling.' Hij dronk zijn koffie op. 'Maar dat geeft niks. Ik heb alleen een plek nodig waar de honden kunnen rennen, en een plek waar ik af en toe iets kan gaan drinken. Ik ben geen kwaaie vent. Ik zal er best nieuwe vrienden krijgen.'

'U lijkt inderdaad geen kwaaie vent.' De oude man keek vergenoegd om het compliment. 'Hebt u contact met mensen die u van vroeger kende?'

'Ik ken nog wel een paar mensen, ja.'

Decker zag dat hij zijn ogen argwanend iets toekneep en ging op iets anders over. 'Kwam uw vrouw vaak op bezoek?'

'Drie of vier keer per week. Ze was een goede vrouw, zoals ik al zei.'

'Bracht ze de jongens dan mee?'

'Soms.'

'Hebt u nog contact met uw zonen? Komen ze u opzoeken?'

De oude man haalde zijn schouders op en nam een trek van zijn sigaret. 'Soms.'

De man kon goed liegen. Niet dat Decker iets anders had verwacht. Maar zelfs misdadigers konden niet eindeloos uitvluchten verzinnen. Decker wachtte tot Hernandez de sigaret tot op het filter had opgerookt. Toen keek hij op naar de camera en vroeg om nog een sigaret.

'Dat is aardig van u, meneer,' zei Hernandez.

'Ik kan heel aardig zijn als ik wil.'

Een paar minuten later kwam een bewaker binnen met een brandende sigaret. Decker pakte die van hem aan en toen Hernandez zijn hand uitstak en hem wilde pakken, bracht Decker zijn arm naar achteren, buiten bereik van de oude man.

'Komen uw zonen wel eens op bezoek?'

Hernandez zei niets en hield zijn ogen gericht op de kringelende rook. Decker glimlachte en nam een trek van de sigaret. 'Komen uw zonen wel eens op bezoek?'

Hernandez schokschouderde. 'Ik neem aan dat u het logboek al hebt bekeken.'

'Inderdaad.'

'Dan weet u wat het antwoord is. Waarom vraagt u het dan?'

'Omdat Raymond Holmes niet de naam is die uw zoon bij zijn geboorte heeft gekregen.'

'Dat klopt. Hij heeft zijn naam veranderd.'

'Waarom?'

'Dat weet ik niet. Dat moet u maar aan hem vragen.'

'Dat zal ik doen. Wanneer heeft hij zijn naam veranderd?'

'Lang geleden. Dat moet u ook maar aan hem vragen.'

'Geef me een indicatie. Twintig jaar geleden? Dertig jaar geleden?'

'Dertig jaar geleden ongeveer… vlak nadat het was gebeurd.'

'Nadat wat was gebeurd?'

Hernandez staarde voor zich uit. Decker nam nog een trek. 'U loopt deze heerlijke sigaret mis.'

'Ik weet niet precies wat er is gebeurd, meneer. Ik was er niet bij.'

'Wat is er volgens uw zoon Raymond Holmes gebeurd?'

'Mijn zoon Raymond Holmes. Ja, hij is mijn zoon.'

'Vertel me wat er is gebeurd, Martin. Vertel me wat Ray je heeft verteld,' zei Decker op vertrouwelijke toon.

'Waarom? Vraag het maar aan Ray.'

'Ray zal minder… geloofwaardig zijn. Jij bent veel geloofwaardiger, Martin. Vertel me wat hij je heeft verteld.' De oude man stak zijn hand uit naar de sigaret. Decker zei: 'Eerst vertellen.'

'Hij heeft er niet veel over gezegd. Alleen dat het per ongeluk was gebeurd. U kent dat wel. Wanneer je lijf vol drugs en adrenaline zit, gebeuren er wel eens dingen die je niet zo had bedoeld.'

Decker knikte. 'Ik begrijp het.' Hij gaf de misdadiger de sigaret. 'Vertel me wat hij jou heeft verteld. Ik kan daar bij een rechtszaak toch geen gebruik van maken omdat het indirect bewijs is. Weet je wat dat is?'

Hernandez nam een lange trek van de sigaret en gaf geen antwoord.

'Dat ik van jou te horen krijg wat er is gebeurd, Martin, en niet van Ray. Dat is indirect bewijs. En dat wil zeggen, dat ik de dingen die jij me vertelt niet ten nadele van Ray kan gebruiken omdat ik ze niet van Ray zelf heb gehoord. Daarom moet jíj me vertellen wat er is gebeurd. Snap je?'

'U brengt me helemaal in de war. Ik wil niet dat hij in de problemen komt.'

'Martin, hij zít al in de problemen. En niet zo zuinig ook. Maar als het per ongeluk is gebeurd, kun je me net zo goed vertellen hoe het is gegaan.'

'Ze hadden ruzie.'

'Wie?'

'Beth en Ray.'

'Waarover?'

'Waar gaan ruzies meestal over?'

'Geld?'

'Ja. Ray had tegen Beth gezegd dat hij het geld alleen maar had geleend, dat hij het terug zou geven. Maar ze was heel kwaad. Ze wilde niet luisteren. Ze zei dat ze het zou verklappen als hij het niet teruggaf.'

'Waar had Ray het geld vandaan?'

Nu keek Hernandez echt verward. 'Dat weet ik niet. Ik weet alleen dat Ray zei dat hij geld had geleend en dat hij van plan was het terug te geven, maar dat domme wicht weigerde te luisteren.'

'Oké, daar hadden ze dus ruzie om. En wat is er toen gebeurd?'

'Het was haar eigen schuld. Hij zei toch dat hij het zou teruggeven?'

'Wat is er gebeurd?'

'Ik weet niet wat er precies is gebeurd, meneer. Ik weet alleen dat Ray zei dat het een ongeluk was. Dat hij het niet zo had bedoeld. Maar dat hij wist dat hij in de penarie zat toen het was gebeurd.' Hernandez fronste zijn wenkbrauwen toen hij eraan terugdacht. 'Hij was van plan geweest het terug te geven, maar Beth zei dat ze het zou verklappen. Het was haar eigen schuld.'

Decker vroeg: 'Ging ze tegen hem tekeer?'

'Ja. Hij wilde haar echt geen kwaad doen. Hij wilde alleen maar dat ze zou ophouden met schreeuwen.'

'Maar hij heeft haar kwaad gedaan.'

'Het was niet de bedoeling.'

'Dat weet ik, maar het is evengoed gebeurd.'

Hernandez zuchtte. 'Hij zou het geld hebben teruggegeven. Maar ze gunde hem geen tijd.'

'Wat is er gebeurd nadat hij haar iets had gedaan... of moet ik zeggen, nadat hij haar had vermoord?'

'Ik heb genoeg gezegd,' zei Martin, opeens opstandig. 'Ik kom over iets meer dan twee jaar vrij, of ik nou met u praat of niet. Dat kunt u niet tegenhouden. Het staat in de wet!'

'Je hebt volkomen gelijk, Martin. Dat kan ik niet tegenhouden. Het staat in de wet.' Decker keek de misdadiger recht in de ogen. 'Maar als ik een goed woordje voor je doe, is er een kans dat je misschien eerder vrijkomt.'

Daar dacht Hernandez even over na. Misschien twee seconden. Hij haalde zijn schouders op. 'Nou ja, die jongen zit toch al in de penarie. Ik kan hem niet helpen, maar het zal hem waarschijnlijk ook geen kwaad doen.'

'Dat is waar,' zei Decker.

Hernandez leunde naar voren. Zijn adem stonk naar tabak en zijn stem kraste onaangenaam. 'Het was een ongeluk.'

'Ja?'

'Hij wilde juist met een schone lei beginnen! Hij probeerde iets goeds te doen, de lei schoon te vegen en opnieuw te beginnen. Daarom had hij het geld nodig. Om opnieuw te kunnen beginnen. Hij zei dat hij echt van plan was het terug te geven. Maar het meisje had geen geduld. Ze heeft alles in het honderd gegooid.'

Het duizelde Decker opeens. Met een schone lei beginnen? Opnieuw beginnen? 'Zat Manny in de gevangenis?'

'Nee, nee.' Nu keek Hernandez erg verward. 'Nee, Manny heeft nooit in de gevangenis gezeten.'

Toen begreep hij wat Hernandez hem vertelde.

Manny Hernandez had nooit in de gevangenis gezeten.

Maar Belize Hernandez was een heel ander verhaal.

37

Decker zei in de telefoon: 'Ja, ik wil het DNA ook, maar we hebben allereerst zijn vingerafdrukken nodig.'

Oliver antwoordde: 'Dan moet ik een geschikt, glad voorwerp zoeken. Wat had je gedacht?'

'Hij is aannemer. Hij zit de hele dag met zijn handen in de smeer en de modder. Zo moeilijk kan het niet zijn.'

'Maar dan moet hij wel iets aanraken wat ik kan meepikken en het probleem is dat hij alles recyclet. Hij heeft containers voor metaalafval, voor hout, voor glas. Hij gooit niets zomaar weg, dus is het niet makkelijk om iets mee te gappen. Ik kan niet eens iets van de grond oprapen zonder te vragen of het mag. En als ik om iets zou vragen, wordt hij natuurlijk achterdochtig.'

'Nee, doe dat maar niet.'

'We kunnen toch wel op het DNA wachten?' zei Oliver. 'Ik heb een bekertje waaruit hij koffie heeft gedronken.'

'Ja, maar we hebben in geen enkele databank het DNA van Belize, alleen zijn vingerafdrukken. Is er echt niets van wat hij heeft aangeraakt, dat je kunt meenemen?'

'Niks waar vingerafdrukken op blijven staan, Pete.'

'Waar is hij momenteel mee bezig?'

'Dat weet ik niet. Ik ben niet meer in het huis.'

'Nee, ik bedoel, waar zijn ze in dat huis mee bezig?'

'O... tegels leggen, geloof ik...' Oliver sloeg tegen zijn voorhoofd. 'Wat ben ik een kaffer! Ik kan hem om een tegel vragen, zogenaamd om aan mijn vrouw te laten zien.'

'Zie je nou wel? Was dat nou zo moeilijk?' zei Decker. 'Zijn het gladde of ruwe tegels?'

'Gladde. Mooier kun je je niet wensen. Afgezien van een spiegel. Zou ik hem ook om een voorbeeld van een spiegel kunnen vragen, denk je? Of zou hij er dan iets van gaan denken?'

'Doe maar eerst een tegel. Op een gepolijste tegel blijven vingerafdrukken meestal wel duidelijk genoeg achter. Wanneer denk je terug te zijn in L.A.?'

'Tussen vijf en zes uur vanmiddag, afhankelijk van het verkeer. Jij?'

'Tegen die tijd ben ik er ook wel weer. Ik ben in onderhandeling met de officier van justitie hier of de ouwe wat eerder in vrijheid gesteld kan worden als hij tegen zijn zoon getuigt.'

'Dat zal men je daar niet in dank afnemen.'

'Hij komt evengoed over twee jaar vrij. Het kan me niets schelen als ze hem iets eerder uit de gevangenis laten als ik daardoor de moordenaar van Beth Devargas achter de tralies kan krijgen.' Decker drukte het oordopje wat vaster in zijn oor. In New Mexico mocht je in de auto alleen handsfree telefoneren, wat een goede wet was, omdat je er op sommige snelwegen honderdtwintig mocht rijden. 'Ik ben op weg naar het gerechtsgebouw om erover te praten. Wat is Marge aan het doen?'

'Aan het uitzoeken waar Raymond Holmes heeft gewoond voordat hij naar San Jose is verkast. We moeten een hiaat van acht jaar zien in te vullen.'

'Als de vingerafdrukken overeenkomen, krijgen we alle rechterlijke bevelen die we nodig hebben. Hopelijk komt dan eindelijk de doorbraak in deze zaak.'

Het was even over zessen toen Decker het parkeerterrein van het politiebureau opreed. Hij was moe en wist dat hij honger zou krijgen zodra zijn maag tot rust was gekomen na de onstuimige vlucht over de Rocky Mountains. In de recherchekamer zaten nog wat mensen te werken, maar Marge en Oliver waren nergens te bekennen. Toen hij de sleutel in het slot van de deur van zijn kantoor stak, zei iemand achter hem: 'Inspecteur Decker?'

Aangezien Decker honger had en chagrijnig was en geen moeite deed dat te verbergen, wist hij dat deze dappere figuur belangrijk nieuws voor hem moest hebben. Hij draaide zich met een gedwongen glimlach om. 'Dag, Wanda. Wilde je me spreken?'

'Ja, meneer, het is erg belangrijk. Er is iets wat u moet weten.'

'Goed.' Decker duwde de deur open, trok de sleutel uit het slot en deed het licht aan. Op zijn bureau stonden een bruine papieren zak en een schaal met chocoladekoekjes, met een briefje van Rina erbij.

Lieve Peter,

Hannah heeft deze koekjes gebakken. Ze zijn parve.

Veel liefs van je geduldige en zorgzame echtgenote,

Rina

Hij keek in de zak: een broodje rosbief met koolsla en een appel. Hij kikkerde meteen op en wikkelde het cellofaan van het broodje. 'Neem me niet kwalijk dat ik dit meteen opeet, maar ik val om van de honger.'

'Ga gerust uw gang.'

'Wil je een koekje? Mijn dochter heeft ze gebakken.'

'Zelfgemaakte koekjes sla ik nooit af. Wilt u soms een kop koffie? Ik was net van plan er zelf een te nemen. Bij koekjes hoort koffie.'

'Ja, een kop koffie lust ik wel.' Hij had de helft van het broodje op toen ze terugkwam. 'Dank je wel, Wanda. Ga zitten. Wat wilde je me vertellen?'

Wanda had een blos van opwinding vanwege haar nieuws. Ze was pas naar de kapper geweest en haar haar omlijstte luchtig haar ronde gezicht dat licht was opgemaakt. Ze had een mokkakleurige huid en haar lippen waren geaccentueerd met roze lipgloss. Vandaag droeg ze een blauwe blouse, een jasje met een Schotse ruit, een bruine broek en instappers. 'Lee Wang en ik hebben de bewoners van dat wooncomplex tot driemaal toe ondervraagd. Vandaag stond de voorzienigheid aan onze kant. We hebben iemand gevonden. We hadden haar al eerder ondervraagd, maar ditmaal hadden we de vragen anders ingekleed en kregen andere antwoorden.'

Decker was nog zo bezig met de gebroeders Hernandez dat hij even moest nadenken voordat hij begreep waar ze het over had: het wooncomplex waar Ivan Dresden woonde. Ze waren nog steeds op zoek naar mensen die Roseanne op de ochtend van de vliegtuigramp hadden zien thuiskomen of weggaan. Hij legde zijn brood neer en pakte zijn notitieboekje. 'Heel goed. Vertel eens.'

Wanda's handen trilden toen ze haar notitieboekje opsloeg. 'Ze heet Hermione Cutlass en ze is verpleegkundige. Ditmaal hebben we andere vragen gesteld dan voorheen. In plaats van "Kunt u zich herinneren of u Roseanne op de ochtend van de ramp hebt gezien?" hebben we gevraagd: "Herinnert u zich waar u was op de ochtend van de ramp?" Want als iemand Roseanne die ochtend had gezien, zouden ze ons dat nu onderhand wel hebben verteld.'

'Juist.'

'Ik zal u vertellen wat we te weten zijn gekomen.' Wanda schraapte haar keel. 'Op de dag van de ramp had Hermione Cutlass van zeven uur 's ochtends tot drie uur 's middags dienst in St. Luke's in Simi Valley, maar ze was laat voor haar werk. Haar dochtertje was ziek en Hermione moest wachten tot de oppas er was voordat ze van huis kon gaan. Tegen de tijd dat de oppas kwam, was ze al te laat voor haar werk.'

'Hoe laat was dat dan?'

'Na zevenen, toen ze eigenlijk al op haar werk had moeten zijn. Ze herinnert zich nog goed dat ze dwars over het parkeerterrein naar haar auto is gehold en helemaal nergens op lette omdat ze zo'n haast had, en dat er opeens vlak voor haar een zwarte BMW uit een parkeerplaats naar voren schoot en haar bijna aanreed. Ze moest opzij springen om te voorkomen dat ze werd geraakt. Ze begon tegen de bestuurder te schelden, maar daar had ze niks aan, want de auto reed met een vaartje het parkeerterrein af. Ze was zo kwaad dat ze het kenteken heeft opgeschreven...'

'Het kenteken opgeschreven?!'

'Ja. Ze was van plan na haar werk bij het bestuur te gaan klagen over die persoon.'

Deckers hart bonkte onder zijn ribben. 'Was het de BMW van Roseanne?'

'Ja, maar dat wist ze toen niet.'

'Allemachtig!' Hij lachte. 'Maar waarom heeft ze zich dat nu pas herinnerd?'

'De eerste keer dat we bij haar waren, hebben we gevraagd of ze Roseanne die ochtend had gezien. Het antwoord was nee. Ditmaal hebben we gevraagd wat ze die ochtend had gedáán.'

'En toen ze nadacht over de ochtend van de vliegtuigramp, herinnerde ze zich het incident met de auto.'

'Ja, maar ze wist niet dat het de auto van Roseanne was. Ze heeft het kentekennummer opgeschreven, is naar haar werk gegaan en heeft er daarna helemaal niet meer aan gedacht, zeker niet toen het nieuws over het neergestorte vliegtuig bekend werd. Na dergelijk nieuws kun je moeilijk kwaad blijven om kleinigheden. Ze dacht toen alleen nog maar aan de arme Roseanne.'

'Momentje, ik moet dit even verwerken.' Hij deed zijn ogen dicht en weer open. 'Weet ze nog hoe laat het was toen ze bijna door de BMW werd aangereden?'

'Tussen zeven en acht uur.'

'Voordat vlucht 1324 is neergestort.'

'Dat in ieder geval, want ze hoorde dat nieuws toen ze al in het ziekenhuis was.' Wanda haalde diep adem en blies die langzaam uit. 'Toen ze die avond thuiskwam, hadden alle buren het erover dat Roseanne was omgekomen. Iedereen was natuurlijk erg van streek.'

'Kende ze Roseanne?'

'Oppervlakkig. Ze zagen elkaar wel eens in de jacuzzi of de sportzaal of de wasserette. Maar het doet je natuurlijk wel iets wanneer iemand die je kent bij zo'n ramp omkomt.'

'Uiteraard.'

'Toen ik vroeg: "Weet u zeker dat het op die dag was?" zei ze: "Heel zeker." En toen vertelde ze me over die ochtend. Toen ze bij het deel kwam van het parkeerterrein en de BMW, hield ik mijn adem in van spanning. En toen ik haar verzocht de auto te beschrijven, schoot haar te binnen dat ze het kenteken had opgeschreven.'

'En had ze dat bewaard?'

'Het briefje lag nog in het handschoenenkastje van haar auto. Toen ik vroeg of ik het mocht zien, vroeg ze me waarom. Daarop heb ik gezegd dat ik eerst even moest bellen om na te vragen van wie de auto was. Toen ik te horen kreeg dat het de auto van Roseanne was en ik aan haar vertelde dat Roseanne een zwarte BMW had, viel het arme mens bijna flauw van schrik. Ze barstte in huilen uit en zei dat Roseanne zeker haast had gehad om die vlucht te halen. En hoe erg ze het vond dat ze de bestuurder zo had uitgescholden. En dat ze nu wou dat de auto haar had geraakt, omdat Roseanne dan had moeten blijven en ze de vlucht zou hebben gemist.'

Decker knikte. 'Als dit kort na zeven uur was, heb je kans dat het

Roseanne was, die haast had om op tijd op haar werk te komen. Maar als het dichter bij acht uur was, had Roseanne die vlucht nooit kunnen halen. Kan die vrouw het tijdstip niet nader toespitsen?'

'Nee. Ik heb het haar gevraagd, maar ze herinnert zich alleen dat het tussen zeven en acht uur was.' Wanda trok haar wenkbrauwen op en likte aan haar glanzende roze lippen. 'We hebben nog een probleem. We weten dat het de auto van Roseanne was, omdat het kentekennummer dat ze had genoteerd, overeenkomt met dat van Roseannes auto.'

'Maar ze heeft niet gezien wie achter het stuur zat.'

Wanda knikte. 'Het ging te snel. Ze had haast en ze schrok zich lam. En de BMW is meteen doorgereden.'

'Kon ze je íéts over de bestuurder vertellen?'

'Nee. Ze zei dat het allemaal zo snel was gegaan dat ze niet eens kon zien of het een man of een vrouw was. Ze dénkt dat er maar één persoon in de auto zat, maar daar kan ze geen eed op doen.'

Ondanks de kleine bezetting in de recherchekamer waren alle achtenveertig koekjes die Hannah had gebakken in een mum van tijd verdwenen. Decker likte de laatste kruimels op.

'Heerlijke koekjes,' zei Wanda Bontemps. 'Ik wil het recept wel.'

'Ik zit in een suikerroes,' zei Marge. 'Mag ik je dochter adopteren?'

'Je hebt haar nooit meegemaakt als ze voor een trigonometrieproefwerk zit te blokken.'

'Ik heb een dochter die voor proefwerken elementairedeeltjesfysica zit te blokken. Dat is nog veel erger.' Haar mobieltje ging. Ze keek op haar horloge. 'Over dochters gesproken, het is acht uur, dus zal dat Vega wel zijn.'

Oliver zei: 'Ik heb koffie gezet. Zijn er liefhebbers?'

Vier staken hun vinger op. Marge legde haar hand op het telefoontje en riep: 'Ik ook!' Ze praatte even met haar dochter en kwam toen terug bij de anderen. Ze hadden besloten in de recherchekamer te gaan zitten, omdat ze rond de vergadertafel meer ruimte hadden dan in Deckers kantoor. 'Wat heb ik gemist?'

'Pete zei net dat er weinig kans is dat we een doorzoekingsbevel voor de BMW zullen krijgen tenzij we kunnen aantonen dat de auto iets te maken heeft met een misdaad.'

'Het zit ons niet mee.' Oliver kwam terug met een dienblad vol bekertjes koffie, kuipjes room en een pot suiker. 'Er staat geen enkele bon uit voor de auto. Niet eens een parkeerbon. Als Ivan een moordenaar is, is hij er een die zich aan de verkeersregels houdt.'

Wanda hielp hem de koffie rond te delen. 'Denken we nog steeds dat Ivan zijn vrouw heeft vermoord?'

'Hoe bedoel je?'

Het jongste lid van het team zei: 'Als blijkt dat Raymond Holmes en Belize Hernandez één en dezelfde persoon zijn, zou het dan niet Hernandez zijn die Roseanne heeft vermoord? Jaren geleden heeft hij zijn schoonzuster vermoord. Wie zegt dat hij geen tweede moord heeft gepleegd?'

'Dat is natuurlijk mogelijk,' zei Oliver, 'al zijn er dingen die voor ons gevoel niet helemaal kloppen.'

Marge zei: 'Daar hadden Scott en ik het daarstraks over. Waarom blijft de man die we kennen als Raymond Holmes gewoon zitten waar hij zit, terwijl hij weet dat we het lijk van zijn schoonzuster hebben gevonden?'

Wang dronk zijn koffie met kleine teugjes. 'Misschien denkt hij dat het lijk niet kan worden geïdentificeerd.'

'Misschien, maar ik voel wel met Marge en Scott mee,' zei Decker. 'We zien iets over het hoofd, en het heeft te maken met Manny Hernandez. De oude Hernandez heeft me verteld dat Manny voor zover hij weet nog steeds wordt vermist. Volgens hem is Raymond Holmes zijn zoon Belize, maar Martin is tachtig en hij is een misdadiger, dus kunnen we niets klakkeloos aannemen zonder ondersteunend bewijsmateriaal. Tot we uitsluitsel krijgen over de vingerafdrukken, weten we niet wie Ray is: Belize of Manny.'

'Wie onderzoekt de vingerafdrukken?'

'Ik heb om Zach Spector gevraagd,' zei Decker. 'Hij komt morgenochtend om tien uur. Ik heb Roswell Correctional al gebeld. Als FedEx op tijd is, krijgen we morgen uiterlijk om half elf een dossier met kopieën van zijn vingerafdrukken. Intussen kunnen we nog wel even brainstormen over Roseanne Dresden. Wat denken we? Dat haar man haar in de kofferbak heeft gelegd terwijl ze nog leefde, met haar is weggereden en haar ergens heeft vermoord en begraven? We weten dat ze niet in de flat is gestorven.'

'Daar heb ik aan gedacht toen ik het verhaal van Hermione hoorde,' zei Wanda. 'Maar waarom zou hij dat op klaarlichte dag doen? Waarom heeft hij dan niet gewacht tot het donker was?'

'Ivan is geen koele kikker,' zei Marge. 'Stel dat ze weer ruzie hadden gekregen. Ivan heeft toegegeven dat ze de dag ervóór ruzie hadden gehad. Misschien was ze 's ochtends in alle vroegte thuisgekomen en was de ruzie weer opgelaaid. Ditmaal werd hij zo kwaad dat hij haar een duw heeft gegeven. We hebben haar mobieltje onder de bank gevonden. Misschien is ze achterover gevallen en met haar hoofd ergens tegenaan geslagen. Misschien heeft ze daardoor het bewustzijn verloren en is Ivan in paniek geraakt.'

Wang zei: 'Als je valt en met je hoofd ergens tegenaan slaat, ga je daar niet per se aan dood. Denk je echt dat hij haar in de kofferbak van de auto heeft gelegd en haar ergens heeft vermoord en begraven?'

'Nogmaals, het is mogelijk dat hij in paniek is geraakt. Stel dat Ivan haar per ongeluk of met opzet bewusteloos heeft geslagen. Hij wikkelt haar in een deken, draagt haar naar haar auto en legt haar in de kofferbak. Hij ontdoet zich ergens van het lijk. Op de terugweg hoort hij het nieuws over het vliegtuigongeluk en bedenkt hij dat hij haar verdwijning mooi aan de ramp kan wijten. Maar dan zullen mensen vragen waarom haar auto op het parkeerterrein bij de flat staat en niet op het vliegveld. Dus rijdt Ivan naar het vliegveld, laat de BMW daar achter, neemt een taxi terug naar huis, rijdt in zijn eigen auto naar zijn werk en vertelt zijn collega's in tranen dat Roseanne bij de ramp is omgekomen.'

Ze knikten allemaal. Decker was de eerste die commentaar gaf. 'Dat klinkt logisch, maar was Ivan niet om half negen of negen uur op zijn werk? Als hij tussen zeven en acht uur is weggereden, had hij niet genoeg tijd om een geschikte plek te zoeken, haar te vermoorden en te begraven, in haar auto naar het vliegveld te rijden en een taxi terug te nemen naar zijn flat als hij vóór negenen op zijn werk was.'

Wang zei: 'Misschien heeft de getuige zich vergist in de tijd.'

Decker zei: 'Als je op klaarlichte dag iemand in je auto vermoordt, loop je enorme risico's. En hoe kun je zomaar een bewusteloze vrouw naar je auto dragen en in de kofferbak leggen? Het is nog altijd mogelijk dat Roseanne gewoon zelf achter het stuur zat en degene was die zo snel wegreed omdat ze haast had om op tijd op haar werk te komen.'

Marge zei: 'Maar Erika Lessing, de stewardess die bij de gate van WestAir werkte, weet heel zeker dat ze Roseanne níét heeft gezien.'

'Een positieve getuige is beter dan een negatieve,' zei Decker. 'Roseanne kan de gate zijn gepasseerd zonder dat Erika het zag.'

'Natuurlijk,' zei Marge, 'maar vergeet niet dat het lijk van Roseanne niet op de plaats van de ramp is gevonden.'

Decker zei: 'Dat feit, én het feit dat een getuige iemand in haar auto in allerijl heeft zien wegrijden, gaan we gebruiken om een doorzoekingsbevel voor de auto te krijgen. Als Roseanne in haar auto of in de kofferbak van haar auto op gewelddadige wijze om het leven is gebracht, zullen we daar flink wat bloed aantreffen; zelfs als Ivan de auto heeft schoongemaakt moet er nog een redelijke hoeveelheid te vinden zijn.'

'Aangenomen dat hij de bekleding niet heeft laten vernieuwen,' zei Wanda. 'Wat moeten we als hij dat heeft gedaan?'

'Dat zou op zich verdacht zijn,' zei Marge.

'Inderdaad,' zei Decker. 'Laten we dus, voordat we een rechter lastigvallen met een verzoek om een doorzoekingsbevel, gaan uitzoeken of Ivan iets met de auto heeft gedaan wat als verdacht kan worden beschouwd.'

'Zoals de bekleding vernieuwen?' vroeg Oliver. 'Hoe had je dat gedacht? Moeten we alle BMW-dealers gaan bellen?'

Wanda zei: 'Als hij bebloede bekleding moest laten vervangen, heeft hij dat heus niet bij een dealer laten doen.'

Decker zei: 'Toch kunnen jullie het beste met de dealers beginnen, want als je nieuwe bekleding wilt, moet je die bij een dealer kopen, en hier in de buurt zijn er niet al te veel. Als dat niets oplevert, moeten jullie de andere garages afgaan. Ivan is geen bolleboos, maar hij zal echt niet zijn blijven rijden in een auto waarvan de bekleding vol bloedvlekken zit.'

'Ja, al vindt hij het prachtig dat hij in Roseannes BMW kan rijden,' zei Oliver. 'Er gaat niets boven een auto die je zelf niet hebt hoeven betalen.'

De volgende dag maakte een breed lachende Decker om vier minuten voor half twaalf bekend dat de vingerafdrukken van de rechtervinger en -duim van Raymond Holmes overeenkwamen met de vingerafdrukken in het dossier van Belize Hernandez uit Roswell Correctional. Een gejuich klonk op in de recherchekamer om dit eerste definitieve bewijsmateriaal. Vanwege de vingerafdrukken en het verhaal van de oude

Hernandez was de aannemer nu een belangrijke verdachte inzake de moord op Beth Devargas, en ondanks de wegstuivende BMW en de geslaagde leugentest kwam hij ook als nummer één op de lijst van verdachten te staan inzake de verdwijning van Roseanne Dresden.

Dankzij de vingerafdrukken, de bezoeken van Raymond Holmes aan Santa Fe Correctional en de belofte van Martin Hernandez dat hij tegen zijn zoon zou getuigen in ruil voor onmiddellijke invrijheidstelling, kreeg Decker zonder problemen een arrestatiebevel voor Holmes inzake de moord op Beth. Om twee uur 's middags had hij het document, ondertekend en gestempeld, op zak en die avond zaten Decker, Oliver en Marge om zes uur in stoelen 13A, 13B en 13C van een Southwestvlucht van Burbank naar San Jose International. Holmes zou 's ochtends voor een verhoor naar een politiebureau in San Jose worden gebracht. Het politiebureau in kwestie was al op de hoogte gebracht en men zou klaarstaan om het trio op iedere gewenste manier te assisteren.

Tot ieders opluchting stemde Holmes erin toe naar het bureau te komen zonder dat ze hem hoefden te vertellen wat daarvoor de reden was. Maar ditmaal wilde hij er wel een advocaat bij hebben. Drie uur later zaten Holmes en een man in een grijs pak genaamd Taz Dudley op Decker te wachten in een verhoorkamer van een politiebureau in het westelijke deel van de stad.

Nu kon het feest beginnen.

38

Decker wist nog hoe erg Holmes transpireerde en had daarom een doos tissues meegebracht en ervoor gezorgd dat er voldoende flesjes water klaarstonden. De dikke man schonk meteen een glas water in, dronk het leeg en schonk het nogmaals vol. Het verhoor zou vermoedelijk een paar keer worden onderbroken omdat hij naar de wc moest en dat zou invloed hebben op het ritme van de ondervraging, maar daar was niets aan te doen. Holmes had voor makkelijke kleding gekozen: een trainingsbroek en een zwart T-shirt dat als een parachute over zijn buik hing. Hij liep op sportschoenen en ditmaal had hij er sokken bij aan. Zijn woordvoerder, Taz Dudley, was gekleed in een donkergrijs pak met een krijtstreepje en een roomkleurig overhemd met rode das.

Nadat iedereen aan elkaar was voorgesteld, opende Decker het gesprek.

'Gaat het een beetje, meneer Holmes?'

'Hoe denkt u dat het gaat als je wordt opgebracht als een ordinaire misdadiger!'

Taz Dudley legde een gemanicuurde hand op zijn schouder. 'Laat mij het woord doen, Ray. Daar word ik voor betaald. Blijf jij maar rustig zitten.'

De advocaat was een streng ogende, gezette man met dik, grijzend haar. Hij had donkerbruine ogen, een vierkante kin en een gebruinde huid, die hij ofwel had verkregen tijdens talrijke vakanties in het Caribisch gebied of onder een zonnebank. 'Zou u ons willen vertellen waarom u mijn cliënt naar het bureau hebt laten komen?'

Decker gaf de advocaat antwoord, maar keek daarbij naar Holmes. Hij begon met een valse start. 'Uw cliënt had een verhouding met een vrouw die nu wordt vermist.'

'Doe me een lol, zeg!' riep Holmes.

'Ray, wees stil.'

'Nee, Taz, ik wil zeggen wat ik op mijn hart heb. Daarna mag jij.' Hij keek Decker woedend aan. 'U wilde dat ik een leugentest zou doen en dat heb ik gedaan zónder dat er een advocaat bij was. Ik heb die test goed doorstaan. Nu zijn we vier weken verder en begint u weer over precies dezelfde dingen. Dat noem ik geen ondervraging, dat noem ik pesten. Is dit de dank voor de medewerking die ik heb verleend? U houdt me van mijn werk en dat kost me geld. Ik heb een advocaat moeten huren en dat kost óók geld. Weet u wat ik ga doen als dit nog lang zo doorgaat? Dan ga ik niet alleen de politie van San Jose en het LAPD aanklagen, maar ook u persoonlijk!'

Holmes greep naar het glas water, maar gooide het per ongeluk om. Decker nam het water op met wat papieren zakdoekjes en gaf er ook een paar aan Holmes zodat hij zijn bezwete gezicht kon afdrogen.

'Dit loopt echt de spuigaten uit!' De grote man bette zijn gezicht. 'Ik vind het heel sneu dat ze nog steeds wordt vermist...'

'Ray, genoeg!' onderbrak Dudley hem.

'Goed, goed.' Hij leunde achterover en sloeg zijn armen over elkaar. 'Maar zorg ervoor dat ik hier snel wegkom, oké?'

'Bent u van plan mijn cliënt in hechtenis te nemen?'

'Misschien.'

'Wat wilt u nou eigenlijk van me?' riep Holmes.

'Ray...'

'Niks Ray. Ik wil weten waarom hij me blijft lastigvallen terwijl ik aan al zijn verzoeken heb voldaan. Ik gedraag me als een voorbeeldig staatsburger! Is dit mijn dank?'

Decker zei: 'Als u even uw kalmte zou kunnen bewaren, zou ik u een paar vragen kunnen stellen om wat zaken op te helderen. Misschien kunnen we daarna allemaal naar huis.'

'Dat zei u de vorige keer ook!'

'Meneer Holmes, ik begrijp best dat u dit niet leuk vindt, maar ik moet mijn werk doen.'

'Hebt u al met die klootzak van een man van haar gesproken?'

'Ray...'

Hij stond abrupt op. Decker sprong overeind. 'Rustig maar,' zei Holmes. 'Ik moet alleen maar naar de wc.'

Decker knikte. 'Ik loop wel even met u mee.'

'U gaat niet met me mee naar binnen. Hoe weet ik of u niet van plan bent me daar met een elektrische pook te prikken?'

'Uw advocaat mag ook mee.'

'Welja, maak er een optocht van!' Hij keek naar zijn advocaat. 'Zorg ervoor dat hij bij mijn lul uit de buurt blijft.'

De excursie nam tien minuten in beslag. Toen ze allemaal weer zaten, leek Holmes iets te zijn gekalmeerd. Decker zei: 'Ik wil uw cliënt alleen maar een paar vragen stellen.'

'Gaat uw gang,' zei Dudley.

'Dank u.' Decker keek naar Holmes. 'U hebt me verteld dat u op de avond voordat Roseanne Dresden is verdwenen, thuis was, samen met uw vrouw.'

'Dat klopt,' zei Holmes.

'Volgens mij zou het voor uzelf het beste zijn als uw vrouw hierheen zou komen om dat schriftelijk te bevestigen.'

'Dit is intimidatie, inspecteur, en dat weet u best,' zei Dudley. 'Meneer Holmes heeft toegegeven dat hij een verhouding heeft gehad met Roseanne Dresden. Hij heeft u ook verteld dat hij de vrouw in kwestie gedurende de zes maanden voor haar verdwijning niet meer heeft gezien.'

'Ja, dit is allemaal ouwe koek,' onderbrak Holmes hem. 'Ik zweer bij God dat ik niet weet wat er met Roseanne is gebeurd. Ik weet niet of ze bij de vliegtuigramp is omgekomen, of dat die klootzak van haar man haar heeft vermoord, of dat ze een andere vent heeft gevonden die zijn geduld heeft verloren. Ik wéét het niet. Oké?'

'Oké,' zei Decker.

Holmes droogde zijn bezwete gezicht af. 'Mooi.' Hij dacht dat het ergste voorbij was, leunde weer achterover en dronk nog een glas water. 'Mag ik nu dan gaan?'

'Nog niet,' zei Decker. 'Ik heb een specifieke reden waarom ik wil dat uw vrouw een verklaring komt ondertekenen, meneer. Het zal me een aanklacht besparen.'

Holmes ging weer rechtop zitten. 'Waar hebt u het over?'

'Laat mij het woord doen,' zei Dudley. 'Krijgen we uitleg, of bent u van plan mijn cliënt hier zonder reden vast te houden?'

'Meneer Dudley, er is een probleem met de identiteit van uw cliënt.' Hij keek naar Holmes terwijl hij zijn hand in zijn aktetas stak en er een document uit haalde dat drieëntwintig jaar eerder was uitgevaardigd.

'Uw naam is niet altijd Raymond Holmes geweest.'

Dudley pakte het document aan, maar Holmes griste het uit zijn hand. Toen hij zag wat erop stond, brak het zweet hem weer aan alle kanten uit. 'Gaat het hierom?' Hij wapperde met het document. 'Hebt u me hiervoor laten komen? Ik heb inderdaad mijn naam veranderd. En wat dan nog? Ik wist dat de naam Tomas Martinez niet zou aanslaan in Silicon Valley. Denkt u soms dat ik een omhooggevallen Mexicaan ben? Gaat het daarom?'

De aanval was de beste verdediging.

Dudley nam het document weer van Holmes over. 'Dit is een wettige naamsverandering.' Hij keek eerst naar Decker en toen naar zijn cliënt. 'Wat is het prob...'

'Wat is het probleem?' bauwde Decker hem na. 'Het probleem, meneer Dudley, is dat Tomas Martinez, die is geboren in Madrid, New Mexico, op achtjarige leeftijd aan longontsteking is overleden.'

'Jezus!' bulderde Holmes. 'Hebt u enig idee hoeveel mensen in New Mexico Tomas Martinez heten? Het is een veelvoorkomende naam.'

'Dat wil ik best geloven, maar er is maar één Tomas Martinez met uw sofinummer en uw geboortedatum.' Holmes zei niets; zijn advocaat ook niet. 'Zou u me willen vertellen waarom u de identiteit van Tomas Martinez hebt overgenomen?'

Dudley zei snel: 'Ik wil een paar minuten onder vier ogen met mijn cliënt praten.'

'Dat kan,' zei Decker. 'Kijk maar op naar een van de camera's als u klaar bent om mij weer te woord te staan.'

'Goed,' zei Holmes toen Decker weer bij hen in de kamer zat. 'Dit is mijn verhaal en ik zweer bij God dat het de waarheid is. Bent u bereid te luisteren?'

'Daartoe ben ik bereid.'

'Mooi. Ik zal u vertellen hoe het in elkaar zit en dan kunnen we allemaal naar huis.' De grote man slaakte een diepe zucht. 'Ik was als jonge jongen geen lieverdje. Ik heb een moeilijke jeugd gehad. Van mijn vader kreeg ik alleen maar slaag en mijn moeder was aan de drugs. Ik was de oudste, dus kreeg ík alle klappen. Ik vertel dit niet omdat ik medeleven wil. Ik vertel het alleen om te illustreren waarom ik het heb gedaan.'

'Oké,' zei Decker.

‘Ik ben opgegroeid in New Mexico. Ik weet niet of u daar ooit bent geweest, maar het is een dunbevolkte staat met veel onbebouwde ruimte. Zoals ik al zei, was mijn vader een schoft en mijn moeder een junk. Ik groeide op voor galg en rad en had niemand die me in goede banen kon leiden. Ik had ook heel verkeerde vrienden.’

‘Ga door.’

‘Ik kreeg geen greintje discipline. Ik heb dingen gedaan waarvan ik wou dat ik ze kon vergeten.’

‘Zoals?’

‘Jezus, man. Moet ik dat echt allemaal vertellen?’

‘Graag.’

‘Autodiefstal, inbraak, overvallen, straatgevechten. Ik was volkomen losgeslagen en deed waar ik zin in had. Toen ik achttien was, ben ik gepakt. Ik heb een paar jaar in de gevangenis gezeten maar ben vroegtijdig vrijgelaten wegens goed gedrag. Toen ik uit de gevangenis kwam, was ik een heel ander mens, inspecteur. Het was een keerpunt geweest. Ik was totaal veranderd.’

‘Veel mensen veranderen in de gevangenis.’

‘Verdomd als het niet waar is. Ik wist heel zeker dat ik nooit meer in de gevangenis wilde komen. Nooit meer! Ik wilde met een schone lei beginnen en hoopte dat het me eindelijk eens een beetje mee zou zitten. Ik ben naar Madrid gegaan. Dat ligt vijftien kilometer ten zuiden van Santa Fe. Maar ik ben er niet lang gebleven, omdat het te dicht bij Santa Fe was. Te veel onaangename herinneringen. Tomas Martinez was dood. Tomas Martinez had geen strafblad. Ik zag er geen kwaad in. Dankzij hem kreeg ik een nieuwe kans.’ Holmes’ T-shirt was inmiddels doorweekt. ‘Ik ben in de bouw gaan werken, van het zuiden van New Mexico helemaal tot aan de Four Corners. Ik werkte hard en hield me gedeisd. Ik bleek talent te hebben voor timmermanswerk. Ik heb zoveel mogelijk over het vak geleerd en toen ik vond dat ik goed genoeg was, ben ik voor mezelf begonnen. Ik heb gezocht naar een geschikte plek om te gaan wonen en in die jaren begon Silicon Valley zich net te ontwikkelen. De mensen daar...’

Holmes lachte honend en en maakte een minachtend gebaar.

‘Hersens hebben ze genoeg, dat zal ik niet ontkennen. Ze kunnen prachtige dingen doen met chips, moederborden en computers, maar ze weten nog geen hamer van een schroevendraaier te onderscheiden.

Nerd City. Het leek me de ideale plek voor iemand als ik. Ik had het gevoel dat ik daar in de bouw een goede boterham zou kunnen verdienen. De mensen stroomden die kant op en de huizen schoten er als paddenstoelen uit de grond. Toen ik er een kijkje ging nemen, zei ik tegen mezelf: 'Dit is een goudmijn.' Ik heb mijn naam laten veranderen om niet zo Mexicaans te lijken en heb een zaak geopend. Als u mijn papieren nakijkt, zult u zien dat ik de waarheid spreek.'

'Dus u geeft me toestemming uw papieren na te kijken?' vroeg Decker.

'Nee,' antwoordde Dudley. 'Hij bedoelt het metaforisch.'

'Ook als ik u toestemming zou geven, valt er niks te zien,' zei Holmes.

Decker zweeg even. Zoals in alle goede verhalen zaten ook in dit verhaal elementen die waar waren. Toen vroeg hij: 'Wat is uw doopnaam?'

Holmes' blik flitste heen en weer. Als hij een klein beetje hersens had, had hij moeten weten dat Decker dit zou vragen.

'Moet u dat echt weten?' vroeg Holmes, om tijd te winnen. 'Ik wil dat deel van mijn leven liever vergeten.'

'Ik moet het echt weten.'

'Waarom?' vroeg Dudley. 'Tenzij het rechtstreeks te maken heeft met de zogenaamde aantijgingen die u wilt doen, is het niet relevant.'

'Het heeft te maken met de oprechtheid van uw cliënt, meneer Dudley.' Decker keek Holmes recht in de ogen. 'Wat is uw doopnaam?'

Holmes zei niets. Dudley verbrak de stilte. 'Als u het antwoord op die vraag wilt weten, moet u maar terugkomen met een rechterlijk bevel.'

Decker hief zijn hand op met de palm naar voren. 'Het is een retorische vraag, meneer Dudley, want meneer Holmes weet drommels goed dat in de gevangenis waar hij heeft gezeten, een dossier ligt waarin zijn vingerafdrukken zijn opgenomen.'

Holmes greep de doos met tissues, maar die waren op. Decker keek op naar de videocamera en vroeg om een nieuwe doos. 'Weet u dat op de tegel die u gisteren hebt meegegeven aan Oliver Scott, de man die zo geïnteresseerd was in een van uw huizen, prachtige vingerafdrukken van u staan?'

Holmes trok wit weg. 'Zit hij bij de politie?'

'Dat niet alleen. Hij zit op dit moment naar u te kijken. Toen u in de gevangenis zat, bestond het AFIS nog niet, maar uw vingerafdrukken kwamen uiteraard in een gewoon dossier te staan. De kunst is dat je moet weten wie je moet hebben. En wij wisten precies wie we moesten hebben. We hoefden dus alleen maar naar Roswell te bellen. Het was meteen raak. Wilt u me nu vertellen wat uw doopnaam is?'

'Je bent niet verplicht antwoord te geven, Ray,' zei Dudley tegen hem. 'Als u hem niet officieel in staat van beschuldiging stelt, inspecteur, stappen we nú op.'

Decker keek naar Holmes. 'Als ik u in hechtenis neem wegens moord, is er geen weg terug. U bent erbij, meneer Holmes. U gaat de komende nacht in een cel doorbrengen, terwijl uw advocaat lekker in zijn eigen bed zal liggen...'

Holmes hief zijn hand op. Zijn gezicht had een uitdagende trek gekregen. 'Als u weet wie ik ben, mag u het zelf zeggen.'

'Zegt de naam Isabela Devargas u iets?'

Holmes verbleekte. Zweet stroomde over zijn gezicht.

'Dat is een vrouwennaam,' zei Dudley.

'Het is de naam van een dode vrouw,' verduidelijkte Decker.

39

Dudley zei: 'Ik moet mijn cliënt onder vier ogen spreken.'

Decker negeerde hem. 'We hebben haar lijk gevonden, meneer Holmes. Ze lag nog steeds op de plek waar u haar had achtergelaten. Als er verzachtende omstandigheden waren, kunt u me dat nu maar beter vertellen.'

'Ik moet mijn cliënt onder vier ogen spreken,' herhaalde de advocaat.

'U mag net zo lang met hem praten als u wilt nadat ik hem heb gearresteerd wegens moord.'

'Inspecteur, zelfs als hij u nu iets zou vertellen, zou u daarvan later geen gebruik mogen maken.'

'Wel als hij zelf toestemming geeft.'

'Ik heb het niet gedaan,' sputterde Holmes. 'Ik heb haar niet vermoord!'

'Zeg dan tegen uw advocaat dat u er met mij over wilt praten.'

'Ray, hou je kop!' zei Dudley.

'Hou zelf je kop!' viel Holmes uit. En hij ging door: 'Het gaat hier niet om jou. In één opzicht heeft hij gelijk. Jij slaapt vannacht in je eigen bed.'

'Ray, je hebt me ingehuurd om je van advies te dienen. Laat me dat dan doen! Ik moet eerst met je praten, ik moet weten wat er aan de hand is!' Dudley wendde zich tot Decker. 'Ik herhaal: ik wil mijn cliënt onder vier ogen spreken.'

'Ik probeer u te helpen, meneer Holmes.' Decker haalde zijn genadeklap tevoorschijn en overhandigde die aan Dudley. 'Dit,' zei hij, terwijl hij naar Holmes keek, 'is een aanhoudingsbevel. Ik kan u in hechtenis nemen voor de moord op Isabela Hernandez.' Hij keek naar Dudley. 'De schoonzus van meneer Holmes.' Terug naar Holmes. 'Ik heb de arrestatie nog niet verricht. Als u met me wilt praten, moet u dat nú doen.'

'Nee, niet doen!'

'Ik heb dat klerewijf niks gedaan,' zei Holmes.

'Zeg dan tegen uw advocaat dat u me wilt vertellen wie de moord heeft gepleegd. Zeg tegen uw advocaat dat u met me wilt praten om dat op te helderen.'

'Niet doen, Ray! Hij liegt!'

'Is dat een arrestatiebevel en kan hij me in hechtenis nemen?'

Dudley antwoordde met tegenzin: 'Ja, maar als je met hem praat, maak je het alleen maar erger. Dit spelletje spelen ze altijd, Ray. Ze doen net alsof ze het goed met je voor hebben, maar dat is niet zo. Je kunt je het beste gewoon in hechtenis laten nemen. Ik zorg er wel voor dat je vanavond naar huis kunt.'

'Of morgenochtend, afhankelijk van hoe druk het is,' zei Decker.

'Is dat je advies? Dat ik me door die rotzak moet laten arresteren?'

'Hij gaat je evengoed arresteren, Ray, of je nou met hem praat of niet!'

'Maar misschien niet voor moord,' zei Decker.

'Hij liegt dat hij barst,' zei Dudley.

Decker loog inderdaad. Daar had de advocaat gelijk in. Maar Holmes' angst voor de gevangenis overtrof iedere logica. Hij sloeg zijn armen over elkaar. 'Ik ga u niks vertellen, inspecteur. Maar als ú me wilt vertellen wat u weet, zal ik u corrigeren als u het mis hebt.'

Holmes dacht dat hij slim was, maar Dudley gaf de strijd nog niet op. 'Als je hem corrigeert waar ik bij ben, zal hij je woorden in jouw nadeel verdraaien, Ray.'

'Ik ben bereid dat risico te nemen.' Holmes leunde weer achterover. 'Toe maar. Vertel me wat u hebt gehoord.'

'Oké, het is te proberen,' zei Decker. 'Dertig jaar geleden zijn Beth en Manny Hernandez spoorloos verdwenen. En ik weet dat jij, Ray, ter wereld bent gekomen als Belize Hernandez. Je bent de broer van Manny en de zwager van Beth. En zoals je zelf al hebt verteld, heb je een heel lang strafblad.'

'En...?'

'Tweeëndertig jaar geleden, een half jaar voordat je broer en schoonzus zijn verdwenen, ben je voorwaardelijk vrijgelaten wegens goed gedrag. Je bent naar Madrid in New Mexico gegaan, waar je ongeveer drie maanden bent gebleven, en daarna ben je doorgereisd naar Arizona, waar je je Tomas Martinez noemde. Je hebt een poosje rondgescharreld in Arizona. Je hebt onder andere in Mesa, Yuma, Tucson en Phoenix gewoond.'

'Dat ontken ik ook niet. Ik werkte in de bouw. Ik was een vak aan het leren. Ik was toen nog de latino uit New Mexico, en in Arizona voelde ik me thuis.'

'Je bent ongeveer vijf jaar in Arizona gebleven.'

'Ik leerde er een vak. Mag dat soms niet?'

'Daarna zijn we het spoor kwijtgeraakt,' ging Decker door. 'Drie jaar later heb je als Raymond Holmes in San Jose met succes het aannemersexamen afgelegd en je vergunning gekregen.'

'Ik zei toch dat ik mijn naam in Raymond Holmes heb laten veranderen om geen latino meer te zijn? Dat heb ik op wettige wijze gedaan. Het enig strafbare wat u hebt ontdekt, is dat ik de naam Tomas Martinez heb gepikt. En zoals ik al zei, heb ik dat alleen gedaan omdat ik met een schone lei wilde beginnen. Adios Belize, hallo Tomas. Dat is geen doodzonde.'

'Dat weet ik, Belize, maar nu komt het deel van het verhaal met de tegenstrijdige informatie. Er zit een gat in de tijd voordat je naar Arizona bent gegaan, en juist in die periode zijn je broer en schoonzus verdwenen.'

'U denkt toch niet dat ik me van minuut tot minuut kan herinneren waar ik de afgelopen tweeëndertig jaar ben geweest?' zei Holmes smalend. 'Ik wil wedden dat u niet eens meer weet wat u eergisteren hebt gegeten!'

'Daar heb je gelijk in. Ik kan me niet herinneren wat ik eergisteren heb gegeten. Maar ik zou het me wel degelijk herinneren als ik mijn schoonzuster had vermoord.'

'Ik heb het niet gedaan!'

'Andere mensen en dit arrestatiebevel zeggen van wel.'

Holmes schoot overeind en begon te ijsberen. 'Welke andere mensen?'

'Ga zitten, Ray,' zei Dudley tegen zijn cliënt.

'Wie zegt dat ik Beth heb vermoord? Geef me een naam!'

'Ik kan dit vraaggesprek alleen voortzetten als je gaat zitten,' zei Decker.

Holmes zakte nijdig terug op zijn stoel. 'Geef me een naam.'

'De officier van justitie zal je al het belastende bewijsmateriaal verstrekken dat we bezitten, maar ik kan pas iets doen nadat ik je officieel in hechtenis heb genomen wegens moord.'

'Maar ik heb haar niet vermoord! Wat willen jullie nou eigenlijk van me?'

'Ik wil weten waar je bent geweest nadat je Madrid had verlaten en voordat je in Arizona bent opgedoken.'

'Dat weet ik niet meer!'

'We draaien in kringetjes rond,' zei Dudley.

'Moet ik de arrestatie verrichten?'

'Dat gaat u toch wel doen,' zei Dudley.

'Taz, laat me zelf even het woord voeren!' zei Holmes. 'Ik weet niet precies meer waar ik was, omdat ik het te druk had met in leven blijven. Ik heb rondgezworven.'

'Ben je op die zwerftocht ook terechtgekomen bij je broer in L.A.?'

Holmes klemde zijn kaken op elkaar. Zijn ogen flitsten heen en weer. Dudley nam het woord weer: 'Je hoeft geen antwoord te geven als een vraag je niet aanstaat, Ray.'

'Het maakt niet uit,' loog Decker. 'We weten al wat het antwoord op deze vraag is, omdat we getuigen hebben.'

'O ja? Wie dan?' vroeg Holmes.

'Hou op, Ray, denk je nu echt dat niemand zich zou herinneren dat je bij Beth en Manny hebt gewoond en lid was van hun kerk?'

'Ik was geen lid van hun kerk!' antwoordde Holmes.

'Iedereen wist dat je bij Beth en Manny woonde.' Decker leunde naar voren. 'Luister. Ik begrijp best dat je in een moeilijk parket zat. Je had in de gevangenis gezeten. Je had een strafblad en daarom wilde niemand je in dienst nemen. Je kon niet teruggaan naar Santa Fe om je moeder om hulp te vragen, omdat daar allerlei mensen het nog steeds op je hadden voorzien omdat je indertijd hun auto had vernield of hun tv gestolen. Bovendien had je vader twee onschuldige mensen omgelegd. Dus besloot je naar je broer en zijn vrouw in L.A. te gaan. Je dacht dat die vast wel ergens goed voor zouden zijn. Dit ga je niet ontkennen, hè?'

Holmes zei: 'Ik moet naar de wc.'

'Dat kan,' zei Decker.

Weer was hij gedwongen een pauze in te lassen toen hij net goed op dreef was; maar het was ook wel prettig om even de benen te strekken. Toen ze terugkeerden naar de verhoorkamer probeerde Dudley nogmaals Holmes te overreden om niets meer te zeggen, maar de grote man bleef zeggen dat hij wel voor zichzelf kon zorgen. Hij ging zitten, schonk water in zijn glas en zei: 'Oké, ik ben naar mijn broer gegaan. Nou en?'

'Nou en?' herhaalde Decker. 'Het eerste "nou en" is dat je broer en schoonzus al meer dan dertig jaar worden vermist. Het tweede "nou en" is dat we het lijk van Beth Hernandez hebben gevonden en weten dat ze is vermoord, en het laatste "nou en" is dat je onze voornaamste verdachte bent voor deze moord.'

'Ik heb het niet gedaan!' riep Holmes uit. 'Mánny heeft het gedaan!'

Dudley gaf Holmes een mep. 'Kunnen we alsjeblieft even onder vier ogen praten, Ray?'

'U kunt met hem praten nadat ik hem in hechtenis heb genomen wegens moord.'

'Ik zweer op het graf van mijn moeder dat ik haar niet heb vermoord!' riep Holmes. 'Manny heeft haar in een vlaag van woede vermoord. Ik was er zelf bij! Ik heb het gezien! Daarom ben ik naar Arizona gegaan. Ik moest daar weg, ver weg!'

Als Scott en Marge hier waren geweest, dacht Decker, zouden ze elkaar triomfantelijk een high five hebben gegeven bij het horen van deze bevestiging dat Holmes erbij was geweest toen Beth was gedood. Maar het was nog lang geen volledige bekentenis. 'Hoe is het precies gegaan, Ray? Vertel me hoe het is gegaan. Misschien word je dan alleen aangeklaagd wegens medeplichtigheid.'

'Of niet,' zei Dudley. 'Ik weet dat ik klink als een gebarsten grammofoonplaat, maar hij liegt, Ray. Je bent in zijn val gelopen. En als je je in allerlei bochten blijf kronkelen, raak je er steeds meer in verstrikt.'

'Taz, ik zweer dat ik haar niet heb vermoord. Waarom zou ik moeten opdraaien voor een fout van die achterlijke broer van me?'

'Daar heb je gelijk in, Ray,' zei Decker gladjes. 'Als Manny zijn vrouw heeft vermoord, hoef jij daar niet voor op te draaien. Vertel me daarom hoe het is gegaan.'

Holmes hief zijn hand op om zijn advocaat tot zwijgen te brengen. 'Ze hadden ruzie. Hij heeft haar een duw gegeven. Toen ze viel, sloeg ze met haar hoofd ergens tegenaan. Ik was er eerst niet bij. Ik zat te relaxen in de woonkamer en zij gingen tegen elkaar tekeer in de slaapkamer. Het wijf was door het dolle heen. Ze stond maar tegen mijn broer te kijven. Blijkbaar had hij er opeens genoeg van.'

'Waar ging de ruzie over?'

'Dat weet ik niet.'

'Waar dénk je dat het over ging?'

Holmes wendde zijn blik af. 'Geld, neem ik aan.'

‘Hadden ze soms ruzie over het geld dat Manny van de kerk had gestolen om jou te helpen?’

‘Ik weet niet waar u het over hebt.’

‘Dat weet je wél,’ zei Decker. ‘We hebben gesproken met mensen die erbij waren. Alyssa Bright Mapplethorpe, Christian Woodhouse… leden van de kerk. Ze herinneren zich jou en je broer en Beth heel goed.’

Holmes zei: ‘Ik heb geen geld gestolen en ik heb Beth niet vermoord!’

‘Ik heb niet gezegd dat je het geld hebt gestolen, Ray. Ik zei dat je broer het had gestolen.’

‘Jezus!’ Holmes knarsetandde en droogde het zweet op zijn voorhoofd. ‘Punt één, Manny had het geld alleen maar geleend. En punt twee, als hij geld leende en het niet teruggaf, is dat mijn schuld toch niet?’

‘Natuurlijk niet,’ zei Decker. ‘Daarom wil ik jouw versie van het verhaal zo graag horen. Ik heb het al van verscheidene andere mensen gehoord, zie je, en in hun verhalen word je niet gunstig afgeschilderd.’

‘Oké, oké.’ Holmes wreef weer met een tissue over zijn gezicht, hoewel hij lang niet zo erg transpireerde als voorheen. Het leek hem goed te doen de waarheid te vertellen, of in ieder geval gedeeltelijk. ‘In het kort is het als volgt gegaan: Ik had onderdak nodig en mijn broer zei dat ik wel bij hen kon komen. Beth was erop tegen. Die trut had de pik op me, al weet ik niet waarom. Ik liep hun niet voor de voeten en ging gewoon mijn eigen gang. Op een gegeven moment kon Manny het gevit niet meer verdragen. Hij zei tegen me dat hij het erg jammer vond, maar dat het zo niet langer kon en dat ik daarom elders onderdak moest zoeken. Ik zei dat het helemaal niet erg was en dat ik in Arizona iemand kende bij wie ik wel een poosje kon logeren tot ik daar werk had gevonden in de bouw. In Los Angeles wilde ik niet in de bouw werken. Tussen al die Mexicaanse apen zeker. Ik ben geen Mexicaan. Ik ben een Amerikaans staatsburger uit New Mexico en ik wilde niet tussen de illegalen werken!’

‘Dat begrijp ik,’ zei Decker. ‘Ga door.’

‘Manny zat er vreselijk over in dat hij me zijn huis uit moest zetten. Dat hij zijn grote broer dat moest aandoen. Dus heeft hij aangeboden, ik herhaal, aangeboden, me wat geld te geven. Ik heb geen nee gezegd. Ik heb ook geen vragen gesteld. Ik had geen rooie cent en kon wel wat hulp gebruiken. Ik wist niet waar het geld vandaan kwam. Ik heb hem niet gevraagd waar hij het vandaan had. Daar kwam ik later pas achter, toen Beth tegen hem stond te schreeuwen dat hij de penningmeester van de kerk was en dat hij het geld niet uit de kas van de kerk had mogen halen.'

'Wanneer was dat?'

'Op de avond van het incident. Beth ging tegen hem tekeer en zei dat hij het geld moest terugstorten. Ik vond het niet prettig dat ik de reden was waarom ze ruzie hadden en op een gegeven moment heb ik op de deur van de slaapkamer geklopt en aan dat viswijf uitgelegd dat ik geen rooie cent bezat en dat ik alles zou terugbetalen zodra ik op eigen benen stond. Ik heb zelfs aangeboden het met rente terug te betalen.'

'Hoeveel geld had Manny u gegeven?'

'Duizend dollar.'

'Dat kan niet kloppen.'

'Het was duizend dollar.'

'Hij had de hele rekening geplunderd.'

'Als u wilt weten hoe het is gegaan, moet u me laten uitspreken.'

Decker zei: 'Goed, ga door. Manny had je dus duizend dollar geleend en Beth vond dat je het geld moest teruggeven.'

'Ja.' Holmes dronk nog een glas water. 'En nu komt het deel dat me niet meer zo helder voor de geest staat. Ik wilde weggaan, maar Beth was helemaal door het dolle heen. Ze krijste tegen hem en tegen mij, ze wilde dat ik het geld onmiddellijk, ter plekke, zou teruggeven. Krijg de klere, dacht ik bij mezelf. Ik had het geld van Manny gekregen, niet van haar. Ik hoefde helemaal niet naar haar te luisteren. Ik ben weggelopen, maar toen zei Beth dat ze de politie zou bellen om te zeggen dat ik het geld had gestolen.'

Hij blies snuivend zijn adem uit.

'Ze pakte de telefoon en begon het nummer van de politie of van Inlichtingen of weet ik veel wie te draaien. Manny liep op haar af en pakte haar de telefoon af. Hij zei: "Beth, dat kun je niet maken." En toen zei ze: "Ik kan doen wat ik wil en jij kunt me niet tegenhouden!" Blijkbaar had Manny er toen echt genoeg van. Hij besloot in ieder geval zich eindelijk als een kerel te gedragen. Hij zei: "Laat mijn broer met rust en bemoei je niet met het geld. Ik ben de penningmeester en bovendien stel je zonder mij geen ene reet voor!" Om zijn woorden kracht bij te zetten, duwde hij haar opzij, niet omdat hij haar iets wilde doen, maar gewoon omdat hij erdoor wilde.'

Holmes slikte. Zijn ogen waren net zo doods als de muur waar hij naar staarde.

'Hij duwde iets te hard. Ze sloeg met haar hoofd tegen de muur en zakte in elkaar.'

Dudley maakte aanstalten iets te zeggen, maar schudde in plaats daarvan alleen maar zijn hoofd. Hij staarde voor zich uit alsof de gebeurtenissen zich voor zijn ogen afspeelden. Je kon zien dat Holmes alles nogmaals beleefde. Maar Decker wist dat het bewijsmateriaal niet overeenkwam met het verhaal dat Holmes vertelde. De verwonding aan de schedel van Beth was veroorzaakt door een bot voorwerp en zat aan de voorzijde, wat erop wees dat iemand die recht tegenover haar stond haar een klap op haar hoofd moest hebben gegeven. De verwonding kon niet het gevolg zijn van een val waarbij Beth achterover met haar hoofd tegen de muur was geslagen.

Hij zei echter niets. Dit zou later allemaal nog wel aan het licht komen.

Holmes ging door: 'We wisten meteen dat we in de problemen zaten. Ik had wegens inbraak een paar jaar in een licht beveiligde gevangenis gezeten en dat was al geen pretje geweest. Ik was niet van plan een straftijd uit te zitten in Santa Fe Correctional. Daar zat mijn ouweheer. We waren vaak genoeg bij hem op bezoek geweest en wisten hoe het daar was. We zouden ons daar echt niet laten opsluiten omdat dat kreng ons had zitten jennen!'

Decker knikte aanmoedigend. 'Op welk uur van de dag is het gebeurd?'

'Het was niet laat, maar het was wel donker. Ik weet niet. Misschien om een uur of zes.'

'En wat hebben jullie gedaan toen jullie merkten dat ze niet meer ademde?'

'Ik voelde me als verlamd. Ik wist bij god niet wat we moesten doen. Ik bevond me in een vreemde stad, waar ik niemand kende en nu zat ik met die dooie teef. En ik had het helemaal niet gedaan! Ik zei tegen Manny dat we er zo snel mogelijk vandoor moesten gaan. Mijn broer reageerde heel eigenaardig. Hij was volkomen kalm en beheerst. Misschien was hij zelfs blij dat het was gebeurd. Ze haalde hem het bloed onder de nagels vandaan en ik kan me voorstellen dat hij haar spuugzat was. Hij bleef zo koel als wat. Hij zei dat ik hem even moest helpen het lijk ergens in te wikkelen en dat hij de rest zou doen. Zo gezegd, zo gedaan. Ik heb hem geholpen het lijk in een deken te wikkelen en haar naar zijn pick-up te dragen. De rest heeft hij gedaan. Ik weet niet waar hij haar heeft gelaten. Ik heb er niet naar gevraagd en hij heeft het niet gezegd.'

'Hoe lang bleef hij weg?'

'Dat weet ik echt niet meer. Zeker een paar uur. Ik heb ondertussen de rommel opgeruimd.'

'Kun je je niet herinneren wanneer Manny terugkwam?'

'Ik weet alleen nog dat het toen al laat was. We hebben 's nachts onze spullen in de auto geladen en 's ochtends heeft Manny de rest van het geld van de bankrekening van de kerk gehaald. We hadden allebei geld nodig.' Holmes haalde diep adem en blies die langzaam uit. 'Manny wilde dat we samen zouden reizen, maar daar had ik geen zin in.' Hij legde zijn hand op zijn borst. 'Ik had Beth niet gedood; dat had híj gedaan. Ik vond dat hij het verder zelf maar moest uitzoeken. Bovendien merkte ik dat hij bang begon te worden. De adrenaline was gezakt en ik wilde niet dat hij domme dingen ging doen waar ik bij was. Ik zei dat hij de auto kon nemen, dat ik me wel zou redden. Kom me over een paar maanden maar eens opzoeken in Arizona, zei ik, wanneer de rust is weergekeerd. Maar hij is nooit geweest. Ik heb nooit meer iets van hem gehoord. Ik weet niet wat er van hem geworden is. Ik weet niet eens of hij nog leeft.'

Vast niet, dacht Decker. 'Waar ben je naartoe gegaan nadat je afscheid van hem had genomen?'

'Ik ben naar Las Vegas gelift. Ik heb daar wat gegokt en mijn armzalige duizend dollar vervijfvoudigd. Een week lang heb ik het ervan genomen – drank, drugs, hoeren. Het was de mooiste week van mijn hele leven.'

'En daarna?'

'Wat denkt u?' Holmes lachte. 'Drank, drugs en hoeren kosten geld. Ik had nog maar driehonderd dollar op zak toen ik uit Glitter City vertrok. Ik ben naar Arizona gelift en daar in de bouw gaan werken. Ik heb mijn handen uit de mouwen gestoken en een vak geleerd. Sindsdien ben ik een fatsoenlijke burger.'

'En heb je nog iets van Manny gehoord?' vroeg Decker.

'Geen woord. Misschien had ik hem moeten aangeven. Of aan de ouders van Beth moeten vertellen wat er was gebeurd. Misschien had ik hem niet moeten helpen het lijk uit de flat te halen en de boel niet moeten opruimen. Maar jezus, hij was mijn kleine broertje en hij zat in de problemen; en hij zat in de problemen omdat hij mij had willen helpen. Ik voelde me verantwoordelijk, maar ook weer niet zó verantwoordelijk dat ik bereid was op te draaien voor iets wat ik niet had gedaan.'

Decker knikte. Het verhaal klonk aannemelijk. Dat Beth en Manny ruzie hadden gekregen om het geld. En dat iemand zo kwaad was geworden dat hij Beth een klap op haar hoofd had gegeven. Misschien Raymond/Belize, misschien Manny. Het enige wat voor Decker als een paal boven water stond, was dat een van de broers Beth had vermoord.

Decker vond het ook aannemelijk klinken dat Manny niet aan zijn broer had verteld waar hij Beth had begraven. Anders was Holmes wel op de loop gegaan nadat Decker en Marge de eerste keer bij hem waren geweest. Ze hadden hem verteld dat onder het puin van het ingestorte gebouw een skelet was gevonden. Holmes was daar niet zenuwachtig van geworden, omdat hij niet had geweten waar Beth was begraven. Hij was niet goed bekend in L.A. en het was geen moment in hem opgekomen dat het skelet dat ze hadden gevonden dat van zijn vermoorde schoonzuster was. Hij had gezegd dat hij dacht het lijk dat van Roseanne Dresden was.

En dat dacht hij vermoedelijk ook.

Toch week het verhaal van Holmes sterk af van wat zijn vader, Martin Hernandez, aan Decker had verteld. De oude man had gezegd dat Belize had toegegeven dat hij Beth had gedood, maar dat hij het niet met opzet had gedaan. De oude Hernandez had ook herhaaldelijk gezegd dat Manny dood was.

Hoe kon Hernandez weten dat Manny dood was tenzij hij diens moordenaar kende? De oude man had niet met zo veel woorden gezegd dat zijn oudste zoon schuldig was aan de dood van zijn jongste zoon, maar door te zeggen dat Manny al jaren dood was, had hij dat wel laten doorschemeren.

Decker wist niet wie van de twee Beth had vermoord, maar hij was er zo goed als zeker van dat Belize zijn broer had vermoord. Dat Belize zijn naam bij de Burgerlijke Stand in Raymond Holmes had laten veranderen, was in Deckers ogen zijn manier om de nagedachtenis aan zijn dode broer, Ramon Hernandez, in ere te houden.

Decker zei: 'Zou je me nu willen vertellen wat er met Roseanne Dresden is gebeurd?'

'Jezus!' Holmes sloeg zijn handen voor zijn gezicht. 'Dat wéét ik niet. Toen ze verdween, had ik haar al een half jaar niet gezien.'

'Ik weet niet of ik je kan geloven, Ray.'

'Waarom niet? Ik heb u niets dan de waarheid verteld. Ik heb u verteld wat er met mijn broer is gebeurd, ik heb u over het geld verteld, ik heb u verteld dat ik heb geholpen het lijk in een deken te wikkelen, ik heb u verteld dat ik de flat heb opgeruimd. Ik heb u álles verteld.' Holmes droogde zijn gezicht af. 'Meer heb ik er niet aan toe te voegen.'

'Maar het is te laat,' zei Dudley tegen hem. 'Hij gaat je in hechtenis nemen wegens moord.'

Decker zei: 'Je had naar je advocaat moeten luisteren, Ray.'

'Waarom?' Holmes begon weer te transpireren: zweet barstte uit zijn overwerkte poriën. 'Ik ben volkomen eerlijk geweest. Ik heb u alles verteld. Ik heb zelfs een leugentest gedaan. Hoe kunt u me nu in hechtenis nemen wegens móórd?'

'Ik ga alleen het aanhoudingsbevel overleggen. De rest laat ik over aan de officier van justitie.'

'Wat een vuile rotstreek! Maar je hebt geen poot om op te staan want ik heb het niet gedaan.'

'Ik heb je gewaarschuwd, Ray,' zei Dudley.

'Sodemieter jij ook maar op!' siste Holmes. 'Je bent ontslagen!'

'Mij best,' antwoordde Dudley. 'Denk je dat een advocaatje dat nauwelijks droog achter zijn oren is je op borgtocht vrij kan krijgen?'

'Oké! Oké! Je bent niet ontslagen!' Holmes was de wanhoop nabij. 'Sorry, Taz, wil je alsjeblieft blijven?'

Dudley zei: 'Ik ben bereid deze zaak op me te nemen, maar nu is het niet meer zo simpel. Ik heb een voorschot van vijftienduizend dollar nodig, en over twee weken nog vijftienduizend. Als je niet zo veel geld beschikbaar hebt, kun je me de eigendomspapieren van het huis aan Chase als waarborg geven.'

'Heren, u mag dit gesprek zo dadelijk voortzetten in de betrekkelijke rust van een cel. Maar nu moet meneer Holmes eerst door de ambtelijke molen.'

40

'Dag, meneer. Kennen wij elkaar?'

Lachend kwam Rina hem op de oprit van hun huis tegemoet. Ze liep op pantoffels en had haar dikke badjas strak rond haar smalle taille gebonden. Sterren flonkerden boven hen en de maan straalde als een schijnwerper. Hoewel de lente al overging in de zomer, was de lucht koel vanwege de nevel die in de vallei hing.

Decker sprak op zachte toon: 'Ja, ja, ik weet het. Sinds ik hier voor het laatst was hebben Cindy en Koby de verbouwing afgemaakt, is Sam met Rachel getrouwd, heeft Jake eindelijk een vaste vriendin en is Hannah aan het studeren.'

'Goed geraden!' Rina gaf hem een arm. Samen slenterden ze naar het huis.

Binnen trok Decker haar in zijn armen. 'God, wat ben ik blij dat ik thuis ben. Waar is ons prinsesje?'

'Het is over twaalven en morgen heeft ze school. Ons prinsesje ligt dus al lang in bed. Waar is jouw misdadiger?'

'Er wordt hard gewerkt om hem naar Los Angeles te krijgen. Als alles goed gaat, zal hij over een paar dagen onze cellen met zijn aanwezigheid vereren.'

'Wil je iets eten?'

'Graag. Ik val om van de honger. Maar eerst wil ik douchen.'

'Ga dan maar gauw. Is een broodje cornedbeef goed? Of ligt zoiets je te zwaar op de maag op dit late uur?'

'Mijn maag weet zo onderhand niet meer of het dag of nacht is. Een broodje cornedbeef klinkt prima. Met lekker veel mosterd en mayonaise. Mosterd voor Akiva de jood, en mayonaise voor Peter de goj.'

Ze lachte. 'Zal ik er dan ook wat koolsla op doen? Of is dat te veel van het goede?'

‘Hoe meer hoe liever. Tot zo.’

Een half uur later veegde Decker zijn mond af, maar zijn maag had nog niet besloten of hij alleen aangenaam gevuld of overvol wilde zijn. De zaak werd beslist toen Decker te horen kreeg dat zowel de cornedbeef als het brood op was.

‘Ik had dit speciaal voor jou achtergehouden.’ Rina nam een slokje van haar kamillethee. ‘Het valt niet mee om cornedbeef te beschermen tegen een horde hongerige tieners.’

‘Hongerige tieners wil zeggen dat het jongens waren.’

‘Hannahs dynamische duo, om precies te zijn.’

‘Tzvika en Michael?’

‘Wie anders?’

‘Wat moet dat worden?’ vroeg Decker. ‘Twee beste vrienden die allebei verliefd zijn op Hannah.’

‘Maar de verliefdheid is niet wederkerig.’

‘Waarom is ze dan zo dik met hen?’

‘Ik denk dat ze van de aandacht geniet.’

Decker keek bedenkelijk. ‘We moeten die dame in de gaten houden. Ze moet ze als vliegen van zich afslaan.’

‘Pas als ze daarmee ophoudt, is het oppassen geblazen.’

‘Daar heb je gelijk in.’ Decker haalde diep adem en blies die langzaam uit. ‘Ik denk dat ik nog een keer naar Santa Fe moet.’

‘Om de ouders van Beth het nieuws persoonlijk te gaan vertellen?’

‘Nee, ik heb ze gebeld zodra we Raymond Holmes in hechtenis hadden genomen.’

‘Hoe reageerden ze op het nieuws?’

‘Ingehouden.’ Decker dronk zijn glas water leeg. ‘Peter bedankte me. Sandra nodigde ons uit voor de Santa Clara Feast Day. Dat is in augustus.’

‘Tegen die tijd ken je de stad als je broekzak.’

‘En de gevangenis. Daar moet ik ook weer naartoe om de getuigenis van de oude man nogmaals door te nemen.’

‘De vader van Belize?’

‘Ja. Martin Hernandez. Hij is onze belangrijkste getuige tegen Holmes en ik heb mijn twijfels over hem. Een man die bereid is zijn eigen zoon op te offeren zal niet overkomen als een sympathieke of geloofwaardige getuige. Bovendien is hij al erg oud. Hij zal misschien in de war raken als er een heleboel vragen op hem worden afgevuurd.'

Decker leunde achterover en keek naar het plafond. 'De zaak hangt grotendeels op de getuigenis van die ouwe, en het is niet zeker dat men hem zal geloven. En zodra de jury erachter komt dat hij eerder wordt vrijgelaten in ruil voor zijn getuigenis, zal er bitter weinig overblijven van de weinige geloofwaardigheid die hij had.'

'In ieder geval zit Belize nu achter de tralies. Dat is al heel wat. Leer om leer, weet je nog?'

'Maar daarmee krijgen we Beth niet terug.'

'Niemand heeft het eeuwige leven, Peter. Wie godsdienstig is, zoals ik, gelooft dat God ware gerechtigheid verspreidt.' Ze pakte zijn hand. 'Je hebt in ieder geval het antwoord gevonden op de kwellende vraag waarmee die arme mensen maar liefst dertig jaar hebben geworsteld. Bovendien zal Belize gestraft worden. Dankzij jou. Je hebt je plicht gedaan in de ogen van God en de natie.'

'Dank je.' Decker pakte Rina's mok en dronk wat van haar thee. 'Het is erg aardig van je om dat te zeggen. Nu zitten we alleen nog met Manny. De grote vraag is of hij nog leeft of niet.'

'Wat denk je zelf?'

'Dat hij dood is. Ik weet niet wie Beth heeft vermoord, maar volgens mij is Manny door zijn eigen broer naar het hiernamaals geholpen. Belize wilde onder geen voorwaarde weer de gevangenis in en zijn broer vormde een te groot risico. Wanneer ik met de ouders van Beth ga praten, zal ik laten doorschemeren dat ik denk dat Belize zowel Beth als Manny heeft vermoord. Daar krijgen ze Beth niet mee terug, maar misschien biedt het enig soelaas als ze weten dat hun dochter niet door haar eigen man is vermoord. Belize is sowieso érgens schuldig aan.'

Rina duwde haar mok naar Decker toe. 'Ga je ook proberen Holmes iets ten laste te leggen inzake de verdwijning van Roseanne Dresden?'

'Dat zou ik graag willen, maar ik weet niet hoe ik dat voor elkaar moet krijgen.' Decker nam kleine slokjes van de kruidenthee en voelde de warmte in zijn vermoeide lichaam doordringen. 'Het enige concrete feit dat we hebben, is dat Holmes haar drie maanden voor haar verdwijning heeft opgebeld.'

'Is dat niet genoeg om hem iets ten laste te leggen?'

'Op geen stukken na. Bovendien is helemaal niet zeker dat hij inderdaad iets met haar verdwijning te maken heeft. Vlak voordat ik naar San

Jose vertrok, heeft Wanda een getuige gevonden die heeft gezien hoe de BMW van Roseanne op de ochtend dat het vliegtuig is neergestort met een rotgang het parkeerterrein van dat wooncomplex afreed.'

'Denk je dat het Roseanne was, die haast had om de vlucht te halen?' vroeg Rina.

'Dat is een van onze theorieën. De andere is dat iemand anders in haar auto zo snel wegreed om haar ergens te dumpen. We blijven speuren tot we voldoende bewijsmateriaal hebben om een doorzoekingsbevel voor de auto te kunnen aanvragen. Als iemand haar in de kofferbak of op de achterbank heeft gelegd, komt daar misschien forensisch bewijsmateriaal aan het licht.'

'Maar als je iets vindt, hoe weet je dan dat een haar van Roseanne daar niet al lag?'

'We zoeken niet naar haren, maar naar een aanzienlijke hoeveelheid bloed. Dat is het enige waarmee we een arrestatiebevel kunnen krijgen. Als ze bloedde toen ze in de auto lag, moet daarvan bewijsmateriaal te vinden zijn in de naden van de bekleding en in de vloermatten. En als haar man na haar dood iets met de auto heeft gedaan, als hij de bekleding en matten heeft vervangen, vindt een rechter dat hopelijk verdacht genoeg om ons een rechterlijk bevel voor doorzoeking van de auto te geven.'

'Hebben jullie enig bewijs dat het zo is gegaan?'

'Nog niet.' Decker keek op zijn horloge. 'Maar ik hoef over zeven uur pas weer op het bureau te zijn en wie weet wat er in die zeven uur allemaal boven water komt.'

Farley Lodestone was ziedend. 'Jullie hebben de vent die mijn dochter stalkte achter de tralies gezet omdat hij dertig jaar geleden een andere vrouw heeft vermoord,' bulderde hij door de telefoon, 'maar jullie gaan hem níét aanklagen voor de moord op mijn dochter?'

'Ik zou hem graag iets ten laste leggen inzake de verdwijning van je dochter, Farley, maar ik heb geen bewijsmateriaal.'

'Jezus, Decker, hij heeft zelf bekend dat hij een andere vrouw heeft omgelegd. Is dat niet genoeg?'

Raymond Holmes had helemaal niet bekend dat hij iemand had omgelegd. Hij gaf zijn vermiste broer Manny nog steeds de schuld. Holmes bleef wat zijn verhaal betrof zo standvastig als een metronoom. Het subtiele verschil tussen iemand oppakken wegens moord en sjoemelen met bewijsmateriaal was echter niet aan Farley besteed.

'Farley, je weet dat ik mijn uiterste best doe voor je dochter. Ik blijf speuren tot ik erachter ben wat er is gebeurd. Als blijkt dat Holmes het heeft gedaan, zal hij worden aangeklaagd. Maar voorlopig zitten we met een klassieke catch 22. Zonder bewijsmateriaal krijg ik geen rechterlijk bevel om naar bewijsmateriaal te zoeken.'

'Dan moet het systeem veranderd worden.'

'Als het aan mij lag...'

'Maar gaat dat monster nu dan vrijuit?'

'Holmes bedoel je?'

'Ja, natuurlijk. Wie anders? Die ploert heeft mijn dochter vermoord, en jullie doen er niks aan!'

Nog maar een paar dagen geleden was Lodestone er volkomen zeker van geweest dat Roseanne door Ivan was vermoord. De aanhouding van Holmes had daarin een ommekeer gebracht. Farley kon Ivan nog steeds niet uitstaan, maar richtte zijn ontembare woede nu op de aannemer. Decker had trouwens ook Ivan Dresden al over zich heen gekregen vanwege Holmes. Dat hadden Lodestone en Dresden in ieder geval met elkaar gemeen. Het leek wel of Raymond Holmes ieders favoriet was als moordenaar van Roseanne.

Decker zei: 'We hebben nog geen enkele verdachte van onze lijst geschrapt, Farley.'

'Maar jullie hebben ook nog niemand gearresteerd.'

'Dat klopt. We moeten grote voorzichtigheid betrachten om te voorkomen dat al ons werk uiteindelijk teniet zal worden gedaan door een procedurefout.' Decker hoorde hem grommen. 'Farley, de misdaad waar we momenteel mee bezig zijn en waar Raymond Holmes bij betrokken is, is meer dan dertig jaar geleden gepleegd. We zijn erg vasthoudend. We geven nooit iets op, ook niet als het erg moeizaam gaat.'

Stilte.

Decker zei: 'Ik doe mijn uiterste best om erachter te komen wat er met Roseanne is gebeurd. En er is geen enkele reden waarom we de zaak niet kunnen oplossen.'

Het bleef stil.

'Ben je er nog?'

'Ja.'

Decker zuchtte onhoorbaar. 'Ik doe mijn best. Ik weet dat dat niet altijd genoeg is en dat spijt me, maar ik beloof je dat ik het niet zal opgeven.'

Hopelijk komt er binnenkort een doorbraak, dacht hij.

Nu vroeg Lodestone: 'Leven de ouders van dat meisje nog?'

'Ja.'

'Hoe oud zijn ze?'

'In de zeventig.'

'Aardige mensen?'

'Erg aardig.'

'Ze hebben dus dertig jaar lang niet geweten waar hun dochter was?'

'Dat klopt.'

'Allemachtig. Daar zijn wij niks bij.' Zijn stem had een zachte klank gekregen. 'Ga je nog een keer met hen praten?'

'In de komende dagen zal ik hen beslist nog een paar keer spreken.'

Lodestone slaakte een voor hem onkarakteristieke zucht. Toen zei hij met gebroken stem: 'Zou je hun dan willen vertellen dat ik met hen meeleef?'

'Tuurlijk.' Decker kreeg een brok in zijn keel. 'Dat zullen ze erg op prijs stellen.'

De verbinding werd verbroken. Decker wreef in zijn betraande ogen en bleef een ogenblik doodstil zitten. Adem in, adem uit, adem in, adem uit. Hij had zo'n droge keel gekregen van het gesprek dat hij een heel flesje water leegdronk. Toen rolde hij zijn mouwen op en ging aan het werk.

41

Het geheugen van de oude man was opeens aangetast door ouderdomszwakte. Een theoretisch praatje over hoe je het leven van je zoon kon vernielen, dacht Decker, was ook iets heel anders dan het vooruitzicht in de rechtszaal oog in oog te moeten staan met je eigen vlees en bloed en hem ter dood te laten veroordelen.

'Ik heb niet gezegd dat Ray iets heeft gedaan,' zei Hernandez met klem. 'Ik heb alleen gezegd dat Manny en Beth ruzie hadden.'

'Ik heb hier zwart op wit staan wat je hebt gezegd, Martin,' bracht Decker ertegen in. Ze zaten weer, opgesloten in de 'luxe' spreekkamer van Santa Fe Correctional. 'De verklaring die je zelf hebt ondertekend. Je hebt gezegd dat Ray je had verteld dat hij Beth een duw had gegeven. Je hebt erbij gezegd dat het een ongeluk was, dat Ray had gezegd dat het niet zijn bedoeling was geweest dat ze eraan dood zou gaan.'

'Ja, zeg, ik ben bijna tachtig! Misschien had Ray gezegd dat Mánny haar een duw had gegeven.'

'Waar is Manny eigenlijk?'

'Dat weet ik niet.'

'Ben je niet nieuwsgierig waar je zoon is?'

'Jawel, maar in de gevangenis is het niet verstandig om nieuwsgierig te zijn. Hier hou je je vragen voor je en bemoei je je met je eigen zaken.'

Daar kon Decker niets tegen inbrengen. 'Ik probeer je te helpen eerder op vrije voeten te komen. Ik probeer je te helpen je droom te verwezenlijken, zodat je binnenkort honden kunt gaan africhten in dat mooie, weidse land in het zuiden van New Mexico. Ik heb gezien hoe je met de dieren omgaat en weet dat je goed werk kunt doen wanneer je weer vrij bent. Er zijn honden genoeg in asiels die een kans verdienen.' Decker knipte met zijn vingers. 'Misschien kun je zelfs een eigen tv-programma krijgen, net als die hondenfluisteraar.'

Hernandez trok een meewarig gezicht. 'Ik ben oud, inspecteur, maar niet kinds. Hou die onzin maar voor u.'

Decker knikte. 'Oké, dat van het tv-programma was overdreven. Maar de rest niet en het hangt helemaal van jezelf af wanneer je kunt beginnen. Als je je niet precies kunt herinneren wat je hebt gezegd, Martin, kan ik deze verklaring evengoed gebruiken tijdens de rechtszaak. Maar dan zul je gewoon je tijd moeten uitzitten. Dan is dit allemaal voor niks geweest. Je mag het zelf zeggen.'

'Ik ga voor u geen leugens vertellen.'

'God verhoede,' zei Decker. 'Ik wil alleen maar dat je de waarheid vertelt, Martin. Dat je tijdens de rechtszaak herhaalt wat Ray heeft gezegd. Dat is alles. Voor de rest hangt het af van de jury en de rechter.'

'Hij heeft niet gezegd dat hij haar heeft vermoord, inspecteur. Dat wil ik heel duidelijk maken.'

'Maar hij heeft toch gezegd dat hij haar een duw heeft gegeven?' vroeg Decker.

'Hij of Manny, ik weet het niet. En hij zei aldoor dat het niet de bedoeling was geweest.'

'In deze verklaring, die je hebt ondertekend, staat dat Belize je heeft verteld dat hij haar een duw heeft gegeven.'

'Misschien heb ik me vergist. Hij zei dat iemand haar een duw had gegeven. Hij of Manny. Ik weet het niet.'

'Hij of Manny...' Decker leunde achterover tegen de rugleuning van zijn stoel. 'Wanneer heb je Manny voor het laatst gezien?'

'Toen hij nog met zijn moeder bij me op bezoek kwam. Nadat hij met Beth was getrouwd, is hij niet meer geweest.'

'Hij is toen naar Californië verhuisd.'

'Hij had kunnen schrijven.'

'Heeft Belize je nooit verteld wat er van Manny geworden is?'

De oude man schudde zijn hoofd.

'Heb je je ooit afgevraagd of Belize hem heeft vermoord?'

'Nee.' Hernandez schudde weer zijn hoofd. 'Dat heb ik me nooit afgevraagd. Als Manny nooit op bezoek kwam toen Beth nog leefde, waarom zou hij dan opeens komen toen ze dood was? En zoals ik al zei, moet je in de gevangenis nooit vragen stellen.'

'Wat zou je zeggen als ik zou bewijzen dat Belize Manny heeft vermoord?'

'Dat zou me misschien iets doen, maar misschien ook niet. Manny was een moederskind. Belize was míjn zoon. Het kan zijn dat ik hem een beetje hard heb aangepakt, maar dat deed ik alleen omdat hij het hebben kon.' Hernandez legde zijn armen op de tafel en leunde naar voren. 'We hadden afgesproken dat ik bij de rechtszaak zou zeggen wat Belize me heeft verteld. Niet dat ik moet liegen omdat u dat wilt. En waar ik vandaan kom, houdt men zich aan zijn woord.'

'Niemand zegt dat je moet liegen.'

'We hadden een deal.'

'Ray heeft Beth een duw gegeven. Dat staat in de verklaring die je hebt ondertekend.'

'Misschien heeft Ray haar een duw gegeven. Misschien heeft Manny het gedaan. U kunt die verklaring best voorlezen, maar ik kan zeggen dat ik het me niet herinner. Ik ben oud. Het is lang geleden dat Ray me dat heeft verteld en ik kan me niet herinneren wie het heeft gedaan. Ik zal aan de jury vertellen dat Ray erbij was en u mag me net zo veel vragen stellen als u wilt, maar ik weiger te liegen.' Hernandez sloeg zijn dikke armen over elkaar. 'Hebben we nog steeds een deal, ja of nee?'

Nu hij aan het terugkrabbelen was, kwam zijn verklaring vrijwel geheel overeen met wat Raymond Holmes hem had verteld. De officier van justitie zou kunnen aantonen dat Raymond Holmes op de plaats delict aanwezig was geweest, maar nu zag het ernaar uit dat het vrijwel onmogelijk zou zijn onomstotelijk te bewijzen dat hij Beth had vermoord. Maar Decker had de verklaring die Martin Hernandez had ondertekend toen de smaak van de vrijheid meer voor hem had betekend dan zijn eigen vlees en bloed. De moordzaak zou waarschijnlijk wel langs de *grand jury* komen. 'We hebben een deal, Martin, als jij je aan de afspraken houdt.'

'Wat kunt u voor me doen?'

'Als je meewerkt, krijg je voorwaardelijke invrijheidstelling. Dat houdt in dat je een reclasseringsambtenaar krijgt toegewezen bij wie je je eens per week moet melden. Het houdt verder in dat je New Mexico niet kunt verlaten. En het belangrijkste is dat je een enkelband moet dragen. Pas nadat je je getuigenis hebt afgelegd in de rechtszaal, krijg je je vrijheid. Dan mag de enkelband eraf en ben je zo vrij als een vogel. Als je besluit geen getuigenis af te leggen, ga je terug naar Santa Fe Correctional en wordt de tijd die je buiten de gevangenis hebt doorgebracht, opgeteld bij je straftijd.'

'Ik dacht dat ik vroegtijdig vrijgelaten zou worden.'

'Dat heb ik geprobeerd, maar het is me niet gelukt. Je krijgt eerst voorwaardelijk.'

'Wanneer is de rechtszaak?'

'Over pakweg een half jaar.'

'Als ik het doe, wanneer mag ik dan de gevangenis uit?'

'Zodra alles is geregeld met de officieren van justitie hier en in Los Angeles.'

'En wanneer is dat?'

'Hopelijk over een paar weken. Hebben we een deal?'

Hernandez zuchtte. 'Goed. Maar wacht niet te lang, inspecteur. Ik kan altijd nog van gedachten veranderen. Of doodgaan.'

Twee weken liep Marge BMW-dealers, autowasserijen en -spuiterijen af en uiteindelijk kwam de doorbraak bij Jim's Hot Rods, Dragsters and Funny Cars, een garage op het industriegebied van de San Fernando Valley. De garage zelf was een grote loods met tralies voor de ramen en deuren en stond op een betonnen terrein dat was omgeven door een omheining van harmonicagaas en prikkeldraad. Het stond er vol met ontmantelde auto's, pick-ups en motorfietsen. Bij Jim's kon je voor van alles terecht – van kleine klusjes als het opnieuw bekleden en spuiten van auto's tot het opvoeren van suffe personenwagens tot rijdende genotpaleizen.

Dunn bevond zich opeens te midden van mannen met geschoren koppen en paardenstaartjes. Maar ze kregen van haar een tien voor vlijt. Er werd druk gewerkt en het lawaai was oorverdovend, ook zonder het woedende geblaf van de drie pitbulls die bij de deur van het kantoor aan de ketting lagen.

Jim Franco, beter bekend als Jumbo Jim – niet vanwege zijn omvang maar vanwege zijn lengte – was behulpzaam en spraakzaam. Hij droeg een grijs T-shirt dat vermoedelijk ooit wit was geweest en uit de zakken van zijn overall hingen vettige lappen. Hij had grote, eeltige handen met korte, verrassend goed verzorgde nagels. Niet dat ze geen zwarte randjes hadden, maar Marge zag dat hij er moeite voor deed er presentabel uit te zien wanneer hij niet aan het werk was. Hij was een reus van een vent van bijna twee meter lang. Toen hij zich omdraaide naar de honden, krompen ze ineen onder zijn blik.

'Ja, die Dresden herinner ik me nog goed.' Hij keek neer op Marge, die zich met haar een meter vijfenzeventig naast hem opeens klein voelde. Hij had een stem als een misthoorn. 'Een etterbak én een kaffer.'

'Hoezo?' Marge moest schreeuwen om boven het lawaai uit te komen.

Jimbo klapte in zijn handen en bulderde: 'Hé!' Het lawaai verstomde. 'Vijf minuten pauze. Ik moet even met deze dame praten.'

De mannen verdwenen in het pakhuis. Marge keek op naar Jimbo. 'Waarom vond u Dresden een etterbak en een kaffer?'

'Een man die het dak van zijn cabriolet niet dichtdoet als het regent, is een kaffer. En ik vond hem een etterbak omdat hij dat is – een suf kantoormannetje dat probeert de stoere jongen uit te hangen. Als je een arrogante lul bent, moet je je niet anders voordoen, vind ik.' Jim maakte een minachtend gebaar. 'Maar goed. Maakt niet uit. We hebben hier zo vaak met dat soort kereltjes te maken. Hij had een zwarte BMW die allejezus stonk. Ik heb zelfs tegen de jongens gezegd dat ze mondkapjes moesten voordoen en allergiepillen slikken, zo erg was het.'

'Wat hebben jullie ermee gedaan?'

'Alles eruit gehaald.'

'De bekleding?'

'De bekleding hadden we nog wel schoon kunnen krijgen, want dat was leer, maar ik kon niet instaan voor wat eronder allemaal woekerde. De vulling zou altijd blijven stinken en wie wil dergelijke rotzooi nou inademen? Hij zei trouwens zelf dat we alles eruit moesten halen. Hij beweerde dat de verzekering de kosten zou dekken, maar ik vertrouwde hem niet. Ik heb gezegd dat ik het erg fijn voor hem vond als hij het geld zou terugkrijgen van de verzekering, maar dat hij mij handje contantje moest betalen. Ik heb een voorschot van zestig procent gevraagd, in de hoop dat hij zou terugkrabbelen, maar hij stemde er meteen mee in.'

'Waarom hoopte u dat hij zou terugkrabbelen? Deed hij moeilijk?'

'Nee,' gaf Jimbo toe. 'En hij heeft alles keurig betaald.'

'Hebt u ook de vloerbedekking van de kofferbak vervangen?'

'Ja. Dresden wilde alles van hetzelfde materiaal hebben.'

Marge trok een gezicht. 'Jammer. Er is dus niets over van de oude spullen?'

'Waarom wilt u dat weten?' Jimbo keek haar onderzoekend aan. 'Is er in die auto iets onaangenaams voorgevallen?'

'Dat weet ik niet en nu zullen we daar waarschijnlijk nooit achter komen.'

De reus grijnsde en ontblootte daarbij zijn door tabak verkleurde tanden. 'Zeg dat niet te hard. Misschien boft u. De vloerbedekking van de kofferbak hoefde eigenlijk niet vervangen te worden, maar omdat we de hele binnenkant van de auto deden, wist ik dat we waarschijnlijk voldoende zouden overhouden voor de kofferbak. Dat zou Dresden geen cent extra kosten. Maar de matten waren een ander verhaal.'

Marge kreeg nieuwe hoop. 'De matten?'

'Ja, de rubbermatten die op de vloerbedekking liggen. Nieuwe matten met het BMW-logo zouden Dresden geld kosten. Ik zei dat ik de oude kon stomen en dat ze dan zo goed als nieuw zouden zijn, maar hij wilde per se nieuwe. Goed, zelf weten. Alleen was er een levertijd van zes weken en duurde het zelfs nog iets langer omdat de container aanvankelijk ergens verkeerd was afgeleverd. Hoe dan ook, toen ik Dresden vroeg wat ik met de oude matten moest doen, zei hij dat ik ze moest weggooien.'

'Zeg alstublieft dat u dat niet hebt gedaan.'

'Allicht niet. Er mankeerde niks aan.'

'Zeg alstublieft dat u ze nog hebt.'

'Nee, dat niet. Daarom zei ik ook dat u misschíén boft. Ik heb ze schoongemaakt en op e-Bay verkocht. Zo kreeg iemand ze lekker goedkoop en heb ik er nog wat aan verdiend.'

'Weet u nog aan wie u ze hebt verkocht?'

'Dat staat in mijn computer. Dat wijffie zal het niet leuk vinden als ze ze moet teruggeven. Ze heeft ze voor een heel schappelijk prijsje gekregen.'

'Als we ze niet kunnen teruggeven, krijgt ze van ons nieuwe.' Marge schreef alles snel op. 'Even recapituleren. U hebt hem aangeboden de oude matten schoon te maken en terug te leggen, maar Dresden zei dat u ze moest weggooien.'

'Ja.'

'Weet u heel zeker dat hij heeft gezegd dat u ze moest weggooien?'

'Wilt u weten of ik daarop een eed kan doen bij een rechtszaak? Dan is het antwoord: ja. Ik heb hem zelfs gevraagd of ik ze niet evengoed voor hem zou schoonmaken, zodat hij een extra set had, maar dat wilde hij niet. Hij zei dat hij nieuwe matten wilde en dat ik de oude in de vuilnisbak moest gooien.'

'Heeft hij dat letterlijk gezegd? Dat u ze in de vuilnisbak moest gooien?'

'Ja. Dus dacht ik natuurlijk dat als ze toch op de vuilnisbelt terecht zouden komen, ik ze net zo goed kon schoonmaken om te zien hoe ze eruit zouden zien.'

'Hebt u de naam en het adres van de vrouw die ze heeft gekocht?'

'Ja.'

'Ook haar telefoonnummer?'

'Hallo. Ik heb haar alleen die matten verkocht, brigadier. Ik was niet uit op een date.'

Decker voelde iets trillen in zijn borst. Een fractie van een seconde was hij bang voor een hartaanval, toen drong tot hem door dat hij zijn mobieltje in zijn binnenzak had gedaan en dat het op de trilfunctie stond. Hij keek naar het venstertje: Marge. 'Zijn we blij vandaag?'

'We zijn heel blij.' Marge begon hem te vertellen wat ze had ontdekt. Toen ze bij de vloermatten kwam, stak Decker zijn vuist de lucht in en riep: 'Yes!'

'Ik heb Oliver al verzocht contact op te nemen met de vrouw van e-Bay. Ze was niet thuis, dus heeft hij een bericht achtergelaten op haar antwoordapparaat, maar we vinden allebei dat we geen risico's moeten nemen. We willen vanavond nog naar haar toe gaan.'

'Ja, vind ik ook. Neem iemand van de technische recherche mee die ervaring heeft met luminol. We moeten dit zo professioneel mogelijk aanpakken. Ik hoop dat het iets oplevert. Meestal blijft er wat proteïne achter op een plek waar bloed is gevloeid, maar ik weet niet of dat ook zo is als iets professioneel is schoongestoomd, zoals deze matten. En zelfs als er iets aan het licht komt, kan de advocaat van de beklaagde zeggen dat het Roseannes auto was en dat ze misschien een keer haar been had geschramd of zo en dat er daarom bloed van haar op de mat zit.'

'Ja, daar heb ik aan gedacht,' zei Marge. 'Maar we kunnen daartegen inbrengen dat het flink wat bloed moet zijn geweest als het zo'n grondige schoonmaakbeurt heeft overleefd. Bovendien is het verhaal van Dresden – dat hij de auto met de kap naar beneden in de stromende regen heeft laten staan – nogal verdacht. En het moet een enorme hoosbui zijn geweest, want het interieur was niet alleen maar nat geworden, maar de vulling van de stoelen was helemaal gaan schimmelen.'

'Wanneer heeft hij de auto naar die garage gebracht?'

'Ongeveer een maand na de vliegtuigramp.'

'Kijk na wat voor weer het toen was. Ik ben benieuwd of het in die tijd heeft geregend. Zo niet, dan kunnen we korte metten maken met dat alibi.'

'Dat heb ik al door Oliver laten nakijken. Het weer in Los Angeles was in die tijd standvastig – 's ochtends half bewolkt, 's middags zonnig. Afgezien van de dauw in de vroege morgen was er geen greintje nattigheid te bekennen. In San Bernardino heeft het een beetje geregend, maar dat was van korte duur. Ik ben geen mycoloog, maar als die auto zo stonk, moet het interieur echt doorweekt zijn geweest. Volgens mij heeft Dresden de tuinslang erop gezet om te proberen het bewijsmateriaal weg te spoelen.'

'Ja, lijkt mij ook. Misschien krijgen we met de luminol wat vlekken te zien die deze theorie staven.'

'Waar ben je eigenlijk?'

'In het hotel. Ik pak net mijn spullen in. Ik ga even een hapje eten en rij daarna naar Albuquerque. Mijn mobiel is opgeladen, maar op weg naar het vliegveld heb ik niet overal goede ontvangst. Als je me niet kunt bereiken, laat je maar een bericht achter. Bel me zodra je iets weet.'

'Doe ik. Waar ga je eten?'

'Maakt me niet uit. Als het maar op loopafstand van het hotel is. Kun je iets aanbevelen?'

'Pasquals in Water Street. Een gezellig, huiselijk restaurant waar je goed kunt eten. Vraag of ze je zowel rode als groene chilipepers erbij geven. Die zullen je smaakpapillen een flinke oppepper geven.'

'Precies waar ik aan toe ben. Bedankt voor de tip.'

'Ik heb nóg een tip voor je. Je kunt ook om de Christmas chili vragen, in plaats van rode en groene chilipepers. Dan denken ze dat je er bekend bent.'

Als Decker een tafeltje voor zichzelf wilde, moest hij een half uur wachten. Anders kon hij aanschuiven aan een grote, ronde tafel. Hij was moe en had honger, dus koos hij voor aanschuiven. Zijn tafelgenoten waren een gepensioneerde effectenmakelaar die vliegvissen als hobby had, een pottenbakster, een gezin met twee kinderen dat in de stad op vakantie was en een echtpaar uit Texas dat ergens in de bergen een tweede huis had. Toen de effectenmakelaar aan Decker vroeg wat hij voor werk deed, zei hij dat hij advocaat was en voor zaken naar Santa Fe was gekomen. Als je de twee helften van die zin elk apart nam, was daar geen woord van gelogen. Pas wanneer je ze aaneensloot klopte het niet helemaal.

Hij trok net het portier van zijn huurauto dicht toen zijn mobieltje ging. Het was een geheim nummer, dus dacht hij dat het Rina was.

'Hoi,' zei hij. 'Ik ga net op weg naar het vliegveld.'

'Eh... ik ben op zoek naar inspecteur Decker.'

Het was een mannenstem en hij klonk serieus. Decker schakelde snel om. 'Daar spreekt u mee.'

'U spreekt met rechercheur Newt Berry van de politie van San Jose.'

Verbaasd vroeg Decker: 'Waarmee kan ik u van dienst zijn?'

'We zijn ongeveer twintig minuten geleden gebeld door ene Lindie Holmes. Ze zei dat ze met ons wil praten, dat ze ons een en ander wil vertellen over haar echtgenoot Raymond, die, zoals u weet, bij ons in de cel zit.'

'Bedankt. Ik wil haar erg graag spreken.'

'Dat dacht ik al. Kunt u hierheen komen?'

Decker zei: 'Ik ben in New Mexico, maar ik wilde juist op weg gaan naar het vliegveld. Ik zal kijken wanneer er een vlucht naar Oakland of San Fransisco is. Heeft ze specificiek naar mij gevraagd?'

'Ze vroeg naar degene die de leiding heeft over de zaak waarbij haar man is betrokken. Ze zei dat ze ons heel wat kan vertellen.'

'Ook als ik meteen op een vliegtuig kan stappen, is het altijd nog drie uur vliegen, het tijdsverschil meegerekend. Denkt u dat ze bereid is vanavond naar het bureau te komen?'

'Bel me zodra u weet hoe laat u hier aankomt, dan neem ik contact met haar op. Ze maakt de indruk dat ze dolgraag een boekje wil opendoen over haar man. Ze herhaalde een paar keer dat ze informatie heeft die ons vast en zeker zal interesseren.'

'Het klinkt veelbelovend... als ze de waarheid spreekt.'

'Ja, dat is de vraag. Ik weet niet of ze leugens zal vertellen omdat ze woedend op de schoft is en wraak wil nemen, of dat ze eindelijk de waarheid gaat onthullen omdat ze woedend op de schoft is en wraak wil nemen. Het enige wat ik zeker weet, is dat ze pisnijdig is.'

42

Met enig kunst- en vliegwerk wist Decker een vlucht te krijgen die 's avonds om zes uur in Oakland landde. Newt Berry stond bij de bagageband op hem te wachten. De rechercheur uit San Jose bleek een lange, magere, kale man te zijn met een langwerpig gezicht, bruine ogen en een neus als een skihelling. Ze gaven elkaar een hand en liepen zwijgend naar de parkeergarage. Toen ze in de auto zaten, vroeg Berry: 'Had u een rechtstreekse vlucht?'

'Twee keer overstappen. Een beetje omslachtig, maar ik ben er gekomen.'

'Voor wie moest u in Santa Fe zijn?'

'De man die tegen Raymond Holmes gaat getuigen. Al is hij wat aan het terugkrabbelen.' Decker vertelde hem hoe het in elkaar zat. Daar had hij de hele rit naar het politiebureau voor nodig. 'Ik ben benieuwd hoeveel Lindie Holmes weet over Rays verleden.'

'Daar komt u nu gauw genoeg achter. Ze is op het oorlogspad.'

'Wil ze hem kapotmaken?' vroeg Decker.

'Totaal. Ze zegt dat ze de hufter niet kan uitstaan. Maar ik heb nog geen diepgaande vragen gesteld omdat ik wist dat u erbij wilde zijn.'

'Bedankt. Waar is ze?'

'Ik denk al op het politiebureau. Toen ik haar belde, vroeg ze of we een cafeïnevrije latte met magere melk en vanillesiroop voor haar konden laten komen. Ze zegt dat ze beter praat met koffie erbij. Ik heb gezegd dat het voor elkaar zou komen.'

'Als ze alleen koffie en wraak wil, zijn we goedkoop uit.'

Lindie Holmes leek op knapperige muesli: een klein vrouwtje in een spijkerbroek, T-shirt en capuchontrui met sportschoenen. Haar donkere haar was doorweven met grijs. Het was volkomen steil en ze droeg het halflang met een pony. Ze had een gave huid met alleen wat rimpels rond haar bruine ogen, en was niet opgemaakt. Haar mond was klein en omdat ze haar lippen op elkaar geperst hield, maakte ze een erg nijdige indruk. Met haar rechterhand hield ze een kartonnen koffiebeker omklemd; haar linkerhand was strak gebald en op haar ringvinger was een licht streepje te zien waar haar trouwring had gezeten. Decker hoefde haar niet aan te sporen haar verhaal te doen. Ze vloog al uit de startblokken voordat het startschot was gelost.

'De vuile hufter! Hij zwoer dat hij geen ander had en ik geloofde hem. Hoe heb ik zo stom kunnen zijn!'

Haar man zou worden aangeklaagd wegens moord, maar het enige waar ze zich druk om maakte was zijn maîtresse?

'Ik zou hem graag zijn dikke nek omdraaien!'

Decker zei: 'Ik moet u een paar algemene vragen stellen. Wie bedoelt u met "geen ander"?'

Lindie trok een smalend gezicht. 'Die griet van hem. De vermiste stewardess. Roseanne Dresser of zoiets. Ik heb uiteindelijk van die lamstraal losgekregen dat hij haar had leren kennen op een vlucht van San Jose naar Burbank. Dat was een jaar geleden, toen hij zogenaamd een klus had in L.A. Nu weet ik dat hij er alleen maar naartoe ging om met die lellebel in bed te duiken. En als het daar nou bij was gebleven, alla! Maar die zak heeft haar ook cadeautjes gegeven! Voor meer dan tienduizend dollar! Ik draai iedere cent twee keer om voordat ik hem uitgeef, en híj koopt cadeautjes voor een hoer!'

'Hoe bent u daarachter gekomen?'

'Ik heb een rekening bij Smithson/Janey.'

'De effectenbank.'

Lindie knikte. 'We hebben daar een paar lopende rekeningen, maar ik heb er ook een spaarrekening. Voor noodgevallen. Al jaren stort ik daar steeds een klein beetje geld op en langzaam maar zeker was het een aardige pot geworden. Toen Ray opbelde om te zeggen dat ik de borgsom moest betalen en geld moest overmaken aan de advocaat, heb ik meteen onze accountant gebeld om het geld daarvoor van die spaarrekening te halen. Dit was immers een noodgeval.'

'Ja.'

'Goed, ik bel de accountant en wat denkt u?'

'Nou?'

'Er staat maar vijfduizend eenenzeventig dollar op de rekening. Ik zeg: "Pardon? Voor zover ik weet, moet er bijna twintigduizend dollar op staan. Controleer dat nog eens even." Dus doet hij dat. En dan vertelt hij me dat er een jaar geleden een paar keer geld van die rekening is opgenomen. Ik zeg: "Er moet een vergissing in het spel zijn. Ik heb vorig jaar geen geld van die rekening gehaald. Ik heb nóóit geld van die rekening gehaald."'

Ze sloeg met haar hand tegen haar voorhoofd.

'Opeens had ik het door! Een jaar geleden zei Ray opeens dat hij beter medeondertekenaar kon zijn van die rekening, voor het geval mij iets overkwam. Als ik bijvoorbeeld een ongeluk zou krijgen en zelf geen geld van de rekening kon halen, zou hij het kunnen doen. Ik vond het een beetje vreemd, maar hij wist mijn achterdocht weg te nemen door voor zichzelf een arbeidsongeschiktheidsverzekering af te sluiten. Als hem dan iets zou overkomen, zou ik geld krijgen. Hij heeft me de polis laten zien. Ik dacht bij mezelf: "Wat attent van hem!" en heb gezegd dat ik het een goed idee vond. Hoe moest ik nou weten dat die schoft me na dik twintig jaar huwelijk opeens zou bestelen?'

'Hoe wist u dat hij het geld van de rekening had gehaald?'

Lindie zei: 'Toen ik kopieën ontving van de cheques die op die rekening waren uitgeschreven, was meteen duidelijk wáár hij het geld uitgaf. Zes cheques waren voor een juwelierszaak genaamd Benman's Fine Jewelers. Nou kocht Ray wel eens een halsketting of een armband voor me, bij speciale gelegenheden, moederdag, mijn verjaardag, Kerstmis. Maar zes cheques? Die kon Ray nooit hebben uitgeschreven. Toen ik zag dat de factuurnummers erbij stonden, heb ik de winkel gebeld om te vragen hoe het zat en kreeg ik de schrik van mijn leven. Eerst dacht ik nog heel naïef dat iemand zich toegang had verschaft tot de rekening. Dat had toch gekund?'

'Zeker.'

'Ik dacht dat iemand Rays handtekening had vervalst. Maar toen ik de eigenaar van de winkel ernaar vroeg, herinnerde hij zich Ray nog precies, omdat die klootzak een dure Chopard had gekocht en op de achterkant had laten graveren: "Voor Roseanne, met al mijn liefde, Ray." Ik kon wel kotsen toen ik het hoorde!'

'Hij gaf uw spaargeld uit aan zijn vriendin,' zei Decker.

'Ja, en dat is zo verschrikkelijk min dat ik er geen woorden voor heb.'

Ze dronk haar koffie op. 'Niet te geloven.' Ze hief de beker op. 'Zou ik er nog zo een kunnen krijgen?'

'Natuurlijk.' Hij keek op naar de camera. 'Nog zo'n latte voor mevrouw Holmes, alstublieft.'

Lindie mompelde wat voor zich uit. Het duurde tien minuten voordat haar designerkoffie er was. Na een paar slokjes zat ze weer op haar praatstoel. 'En dan heeft hij ook nog het gore lef om te zeggen dat ik de borgsom moet storten! Hij kan de pot op!'

'Het is een hoog bedrag... de borgsom.'

'Een kwart miljoen dollar. Ik zou daarvan maar tien procent hoeven te betalen, maar daarvoor moet ik evengoed een tweede hypotheek op het huis nemen. Om over het honorarium van de advocaat nog maar te zwijgen. Nee, wat mij betreft mag hij in de bak blijven zitten. Ik ga trouwens zelf een aanklacht tegen hem indienen. Ik wil mijn geld terug! Ik heb het hard nodig. Ik heb kinderen. Godzijdank is hij met zijn tengels van het studiegeld afgebleven.'

Ze leunde naar voren en keek Decker indringend aan.

'Hoe kan ik mijn geld terugkrijgen?'

Daar was het haar dus om te doen. Misschien kon Decker daar gebruik van maken. 'Mevrouw Holmes, wat uw man heeft gedaan, is verachtelijk.'

'Zeg dat wel.'

'Het is moreel laakbaar.'

'En hoe!'

'Helaas is het geen misdaad.'

'Wat?' riep Lindie. 'Hij heeft me bestolen!'

'Strikt gesproken heeft hij u niet bestolen, omdat hij medeondertekenaar was van die rekening.'

'Maar alleen voor noodgevallen en als ik het zelf niet kon doen!'

'Ik weet welke bedoeling erachter zat, mevrouw Holmes, en u hebt volkomen gelijk in die zin dat hij uw geld op een onwelvoeglijke manier heeft uitgegeven.'

'Aan zijn maîtresse.'

'Ik weet het. Het is onbehoorlijk, immoreel en het zou niet mogen.' Decker trok een gepijnigd gezicht. 'Maar het is geen overtreding.'

'Dat is belachelijk. Kan ik hem niet aanklagen wegens diefstal of zoiets?'

'Ik neem aan dat een gewiekste advocaat samen met u wel iets kan bedenken... hem in een civiel proces aanklagen wegens fraude. Misschien bereikt u daar iets mee.'

'Ik heb geen geld voor een advocaat.'

'Misschien is er iemand die het pro Deo wil doen,' loog Decker. 'Misschien kunt u geld krijgen via de verzekering van uw man. Ik neem aan dat hij zelf geen geld heeft. Hij zit tot zijn nek in de problemen.'

'Net goed! Vuile klootzak dat hij is!'

Decker haalde diep adem. 'U hebt een enorme knauw gekregen, mevrouw Holmes, en ik leef erg met u mee, maar ik neem aan dat u niet vanwege uw man nog dieper in de problemen wilt komen.'

Ze keek hem achterdochtig aan. 'Wat bedoelt u?'

'Als u informatie hebt over andere misdaden die uw man mogelijk heeft gepleegd, wil ik dat graag horen.'

Voor het eerst zweeg ze.

Decker ging snel door: 'U weet natuurlijk dat u, als echtgenote van meneer Holmes, niet verplicht bent misdaden aan te geven die hij mogelijk heeft gepleegd en waarover hij u heeft verteld.'

'Ja, dat weet ik, inspecteur. Dat staat in het vijfde amendement.'

Het was duidelijk dat Holmes dit met haar had besproken. 'Inderdaad,' zei Decker, 'maar als u erover wilt praten... als u uw hart wilt luchten... ben ik bereid te luisteren.'

Ze keek hem in de ogen en bestudeerde zijn gezicht. 'Ik neem aan dat u denkt dat Ray iets te maken heeft met de vermiste stewardess.'

'Wat ik denk, is dat Ray enorm in de problemen zit. Hij zal worden voorgeleid als verdachte van de moord op zijn schoonzuster Isabela Hernandez.'

Ze haalde haar schouders op, maar zat opeens doodstil en trok wit weg.

'U weet dat Ray vroeger Belize Hernandez heette. Dat zijn broer en schoonzuster meer dan dertig jaar geleden spoorloos zijn verdwenen. En dat Ray daar iets mee te maken had. Dat weet u.'

Weer haalde ze haar schouders op. Decker bleef naar haar kijken. Ze had er geen moeite mee een aanklacht tegen haar man in te dienen wegens fraude, maar moord was een heel andere zaak.

Decker zei: 'Het zal nu allemaal uitkomen. U kunt me dus het beste gewoon vertellen wat u weet.'

'Er valt niets te vertellen,' zei Lindie.

'Ik wil u echt niet nog meer leed bezorgen, mevrouw Holmes. Ik wil alleen de waarheid weten.'

Weer deed ze er het zwijgen toe. 'Wilt u nog een latte?' vroeg hij.

'Graag.'

'Iets te eten erbij?'

'Nee, alleen koffie graag.'

Hij gaf het verzoek door en weer werd haar een beker koffie gebracht. Decker had vergeten erbij te zeggen dat het cafeïnevrije koffie moest zijn en Lindie had hem niet verbeterd. Dat was gunstig. Hij wilde dat ze goed wakker bleef, en prikkelbaar. Na een paar slokjes begon ze weer te praten.

'Ik kan nog steeds niet geloven dat hij mijn geld heeft gejat.'

'Ik heb daar geen enkele moeite mee,' zei Decker. 'Uw man heeft geen brandschoon verleden.'

'Wie wel?'

Die woorden raakten een snaar. Hij probeerde het niet te laten merken, maar opeens bekeek hij haar met heel andere ogen. Ze was ongeveer van dezelfde leeftijd als Holmes, en Decker kon zich haar makkelijk voorstellen als hippie.

'U was lid van de kerk, hè?' Voordat ze antwoord kon geven, zei Decker: 'En zeg niet dat u niet weet waar ik het over heb. We hebben al twee van de voormalige leden opgespoord – Alyssa Bright Mapplethorpe en Christian Woodhouse. Ze zullen u onmiddellijk herkennen. Vertel me wat er is gebeurd.'

Ze dronk wat koffie en zei: 'Ik weet niet waar u het over hebt.'

'Probeer me dat alstublieft niet wijs te maken,' zei Decker. 'Probeer me niet wijs te maken dat u, als lid van de Kerk van het Zonneland, niet wist dat Beth en Manny waren verdwenen. Probeer me niet wijs te maken dat u niet wist dat er geld was verdwenen. Probeer me niet wijs te maken dat u niet wist dat uw man erbij was toen Beth Hernandez werd vermoord. Zal ik u iets vertellen, mevrouw Holmes? Ik geloof u niet. En als ík u niet geloof, zal een jury u ook niet geloven. Als u niet bereid bent me uw versie van het gebeurde te vertellen, zijn we uitgepraat. Dan zoekt u het verder zelf maar uit.'

Ze zei geen woord, maar de tranen die over haar gezicht stroomden, spraken boekdelen. Uiteindelijk fluisterde ze: 'Ik was twintig, inspecteur.'

'U was erg jong en het is lang geleden,' zei hij op sussende toon. 'Vertel me nu maar gewoon wat er die avond is gebeurd.'

Ze begon hardop te huilen. 'Ik weet het niet. Ik was er niet bij.'

'U bent als onschuldig slachtoffer betrokken geraakt bij iets waar u geen schuld aan had.'

'Ja!' Ze bleef huilen. 'O god, dat is altijd het probleem geweest met mij. Ik ben zo verrekte naïef. Mijn dochter is precies zo.'

Decker legde zijn hand op de hare. Ze greep hem vast. 'Ik was verliefd op hem. Daarom zei ik op alles ja en amen.'

'Hij is een gladde jongen.' Decker trok zijn hand los en richtte zijn gifpijl met zorg. 'Lindie, vertel me wat er is gebeurd. Stort je hart uit. Dan ben je er maar vanaf.'

En toen begon ze te praten.

43

'O god!' Lindie Holmes leunde achterover en keek op naar het plafond. Tranen stroomden over haar wangen en haar bruine ogen stonden gekweld. 'Ik voel me weer net zoals toen... toen mijn hele wereld instortte.'

'Ik zit hier om te luisteren. Begin maar gewoon bij het begin.' Decker had een aantal blocnotes klaarliggen en een pen in zijn hand. 'Vertel me over jezelf, Lindie.'

'Veel valt er niet te vertellen. Ik was een braaf meisje uit een doodgewoon gezin. Maar we leefden in een krankzinnige tijd.'

'Veel jonge mensen werden erdoor uit het lood geslagen. Waar studeerde je?'

'Aan het Kentmore College in Pasadena. Kent u dat?'

'Ja zeker,' zei Decker terwijl hij het opschreef. 'Het is opgericht door dominee William Coolidge Jones. Het was een bolwerk van conservatisme in een turbulent tijdperk.'

'Precies. De meesten van ons kwamen uit conservatieve gezinnen. Ik heb Christian Woodhouse daar ontmoet. We kregen verkering en hadden al trouwplannen. Ik wist al precies hoe ik de bruiloft wilde hebben. Maar toen leerde hij op een feestje Alyssa Bright kennen, die hooghartige trut die later Mapplethorpe aan haar naam toevoegde. Daarna veranderde alles.'

'In welk opzicht?'

'Alyssa kwam van UCLA en Berkeley. Ze leerde Christian wat een sociaal geweten was, maar ze leerde hem vooral veel over seks en drugs.' Ze haalde haar schouders op. 'Omdat ik verliefd was op Christian, deed ik mee. Hij hoefde trouwens niet erg aan te dringen. Het was allemaal veel leuker dan organische scheikunde.'

Decker knikte. Hij kreeg kramp in zijn hand van het schrijven en was opgelucht toen ze een pauze nam om haar derde latte op te drinken. Ze vroeg meteen om de vierde.

'De drugs en ons losbandige leven eisten hun tol. We lieten onze studie in de steek, maar als we dat niet hadden gedaan, zouden we sowieso gezakt zijn. Christian en Alyssa hadden rijke ouders. Ik niet, maar ik had wat spaargeld. We hebben al ons geld bij elkaar gelegd en een huis gehuurd in East Valley. Het huis was niets bijzonders maar had veel slaapkamers. Om de eindjes aan elkaar te kunnen knopen, verhuurden we die kamers, voornamelijk aan gesjeesde studenten. Het kon ons niet veel schelen wie en wat ze waren, als ze de huur maar betaalden. Op een gegeven moment woonden we met ons twaalven in dat huis. Het was allemaal drugs en seks wat de klok sloeg. Het leven was één groot feest.' Ze keek Decker aan. 'U bent ongeveer van mijn leeftijd. U weet dus waar ik het over heb.'

'Ik weet precies waar je het over hebt, Lindie.'

'Kijk eens aan.' Ze glimlachte door haar tranen heen. 'Zelfs politiemensen hebben een verleden.'

Niet een verleden zoals zij het bedoelde. In het begin van de jaren zeventig was Decker al een getrouwd man, de vader van een dochter, en een getraumatiseerde oorlogsveteraan die net was begonnen bij de politie van Gainesville in Florida. Hij glimlachte haar toe zonder antwoord te geven. Ze fleurde iets op toen haar vierde latte werd gebracht. Blijkbaar putte ze er veel kracht uit.

Ze nam een slok en zei: 'Na een poosje ging het geestdodende leven vervelen en rolden we als vanzelf de volgende fase in. Ik heb het over 1973, 1974. De Beatles en de Stones hadden de oosterse religies ontdekt. High zijn had opeens een doel gekregen: het leidde tot spiritueel inzicht. Maar toen we het uitprobeerden, was het toch niet helemaal je dat. Pas toen Alyssa Beth en Manny in de groep haalde, veranderde dat. Toen kreeg ons leven eindelijk richting.'

'Ogenblikje,' zei Decker. 'Waar heeft Alyssa Beth leren kennen?'

'In het café waar ze werkten. Op een dag heeft Alyssa haar uitgenodigd voor een van onze meditatiesessies. Beth en Manny waren van huis uit religieus, katholiek, maar hun religie was vermengd met veel indiaanse gebruiken. Het bleek precies te zijn wat we nodig hadden. We hebben zelf een dienst verzonnen die een traditionele basis had, maar het cachet van indiaanse tradities. We vonden het schitterend. Manny en Beth werden lid van onze groep. We gaven onze eigen draai aan het begrip meditatie en de Kerk van het Zonneland was geboren.'

Decker schreef zich lam. 'Oké. En toen?'

'Met Manny als leider kwamen er nog wat leden bij. Hij bracht de groep in evenwicht en gaf de kerk een serieus karakter. Zonder die dingen waren we niks anders dan een stel blanke Amerikaanse jongeren die een beetje tegen de gevestigde orde schopten. Er kwamen steeds meer mensen om Manny te horen spreken. Beth kwam op het idee daar geld voor te vragen, ten bate van de groep. Zij was ook degene die het winkelpand vond waar we een echte kerk konden stichten. Beth en Manny verzonnen prachtige indiaanse verhalen en introduceerden hun folklore. Beth leerde ons hoe je traditionele New Mexicaanse gerechten moest maken en daarmee hielden we een soort instuif waar steeds meer mensen op afkwamen. Beth gaf ook demonstraties pottenbakken en was bereid les te geven, tegen betaling. Een van de schalen die ze had gemaakt, gebruikten we voor de miswijn en een andere om wierook te branden. Het was allemaal erg exotisch.'

'Ja, dat zal best.'

'Manny was een geboren leider, maar Beth was de creatieve kracht. Het was haar idee om een organische boerderij te beginnen, om de groep een levensdoel te geven. We vonden het een schitterend plan. De grote gekte over organisch voedsel was toen nog niet losgebarsten, maar veel hippies waren al helemaal gericht op onbespoten groenten en zo. We liepen echt warm voor die boerderij. Eindelijk had ons losgeslagen leven een anker gekregen. Alles ging zo voorspoedig!' Lindie zuchtte en nam een slok van haar koffie. 'En toen arriveerde Belize.'

Decker knikte. 'En met hem de problemen?'

'Grote problemen.' Ze droogde haar tranen. 'Manny en Beth waren al zo exotisch, maar Belize was het toppunt van glamour. Belize had niet alleen indiaans bloed, maar had ook nog in de gevangenis gezeten. Vergeet niet dat er in die dagen geen misdadigers bestonden, alleen politieke gevangenen. Het was het decennium waarin de indianen Alcatraz bezetten. Indianen waren je van het. Belize was dus je van het. Hij stond meteen in het middelpunt van de belangstelling toen Manny hem meebracht. En Manny keek Belize enorm naar de ogen. Hun vader was wegens moord veroordeeld tot veertig jaar gevangenisstraf en Belize was voor Manny altijd een vaderfiguur geweest.

Belize had meteen een oogje op me. Je zou het nu niet zeggen, maar ik was toen erg leuk om te zien. Had ik maar wratten op mijn neus gehad, dan zou me een leven vol ellende bespaard zijn!'

Toch was ze al die jaren bij hem gebleven, dacht Decker. Hij vroeg: 'Maakte hij meteen werk van je?'

'Ja.'

'En daardoor voelde je je gevleid.'

'Ja. Ziet u, ik speelde steeds de tweede viool… of eigenlijk de derde. In de rangorde van de vrouwen was Beth nummer één, daarna kwam Alyssa en daarna ik. Na mij de rest. Opeens maakte een exotische, mysterieuze vent werk van me. Ik steeg onmiddellijk in aanzien.'

'En Christian?'

'Dat was al lang voorbij. Hij zat nog in de groep, maar we waren geen stel meer. Het was vrijheid blijheid.' Ze zweeg even en vroeg toen: 'Weet u wat er van Christian is geworden?'

'Hij is directeur van een dure privéschool in het oosten van het land.'

Ze sloeg haar ogen ten hemel. 'Over principes gesproken.'

'Misschien vond hij uiteindelijk dat hij het beste een steentje kon bijdragen door jonge mensen te onderwijzen,' zei Decker.

'Of hij heeft dat baantje gekregen omdat zijn vader net zo'n baan had. Christian zat altijd op zijn vader af te geven omdat hij hem zulke dure cadeaus gaf voor zijn verjaardag en met de feestdagen. Nu is hij net zo geworden. Ik zou het hypocriet noemen, maar ik ben zelf geen haar beter. Een doodgewone huisvrouw met twee punt drie kinderen.'

'Je voedt je kinderen op in een gezonde leefomgeving. Daar is niks mis mee.'

Ze glimlachte verdrietig. 'Dank u.'

Decker zei: 'Ik neem aan dat je met "vrijheid blijheid" de seks bedoelt?'

'Uiteraard.'

'Deden Beth en Manny daar ook aan mee?'

Ze staarde naar de muur maar zag iets heel anders. 'Om de een of andere reden herinner ik me van hen vooral hun spiritualiteit. Ik weet dat ze veel hasj rookten. Dat weet ik nog heel goed. Maar ik kan me niet herinneren dat ze met iedereen in bed kropen. Beth en Manny vatten hun leidersrol heel serieus op. Ik herinner me dat Manny meer interesse had voor drugs en eten dan voor seks.'

Dat kwam overeen met wat Alyssa Bright Mapplethorpe aan Marge had verteld. 'Hoe lang was Belize lid van de kerk voordat het misging?'

'Hij is nooit lid van de kerk geweest, vreemd genoeg.' Ze zuchtte diep. 'Binnen twee weken slaagde Belize erin al onze mooie plannen en al ons harde werk in duigen te gooien.'

'Hoe dan?'

'Hij was... als een bok... onverzadigbaar... Er zijn dingen die nooit veranderen.' Ze depte haar ogen. 'Ik was blijkbaar niet genoeg voor hem. Of misschien wás ik er gewoon niet voor hem, omdat hij niet bij ons woonde. Hij woonde bij Beth en Manny. Manny was niet altijd in de buurt. En Beth was erg mooi.'

Decker trok zijn wenkbrauwen op. 'Heeft hij iets met Beth geprobeerd?'

'Niet te geloven, hè? Ik snap niet waarom ik niet al lang bij hem ben weggegaan... Ik ben gewoon dom.'

'Soms is het erg moeilijk om je uit een bepaalde situatie los te maken,' zei Decker.

Lindie lachte kort. 'U speelt de rol van "aardige agent" erg goed. Als ik niet zo in de put zat, zou ik nog verliefd op u worden.'

Decker lachte. 'Ik neem aan dat Beth aan Manny heeft verteld dat Belize had geprobeerd haar in bed te krijgen?'

'Ja. Manny kon het zijn broer wel vergeven, maar Beth niet. Ze wilde Belize het huis uit hebben. Ze zei dat hij elders onderdak moest zoeken. Maar dat wilde Belize niet. Hij wilde geen huur betalen, en bij hen betaalde hij ook niks voor zijn eten. Hij was toen erg lui. Aan de andere kant kon hij het niet hebben dat Beth hem commandeerde. Ze hadden constant ruzie. Manny probeerde de vrede in huis te bewaren, maar dat lukte niet. Het was onvermijdelijk dat het uiteindelijk mis zou gaan.'

Decker knikte. 'Ga door. Ik wil graag van jou horen wat er is gebeurd.'

Weer kreeg ze tranen in haar ogen. 'Maar ik weet niet wat er is gebeurd. Ik was er niet bij.'

'Vertel me wat je weet.'

De tranen biggelden over haar wangen. 'Er ging iets mis... heel erg mis. Belize zei dat hij... dat hij en Beth ruzie hadden gehad...' Ze begon te hijgen. 'Hooglopende ruzie... dat Beth niet van ophouden had geweten... dat alles uit de hand was gelopen. Ze waren elkaar te lijf gegaan. Hadden met elkaar geworsteld. Voordat hij wist wat er gebeurde...'

Ze haalde diep adem en blies die met kracht uit.

'Hij zei dat Beth met haar hoofd tegen de muur was geslagen. En dat ik moest komen om hem te helpen de rommel op te ruimen.'

'Welke rommel?'

'Dat zei ik ook. Welke rommel?' Ze knipperde aldoor, in een ijdele poging haar tranen tegen te houden. Op fluistertoon ging ze door: 'Hij sméékte me te komen. Ik had nog nooit iemand zo wanhopig meegemaakt. Maar hoe goed kende ik hem nu helemaal? Twee weken!'

'Ben je naar hun flat gegaan?'

Ze knikte traag. 'Het was afschuwelijk... echt afschuwelijk. Ik wist niet dat een mens zo veel bloed heeft.'

'Beschrijf wat je zag.'

'Bloed. Overal... Op de muren, de vloer, het plafond.' Ze keek op naar Decker. Haar lip trilde. 'Ik heb eerst een poosje staan kotsen. Het was ook om misselijk van te worden. Nachtmerries heb ik ervan gehad. Ik heb ze nog steeds. Daarom herinner ik het me allemaal zo goed.'

'Arme jij,' zei Decker en hij meende het.

Ze huilde nu hardop. 'Het is aardig van u om dat te zeggen.'

Decker liet haar uithuilen. Toen ze weer een beetje op adem was, zei hij: 'Het was niet wat je had verwacht.'

'Ik weet niet wat ik had verwacht. Ik wist alleen dat er iets verschrikkelijks was gebeurd. Ik had er meteen vandoor moeten gaan, naar het huis van mijn ouders moeten rijden en de politie moeten bellen. In plaats daarvan heb ik...' Ze stokte.

'Wie was er in de flat toen je daar aankwam?'

'Tegen de tijd dat ik aankwam, waren Manny en Beth verdwenen. Belize deed armzalige pogingen de muren schoon te schrobben.'

'Heb je hem gevraagd wat er was gebeurd?'

'Nee... op dat moment niet. Ik kon geen woord uitbrengen. Ik verkeerde in shocktoestand en Belize was helemaal over zijn toeren. Hij smeekte me hem te helpen de boel schoon te maken. Ik heb een ouwe lap gepakt en ben begonnen het bloed van de muren te wassen. Ik kreeg aldoor braakneigingen. Door de geur van het bloed en de wetenschap dat er iets vreselijks was gebeurd. Het was mijn straf voor alles wat ik mijn ouders had aangedaan.'

'Je kunt jezelf niet de schuld geven van een misdaad die iemand anders heeft gepleegd, Lindie.'

Weer begon ze te huilen. 'Ik had het moeten zien aankomen! Ik had weg moeten gaan. Ik had Belize moeten dwingen weg te gaan. Ik had een heleboel dingen moeten doen die ik niet heb gedaan.'

Decker had geen woorden van troost. Hij wachtte een paar ogenblikken en vroeg toen: 'Is Manny naar de flat teruggekeerd?'

Een lange, gekwelde zucht. 'Ja. Na ongeveer vier uur. Tegen die tijd waren Belize en ik erin geslaagd het meeste schoon te krijgen... maar het stonk nog steeds.'

Ze slikte moeizaam.

'Manny zei dat de flat niet schoon genoeg was. Hij zei dat we hem brandschoon moesten achterlaten. Hij zou al hun spullen inpakken. Hij wilde tot de ochtend wachten en het er dan laten uitzien alsof hij en Beth er met het geld van de kerk vandoor waren gegaan. Hij zei dat hij het geld 's ochtends vroeg van de rekening zou halen. En dan zouden we samen vertrekken.'

'Wat zei Belize van dat plan?'

'Belize deed wat Manny hem opdroeg.'

'Ik dacht dat Manny degene was die naar Belize opkeek.'

'Opeens waren de rollen omgekeerd en deelde Manny de lakens uit. Hij was die nacht de enige die in staat was na te denken. Hij bleef onnatuurlijk kalm. Misschien van de zenuwen. Ik herinner me vooral dat hij woedend was op Belize. Het was een kille, meedogenloze woede.'

'Waar bleek dat uit?'

'Belize wilde aldoor met hem praten, maar Manny gaf niet eens antwoord. Uiteindelijk zei Manny tegen Belize dat hij zijn kop moest houden. Manny was altijd zo'n aardige jongen geweest... nu was ik bang voor hem. Ik weet niet wie van de twee Beth heeft vermoord. Ze kunnen het allebei gedaan hebben. Maar ik was toen veel te bang om ernaar te vragen.'

Decker had schrijfkramp maar moest wel doorgaan. 'Vertel me hoe het verder is gegaan.'

Lindie bleef haar hoofd schudden, alsof ze probeerde de afgrijselijke herinneringen van zich af te schudden. 'We zijn de hele nacht aan het schoonmaken geweest. Tegen de ochtend kon je van de vloer eten. Zodra de bank openging, heeft Manny het spaargeld van hem en Beth én het geld van de kerk van de rekeningen gehaald. We zijn in Manny's pickup gestapt en naar Vegas gereden. Het was een rit van zes uur en we hebben geen van drieën ook maar één woord gezegd tot we er waren.'

Ze slaakte een diepe zucht.

'Ik ben de hele tijd in de hotelkamer gebleven. Ik was doodsbang, vervuld van afschuw, constant in paniek... ik dacht dat we ieder moment opgepakt konden worden. Manny en Belize zijn de hele week aan het gokken en drinken geweest. Ze waren kwaad en wild en ik heb me een paar keer in de badkamer moeten opsluiten om te voorkomen dat ik hun boksbal zou worden. Vooral Manny. Die was helemaal losgeslagen. En toen...'

Ze wendde zich van Decker af. Hij zag dat de tranen weer over haar wangen stroomden.

'Dit is erg moeilijk.' Ze slikte. 'Tegen het eind van de week... om ongeveer twee uur 's nachts, kwam Belize in paniek terug naar de hotelkamer. Hij zei dat ik de koffers moest pakken... dat we weg moesten. Ik was zo bang en murw dat ik hem domweg heb gehoorzaamd. Ik was de hele tijd bang dat de politie ons zou arresteren. Nu dacht ik dat ze ons hadden gevonden. Ergens was ik opgelucht. Maar toen bleek dat het daar helemaal niet om ging.'

Decker wachtte af.

'Manny was bij een gevecht in een bar betrokken geweest en was door iemand met een mes gestoken, precies in zijn hart. Hij was ter plekke overleden. Belize had het lijk van zijn broer in de pick-up gelegd. We moesten het ergens begraven voordat iemand de politie zou waarschuwen.

Binnen een mum van tijd hadden we alles ingepakt. We hebben heel ver gereden, tot halverwege de Mohave Desert. Daar hebben we hem begraven. Tegen de tijd dat we ermee klaar waren, was het bijna licht. We zijn van Nevada naar New Mexico gereden omdat Belize dat wilde. Onderweg heeft hij me verteld wat er die avond met Beth was gebeurd. Hij zei dat ze woedend was geworden en met een mes op Manny was afgevlogen. Dat Manny het eerste het beste voorwerp dat hij kon vinden had gegrepen om haar van zich af te houden. Hij zei dat Manny uit noodweer had gehandeld.'

'Zei Belize welk voorwerp Manny had gegrepen?' vroeg Decker.

'Nee. Hij zei alleen aldoor dat hij uit noodweer had gehandeld, maar dat de politie dat nooit zou geloven. En omdat Manny er nu niet meer was, zou het net zijn alsof wij tweeën Manny en Beth hadden vermoord om aan het geld van de kerk te komen. Hij wist het zo in te kleden dat ik het gevoel kreeg dat ik overal aan had meegewerkt en dat ik dus geen andere keus had dan bij hem te blijven, omdat we anders allebei in de gevangenis zouden komen.'

'Geloof jij dat Beth door Manny is vermoord?'

Ze haalde hulpeloos haar schouders op. 'Ik weet niet wie het heeft gedaan. Ik heb Rays verhaal nooit in twijfel getrokken.'

'En denk je dat Manny echt bij een gevecht in een bar is doodgestoken?'

'Absoluut.' Op dit punt voelde Lindie zich een stuk sterker staan. 'Manny dronk veel en gedroeg zich erg agressief. Hij zocht met iedereen ruzie. Ik denk dat hij op die manier boete deed voor wat er was gebeurd... dat het een soort zelfmoord was.'

Decker knikte, al vermoedde hij dat Lindie nu sprak als de loyale echtgenote. Voor hem stond vast dat Beth door Belize Hernandez was vermoord. Hij vroeg zich alleen nog af of Belize ook zijn broer om het leven had gebracht.

Lindie ging intussen door: '... zei steeds dat hij liever doodging dan weer de gevangenis in te moeten. Hij zei dat ik hem moest helpen, dat we samen een nieuw leven moesten opbouwen. Voor iemand in mijn positie klonk dat als een heel goed idee.'

Decker knikte weer.

'Belize wist me ervan te overtuigen dat het eigenlijk goed was dat Manny dood was. Nu zou iedereen denken dat Manny en Beth het geld van de kerk hadden gestolen en samen vertrokken waren. Ik weet nu dat ik ervandoor had moeten gaan in Vegas, toen ik de kans had. Maar vergeet niet dat ik doodsbang was. Stel dat Belize of Manny het op zijn heupen zou krijgen en achter me aan zou komen? Ik wist dat een van hen Beth had vermoord. Ik was ervan overtuigd dat ze mij ook zouden hebben vermoord.'

'Maar je bent evengoed met Belize naar het zuiden van New Mexico gegaan.'

'Hij zei dat Manny Beth had gedood. En ik wilde dat maar al te graag geloven.'

'Geloof je het nog steeds?'

'Ik heb er nooit naar gevraagd, inspecteur, en daar ga ik nu echt niet meer aan beginnen.'

Decker begreep wat ze bedoelde. 'Je bent dus met Belize naar New Mexico gegaan.'

'Ja. We zijn daar ongeveer twee jaar gebleven. Zodra we er waren, heeft Belize zijn naam laten veranderen in Raymond Holmes. Dat vond ik prima. Hij kreeg werk in de bouw. Later zijn we naar Arizona verhuisd, omdat daar een enorme hausse was in de bouw. Hij was daar in loondienst en leerde alle aspecten van het vak. Mijn man is erg pienter.'

'Wanneer ben je mevrouw Holmes geworden?'

'Ongeveer een jaar nadat we naar Arizona waren verhuisd. We leefden daar als een normaal stel, ook al waren we dat niet. Toen Silicon Valley in de mode kwam, zijn we naar San Jose verhuisd. Ray is daar een eigen bedrijf begonnen in het opknappen van oude huizen. Hij heeft goed geboerd. De kinderen werden geboren. We sloten ons aan bij een echte kerk. En we hebben nooit meer iets gezegd over wat er was gebeurd.'

'Heb je er nooit over gedacht van hem te scheiden?'

'Zo vaak. Ook toen ik hem ervan verdacht dat hij iets had met die stewardess. En nu is gebleken dat ik gelijk had. Ik wist dat hij loog. Voor een misdadiger is Ray een bijzonder slechte leugenaar. Ik wist altijd precies wanneer hij probeerde me iets wijs te maken. Diep in mijn hart wist ik ook dat hij loog over de stewardess. Ik wilde gewoon de waarheid niet inzien. Ik was een expert geworden in het negeren van dingen waarmee ik niets te maken wilde hebben. Bij hem blijven was eenvoudiger dan van hem scheiden. En ik geloof dat ergens diep in me ook altijd een angst heeft geleefd voor wat Ray zou doen als ik zou proberen van hem te scheiden en mijn helft van onze eigendommen zou opeisen.'

'Was je bang voor een gewelddadige reactie?'

'Misschien. We hadden een heel eigenaardige relatie, inspecteur. We zaten met elkaar opgescheept omdat we elkaar voor geen cent vertrouwden.'

44

Het gesprek nam bijna acht uur in beslag. Tegen de tijd dat het hele verhaal was uitgetypt en door Lindie ondertekend, was het ochtend. Decker was nu al dertig uur in touw en teerde op de hernieuwde energie die de naderende oplossing van een zaak altijd met zich meebracht. Voor hem stond vast dat Beth Devargas was vermoord door Belize Hernandez, al had hij niet voldoende bewijsmateriaal om een aanklacht wegens moord tegen Hernandez te kunnen ondersteunen. Hij had wél voldoende bewijs dat Belize tot op zekere hoogte betrokken was bij de dood van zijn broer en schoonzuster. Misschien zou er nog meer bewijsmateriaal boven water komen, maar de zaak was nu eenmaal dertig jaar oud. Mensen stierven, voorwerpen werden vernietigd, herinneringen vervaagden...

Lindie Holmes zou vermoedelijk instemmen met een lichtere aanklacht in ruil voor haar getuigenverklaring. Decker was ervan overtuigd dat ze hem de waarheid had verteld en niet betrokken was geweest bij de moord op Beth en Manny, maar de beslissing over wat haar precies ten laste gelegd zou worden, lag bij de officier van justitie. Dankzij haar medewerking zou ze waarschijnlijk geen gevangenisstraf krijgen. Waarom ze ervoor had gekozen een bekentenis te doen terwijl niemand haar daarom had gevraagd, was een open vraag. Decker vermoedde dat ze doodgewoon haar buik vol had van Raymond Holmes. Dat de bevestiging dat haar man een verhouding had gehad met Roseanne Dresden, het feit dat hij haar moeizaam opgespaarde geld had gestolen én de schuldgevoelens die dertig jaar aan haar hadden geknaagd, haar te veel waren geworden. Ze had alles bekend zonder dat hij enige druk op haar had hoeven uitoefenen. Het was hem duidelijk dat ze niet alleen van die vuilak af wilde zijn, maar ook hunkerde naar vergiffenis over haar aandeel in de afschuwelijke gebeurtenissen. Die vergiffenis kon Decker haar niet schenken. Meneer en mevrouw Devargas ook niet, al zou hun clementie meer betekenen dan die van Decker. De enige persoon die Lindie Holmes echt van blaam kon zuiveren, was dood.

De zaak-Holmes/Hernandez zou langs de *grand jury* komen, dat stond vast. Decker had zijn taak volbracht. De rest hing af van een goede officier van justitie en twaalf intelligente mensen.

Toen de officier van justitie met Lindie sprak om een deal uit te werken die haar definitief van haar man zou bevrijden, had Decker tijd om zijn voicemail af te luisteren.

Goed nieuws van Marge: 'De vloermatten waren zo blauw als de Stille Zuidzee. God, als er ná de schoonmaakbeurt nog zo veel proteïne aanwezig was, ga je je afvragen hoeveel bloed er moet zijn gevloeid. We hebben een doorzoekingsbevel voor de auto aangevraagd. Ik denk dat we het morgenochtend vroeg zullen krijgen.'

Decker keek op zijn horloge. Het was al 'morgenochtend vroeg'. Hij belde Marge. 'Met mij.'

'Zo, ben je daar eindelijk,' zei Marge. 'Drukke avond gehad?'

'Nogal. We zijn net klaar.'

'Ben je iets te weten gekomen?'

'Ja, maar het is ingewikkeld. Ik ben rond twee uur terug in L.A. Heb je het doorzoekingsbevel al?'

'Ja, en de auto ook. Er komt schot in de zaak.'

'Mooi. Dan praten we straks verder. Mobieltjes zijn niet veilig; wie weet luistert de vijand mee.'

'Wie is de vijand?'

'Dat valt nog te bezien.'

Zodra het vliegtuig was opgestegen, viel Decker in slaap en hij verroerde zich niet tot een stewardess hem zachtjes wakker schudde. Slaapdronken verliet hij het vliegveld en stapte in zijn auto, al zou hij eigenlijk helemaal niet achter het stuur moeten kruipen. Hij was zo duf dat hij niet eens merkte dat hij naar huis reed in plaats van naar het politiebureau. Toen Rina hem zag, zei ze: 'Ga meteen naar bed. Ga niet langs Af, u krijgt geen tweehonderd dollar.'

'Ik heb geen tijd.'

'Hoe lang ben je al op?'

'Lang.'

'Je ziet eruit als een levend lijk.'

'Ik moet terug naar het bureau. Maar ik kan beter niet zelf rijden. Kun je me even brengen?'

'Ah, dus ik moet medeplichtig worden aan deze waanzin?'

'Er is eindelijk een doorbraak gekomen in beide zaken. Ik kan nu niet stoppen.'

Rina slaakte een zucht. 'Heb je gegeten?'

'Ik heb me volgegoten met koffie, maar dat heeft geen effect meer. Eerlijk gezegd zou ik wel een broodje lusten.'

'Met worst?'

'Nee, niet op mijn nuchtere maag.'

'Eisalade?'

'Dat klinkt goed, maar alleen als je het toevallig al klaar hebt.'

'Heb ik. Ga jij maar even onder de douche, dan maak ik onderhand iets voor je klaar. Met schone kleren en een volle maag zul je je een stuk beter voelen.'

Een douche en eten klonken inderdaad erg goed. Hij slofte naar de slaapkamer. Toen hij gedoucht en gekleed weer tevoorschijn kwam, voelde hij zich iets meer mens. Hij wist dat hij eigenlijk geen tijd zou moeten verkwisten aan een maaltijd thuis, maar zijn vermoeide lijf snakte naar een paar ogenblikken van respijt in gezelschap van zijn vrouw. 'Hoe is alles hier?'

'Je dochter is gekozen voor Model UN.'

'Echt? Wat goed, zeg!'

'Ze is zo trots als een pauw, maar het verbaasde mij eerlijk gezegd helemaal niet. Dat kind kletst iedereen onder de tafel.'

'Dat is waar. Heb je Cindy en Koby nog gesproken?'

'Ja.'

'Hoe gaat het met de verbouwing?'

'Ze vinden Mike, en ik citeer, een geschenk uit de hemel. Denk je het komend weekend min of meer bij bewustzijn te zijn? Dan vraag ik ze voor de sjabbes.'

'Doe maar. En als blijk van dank zal ik gebraden lamskoteletten maken.'

'Dat klinkt goed. Maar doe geen beloften die je niet kunt waarmaken.'

'Wijze woorden.' Hij stak de laatste hap van het broodje in zijn mond. 'Heerlijk! Dit had ik nou net nodig.' Rina kende hem al langer dan vandaag en had alvast een tweede broodje voor hem klaargemaakt. Hij pakte het met een schaapachtig gezicht van haar aan. 'Dank je wel, schat.'

'Graag gedaan.' Ze gaf hem een kus op zijn voorhoofd. 'En als je honger hebt, smaakt alles altijd dubbel zo lekker. Het gaat dus goed met jullie zaak?'

'Niet perfect, maar goed genoeg.' Hij vertelde haar in grote lijnen hoe het in elkaar zat, maar liet de gruwelijkste details achterwege.

'Heb je genoeg om het langs de *grand jury* te krijgen?' vroeg Rina.

'Dat denk ik wel.'

'En geloof je dat die vrouw er inderdaad niet bij was?'

'Ja.'

'Hoe moet dat dan met Raymond Holmes?'

'Bedoel je wat we hem ten laste kunnen leggen?'

Rina knikte.

'We hebben een ondertekende verklaring van Holmes' vader. Daarin staat dat Ray zijn vader had verteld dat hij Beth een duw had gegeven en dat ze daardoor was overleden. Jammer genoeg is zijn vader nu aan het terugkrabbelen en beweert hij dat hij het zich niet meer zo goed herinnert. Hij zegt nu dat het misschien Manny was die Beth een duw heeft gegeven. De man is tegen de tachtig, dus misschien weet hij het écht niet meer precies.'

'Wat denk jij?'

'Ik weet om te beginnen dat Beth níet is overleden doordat ze met haar achterhoofd tegen een muur is geslagen, maar omdat iemand haar met een stomp voorwerp een klap op haar hoofd heeft gegeven. Lindie zei dat alles onder het bloed zat.'

'Hemel!'

'Sorry.'

'Geeft niks. Ik zou er zo onderhand aan gewend moeten zijn. Wie heeft het volgens jou gedaan?'

'Niet dat mijn mening er in juridisch opzicht iets toe doet, maar ik ben er zeker van dat Raymond Holmes het heeft gedaan. Niemand heeft van Manny gezegd dat hij een gewelddadig of opvliegend karakter had. Alle mensen die hem hebben gekend, zeggen dat hij een aardige jongen was die veel hasj rookte en van lekker eten hield. Ik denk dat hij doodgewoon niet in staat was zijn broer bij de politie aan te geven.'

'Of dat hij bang voor hem was.'

'Dat kan ook, maar dat denk ik eigenlijk niet. Lindie zegt dat Manny de touwtjes in handen nam toen Beth dood was. Ze zegt dat hij volkomen kalm was. Ik vermoed dat hij in shock was. Toen dat sleet en hij besefte dat hij zijn eigen vrouw had begraven, werd hij natuurlijk gekweld door schuldgevoelens. Hij was alles kwijt – zijn vader, zijn broer, zijn vrouw. Hij was radeloos. Hij is aan het drinken geslagen en uiteindelijk in een bar slaags geraakt: een soort zelfmoord.'

'Arme man. Geboren in de verkeerde familie.'

'Maar hij heeft ook verkeerde keuzes gemaakt,' zei Decker. 'Hij had moeten weten dat zijn broer niets goeds in de zin had.'

'Maar Ray was tenminste familie. De twee mannen hadden iets gemeen. Lindie had niets met hen. Waarom is ze dan toch bij hen gebleven?'

'Omdat ze dom was.'

'En denk je echt dat ze niets met de moord te maken had?'

'Niet met de moord, maar ze heeft Belize wel geholpen de flat schoon te maken nadat Beth was vermoord. En ze heeft hem ook geholpen Manny in de woestijn te begraven.'

'Waar denk je dat ze van zal worden beschuldigd? Dat ze met bewijsmateriaal heeft geknoeid?'

'Ja.'

'Daarvoor zal ze een voorwaardelijke straf krijgen.'

'Ik vermoed twee jaar.'

'En hoe zit het met Roseanne Dresden? Denk je dat Holmes iets te maken heeft met haar verdwijning?'

'Dat staat nog te bezien.' Hij vertelde haar over de vloermatten die blauw waren opgelicht nadat ze met luminol waren bespoten. 'Ik schrap Holmes nog niet, vooral omdat we nu weten wie en wat hij is, maar hij staat niet hoog op de lijst. Nadat hij in hechtenis was genomen, konden we de afschriften van zijn creditcards bekijken. Ik heb een bonnetje gevonden met zijn handtekening, dat bewijst dat hij op de ochtend van de vliegtuigramp om kwart over tien in San Jose was.'

'En daarmee heeft hij een alibi.'

'Inderdaad. Holmes kan onmogelijk die ochtend Roseanne hebben vermoord, zich van het lijk hebben ontdaan en zijn teruggevlogen naar

San Jose als hij om kwart over tien zijn handtekening op dat bonnetje heeft gezet.'

'Kan hij haar door een ander hebben laten vermoorden?'

'Dat is de volgende vraag, en het is een heel goede vraag. Tot nu toe hebben we niets gevonden wat die theorie staaft of tenietdoet.'

'En daarmee zijn jullie terug bij Ivan,' zei Rina. 'Al dat bloed op de vloermatten van de auto... en het feit dat Ivan de auto opnieuw heeft laten bekleden. Er moet een logisch verband zijn.'

'Logica speelt niet altijd een rol, maar we doen ons best.' Hij keek op zijn horloge. 'Zullen we?'

'Als jij zover bent.'

'Eigenlijk niet.' Hij stond op. 'Maar studerende kinderen kosten veel geld en dat moet ik wel verdienen, al zou ik wel makkelijkere baantjes weten.'

'Maar je houdt van je werk,' zei Rina.

'Soms,' gaf Decker toe. 'Het geeft veel voldoening wanneer je een ingewikkelde zaak oplost en een paar bijzonder onaangename mensen achter de tralies weet te krijgen. Maar het grootste deel van de tijd is het een sleur waar je alleen maar triest van wordt.'

Marge stond met een kop koffie in haar hand op hem te wachten. 'We hebben nieuws.'

Ze glimlachte niet en fronste ook niet. Hij zou het vonnis moeten afwachten. Hij zocht naar de sleutel van zijn kantoor. 'Het is een week vol nieuws.' Hij maakte de deur open. 'Kom erin en vertel.'

Ze gaf hem de koffie en bekeek zijn vermoeide gezicht. 'Wanneer heb jij voor het laatst geslapen?'

'Lang geleden.'

'Ga naar huis, Decker,' zei Marge. 'We kunnen ook zonder jou rechterlijke bevelen ten uitvoer brengen.'

Oliver kwam binnen en keek naar Deckers rode ogen. 'Jij moet gaan slapen, Deck.'

'Weet ik, maar nu ik hier toch ben, kunnen jullie me net zo goed vertellen hoe de zaken staan. Daarna mag een van jullie me naar huis brengen.'

'Dat doe ik wel,' zei Oliver. 'Ik was toch al van plan om er voor vandaag een punt achter te zetten.'

'Wat is er met je auto?' vroeg Marge.

'Niks, maar Rina heeft me gebracht. Ik vertrouwde mezelf niet achter het stuur.'

'Heel verstandig.' Oliver leunde tegen de muur en keek naar Decker. 'Wil jij eerst?'

Decker nam een slokje van de koffie. Zijn maag brandde van al het gif, maar hij moest wakker blijven, dus nam hij het maagzuur op de koop toe. 'Ik heb eerst een vraag, daarna had ik graag dat jullie me op de hoogte brengen van de laatste ontwikkelingen. Mijn vraag is: Is Raymond Holmes voor ons nog steeds een verdachte inzake de moord op Roseanne Dresden?'

'Hoezo?' vroeg Marge. 'Heb je nieuwe informatie die daarop wijst?'

'Nee, maar ik kan er nog iets aan toevoegen. Als Holmes het heeft gedaan, is het waarschijnlijk een huurmoord geweest. Een bon met zijn handtekening bewijst namelijk dat hij op de ochtend van de ramp om kwart over tien in San Jose was. Vandaar mijn vraag aan jullie of er enige indicatie is dat hij erbij betrokken was.'

Oliver en Marge keken elkaar aan. Toen zei Marge: 'Ik moet herhalen wat je zelf zei toen je me belde: Het is ingewikkeld.'

'Dat is niet wat ik wilde horen,' zei Decker. 'Zeg het maar, wat weten we?'

'We zijn er zo goed als zeker van dat er in de BMW iemand is vermoord,' zei Oliver. 'De agenten van de technische recherche hebben de nieuwe vloerbedekking weggehaald en luminol op het originele metaal gespoten.'

'Het lichtte op als vuurwerk,' zei Marge. 'Er was een grote plas blauw te zien op de vloer achter de stoel van de bestuurder, maar er waren ook veel lichtgevende spetters.'

'Op het stuur, het dashboard, het instrumentenpaneel, de versnellingspook, en op het vouwdak, dat hij niet heeft vervangen maar alleen heeft laten schoonmaken.'

'Er zat een grote lichtgevende boog op het handschoenenkastje. Dat zag eruit als bloed dat vanwege een steekwond uit een slagader is gespoten.'

'Weten we of het bloed van Roseanne is?' vroeg Decker.

'Nog niet,' zei Oliver. 'We hebben Shareen Lodestone opgebeld om te vragen of ze iets in huis heeft waar we het DNA van haar dochter af kunnen halen. Een oude haarborstel of tandenborstel.'

'Ze heeft geen tandenborstel van haar, maar wel een oude haarborstel,' zei Marge.

'We moeten een haar hebben met een haarwortel,' zei Decker.

'Ja, dat is het beste,' zei Oliver. 'Maar als we geen haar met een haarwortel vinden, kunnen we een mitochondrisch DNA-onderzoek laten doen. Als Shareens mitochondrische DNA precies overeenkomt met het mitochondrische DNA van het bloed, weten we dat het bloed afkomstig is van een vrouwelijke nazaat van Shareen, en die heeft geen andere dochters. De conclusie is dan duidelijk.'

'Kunnen we ook mitochondrisch DNA verkrijgen uit de monsters die we hebben?'

'Volgens de forensisch deskundigen kan dat,' antwoordde Marge. 'De monsters zijn niet oud en verkeren in goede staat. Bovendien hebben ze iets gevonden dat huidweefsel zou kunnen zijn.'

'Heel goed.' Decker streek over zijn snor. 'Als de DNA-monsters overeenkomen, weten we dus dat ze zo goed als zeker in haar auto is vermoord.'

'Gezien al die oplichtende vlekken kun je dat wel stellen,' zei Marge.

'Hebben we enig bewijs dat Ivan het heeft gedaan?'

Marge zei: 'We hebben dankzij het luminol ook wat vingerafdrukken gevonden. Een paar gedeeltelijke afdrukken op het dashboard en een prachtige afdruk van een duim op het stuurwiel.'

Oliver zei: 'Vingerafdrukken die zijn gemaakt op het moment dat Roseanne in haar auto is vermoord.'

'Jullie klinken aarzelend. Wat is er? Zijn de vingerafdrukken niet van Ivan?' Marge en Oliver haalden hun schouders op. Decker vloekte. 'Hebben jullie níéts wat erop wijst dat Ivan in die auto zat?'

Oliver antwoordde: 'Zijn vingerafdrukken zitten overal, maar hij heeft de afgelopen maanden in die auto gereden, dus wil dat niets zeggen.'

'Verdomme nog aan toe!' Decker deed in gedachten een stapje terug. Je moest je door het bewijsmateriaal naar de verdachte laten leiden en niet andersom. 'Waar is Ivan nu?'

Marge haalde haar schouders op. 'We hebben alleen een doorzoekingsbevel voor de auto, Deck, geen arrestatiebevel.'

'Maar daar zijn we mee bezig,' vulde Oliver aan. 'Zodra is vastgesteld dat het bloed van Roseanne is, krijgen we het arrestatiebevel.'

'En in de tussentijd verdwijnt hij naar Mexico,' zei Decker.

'Wanda Bontemps en Lee Wang houden hem in de gaten.'

'Waar is hij?' herhaalde Decker. Toen er geen antwoord op zijn vraag kwam, zei hij: 'Scott, bel Wanda om te vragen waar meneer Dresden zich op dit moment bevindt.'

Oliver liep zwijgend het kantoor uit. Decker keek naar Marge. 'Ik neem aan dat je de vingerafdrukken al naar AFIS hebt gestuurd?'

Marge antwoordde: 'George Kasabian is ermee bezig en hij zal terugbellen, of hij nou iets vindt of niet.'

'George is erg goed,' zei Decker. 'Hoe lang is hij er al mee bezig?'

'Een uur ongeveer.'

'Laten we hopen dat hij iets vindt.' Even bleef het stil. Toen zei Decker. 'Heb je zijn nummer toevallig bij de hand?'

Marge had het in haar mobieltje. Ze las het voor terwijl Decker het intoetste op zijn bureautelefoon en die op de speaker zette. George nam op toen de telefoon viermaal was overgegaan.

'Hallo, George, met Pete Decker.'

'Welkom terug, Pete,' zei Kasabian. 'Ik wilde je net bellen. Of eigenlijk wilde ik Marge bellen.'

'Ik luister mee, George,' zei Marge. 'Heb je nieuws?'

'Als je een pen hebt, mag je een naam noteren.'

Ze keken elkaar aan en begonnen te grijnzen. Decker sloeg zijn handen met een harde klap ineen en zei: 'Zeg het maar.'

'De vingerafdruk van de duim is van Patricia Childress.' Hij spelde de achternaam en gaf hun haar geboortedatum. 'De vingerafdrukken die we hebben, zijn genomen toen ze zeven jaar geleden is opgepakt wegens tippelen.'

'Leve de zedenpolitie.' Decker gaf het velletje papier aan Marge. 'Dunn gaat de info meteen invoeren. Bedankt, George. Je hebt mijn hele dag goedgemaakt.'

'Mijn eigen dag ook.'

Decker hing op en liep snel naar de computer. Marge had de gegevens al ingevoerd en nu verscheen de beschikbare informatie over Patricia Childress op het scherm. Ze was tweemaal opgepakt wegens tippelen, tweemaal wegens opruiend gedrag onder invloed van sterkedrank en eenmaal wegens bezit van softdrugs, wat in de praktijk neerkwam op minder dan vijfentwintig gram hash. Ze was op haar negentiende voor het eerst gearresteerd en haar signalement luidde toen: één meter vijfenzestig, tweeënvijftig kilo, blauwe ogen, donkerbruin haar. Op de politiefoto keek ze met een mengeling van angst en minachting naar de camera.

'Het adres dat in deze gegevens staat, is hier niet ver vandaan,' zei Marge. 'Ik zal een arrestatiebevel gaan halen. Als ze daar nog woont, kunnen we haar meteen oppakken.' Ze klikte op 'print' om wat afdrukken van de foto te maken. Decker pakte er een en bekeek het gezicht van de jonge vrouw. 'Wie ben je, Patricia Childress?'

Oliver kwam naar het bureau waar Marge zat te werken. 'Ik heb Wanda Bontemps gebeld. Ivan Dresden zit met een paar vrienden te eten bij Sage.' Hij keek naar het computerscherm en vroeg opgewonden: 'Heeft George een naam gevonden bij de vingerafdruk?'

'Ja.' Marge gaf hem een van de afgedrukte foto's. 'Dit is de vrouw die erbij hoort. Patricia Childress.'

Oliver hief met een ruk zijn hoofd op toen hij de foto zag. 'Patricia Childress?'

'Ken je haar ergens van?' vroeg Decker.

'Ik heb haar zelfs persoonlijk ontmoet. Ze noemt zichzelf Marina Alfonse. Ze werkt als paaldanseres en lapdancer bij Leather and Lace. En ze is het vriendinnetje van Ivan Dresden.'

45

Oliver wees naar een slanke blondine met tepelkwastjes en een glitterslipje die sensueel zat te kronkelen op de schoot van een klant. 'Zij is het.'

Marge knikte. 'Daar gaan we dan.'

Samen liepen ze naar Patricia Childress, alias Marina Alfonse, en trokken haar van de schoot van de transpirerende kale man. Hij was kwaad, maar lang niet zo kwaad als zij. 'Hé, wat moet dat?!'

Marge liet Patricia haar penning zien. 'Politie. Je gaat met ons mee.'

'Ik ben clean!' riep ze.

'Dat is heel fijn,' zei Marge. 'Maar wij zijn niet van Narcotica.'

'We zijn van Moordzaken,' verduidelijkte Oliver.

De eigenaar van de striptent kwam op hen afgesneld en vroeg wat er aan de hand was. Oliver toonde hem zijn penning en zei: 'Hallo, meneer Michelli, leuk u weer eens te zien. We hebben een aanhoudingsbevel voor Marina Alfonse oftewel Patricia Childress.'

Opeens herkende de stripteasedanseres hem. Ze trok wit weg. 'Ik had er niets mee te maken. Ivan had het bedacht!'

Michelli vroeg: 'Kunnen we dit elders bespreken?' Hij keek naar de onthutste klant en zei: 'U krijgt uw geld terug, meneer.' En tegen de rechercheurs: 'Kom mee.'

Met de woedende danseres tussen hen in liepen Marge en Oliver achter Michelli aan naar de kleedkamer. Michelli wachtte tot Marge de danseres op haar zwijgrecht had gewezen. Toen zei hij: 'Je bent ontslagen, Marina. Pak je spullen en verdwijn.'

'Maar ik heb niks gedaan, meneer Michelli!' jankte Patricia.

Michelli keek haar vernietigend aan. 'Wegwezen!'

Patricia huilde nu dikke tranen waardoor haar make-up uitliep. De mascara maakte zwarte stroompjes op haar wangen. Met trage bewegingen deed ze haar slipje uit en trok de plakkertjes van haar tepels. Poedelnaakt liep ze de kamer door en trok haar gewone kleren aan – een roze T-shirt met een lage hals, een nauwsluitende spijkerbroek, sandalen met naaldhakken en een joggingvestje met capuchon. Omdat ze nog steeds opzichtige sieraden om haar hals en polsen droeg, zag ze eruit als een straathoertje. Ze propte haar kostuums in een grote tas en zwaaide die over haar schouder. Nog steeds stroomden tranen over haar wangen. 'Het moest van hem. Ik heb er niks mee te maken.'

'Je mag het op het politiebureau nauwkeurig uit de doeken doen.' Oliver en Marge pakten haar ieder bij een arm en liepen met haar de achterdeur uit naar het parkeerterrein. Toen Oliver haar arm losliet om zijn handboeien te pakken, draaide Marge de danseres met haar rug naar haar toe en boog haar arm alvast naar achteren zodat Oliver haar de boeien kon omdoen. Opeens zag ze de glans van metaal.

Het konden de sieraden zijn, maar Marge nam geen risico's. Ze duwde de vrouw meteen tegen de grond en zette haar knie op haar rug.

Een Smith & Wesson vloog uit Patricia's hand en ging af toen hij op de grond neerkwam. De kogel drong in een van de banden van de politiewagen, die meteen scheef zakte. Marge staarde naar het ongelukkige voertuig. Wat was dat met haar en autobanden de laatste tijd?

Ze zat nu boven op Patricia en hield haar polsen stevig vast zodat Oliver de handboeien kon omdoen.

'Dat was erg dom van je, Patricia.' Hij stond op en tilde de tas van de danseres van de grond. 'Wat heb je nog meer in deze tas zitten?'

'Ik heet Marina en in die tas zit niks bijzonders!'

'Ik zie hier pepperspray.'

'Dat zou ieder meisje in haar tas moeten hebben!'

'En wat hebben we hier?' Behoedzaam haalde Oliver een leren foudraal uit de tas. Erin zat een fileermes van bijna twintig centimeter lengte. Hij behandelde het uiterst voorzichtig, want hij wist dat dit een moordwapen kon zijn. 'Een pistool én een mes én pepperspray? Was je van plan het op te nemen tegen terroristen of zo?'

'Ik heb niks gedaan!'

'Je hebt anders zojuist geprobeerd mij dood te schieten!' zei Marge.

'Helemaal niet,' riep Patricia. 'Het pistool is per ongeluk afgegaan omdat u me een duw gaf!'

'Tuurlijk!' zei Marge smalend. Haar hart klopte in haar keel, maar ze hield verder haar mond omdat ze geen dingen wilde zeggen waar ze later spijt van zou krijgen.

Patrica bleef luidkeels protesteren. 'Ik wilde het pistool alleen maar weggooien, zodat ik niet in de problemen zou komen.'

Marge stond op en trok de danseres overeind. 'Jammer dan dat het niet is gelukt.'

Decker was blij dat hij even thuis was geweest en niet regelrecht naar het bureau was gegaan. Nu had hij zich tenminste gedoucht, schone kleren aangetrokken en iets gegeten, waardoor hij beter bestand was tegen de lange uren die in de verhoren zouden gaan zitten. Patricia Childress, alias Marina Alfonse, was in hechtenis genomen op beschuldiging van moord, bedreiging met een vuurwapen, wapenbezit en verzet tegen haar arrestatie. Die zat voorlopig vast. Ivan Dresden was een heel ander verhaal. Ze hadden hem verzocht naar het bureau te komen om een paar routinevragen over de BMW te beantwoorden, zogenaamd omdat de politie hem de auto zo snel mogelijk wilde teruggeven.

Decker was benieuwd welke versie van het tweetal zou overeenkomen met de bevindingen van de technische recherche. Hij nam aan dat ze beiden bij de moord betrokken waren, en wist dat degene die als het betrouwbaarst uit de bus kwam, als kroongetuige kon worden ingezet tegen de ander. Tenzij ze geen van beiden overtuigend genoeg waren, maar daarover kon hij natuurlijk pas oordelen nadat ze waren verhoord.

Aangezien Oliver al eerder met Patricia had gesproken en de kans groot was dat Patricia liever met een man dan met een vrouw te maken had, werd hij aangewezen als ondervrager van de stripteasedanseres. Decker zou kijken hoe ver hij kwam met Ivan Dresden. Tot zijn opluchting kwam Dresden zonder zijn advocaat naar het bureau, al zou dat waarschijnlijk niet lang zo blijven wanneer de ondervraging eenmaal goed op gang kwam. Tot dan zou Decker proberen Dresden zo subtiel mogelijk uit te horen.

'Hartelijk dank dat u bent gekomen, meneer Dresden.' Hij bekeek zijn slachtoffer. De effectenmakelaar was gekleed in een zwart, mouwloos T-shirt, een zwarte trainingsbroek en sweatvest en liep op sportschoenen. Zijn haar was achterover gekamd en hij had zich pas geschoren. Hij maakte de indruk zich redelijk op zijn gemak te voelen, wat gunstig was. Om hem nog meer op zijn gemak te stellen haalde Decker twee bekers koffie met zakjes melkpoeder en suiker. Hij zette ze op de metalen tafel die samen met de drie metalen stoelen het enige meubilair in de verhoorkamer vormde, ging zitten, nam een slokje uit een van de kartonnen bekertjes, trok zijn stropdas wat los en nam een nonchalante houding aan. 'Ik dacht dat u misschien wel koffie wilde.'

'Nee.' Dresden keek stug. 'Hoe lang gaat dit duren?'

'Een flesje water dan?'

'U hebt geen antwoord gegeven op mijn vraag.'

'Weet ik.' Decker grinnikte. 'Dat is een techniek die we op de politieacademie leren. Nooit antwoord te geven op vragen.'

Dresden hapte niet. 'Wanneer krijg ik mijn auto terug?'

'Bent u niet nieuwsgierig waarom we hem in beslag hebben genomen?'

Dresden vroeg: 'Is dat ook een techniek? Een vraag met een vraag beantwoorden?'

'Goed gezien.' Decker pakte een blocnote en een pen. 'We proberen de mogelijkheid te elimineren dat u iets met de verdwijning van uw vrouw te maken hebt gehad. We hebben uw flat doorzocht en die was in orde. Het volgende punt op ons programma was de auto.'

'U had daarvoor niet speciaal een doorzoekingsbevel hoeven aanvragen,' zei Dresden nors. 'Als u het gewoon had gevraagd, had u de auto rustig mogen bekijken.'

Decker schreef terwijl hij sprak. 'We werken liever volgens het boekje.'

'Welk boekje? Eentje met grote letters en veel plaatjes?' Dresden schudde zijn hoofd. 'U zei dat u een paar vragen voor me had en dat ik dan mijn auto zou terugkrijgen. Ik ben zonder mijn advocaat gekomen en ben bereid medewerking te verlenen, maar er zijn grenzen.'

'Dan zal ik de zaak voor u samenvatten,' zei Decker. 'We zijn bij Jimbo Jim Franco geweest. Hij vertelde dat u ongeveer een maand na de vliegtuigramp de hele binnenkant van de BMW hebt laten vervangen. We vragen ons af waarom.'

'Om te beginnen heb ik niet alles laten vervangen,' zei Dresden. 'Alleen de vloerbedekking en de stoelen. De oude bekleding was roomwit en dat vond ik te vrouwelijk.' Hij staarde naar het tafelblad. 'Bovendien herinnerde alles in de auto me aan haar. Ik wilde de wagen graag houden, maar niet als haar geest aldoor met me meereed. U weet dat ik mijn eigen auto heb verkocht om wat schulden af te betalen. Als dat een misdrijf is, mag u me arresteren.'

'De bekleding was roomwit, maar de vloerbedekking was zwart. Waarom hebt u er opnieuw zwarte vloerbedekking in laten leggen?'

Dresdens blik dwaalde door de kamer. 'Heeft Jimbo u dat niet verteld?'

'Jimbo zegt niet veel. En ik wil het graag van u horen.'

Een overdreven zucht en een blik op zijn horloge. 'Hoe lang gaat dit duren? Zit ik in hechtenis?'

'Waarom denkt u dat?'

'Kan ik weggaan als ik wil?'

'Dat zou ik niet doen.' Decker leunde op de tafel en duwde de beker koffie naar Dresden. 'Vertel me hoe het zat met die auto, dan kunnen we allemaal naar huis.'

Met tegenzin pakte Ivan de koffie en schudde er een zakje suiker en een zakje melkpoeder in. Het gaf hem iets te doen. 'Ik had de auto aan iemand geleend die hem met de kap naar beneden in de regen had laten staan. Daardoor was de bekleding geruïneerd. Er zat schimmel op en het stonk een uur in de wind. Dat is de reden waarom ik de stoelen heb laten vervangen.'

'Aan wie had u de auto uitgeleend?'

'Wat maakt dat uit?'

'We hebben namen nodig om uw verhaal te kunnen verifiëren.'

Ivan kneep zijn ogen samen. 'Dit is precies de reden waarom ik eigenlijk niet had willen komen. Het is al vervelend genoeg dat u de pik op míj hebt, maar nu wilt u ook nog eens andere mensen gaan lastigvallen.'

'En u wilt liever niet dat andere mensen worden lastiggevallen?'

'Ik weet waarom ik moest komen.' Dresden keek woedend. 'U denkt dat ik mijn vrouw iets heb aangedaan.'

Decker zei: 'Wat klinkt u verontwaardigd.'

'Omdat ik verontwaardigd bén. Is het niet erg genoeg dat ik mijn vrouw heb verloren? Waarom denken jullie in godsnaam dat ik iets met haar verdwijning te maken heb?'

'Weet u wat er met haar is gebeurd?'

'Nee! Hoe vaak moet ik dat nog herhalen? Ik weet niet wat er met Roseanne is gebeurd!'

'Ik geloof u wel, hoor.' Decker leunde weer naar voren. 'Echt waar. Daarom wilde ik ook dat u vrijwillig hierheen zou komen. Om onduidelijkheden op te helderen.' Hij wachtte tot zijn woorden goed tot Ivan waren doorgedrongen. 'We hebben in de auto iets gevonden, Ivan,' zei hij toen vertrouwelijk, 'en ik hoop dat je me kunt uitleggen hoe dat daar is gekomen.'

'Hoe bedoelt u? Wat hebt u dan gevonden?' Hij zette grote ogen op. 'O god, heeft iemand drugs...'

'Nee, geen drugs.' Decker schudde zijn hoofd en trok een ernstig gezicht. 'Bloed. Het bloed van Roseanne.'

Dresden trok wit weg. 'Wat?'

'We hebben bloed van Roseanne in de auto aangetroffen.' Decker hoopte dat dit waar was. Hij wilde niet eens dénken aan de mogelijkheid dat het bloed van iemand anders was. 'Heel veel bloed, en dat is niet goed. Daarom heb ik je laten komen. Uit eerbied. Omdat je volgens mij de waarheid spreekt en echt niet weet wat er met Roseanne is gebeurd. Daarom wil ik jouw kant van het verhaal horen.'

Dresdens blik flitste heen en weer. 'Ik begrijp niet wat u bedoelt.'

'Dan zal ik het uitleggen. We weten dat er in de flat niets met Roseanne is gebeurd. We hebben de flat doorzocht en niets bijzonders ontdekt. We gingen er dus van uit dat jíj haar niets hebt gedaan. Kun je me volgen?'

Dresden knikte.

'Maar nu komt het. Roseanne is niet bij de ramp omgekomen, Ivan. Bij de bergingswerkzaamheden zijn spullen gevonden van alle mensen die zijn omgekomen, maar niet van Roseanne. Niets wijst erop dat Roseanne in het vliegtuig zat. En dat is voor ons een groot probleem. Want nu weten we niet wat er met Roseanne is gebeurd. Ik neem aan dat het voor jou ook een probleem is, gezien het feit dat ze je vrouw is. Ik bedoel niet dat je ongevoelig bent, maar je hebt recht op het geld van de verzekering zodra is opgehelderd wat er met haar is gebeurd.'

Decker wachtte op een reactie, maar die bleef uit.

'Ik weet zeker dat je hier graag een punt achter wilt zetten en daarbij wil ik je helpen.'

'U wilt me helemaal niet helpen. U probeert me iets te laten zeggen wat ik niet zou moeten zeggen.'

'Praat dan even niet en luister alleen. Ik heb bij mezelf zitten denken:

als Roseanne thuis niets is overkomen en als ze niet bij de vliegtuigramp is omgekomen, dan is er misschien... heel misschien... in haar auto iets met haar gebeurd. Mijn rechercheurs en ik hebben dit vraagstuk op alle denkbare manieren aangepakt. We hebben onvermoeibaar naar het antwoord op deze vraag gezocht: steeds weer hebben we onze aantekeningen doorgenomen, bij mensen aangebeld, getuigen ondervraagd.'

'Getuigen? Wat voor getuigen?'

'Daar kom ik zo nog op terug. Wat ik je probeer te vertellen is dat we non-stop aan de verdwijning van je vrouw hebben gewerkt en nu eindelijk succes hebben geboekt. We hebben een getuige gevonden die op de dag van de vliegtuigramp, op de dag dat je vrouw is verdwenen, rond zeven uur 's ochtends de auto van Roseanne op volle snelheid het parkeerterrein van jullie flat heeft zien verlaten.'

Dresden werd nog bleker, maar zei niets. Decker wist niet hoe lang hij nog had voordat Dresden om zijn advocaat zou vragen. Hij probeerde niet te klinken alsof hij hem ergens van beschuldigde, al was meer dan duidelijk waar hij op aanstuurde.

'En nu komt het. Het was niet Roseanne die achter het stuur zat.' Dat wist hij niet zeker, maar dat hoefde Ivan niet te weten. Hij leunde nog verder naar voren. 'We zijn blijven speuren en ontdekten toen dat je de auto opnieuw hebt laten bekleden. Dat is op zich geen punt. Jouw verklaring daarvoor is heel plausibel. Maar omdat we het naadje van de kous wilden weten, zijn we blijven spitten en kwamen we erachter dat je tegen Jim Franco hebt gezegd dat hij de vloermatten uit Roseannes BMW moest weggooien. Je hebt letterlijk tegen hem gezegd dat hij "ze in de vuilnisbak moest gooien". Kun je je herinneren dat je dat tegen Jim Franco hebt gezegd?'

'Nee.'

'Nou, Jimbo herinnert zich dat nog heel goed. Hij is zelfs bereid er een eed op te doen.'

Dresden zei niets.

Decker ging door. 'Jimbo is een zakenman, Ivan. Hij houdt er niet van om geld weg te gooien. Dus heeft hij die matten niet weggedaan, maar schoongemaakt en via e-Bay aan iemand verkocht. Ik denk dat je al weet wat er nu gaat komen.' Decker knikte. 'We hebben die persoon opgespoord, de matten in beslag genomen en laten onderzoeken om te zien of er bloedsporen op te vinden waren. En die waren er. Een heleboel zelfs. Toen we dat wisten, konden we een doorzoekingsbevel voor de auto krijgen om te zien of er alleen op de matten bloed had gezeten of ook op andere plaatsen in de auto. Ik wil echt weten wat er met Roseanne is gebeurd, zie je. Ik mag de belastingbetalers, die mijn salaris betalen, niet teleurstellen. En ik probeer jou nog steeds te helpen. Kun je me nog volgen?'

Dresden zei niets. Decker zag dat zijn gezicht een groenige tint kreeg. Hij nam een slokje koffie.

'Nadat we de matten hadden laten onderzoeken, was de auto zelf aan de beurt. We hebben de stoelen en de vloerbedekking eruit gehaald en het frame met luminol bespoten. Het lichtte overal blauw op, Ivan. Met andere woorden, de technische recherche heeft in die auto veel bloedproteïne gevonden. Ze zagen ook allerlei patronen – van spuitend bloed, van spetterend bloed, van stromend bloed.'

Dresden boog zijn hoofd en sloeg zijn handen voor zijn gezicht. 'Ik voel me niet goed.'

'Ja, het is ook om misselijk van te worden. Ben je duizelig?'

'Een beetje.'

'Kan iemand een papieren zak, wat water en papieren handdoeken brengen?' zei Decker in de richting van de videocamera. Even later kwam iemand binnen met de gewenste spullen. Decker zei tegen Ivan dat hij in de zak moest ademen. Onderhand maakte hij een papieren handdoek nat en drukte die tegen Ivans voorhoofd. 'Langzaam ademen.'

'Kunt u me alstublieft een paar minuten met rust laten?'

Decker voldeed aan het verzoek. Na een paar minuten hief Dresden zijn hoofd op. Hij was lijkbleek. Decker gaf hem een bekertje water, dat Dresden gulzig leegdronk. 'Gaat het weer een beetje?'

'Ik wil naar huis.'

'Laat me eerst het verhaal even afmaken.'

'Ik voel me niet lekker.'

'Dat kan ik me voorstellen. Het is niet prettig om zulke dingen te moeten aanhoren, maar het is voor jezelf echt beter dat je weet hoe de vork in de steel zit. Ik zal je alles vertellen, zodat je snapt waar we nog naar zoeken, oké?' Dresden knikte, al keek hij een beetje verdwaasd. 'We weten dat er in de auto iets is gebeurd. Dat weten we, omdat we behalve het bloed nog meer dingen hebben gevonden.'

Dresden staarde hem aan. Zweetdruppels parelden op zijn voorhoofd. Decker gaf hem nog een papieren handdoek.

'We hebben vingerafdrukken gevonden, Ivan. Niet alleen die van jou. Die zijn normaal, omdat je dagelijks in de auto rijdt. Die hadden we verwacht. Nee, het gaat om andere vingerafdrukken. Met bloed eraan.'

Decker begon op zijn vingers af te tellen.

'We hebben getuigen die hebben gezien dat Roseannes auto met een rotgang het parkeerterrein verliet. We hebben bewijs dat ze in de auto erg heeft gebloed. We hebben vingerafdrukken. En we hebben jouw vriendinnetje, Marina Alfonse, die in de kamer hiernaast zit te babbelen.'

'Wat?'

'Je bent op dit moment niet favoriet bij haar...'

'Ik weet niet wat dat wijf allemaal zegt, maar ze is een vuile leugenaarster!' riep Dresden uit. 'Ze heeft in de gevangenis gezeten wegens prostitutie! En ze is aan de drugs!'

Decker zei: 'Dat is nu precies de reden waarom ik jouw kant van het verhaal wilde horen. Omdat haar verhaal voor jou niet gunstig is. Maar je kunt alles natuurlijk makkelijk rechtzetten. Door me te vertellen hoe het is gegaan.'

'Maar dat weet ik niet!' brulde Ivan. 'Waarom gelooft u me niet?'

'Wie zegt dat ik je niet geloof?' zei Decker. 'Laten we even terugkeren naar mijn vragen. Vertel me waarom je de auto opnieuw hebt laten bekleden.'

'Dat heb ik u al verteld; omdat Marina de auto met de kap open in de regen had laten staan.'

'Je had de auto dus aan Marina meegegeven?'

'Nee, ze heeft hem meegenomen... Ze...'

Decker zei: 'Als je nou eens gewoon bij het begin begint, Ivan?'

Opeens kreeg Dresden tranen in zijn ogen. Hij zakte onderuit op zijn stoel en schudde zijn hoofd. Toen hij weer sprak, klonk zijn stem zacht en dof.

'Waarom zou ik? U gelooft me toch niet.'

'Daar zal ik over oordelen nadat je me je verhaal hebt verteld. Je ziet dat ik je nog steeds niet in hechtenis heb genomen, ondanks wat Marina allemaal zegt. Ik speel dit heel fair. Als je mij helpt, kan ik jou helpen.'

Dresden haalde diep adem. 'Ik zal u vertellen wat ik weet, maar het is niet veel.'

Decker gebaarde dat hij kon beginnen.

'Nadat Roseanne bij de vliegtuigramp was omgekomen...'

'Ze is niet bij de ramp omgekomen, Ivan.'

'Ja, dat weet ik.' Dresden droogde zijn bezwete gezicht met wat papieren handdoeken. Hij dronk nog wat water. 'Toen ik dácht dat ze bij de ramp was omgekomen, dacht ik dat ik gek zou worden. Ik leefde in een waas. Vooral...' Hij hief zijn hand op en slikte moeizaam. 'Vooral omdat Roseanne en ik net hooglopende ruzie hadden gehad... Of misschien heet dat niet hooglopend... Het was meer een verbeten ruzie...'

Hij sloeg zijn handen voor zijn gezicht en hief één vinger op om aan te geven dat hij even tot zichzelf moest komen. Decker wachtte af. Even later hief Dresden zijn hoofd weer op.

'Roseanne zou 's middags pas terugkomen uit San Jose. Ze had me de avond ervoor opgebeld en een bericht op het antwoordapparaat ingesproken dat ze... dat ze de volgende dag rond twee uur thuis zou zijn. Toen ik het bericht afspeelde, was...' Hij slikte. 'Marina was bij me. Zij hoorde het bericht ook en zei dat ze in plaats van dat ik haar naar huis zou brengen... want het was al laat en ze woont vrij ver bij me vandaan... dat ze in plaats daarvan wel kon blijven slapen en dat ik haar dan de volgende ochtend vroeg naar huis kon brengen.'

Decker knikte bemoedigend. 'Dat klinkt logisch.'

'Ja, vond ik ook. Maar...' Dresden schudde zijn hoofd. 'Roseanne heeft haar plannen veranderd zonder dat aan mij door te geven. Ze kwam om half zeven 's ochtends thuis, toen Marina er nog was.'

'Waar?'

'Bij mij in de flat.'

'Ik bedoel waar in de flat?'

'O... niet in bed,' antwoordde Dresden. 'Gelukkig niet. Ik moest die dag vroeg op mijn werk zijn... dat heb ik de politie al verteld.'

'Ja, dat weet ik.'

'We waren dus al op en aangekleed. Ik was net koffie aan het zetten toen Roseanne binnenkwam. En toen zag ze Marina, met nat haar. Ze trok meteen haar conclusies.'

De enige mogelijke conclusie, dacht Decker. 'En toen?'

'Ons huwelijk was al lang niet meer te redden,' zei Dresden, 'maar ik wilde niet dat het zo zou eindigen... Oké, ik wilde niet dat ze bij de scheidingsprocedure zo sterk in haar schoenen zou staan. Misschien klinkt dat niet aardig, maar ze was zelf ook geen lieverdje. Ze had zelf ook een ander gehad.'

'Dat weet ik,' zei Decker. 'Wat heeft Roseanne gedaan toen ze jullie tweeën en Marina's natte haar zag?'

'Ze zei heel hatelijk dat ze hoopte dat mijn hoer me beviel, omdat ik binnenkort nieuw onderdak nodig zou hebben.' Hij schudde zijn hoofd. 'Er knapte iets in me. Ik heb haar vastgegrepen. Dat had ik niet moeten doen, maar ik was kwaad. Omdat ze zelf ook ontrouw was.'

'Dat begrijp ik. Ze had je tegen de haren in gestreken.'

'Dat kun je wel zeggen. Ik heb haar vastgegrepen en door elkaar geschud en iets van "Hoor wie het zegt!" gezegd.' Hij kreeg tranen in zijn ogen. 'Ik weet niet meer precies wat er daarna is gebeurd. In mijn herinnering is alles erg vaag. Ik was woedend, maar zij ook. Het werd een hele worsteling. Ik denk dat ik haar een duw heb gegeven. Haar tas viel op de grond en ging open... Dat mobieltje zal er toen wel uit gevallen zijn... Ik weet niet meer of ze nog iets heeft gezegd... misschien dat ze 'vuilak' heeft gesist. Zodra ze zich van me had losgemaakt, heeft ze haar tas gegrepen en is ze woedend vertrokken.'

Hij sprak hijgend.

'Ik was zo kwaad dat ik helemaal stond te trillen. Ik kon haar wel vermóórden!'

Hij keek Decker aan.

'Maar dat heb ik niet gedaan. Marina zei dat ik me niet moest opwinden, dat zij het wel zou regelen. Ze heeft haar tas gepakt en is vertrokken. Ik ben op de bank gaan zitten wachten tot ze terug zou komen. Ik probeerde ondertussen tot bedaren te komen. Er gingen een paar minuten voorbij. Opeens zag ik dat de knopen van mijn overhemd waren gesprongen en dat ik een paar schrammen op mijn borst had. Roseanne moet me met haar nagels gekrabd hebben en om haar van me af te krijgen, heb ik haar die duw gegeven.'

Decker knikte. Dit was de tweede bekentenis in twee dagen die hij opnam. Zijn hele onderarm deed pijn van het schrijven. 'Je hebt haar een duw gegeven om haar van je af te krijgen, niet om haar iets te doen.'

'Nee, niet om haar iets te doen.' Hij keek Decker nijdig aan. 'En ik héb haar ook niks gedaan. Er mankeerde haar niks toen ze wegging. Ze was kwaad, maar niet gewond. Ik ben naar de slaapkamer gegaan om een ander overhemd aan te trekken. Ik kon weer een beetje helder denken en zag dat er al een half uur was verstreken, maar ze waren geen van beiden teruggekomen. Ik heb een schoon overhemd aangetrokken en vond dat ik net zo goed naar mijn werk kon gaan. Ik heb op het parkeerterrein nog gekeken of ik hen ergens zag, maar ze waren nergens te bekennen en Roseannes auto stond er ook niet.'

Hij haalde zijn schouders op.

'Ik ben naar mijn werk gegaan en toen ik daar amper een half uur was, hoorde ik van het vliegtuig dat was neergestort. De rest is vaag. Ik voelde me als verdoofd. Ik wist niet waar Roseanne was. Ik ging er niet automatisch van uit dat ze in dat toestel zat, maar ik wist het niet zeker.'

'En wat heb je toen gedaan?' vroeg Decker.

'Ik heb uiteraard geprobeerd Roseanne te bereiken. Ik heb haar nummer wel twintig keer achter elkaar gedraaid. Opeens belde Marina me om te zeggen hoezeer het haar speet. Ik vroeg wat ze bedoelde.'

Hij slikte weer.

'Ik wist niet of Roseanne in dat vliegtuig zat, alleen dat het een toestel van WestAir was en dat ze me misschien nodig had.'

'Dacht je dat echt?'

'Ze was nog altijd mijn vrouw.' Hij dronk wat water. 'Weet ik veel wat ik dacht! En toen vertelde Marina me dat Roseanne in dat toestel zat. Het was alsof de grond onder mijn voeten wegzakte. Ik vroeg hoe ze dat wist. Ze zei dat ze op het parkeerterrein met Roseanne had gepraat… dat ze waren overeengekomen het later uit te praten, als vrouwen onder elkaar. Dat Roseanne op dat moment geen tijd had om erover te praten, omdat ze haast had om een vliegtuig te halen, het vliegtuig dat was neergestort…'

Weer sloeg hij zijn handen voor zijn gezicht. Decker wachtte geduldig tot hij ze weer liet zakken.

'Ik ben flauwgevallen. Toen ik weer bijkwam, was ik doodmisselijk en volkomen in de war. Ik… ik begreep er niets van. Als Roseanne meteen was teruggekeerd naar San Jose, waarom was ze dan naar huis gekomen? Toen dacht ik terug aan de ruzie en dat die misschien de reden was…'

Nieuwe tranen.

'Ik was zo van slag dat ik geen vraagtekens zette bij Marina's verhaal. Ergens klonk het ook logisch. Ik kon Roseanne niet bereiken en nu zei Marina dat ze in dat toestel had gezeten.'

Tranen stroomden over zijn wangen.

'Ik ben daarna nog heel lang van slag geweest. Ik heb niet gewerkt, ben nergens naartoe gegaan, heb niemand gebeld, de telefoon niet opgenomen. Ik voelde me zo beroerd dat ik hoofdzakelijk heb zitten drinken.' Hij schudde zijn hoofd. 'Ik was een levende dode.'

'Dat kan ik me voorstellen,' zei Decker. 'En ik heb echt met je te doen. Maar we zitten nog steeds met de auto, Ivan. Hoe komt het dat de auto vol zat met het bloed van Roseanne?'

'Dat weet ik niet!' riep Dresden uit. 'Ik heb geen flauw idee!'

'Roseannes auto stond niet op het parkeerterrein toen je die ochtend naar buiten kwam.'

'Nee.'

'Hoe heb je hem dan teruggekregen?'

Dresden fronste en probeerde het zich te herinneren. 'Ik geloof... Ik... O, wacht. Ja. Ik weet het weer. Een paar dagen later, of misschien was het de volgende dag al... in ieder geval nadat het vliegveld was heropend... kwam Marina de auto terugbrengen. Ze zei dat ze hem voor me had opgehaald van het vliegveld. Ze zei dat ze vond dat ik me over zulke kleinigheden niet druk hoefde te maken en dat ze het daarom voor me had gedaan.'

'Maar hoe kwam ze dan aan de autosleutels?'

'Dat weet ik niet. Misschien had ze ze van Roseanne afgepakt.'

Hebbes! dacht Decker.

'Maar waarom zou ik zoiets denken? Ik dacht dat Roseanne bij de ramp was omgekomen.'

'Marina heeft de auto dus een paar dagen later teruggebracht?'

'Nee... nee... wacht...' Hij dacht na. 'Ik weet het weer. Marina zei dat ze de auto had. Ze vroeg of ze hem een poosje mocht lenen. Eerst heb ik nee gezegd. Het leek me niet juist dat ze er gebruik van maakte. En het zou wel erg gênant zijn als iemand zou zien dat mijn vriendin een paar dagen na de dood van mijn vrouw in haar auto reed. Toen zei ze dat ze de auto had opgehaald van het vliegveld en dat hij stonk... alsof iemand er iets in had laten liggen dat was gaan schimmelen, en dat ze hem wilde laten schoonmaken of zoiets. Ik geloof dat ik haar heb gevraagd waar de auto was en dat ze zei dat hij bij haar voor de deur stond. Toen heb ik gezegd dat ze hem onmiddelijk terug moest brengen nadat ze hem had laten wassen en schoonmaken. Ik heb ook gezegd dat we beter een poosje bij elkaar uit de buurt konden blijven, zo vlak na de dood van Roseanne. Daar werd ze erg kwaad om. Maar het was niet zo dat ik van haar af wilde. Ik had alleen maar wat tijd voor mezelf nodig.'

'Dat is heel begrijpelijk. Wat zei ze toen ze hoorde dat je haar een poosje niet wilde zien?'

'Ik weet niet meer wat ze precies heeft gezegd, alleen dat ze opeens begon te schreeuwen dat ze aan iedereen zou vertellen dat we een verhouding hadden en dat ik het niet waard was dat ze tijd aan me verkwistte en dat ze me kapot zou maken. Uiteindelijk heb ik haar tot zwijgen kunnen brengen door haar te beloven dat ze een deel van het geld van de verzekering zou krijgen zodra alles was geregeld.'

'Is ze toen gekalmeerd?'

'Een beetje. Ik weet het niet. Ik kan het me allemaal niet zo goed herinneren.' Hij wreef over zijn voorhoofd. 'Ik geloof dat ze de auto pas na een maand heeft teruggebracht. Hij stonk nog steeds. Toen ik vroeg hoe dat kwam, zei ze dat ze hem per ongeluk met de kap naar beneden in de regen had laten staan. En toen gaf ze me zomaar tweeënhalfduizend dollar en zei ze dat ik hem van dat geld opnieuw kon laten bekleden. Ze gaf me het adres van Jim Franco en zei dat hij goed werk leverde en dat ik dat wel verdiend had na alle ellende die ik had doorstaan.'

'En je vond dat helemaal niet verdacht?'

'Nee. Ik leefde nog steeds in een waas. Ik had een maand vrij genomen van mijn werk en deed niks dan drinken... en roken, als u begrijpt wat ik bedoel.'

'Ja.'

'Afijn, Marina gaf me dus dat geld en zei dat ik daarvan Roseannes BMW moest laten opknappen, en dat leek me eigenlijk best een goed idee. Dus heb ik dat gedaan. Ik heb hem helemaal laten opknappen... de oude bekleding zag er níet uit... en verder heb ik er niet over nagedacht. En toen kwam de politie me vertellen dat Roseanne niet bij de vliegtuigramp was omgekomen. Ik wist meteen dat Roseannes stiefvader daarachter zat. Die man kan me niet luchten of zien. Niet dat het mij iets uitmaakt. Ik mag hém ook niet. Ik maakte me geen zorgen, want daar had ik geen reden toe. Ik had niets gedaan... oké, ik was ontrouw geweest, maar Roseanne net zo goed. Ik had háár niets gedaan. Zelfs nadat die rechercheur haar mobieltje had gevonden, dacht ik: en wat dan nog? Het is alleen maar een telefoon.'

'Waarom heb je hem dan niet gewoon aan de politie gegeven in plaats van hem weg te gooien?'

'Omdat... ik weet het niet... ik was nogal geschrokken toen ik hem zag. Zoals ik al zei, denk ik dat hij uit Roseannes tas is gevallen toen ik haar een duw gaf. Maar jullie deden alsof ik een verdachte was. Ik had geen zin om jullie te vertellen dat we op de ochtend van de ramp ruzie hadden gehad. Daar kunt u toch wel inkomen?'

'Natuurlijk.'

'Toen jullie mijn flat hadden doorzocht en niets hadden gevonden, dacht ik: 'Eindelijk! Nu ben ik van het gezeur af!' En nu wilde de politie opeens de auto doorzoeken... Ik heb meteen mijn advocaat gebeld toen ze met dat rechterlijke bevel kwamen. Hij vroeg of er iets was waarover ik me zorgen diende te maken. Ik zei van niet. Toen zei hij dat ik geen antwoord moest geven als de politie vragen kwam stellen en dat ik hem moest bellen als er problemen waren. Toen u belde met de vraag of ik naar het bureau kon komen om een paar vragen te beantwoorden, vond ik dat ik dat best kon doen zonder hem daarvoor tweehonderdvijftig dollar per uur te betalen.'

Even bleef het stil.

'Misschien had ik hem beter kunnen bellen,' zei hij toen. 'Maar ik heb niks gedaan! Waarom zou ik dan een advocaat laten komen? Ik weet echt niet wat er met Roseanne is gebeurd!'

'Ze is in haar auto vermoord.'

'Ik was er niet bij. Ik ben haar niet achternagegaan. Marina is haar achternagegaan. Waarom vraagt u niet aan háár wat er is gebeurd? Misschien kan zíj antwoord geven op al deze vragen!'

46

Patricia Childress, alias Marina Alfonse, deed echter haar mond niet open. Nog geen minuut na het begin van het verhoor was ze zo verstandig om een advocaat te vragen, precies wat Dresden ook had moeten doen. Decker bleef zich afvragen of Dresden van de bijstand van een advocaat had afgezien omdat hij echt dacht dat hij niets verkeerds had gedaan. Aangezien ze geen bewijzen hadden gevonden die erop wezen dat hij in de auto had gezeten toen de moord was gepleegd, was zijn verhaal misschien wel waar. Hij werd uiteindelijk aangeklaagd wegens knoeien met bewijsmateriaal en kreeg een voorwaardelijke gevangenisstraf met een proeftijd van twee jaar. Hij was dus door de mazen van de wet geglipt, maar de verzekeringsmaatschappij was minder coulant. Het zou nog jaren aan rechtsgedingen duren voordat hij ook maar één cent kreeg uitgekeerd.

Patricia Childress was er gloeiend bij. De politie had niet alleen in de auto een bebloede vingerafdruk van haar gevonden, maar het mes dat Oliver uit haar tas had gevist, bleek sporen te vertonen van het bloed van Roseanne Dresden. Ze werd aangeklaagd wegens moord met voorbedachten rade. Aangezien ze daarvoor de doodstraf kon krijgen, besloot ze, in ruil voor haar volledige bekentenis over wat er in de BMW precies was voorgevallen en waar ze het lijk had begraven, zich schuldig te verklaren aan doodslag, waarvoor ze een gevangenisstraf van vierentwintig jaar zou krijgen.

Op speciaal verzoek van meneer en mevrouw Lodestone vloog Decker naar Fresno voor de begrafenis. Na de plechtigheid bedankte Farley, die er erg somber en onbehaaglijk uitzag in zijn zwarte pak, hem met een stevige handdruk en zei zachtjes: ‘Mooi werk’. Shareen greep zijn hand en bedankte hem uitvoerig voor al zijn harde werk, terwijl de tranen over haar gezicht liepen. Decker vloog diezelfde dag nog terug naar L.A. en hoorde daarna nooit meer iets van hen.

Rina had nog een uur voordat de sjabbes begon en kwam gehaast de keuken uit toen er werd aangebeld. Ze had vanavond een huis vol. Hannah had twee vriendinnetjes te logeren en Jacob, die de semestervakantie thuis doorbracht, had twee studievrienden meegebracht. Ze had ook haar ouders uitgenodigd en een echtpaar dat onlangs in hun buurt was komen wonen. Samen met Koby, Cindy en Peter – aangenomen dat die op tijd thuis zou zijn – waren ze met twaalf man.

Ze kon zich nauwelijks voorstellen dat Cindy en Koby zo vroeg waren. Misschien was het een vriendinnetje van Hannah. Ze droogde haar handen af aan haar schort, deed de deur open en zag twee volslagen vreemden, een echtpaar op leeftijd.

De man droeg een slecht zittend pak met een stropdas, de vrouw een groene jurk en zwarte, orthopedische schoenen en had haar grijze haar opgestoken. Het waren Latijns-Amerikaanse mensen met gerimpelde gezichten die veel van de zon te verduren hadden gehad. De vrouw had een ouderwetse, lakleren tas aan haar arm en hield met beide handen een grote schaal met vers en gedroogd fruit vast. Ze zagen eruit alsof ze regelrecht uit de kerk kwamen, maar dan vijftig jaar geleden.

'Goedemiddag.' Rina glimlachte naar hen. 'Kan ik u ergens mee helpen?'

De vrouw gaf antwoord. 'We zijn op zoek naar inspecteur Decker.'

Rina bleef glimlachen, maar vroeg zich af wat ze moest doen. Peter drukte haar altijd op het hart voorzichtig te zijn, omdat moeilijkheden uit een volslagen onverwachte hoek konden komen. Deze mensen zagen er onschuldig uit, maar konden net zo goed terroristen zijn.

Terroristen met een fruitschaal?

'Hij is er niet,' antwoordde ze. 'Wilt u het adres van het politiebureau?'

'We hebben het bureau gebeld,' zei de man nogal nors. 'Daar zeiden ze dat hij al naar huis was.'

'O.' Rina glimlachte weer, maar liet hen niet binnen. 'Dan is hij onderweg. Kan ik iets voor u doen?'

Opeens kreeg de vrouw tranen in haar ogen. 'Uw man heeft ons zo fantastisch geholpen.'

'Mag ik vragen wie u bent?'

'Sandra en Peter Devargas.'

'O!' zei Rina. 'Komt u binnen!'

'We kunnen wel buiten wachten,' bromde Peter.

'U hebt het vast druk,' zei Sandra.

'Ik heb het altijd druk,' antwoordde Rina. 'Kom gerust binnen.' Ze deed een stap opzij.

Schoorvoetend liep het echtpaar naar binnen. De vrouw zei: 'Dit is voor u en uw man. Een kleinigheid.'

'Dank u wel.' Rina nam de schaal van haar over. 'Gaat u zitten. Wilt u iets drinken? Water? IJsthee?'

'Iets ruikt hier erg lekker,' zei Devargas. 'Maar alles ruikt natuurlijk lekker als je al vierentwintig uur alleen maar fastfood hebt gegeten.' Zijn vrouw porde hem in zijn zij. De man zei: 'Wat is er?'

Rina glimlachte. 'Het is erg aardig van u om dat te zeggen. Ik ben het vrijdagse sabbatmaal aan het bereiden. Wilt u soms mee-eten? Er is meer dan genoeg.'

Devargas zei: 'Dat klinkt...' Weer een por. 'Hou op. Ze vraagt het toch zelf?'

'Dat is erg aardig van u, maar we kunnen echt niet blijven,' zei Sandra.

Rina glimlachte. 'Het is helemaal geen punt, hoor.'

Devargas haalde zijn schouders op, maar Sandra aarzelde nog. Rina, die haar hele leven met oudere, etnische vrouwen te maken had gehad, kreeg een idee. 'Ik zou het heel fijn vinden als u bleef. We zijn met veel vanavond en ik kan wat extra hulp in de keuken goed gebruiken.'

Sandra hield haar tas zo strak omklemd dat haar knokkels wit waren. 'Nou, als u hulp nodig hebt, wil ik wel iets doen.'

'Mooi. Dan mag u een salade maken. Leg uw jas en tas maar op de bank. Die hangt Peter wel op.'

'Waar moet ik die ophangen?' vroeg Devargas.

'Sorry, ik bedoelde inspecteur Decker. Hij zal zo wel thuiskomen. Gaat u lekker zitten, meneer Devargas. Zo dadelijk komen er een heleboel mensen; ik zou het erg prettig vinden als u die wilt binnenlaten.'

'Ja hoor, dat wil hij best.' Sandra liep achter Rina aan naar de keuken. Zodra ze het dampend warme vertrek betrad, ontspande ze zich. 'Zeg maar waar u me hebben wilt.'

Rina gaf haar de groenten voor de salade, een grote schaal en een mes. Sandra waste haar handen en ging aan het werk. Eventjes werkten ze beiden zonder iets te zeggen. Toen zei Sandra: 'Ik hoop dat u het ons niet kwalijk neemt dat we zomaar zijn komen binnenvallen.'

'Helemaal niet. Mijn huis is net een treinstation. Het is hier altijd een komen en gaan van mensen. Ze komen op de etensgeuren af.'

'Ja, als je een gezin hebt, ben je altijd aan het koken.' Behendig sneed de oude vrouw de tomaten aan blokjes. 'Mijn excuses dat mijn man dat zo brutaal zei, van dat het hier zo lekker ruikt. Hij is niet gewend aan fastfood. Ik kook graag en we eten altijd thuis. Al heeft hij wel gelijk. Alles ruikt erg lekker.'

'Dank u.'

'Wat bent u aan het maken?'

'Nou, dit is een kugel, dat is jiddisj voor pastei. Jiddisj is de taal die de joden in Europa spraken. Ik heb voor vanavond twee kugels gemaakt – een zoete van mie, en eentje van aardappelen.'

'Ze zien er prachtig uit.'

'En in deze grote pan zit de stoofpot voor morgen. Dit noemen we cholent. Joden mogen op zaterdag niet koken, maar als we dit gerecht op vrijdag maken, kunnen we het op zaterdag warm eten.'

'Wat interessant. En wat zit erin?'

'Vlees, aardappelen, witte bonen, gerst... maar je kunt er eigenlijk alles voor gebruiken wat je lekker vindt.'

'Maar uw man eet daar dus niet van?'

'Jawel, hoor. Hij is er dol op.'

'Maar hij is toch vegetariër?'

Oeps. Rina glimlachte. 'Hij is geen vegetariër, mevrouw Devargas. We eten koosjer. We mogen alleen vlees eten dat ritueel is geslacht volgens de wetten van onze religie. Daarom zegt hij altijd dat hij vegetariër is als iemand hem een vleesgerecht aanbiedt en hij die persoon niet wil beledigen.'

'O... zit het zo.' Sandra knikte. 'Dat was dan erg aardig van hem.'

'Hij heeft me verteld dat hij bij u heerlijk heeft gegeten. En nu u toch hier bent, mag u me wat recepten geven.'

'Het waren maar alledaagse gerechten, hoor.'

'Dat zijn juist de beste.'

Sandra glimlachte en bloosde. 'Suddergerechten. We maken veel suddergerechten, vooral voor Feast Day. Voor de indianen van de Santa Clara-stam valt die op 12 augustus. Als u ooit rond die tijd in Santa Fe bent, moet u bij ons komen eten.' En ze voegde eraan toe: 'Ik zal ervoor zorgen dat er veel vegetarische gerechten bij zijn, zodat u daarmee geen problemen zult hebben.'

'Dat is erg aardig van u. Wat voor gerechten maakt u zoal voor die dag?'

'Te veel om op te noemen. En er wordt dan gedanst tot aan de morgenstond. Het hoogtepunt is een schitterende korendans. Mijn dochters...' Sandra wendde haar ogen af. 'Mijn dochters kunnen erg goed dansen.'

'Danst u zelf ook?'

Een zweem van een glimlach. 'Soms. En u?'

'Bij bruiloften weet ik niet van ophouden.'

'Een bruiloft is bij uitstek geschikt om te dansen.'

'Vind ik ook.'

Sandra was klaar met de tomaten en begon aan de komkommers. 'Dank u wel dat u niet vraagt waarom we inspecteur Decker willen spreken.'

'Ik bemoei me zo weinig mogelijk met het werk van mijn man,' antwoordde Rina.

'Maar u weet wie we zijn.'

'Ja. De zaak heeft de voorpagina's gehaald en Peter... inspecteur Decker was er nauw bij betrokken.'

'Hij heeft ons erg goed geholpen met... de situatie.'

'Dank u. Hij zal het fijn vinden dat te horen.'

'Ik heb hem nog helemaal niet naar behoren bedankt.'

'Dat bedoelde ik niet,' zei Rina. 'Ik denk dat u hem uitvoerig hebt bedankt, maar dat u zich dat gewoon niet herinnert.'

'Ja, misschien.' Sandra legde het mes neer. 'Maar we zijn niet gekomen om hem te bedanken, mevrouw Decker. We zijn hier omdat...' Ze zuchtte. 'Omdat we zijn hulp nodig hebben.' Sandra keek Rina aan. 'Misschien kunt ú helpen. Eerlijk gezegd vind ik het makkelijker om met een vrouw te praten dan met een man... zelfs met iemand als de inspecteur. Vindt u het vervelend als ik het u vertel?'

'Helemaal niet.'

Sandra rechtte haar schouders en begon. 'Het zit zo. Zoals u weet is onze dochter, Beth, vermoord. Dat staat vast. Maar we weten niet door wie. Er is zelfs geen rechtszaak gehouden. Belize Hernandez heeft zich schuldig verklaard aan een lichter vergrijp en een gevangenisstraf gekregen, maar als hij schuldig was bevonden aan moord zou hij een veel zwaardere straf hebben gekregen.'

'Ik kan me voorstellen dat u het daarmee erg moeilijk hebt.'

'God zal hem en iedereen die het verdient uiteindelijk nog straffen. Daar geloof ik heilig in, in tegenstelling tot mijn man.'

'Geloof is een groot bezit.'

'Amen. Maar dat is niet het probleem, mevrouw Decker. Vorige week kregen we een telefoontje van de politie van Nevada. Een groep wandelaars had in de Mohave Desert een skelet gevonden, in de buurt van de plek die Belize Hernandez aan de politie had aangewezen, de plek waar hij naar eigen zeggen zijn broer, Manny, had begraven. Ik snap eerlijk gezegd niet hoe dat bij de speurtocht van de politie niet aan het licht is gekomen, want ze hebben dat terrein ik weet niet hoe vaak afgezocht. Misschien is dat skelet nu pas door de regen blootgelegd, of heeft een dier het opgegraven. De woestijn leeft en beweegt, neemt en geeft. Net als het leven zelf.' Ze maakte een wapperend gebaar. 'Wat sta ik nu toch te wauwelen.'

'Helemaal niet.'

'Ik praat zo onsamenhangend omdat ik nerveus ben.'

'Ik vind u juist erg helder. Ga door. Ik luister.'

'Dank u. We hebben de gebitsfoto's van Manny. De tandarts die de foto's van Beth had bewaard, had ook die van Manny. Een wonder op zich, want die jongen had zijn hele leven maar één gaatje gehad. Omdat hij gezond at. Weinig suiker, veel hele granen. In tegenstelling tot de geraffineerde producten die je vandaag hebt. Maar goed, dat zeg ik omdat ik ouderwets ben.'

'Ik ben het anders helemaal met u eens.'

'Hoe dan ook, we hebben de foto's naar de politie in Nevada gebracht. Daar onderzoeken ze nu aan de hand van die foto's of het skelet van Manny is.'

'Aha.' Een kookwekker ging af. 'Momentje...' Rina deed de oven open en haalde er twee broccolitaarten uit. 'Neemt u me niet kwalijk.'

'Bent u mal. Ik hoop dat u het míj niet kwalijk neemt dat ik u stoor.'

'Helemaal niet. Wat gaat er met dat skelet gebeuren, als blijkt dat het van Manny is?'

'Dat is nu juist het probleem.' Ze slaakte een zucht. 'Wij zijn eigenlijk zijn naaste familie, afgezien van de man die in de gevangenis zit en zijn vader, die niets met zijn dode zoon te maken wil hebben. Dus moeten wij beslissen wat ermee moet gebeuren.'

'Dat is inderdaad een probleem.'

'We kunnen het achterlaten bij de politie en het aan hen overlaten wat ze ermee doen. Dat is één mogelijkheid.' Ze slikte. 'Maar als ik me goed herinner... was inspecteur Decker, toen we hem voor het laatst spraken, van mening dat Manny het niet had gedaan... dat hij de moord niet heeft gepleegd.'

'Ah.'

'Denkt u dat hij dat echt meende, of dat hij het alleen maar zei voor ons?'

'Als Peter denkt dat Manny het niet heeft gedaan, zou ik hem geloven.'

Sandra keek Rina strak aan. 'U zei dat de zaak de voorpagina's heeft gehaald. Wat denkt u ervan? Wilde uw man ons alleen een goed gevoel geven, of denkt u dat Manny het echt niet heeft gedaan?'

Rina ging aan de keukentafel zitten om erover na te denken. Sandra volgde haar voorbeeld. Uiteindelijk zei Rina: 'Ik zal u vertellen wat ik denk. Soms zegt mijn man inderdaad bepaalde dingen om een klap te verzachten. Maar iedereen die Beth en Manny heeft gekend, alle mensen met wie mijn man heeft gesproken, de vrouw die toen samen met Beth als serveerster werkte, alle voormalige leden van de kerk die naar voren zijn gekomen... al die mensen zeiden dat Beth en Manny een liefhebbend en spiritueel paar waren. Oké, ze rookten hasj en ze hadden nogal aparte ideeën over God, maar hun geloof en hun liefde voor elkaar was eerlijk en oprecht. Manny vatte zijn rol als leider van de groep erg serieus op en Beth wilde dolgraag die organische boerderij op poten zetten. Het kweken van gezonde gewassen en het kweken van goedheid was voor haar iets religieus.'

Rina stond op en roerde in een pan met kerrie-kippensoep.

'Beth was in feite haar tijd vooruit. Misschien was ze zo omdat ze was opgevoed door een moeder die weet dat eten niet alleen lekker maar ook voedzaam moet zijn.'

Sandra stond op en begon paprika's te snijden. 'Dus u denkt dat Manny het niet heeft gedaan?'

'Mevrouw Devargas, ook aardige mensen doen soms slechte dingen, maar door wat ik van mijn man heb gehoord en wat ik in de krant heb gelezen over wat andere mensen die hen hebben gekend, over hen zeiden, zou ik denken dat Manny en Beth een liefhebbend stel waren. Daarom zou ik veel eerder geloven dat Belize het heeft gedaan dan Manny.'

'Maar we zullen het nooit weten, tenzij hij bekent en dat zal hij niet doen, hooguit op zijn sterfbed.' Haar gezicht betrok. 'En dat zal ik niet meer meemaken!' Opeens slaakte ze geschrokken een kreetje en stak haar vinger in haar mond. Ze had zich gesneden. 'Moet je nou zien. Wat een sufferd ben ik toch.'

'Wie met messen werkt, snijdt zich. Het overkomt mij ook zo vaak.' Rina deed een kastje open en gaf haar een pleister. 'Alstublieft.'

Sandra deed de pleister om haar vinger en werkte in stilte door. Na een paar minuten zei ze: 'Ik denk dat ik al weet wat we moeten doen. We moeten het stoffelijk overschot naar huis laten brengen en onze schoonzoon netjes begraven.' Ze knikte. 'Naast Beth. Daar hoort hij.'

Rina kreeg een brok in haar keel. 'Man en vrouw horen naast elkaar begraven te worden.'

'Dat vind ik ook.'

Rina hoorde mannenstemmen in de woonkamer. Even later kwamen de twee Peters de keuken in.

Tot haar opluchting zei Decker: 'Ik ben blij dat je hen hebt uitgenodigd, Rina. Ik vroeg me al af wat we voor Tía Sandy konden doen om haar te bedanken voor alle heerlijke maaltijden die ze me in Santa Fe heeft voorgezet.'

'Niet overdrijven!' protesteerde Sandra.

'Mijn vrouw kan heel lekker koken. Net als haar moeder. Die komt zo dadelijk trouwens ook. Wanneer begint de sjabbes?'

'Over een half uur.'

'Dan mag ik me wel eens gaan douchen en scheren.'

Devargas schraapte zijn keel. Iedereen keek naar hem. 'Eerst wil ik u graag mijn excuses aanbieden dat we zomaar bij u zijn komen binnenvallen.'

'Dat zit wel goed, Peter,' zei Decker. 'Echt.'

'Nee. Het is niet zoals het hoort en dat weet u net zo goed als ik. Maar u kent me inmiddels een beetje, inspecteur Decker. Ik zou niet gekomen zijn om alleen maar dankjewel te zeggen. Helaas zitten we met een probleem.'

Sandra peutte hem in zijn ribben. 'Niet waar.'
'Wel waar,' zei Devargas.
Sandra keek hem indringend aan en zei nogmaals: 'We hebben géén probleem.'
Het bleef stil.
'Ik dacht dat we een probleem hadden,' zei Devargas toen, terwijl hij met een verward gezicht naar zijn vrouw bleef kijken. 'Maar kennelijk is dat niet zo.'
'Geen enkel probleem,' zei Sandra met klem.
Weer viel er een stilte. Toen werd er gebeld.
'Ik doe wel even open,' zei Decker.
Devargas zei: 'Nee, dat is mijn taak.' Hij keek naar Rina. 'Toch?'
'Ja.'
'Dan ga ik opendoen.' Hij liep hoofdschuddend de keuken uit.
Rina zei: 'Peter, kijk je even of dat mijn ouders zijn? Volgens mij zullen papa en meneer Devargas het uitstekend met elkaar kunnen vinden.'
'Dat denk ik ook.' Decker verdween.
Rina zei tegen Sandra. 'Bedankt voor de schaal met fruit. Die nemen we als dessert.'
'Ik had liever een taart gebakken, maar het is zo lastig reizen met een taart.'
Rina lachte. 'Taarten zijn mijn moeders specialiteit. Ze brengt er voor vanavond vast een paar mee. Wacht maar af.'
'Kunt u goed met haar overweg?'
'Heel goed.'
'Dat is fijn,' zei Sandra, met droge ogen. 'Moeders en dochters... die horen bij elkaar.'

aba	vader, papa
Chabad	chassidische beweging
hasjeem	letterlijk: de Naam; benaming voor God
Hasjgacha Pratit	letterlijk: persoonlijk toezicht
ima	moeder, mama
parve	melk- noch vleeskost; neutrale kost